D1293258

LE SEPTIÈME FILS

Joseph Delaney vit en Angleterre, dans le Lancashire. Il a trois enfants et sept petits-enfants. Sa maison est située sur le territoire des gobelins. Dans son village, l'un d'eux, surnommé le frappeur, est enterré sous l'escalier d'une maison, près de l'église.

18, rue Barbès, 92128 Montrouge Cedex
ISBN : 978-2-7470-3425-8
Dépôt légal : novembre 2014

Loi n° 49-956 du 16 juillet 1949 sur les publications destinées à la jeunesse

LE SEPTIÈME FILS

Traduit de l'anglais (Grande-Bretagne)
par Marie-Hélène Delval

bayard jeunesse

À Marie

Le point le plus élevé du Comté
est marqué par un mystère.
On dit qu'un homme a trouvé la mort à cet endroit,
au cours d'une violente tempête,
alors qu'il tentait d'entraver une créature maléfique
menaçant la Terre entière.
Vint alors un nouvel âge de glace.
Quand il s'acheva, tout avait changé,
même la forme des collines
et le nom des villes dans les vallées.
À présent, sur ce plus haut sommet des collines,
il ne reste aucune trace de ce qui y fut accompli,
il y a si longtemps.
Mais on en garde la mémoire.
On l'appelle *la pierre des Ward.*

Ouvrage publié originellement par The Bodley Head,
un département de Random House Children's Books
sous le titre *The Spook's Tale*

18, rue Barbès, 92128 Montrouge Cedex
Première édition

Loi n° 49-956 du 16 juillet 1949 sur les publications destinées à la jeunesse

Traduit de l'anglais (Grande-Bretagne)
par Marie-Hélène Delval

JOSEPH DELANEY

bayard jeunesse

1

Mort d'un apprenti

Je n'avais guère que six ou sept ans quand je fis un terrible cauchemar.

Il commençait comme un rêve agréable. J'étais assis devant l'âtre, dans la salle à manger de notre petite maison de Horshaw. Les yeux fixés sur le feu de charbon, je regardais les étincelles disparaître en dansant par le conduit de la cheminée.

Ma mère était là, occupée à tricoter. Bercé par le cliquètement régulier de ses aiguilles, je me sentais heureux, en sécurité. Couvrant ce bruit léger, j'entendais alors des pas sourds. Je croyais que mon père et mes frères revenaient du travail. Puis, avec un malaise croissant, je comprenais qu'on marchait dans la cave.

Qui pouvait bien être descendu au sous-sol ? Le martèlement de bottes devenait plus fort : on montait les marches de pierre menant à la cuisine. La température baissait soudain. Ça ne ressemblait pas au froid que l'on ressent en hiver ; c'était autre chose.

J'essayais d'appeler ma mère, aucun son ne sortait de ma gorge. Elle continuait de manier tranquillement ses aiguilles tandis que la terreur m'envahissait lentement. Le feu vacillait et mourait dans l'âtre ; à mesure que les pas approchaient, le froid et l'obscurité envahissaient la pièce, et mon épouvante grandissait.

Une ombre noire – une silhouette d'homme – entrait. L'inconnu traversait la salle, marchant droit sur moi. Avant que j'aie le temps de bouger ou de crier, il me soulevait et me fourrait sous son bras. Puis il regagnait la cuisine et s'engageait dans l'escalier de la cave, chaque claquement de botte m'emportant plus profond. Je *savais* que je rêvais, que je devais me réveiller avant d'être plongé dans l'obscurité totale, en bas des marches.

À force de me débattre, j'y parvins juste à temps. Je m'éveillai, haletant d'effroi, le front moite, saisi de tremblements à la pensée de ce qui avait failli m'arriver.

Mais ce ne fut pas la fin du cauchemar.

Il me hanta régulièrement pendant plusieurs années. Pressé par le besoin d'en parler à quelqu'un, je me confiai à mon frère Paul. Je craignais qu'il se moque de moi.

À ma grande surprise, il écarquilla les yeux et, d'une voix chevrotante, me révéla qu'il faisait *exactement* le même cauchemar !

J'eus d'abord de la peine à le croire. Or, c'était vrai. Nous étions tous deux en proie à un rêve identique. Dans un sens, c'était réconfortant. Cependant, cette coïncidence était des plus étranges.

Nous passâmes un accord tous les deux : celui qui rêverait et réussirait à échapper au cauchemar irait réveiller l'autre, qui serait peut-être englué dans ce même cauchemar, attendant d'être emporté dans les profondeurs de la cave.

Combien de fois, la nuit, alors que je dormais paisiblement, ai-je senti mon frère me secouer par les épaules ! Je me dressais sur mon lit, furieux, prêt à le bourrer de coups de poing.

Mais il me chuchotait à l'oreille, les yeux agrandis par la peur, les lèvres tremblantes : « J'ai refait le rêve. »

J'étais alors heureux de ne pas l'avoir frappé ; sinon, la fois suivante, il ne m'aurait peut-être pas réveillé alors que j'en aurais eu grand besoin !

Nous avions beau nous dire que ce n'était qu'un rêve, une chose nous terrifiait tous les deux : nous étions sûrs et certains que, si nous entrions dans les ténèbres, au bas de l'escalier, nous mourrions dans notre sommeil et serions emprisonnés dans ce cauchemar pour toujours.

Une nuit, alors que je ne dormais pas, j'entendis des bruits inquiétants monter du sous-sol. Je crus d'abord que le cauchemar recommençait. Puis, lentement, avec un frisson d'effroi, je compris que c'était bien réel.

Quelqu'un creusait à coups de pelle dans le sol meuble de la cave. Je ressentis de nouveau cet étrange froid surnaturel, j'entendis le martèlement des bottes sur les marches de pierre. Je me bouchai les oreilles, en vain. Finalement, à bout de terreur et de larmes, je me mis à hurler.

Cela se reproduisit plusieurs fois, et ma famille commença à perdre patience. Une nuit, furieux d'avoir été réveillé une fois de plus par mes cris, mon père me traîna au fond de la cave, me jeta dans un coin obscur et verrouilla la porte.

– S'il te plaît, papa ! S'il te plaît ! Je ne veux pas rester là, tout seul dans le noir ! suppliai-je.

– Tu y resteras jusqu'à ce que tu aies appris à nous laisser dormir, répliqua-t-il. Nous devons tous partir travailler de bonne heure. Pense à tes frères et à ta pauvre mère ! Il est temps que tu grandisses un peu.

– S'il te plaît, papa ! Donne-moi encore une chance !

J'eus beau l'implorer, il demeura inflexible.

C'était un brave homme, mais il pouvait se montrer dur. C'est pourquoi il m'abandonna dans cette épouvantable cave. Il ne se doutait pas que je percevais des choses dont les gens ordinaires ignorent la présence, des choses qui vous font dresser les cheveux sur la tête et battre le cœur à vous briser les côtes.

Je l'ignorais à l'époque, mais c'était la conséquence de ma particularité : j'étais le septième fils, et mon père avait été lui aussi un septième fils. Pour moi, le monde était différent. Je pouvais voir et entendre les morts, parfois même sentir leur contact.

Tandis que j'étais assis sur le sol froid de la cave, des êtres chuchotants s'approchaient de moi dans l'ombre, me touchaient de leurs doigts glacés et prenaient des formes qu'un autre que moi n'aurait pas distinguées.

Je frissonnais, pénétré par le froid jusqu'à la moelle des os. Une silhouette émergea des ténèbres, une charge sur le dos.

C'était un homme chaussé de grosses bottes, qui ressemblait à un mineur. Je crus d'abord qu'il transportait un sac de charbon. Puis je vis avec horreur que c'était une femme inerte. Le visage ravagé de larmes, l'homme déposa le corps sans vie dans la fosse qu'il avait creusée et commença à le recouvrir de terre. Il respirait péniblement, les poumons détruits par la poussière de charbon inhalée pendant tant d'années.

Plus tard, un voisin me conta toute l'affaire. Ce mineur, ayant cru faussement son épouse bien-aimée infidèle, l'avait tuée. C'était une triste histoire, et la pitié que je ressentis pour ces êtres morts depuis longtemps m'aida à surmonter peu à peu ma terreur.

Sans que je le sache, ce fut mon premier pas vers mon avenir. Affronter les manifestations de l'obscur en tenant la peur à distance est le premier devoir de tout épouvanteur.

Mon nom est John Gregory, et depuis plus de soixante ans, je protège le Comté contre les fantômes, spectres, sorcières et gobelins. Surtout contre ces deux dernières catégories. Ma tâche est de braver tout ce qui erre sous le couvert de la nuit.

C'est une vie dure et solitaire ; je n'ose compter le nombre de fois où j'ai frôlé la mort. À présent, alors que mon temps sur cette terre approche de son terme, j'assure l'instruction de Tom Ward, qui sera mon dernier apprenti.

Voici donc un récit de mes débuts. J'expliquerai comment j'ai abandonné une vocation pour une autre et comment j'ai été conduit à devenir moi-même l'apprenti d'un épouvanteur.

J'avais douze ans lorsque je m'en allais de chez moi, non pour apprendre le métier d'épouvanteur, mais pour gagner le séminaire de Houghton, car je me destinais à devenir prêtre.

C'était une belle journée d'octobre, froide et ensoleillée. La longue marche qui m'attendait ne me rebutait pas ; l'idée de commencer une nouvelle vie m'emplissait d'énergie.

– C'est une grande fierté pour moi, mon garçon, me dit mon pauvre père en cherchant son souffle.

La poussière de charbon lui avait encrassé les poumons, et sa santé se dégradait de mois en mois.

– C'est ce que tout père aimant peut désirer de mieux : qu'un de ses fils choisisse le sacerdoce. J'attends le jour où tu reviendras pour me donner ta bénédiction.

Ma mère, déjà au travail, m'avait dit au revoir la veille au soir. Quatre de mes frères aînés avaient quitté définitivement la maison ; l'un d'eux était mort, noyé accidentellement dans le large canal qui relie Priestown à Caster. Mes deux autres frères, qui vivaient encore avec nous, s'étaient mis en chemin avant l'aube. Andrew était apprenti serrurier, Paul employé à la mine.

Avant de m'engager sur la route de Houghton, je m'arrêtai dans notre petite paroisse pour parler au père Barnes.

Il avait été mon unique professeur. Ses sermons inspirés et son action infatigable en faveur des pauvres m'avaient insufflé le désir de suivre ses traces. La dure besogne de la mine n'était pas pour moi. J'allais devenir prêtre et me mettre au service de mes semblables.

Alors que je sortais de Horshaw, j'aperçus quelqu'un qui creusait dans un champ attenant à l'église. Je crus d'abord qu'il s'agissait d'un fossoyeur. Puis je remarquai qu'il travaillait à la lisière extérieure du cimetière, hors du sol consacré. Il portait un habit de prêtre : une robe à capuchon.

Cependant, j'avais trop d'autres idées en tête pour m'interroger plus longtemps. Je pris un raccourci à travers la haie et traversai le cimetière jusqu'à notre pauvre église, fort mal entretenue. Son état n'allait pas en s'améliorant : une tempête récente avait encore arraché quelques tuiles à la toiture. Le père Barnes devait régulièrement récolter des fonds pour les réparations.

En entrant dans l'église, je le trouvai debout dans l'allée centrale, occupé à compter des pièces de cuivre.

– Je viens vous dire au revoir, mon père, lui dis-je, et ma voix résonna sous la voûte de pierre.

– Et tu te vois déjà là-bas, n'est-ce pas, John ? me demanda-t-il, l'œil brillant d'excitation, à croire que c'était lui qui s'en allait.

– Oui, mon père. J'ai hâte de commencer mes études. Grâce au latin que vous m'avez enseigné, je partirai sur de bonnes bases.

– Tu as toujours été un élève attentif, mon garçon. J'espère te voir un jour prendre cette paroisse en charge. Ce serait une bénédiction qu'un membre de notre troupeau devienne son berger. Que pourrions-nous désirer de meilleur ? Je ne serai pas toujours là.

Bien qu'ayant dépassé la soixantaine, le père Barnes, petit homme noueux et grisonnant, paraissait toujours en forme et loin de la retraite. Néanmoins, quelqu'un devrait tôt ou tard le remplacer à la tête de cette petite communauté.

Je me souviens avoir pensé à la fierté de mon père si un de ses fils devenait le pasteur de la paroisse !

– On dirait que la quête de ce dimanche a été bonne, mon père, dis-je en regardant la bourse rebondie qu'il soupesait.

Il sourit.

– Un peu plus fructueuse qu'à l'ordinaire, en effet. C'est surtout grâce à la somme que l'Épouvanteur m'a remise. Tu l'as vu, près de la haie ? Il m'a payé l'autorisation de creuser une tombe à cet endroit.

Bien que les épouvanteurs combattent les sorcières et débarrassent le pays des spectres et des gobelins, l'Église voit d'un mauvais œil leur relation avec les créatures de l'obscur. Les épouvanteurs n'étant pas membres du clergé, on ne leur reconnaît pas le droit de lutter contre le mal. Leurs méthodes choquent les prêtres. Certains ont été emprisonnés, voire parfois condamnés au bûcher. Le père Barnes, cependant, en homme tolérant, prenait les gens comme ils étaient.

– J'ai cru que c'était un fossoyeur, dis-je. Et ça m'a paru bizarre qu'il creuse à cet endroit.

– Son apprenti est mort la nuit dernière et, à cause de sa fonction, il ne peut reposer dans un sol consacré. Mais l'Épouvanteur désirait que le pauvre garçon soit enterré le plus près possible du cimetière, pour réconforter un peu sa famille. Pourquoi pas ? Quel mal y a-t-il à ça, hein ?

Ayant pris congé du père Barnes, je me remis en route, mon manteau boutonné jusqu'au cou pour me protéger du vent d'est. Je passai non loin de l'endroit où l'Épouvanteur creusait toujours.

Le corps d'un garçon était allongé près de la fosse. Il ne paraissait guère plus âgé que moi. Malgré la distance, je distinguai ses yeux grands ouverts et ses traits déformés par une expression de terreur absolue.

Choqué, je vis que sa main gauche avait disparu, ne laissant qu'un moignon sanglant. Qu'est-ce qui l'avait tué ? Était-ce un accident ?

Alors que je pressais le pas, l'Épouvanteur regarda dans ma direction. Il avait des sourcils broussailleux et une épaisse chevelure noire. Mais le plus frappant était la profonde cicatrice qui lui balafrait le côté gauche du visage.

Je me souviens m'être demandé en quelle circonstance il avait été ainsi défiguré. Avec un frisson, j'imaginai une sorcière lui labourant la chair d'une griffe acérée.

Les heures du jour passèrent rapidement, bientôt le soleil baissa à l'horizon. N'ayant aucune chance d'atteindre Houghton avant le crépuscule, j'envisageais de passer la nuit dans une grange ou quelque autre bâtiment.

J'étais muni d'un paquet de sandwiches au fromage pour calmer ma faim, il ne me restait qu'à trouver un abri. Le temps était sec, chose rare dans le Comté à cette époque de l'année. Mais, à mesure que le soleil descendait, le brouillard s'élevait.

Au bout d'un moment, je n'y voyais plus à dix pas. Je m'écartai je ne sais comment du chemin ; je fus bientôt complètement perdu.

Le froid était de plus en plus vif, et l'obscurité de plus en plus profonde. La perspective d'une nuit en plein air ne me souriait guère, mais je n'avais pas d'autre solution.

Ayant atteint la lisière d'un bois, je me résignai à m'installer sous un arbre pour tenter de dormir. J'entendis alors des pas, à quelque distance de là. Je retins mon souffle, dans l'espoir qu'ils s'éloigneraient. Malheureusement, ils se rapprochaient.

Je n'avais aucune envie de rencontrer un étranger, ici, dans le noir, à des miles de tout lieu habité. Il pouvait fort bien s'agir d'un de ces détrousseurs qui vous coupent la gorge rien que pour vous voler votre manteau. Des gens disparaissaient parfois, dans le Comté, et on ne les revoyait jamais. La campagne n'était pas sûre, à la nuit tombée.

2
L'antre de la sorcière

Une silhouette sortit du brouillard, marchant droit vers moi. L'espace d'un instant, je la pris pour un prêtre, à cause de sa tenue. Puis je compris que c'était un épouvanteur.

Vêtu d'un long manteau à capuchon, il était chaussé de bottes de belle qualité. Quand il fut assez près, je reconnus la cicatrice sur son visage. C'était l'homme qui avait creusé une tombe à côté du cimetière de Horshaw.

– Tu es perdu, petit ? me demanda-t-il, son regard vif me fixant sous les sourcils broussailleux.

Je hochai la tête.

– C'est ce que je pensais. Voilà des miles que je marche derrière toi. Tu fais assez de bruit pour réveiller un mort ! Il n'est pas très recommandé d'attirer l'attention, dans ce coin. Où te rends-tu ?

– Au séminaire de Houghton. Je vais y étudier pour devenir prêtre.

– Vraiment ? Eh bien, tu n'atteindras pas la ville cette nuit. Suis-moi ! Je vais tâcher de te trouver un endroit un peu plus confortable pour dormir. La région est plus dangereuse que jamais, tu seras mieux en ma compagnie.

À cette proposition, j'éprouvai des sentiments contradictoires. La proximité d'un épouvanteur me rendait nerveux ; d'un autre côté, l'idée de passer la nuit, seul, en pleine nature, à la merci de n'importe quel voleur n'avait rien d'engageant. Et qu'entendait-il par « la région est plus dangereuse que jamais » ?

Comme s'il avait lu dans mes pensées, il grommela :

– À ton aise, petit ! Je cherche seulement à t'aider.

Et, me tournant le dos, il se remit en marche.

Un instinct secret décida alors pour moi.

– Je vous remercie, lançai-je. Je viendrai volontiers avec vous.

Je le suivis donc entre les arbres, scrutant l'épaisseur de brume avec inquiétude.

On raconte que des esprits et toutes sortes d'êtres effroyables traînent dans le sillage des épouvanteurs à cause du genre de tâches qu'ils accomplissent. C'est pourquoi la plupart des gens traversent la route pour éviter de les croiser. Et j'étais près de l'un d'eux à le toucher, par une noire nuit de brouillard.

Il me conduisit jusqu'à une vieille grange, où nous nous installâmes sur de la paille sèche. Si la toiture était percée et la porte arrachée, l'absence de pluie et de vent rendait l'endroit presque confortable.

L'Épouvanteur sortit de son sac une lanterne qu'il alluma, tandis que je déballais mes sandwiches. Je lui en proposai un.

Il déclina l'offre avec un sourire :

– Merci, petit. C'est généreux de ta part. Mais j'ai l'habitude de jeûner avant d'affronter l'obscur.

– Il y a des créatures de l'obscur dans les environs ? m'enquis-je, pas très rassuré.

– C'est plus que probable, répondit-il avec une grimace. Aujourd'hui, j'ai enterré mon apprenti. Il a été tué par un gobelin. Tu sais ce qu'est un gobelin ?

Je fis signe que oui. Les gobelins, m'avait-on dit, étaient des esprits qui causaient de nombreuses nuisances, brisaient la vaisselle ou cognaient contre les portes pour effrayer les gens. Je n'avais cependant jamais entendu parler d'assassinats.

– Il y en a eu un à la Bouteille Verte, une taverne de Horshaw, racontai-je. Il hurlait dans les conduits des cheminées et sifflait par les trous des serrures.

Il est resté là un bon moment, mais il n'a jamais blessé personne. Au bout de quelques semaines, il a disparu.

– Il appartenait donc à la catégorie des *siffleurs*, m'apprit l'Épouvanteur. Ils sont généralement inoffensifs. Il y a aussi les *frappeurs*, qui se contentent ordinairement de faire du bruit. Ils se nourrissent de la peur qu'ils inspirent; c'est ainsi qu'ils augmentent leur pouvoir. Les frappeurs peuvent alors se changer sans avertissement en *lance-cailloux*, capables de tuer en projetant sur les gens d'énormes blocs de rocher. Certains sont encore plus dangereux. Je viens de m'affronter à un *briseur d'os*. Ceux-là ouvrent les tombes récentes pour en extraire les cadavres. Ils déchirent leur chair et dévorent la moelle de leurs os.

Imaginer cette scène suffit à me glacer le sang. Mais il n'avait pas terminé.

– Les pires, poursuivit-il, prennent goût à la chair humaine. C'est le cas quand une sorcière s'en mêle. Certaines sorcières puisent leur noire puissance dans la magie des ossements. Pour une créature aussi maléfique, prendre le contrôle d'un briseur d'os est un excellent moyen d'obtenir ce dont elle a besoin.

– C'est affreux, lâchai-je, frissonnant.

– Oui, petit, et le mot est faible. Ça dépasse en horreur ce qu'on voit sur les champs de bataille. Il y a deux nuits de ça, j'étais en route pour mettre un briseur d'os hors d'état de nuire, quand il a attaqué. Je l'ai entendu approcher et j'ai crié pour avertir mon apprenti. Trop tard, hélas ! En voulant lui arracher le pouce gauche, le gobelin lui a emporté toute la main jusqu'au poignet. Je n'ai pas pu faire grand-chose. J'ai déchiré son manteau en lanières pour improviser un garrot et tenter de stopper l'hémorragie. Mais ses lèvres sont devenues bleues, il a cessé de respirer. La commotion l'avait tué.

D'une voix altérée, il conclut :

– Rien ne laissait prévoir un tel drame. Le gobelin ignorait que nous étions dans les environs. Je soupçonne une sorcière de l'avoir lancé contre nous.

Il fixa le mur un long moment en silence comme s'il revivait ces terribles évènements, et j'en profitai pour examiner son visage.

La cicatrice, extrêmement profonde, lui courait du haut du front jusqu'au bas du menton. Il avait eu de la chance de ne pas perdre son œil gauche. La balafre laissait une ligne blanche au travers de son sourcil, dont les deux moitiés n'étaient plus tout à fait alignées.

L'Épouvanteur me jeta un bref regard. Je me détournai, mais il avait remarqué mon intérêt.

– Ce n'est pas beau à voir, hein ? grommela-t-il. C'est l'œuvre d'un autre gobelin, un lance-cailloux, bien que ce soit une autre histoire...

– Celui qui a tué votre apprenti, demandai-je, il est encore dans les parages ?

– Il n'est sûrement pas loin. Ça s'est passé à moins d'un mile d'ici, au sud du bois de Grimshaw, dit-il en désignant la porte. C'est là que je vais me rendre aux premières lueurs du jour. Il faut que j'achève ce boulot.

L'idée d'une créature aussi redoutable furetant à proximité de notre abri me mettait les nerfs en pelote, et je sursautais à chaque bruit. Néanmoins, épuisé, je finis par m'endormir.

Dès le point du jour, nous échangeâmes un bref salut en nous souhaitant une bonne journée. L'Épouvanteur reprit sa route, et moi la mienne.

Le temps avait changé. L'air était incroyablement tiède pour la saison, et de lourds nuages se rassemblaient au-dessus de ma tête. Je n'avais pas parcouru un mile que j'entendais les premiers grondements du tonnerre.

Bientôt, des éclairs fourchus sillonnaient le ciel. Je n'ai jamais aimé l'orage, et j'avais hâte de m'éloigner des arbres pour ne pas être frappé par la foudre.

J'aperçus alors devant moi ce que je pris pour une maison abandonnée. Des planches condamnaient l'une des fenêtres, les vitres de l'autre étaient brisées, et la porte pendait sur ses gonds. Cela me parut un bon endroit où m'abriter, le temps que la tempête passe.

À peine le seuil franchi, je compris mon erreur.

Je relevai les signes d'une occupation récente. Les cendres fumaient encore dans l'âtre de la salle, et un morceau de chandelle était fixé sur le rebord de la fenêtre. Une chandelle de cire noire.

À cette vue, mon cœur s'affola. Les sorcières, dit-on, utilisent ce genre de chandelles. Leur couleur sombre est due au sang qu'elles mêlent à la cire. J'avais pénétré dans le repaire d'une de ces créatures !

Retenant mon souffle, je tendis l'oreille. Un profond silence régnait dans la maison. Je n'entendais que le martèlement de la pluie sur le toit. Devais-je partir en courant ? Serais-je plus en sécurité au-dehors, à la merci des éléments ?

Prêt à fuir au moindre signe de danger, j'approchai sur la pointe des pieds de la porte de la cuisine et la poussai. Ce que je découvris était mauvais signe. Très mauvais signe...

Des ossements s'entassaient sur le carrelage, dans un coin : des tibias, des péronés, des phalanges, et même un crâne. Tout mon corps se mit à trembler. Ce n'étaient pas les restes d'animaux qu'on avait cuisinés. Ces ossements étaient bel et bien humains. Parmi eux, il y avait quantité d'os de pouces.

Je fis demi-tour et filai vers la porte. Trop tard !

J'aperçus une silhouette à travers la fenêtre cassée. Quelqu'un approchait sous les arbres, une femme vêtue de noir, dont la longue jupe traînait dans l'herbe mouillée. Je ne distinguai pas son visage, le ciel s'étant encore assombri.

Soudain, elle s'arrêta, et un éclair me révéla ses traits. J'aurais donné n'importe quoi pour ne pas les avoir vus ! Ses yeux réduits à deux fentes et son nez osseux, presque dépourvu de chair, lui donnaient une expression cruelle.

Redressant la tête, elle renifla bruyamment à trois reprises avant de marcher à grands pas vers la maison, comme si elle avait senti ma présence.

Je courus de nouveau dans la cuisine, espérant m'échapper par la porte de derrière. Je tentai désespérément de l'ouvrir. Elle était verrouillée et trop massive pour que je puisse l'enfoncer. Il ne restait pour issue que deux escaliers : l'un montant à l'étage ou l'autre, en pierre, descendant vers l'obscurité de la cave. Je n'avais guère le choix !

Je gagnai en hâte l'étage sur la pointe des pieds. La sorcière était sûrement près d'entrer.

Deux chambres donnaient sur le palier. Laquelle choisir ? Le temps me manquait pour réfléchir. Je poussai la porte de la première. Il n'y avait pas de lit, rien qu'une table, un tas de tapis moisis, une chaise bancale et une vieille paire de souliers à bouts pointus et aux semelles usées.

Je m'assis sur le plancher, m'efforçant de rester aussi immobile que possible. J'entendis la sorcière pénétrer dans la maison, traverser la salle et marcher dans la cuisine. Allait-elle monter ?

Un éclair illumina les carreaux, aussitôt suivi d'un violent coup de tonnerre. L'orage était juste au-dessus de nous. Je perçus le claquement des talons de la sorcière qui traversait la cuisine dallée, puis le bois des marches craqua.

Elle montait. Un froid surnaturel envahit la chambre, le même froid que j'avais ressenti la nuit où mon père m'ayant enfermé dans la cave, j'avais dû affronter le mineur mort.

La sorcière n'entrerait peut-être pas dans cette chambre ? Ce n'était apparemment qu'un débarras. Dans l'autre, il y avait sans doute un lit, où elle se coucherait pour dormir. Je me glisserais alors hors de la maison et filerais loin d'ici !

« Je vous en supplie, mon Dieu ! Je vous en supplie ! priai-je en silence. Faites qu'elle entre dans l'autre chambre ! »

Ma prière ne fut pas exaucée. Mon dernier espoir s'évanouit quand j'entendis la sorcière se diriger droit vers la pièce où je me cachais. Elle se tint un instant derrière la porte. Mon cœur battait à se rompre, la sueur me poissait la paume des mains, et le froid s'intensifiait.

Puis elle ouvrit la porte et me regarda. Ces yeux cruels plongés dans les miens, je me sentis comme un lapin face à une hermine. Je voulus me lever ; je ne pouvais plus bouger. Ce n'était pas seulement la peur qui me pétrifiait. Était-ce un effet de la magie noire ?

Horrifié, je vis la sorcière tirer de sa poche un couteau à longue lame tranchante. Elle s'avança, sûrement dans l'intention de me trancher les os des pouces. Levant le couteau, elle me saisit brutalement par les cheveux et me renversa la tête en arrière. Elle allait m'égorger !

3
Les os d'un épouvanteur

– Je suis désolé ! m'écriai-je. Vraiment désolé ! J'ignorais que la maison était occupée. Je n'avais pas l'intention d'entrer chez vous, je voulais seulement m'abriter de l'orage.

– Bien sûr, tu n'avais pas l'intention de venir ici, petit, fit la sorcière d'une voix rauque. C'est moi qui t'ai attiré dans ma toile grâce au *sort d'araigne*. Et te voilà bien pris, à ce qu'il me semble.

Tandis qu'elle parlait, la lame du couteau se balançait devant ma gorge. Je déglutis, les yeux fermés, dans l'attente de la douleur.

Puis elle me lâcha, et je rouvris les yeux. Elle tenait

une mèche de cheveux à la main. Son couteau ne lui avait servi qu'à me la couper.

– Sans mon aide, me prévint-elle, tu ne pourras ni te libérer, ni quitter cette maison. Du moins, tant que tu auras un souffle de vie. Toutefois, si tu te montres obéissant, je te laisserai partir. Es-tu prêt à faire exactement ce que je te dirai ?

Tremblant comme une feuille, prêt à défaillir, j'étais toujours incapable de bouger – sauf les lèvres, que j'entrouvris pour souffler :

– Oui.

– Je vois que tu es un garçon intelligent, reprit la sorcière. Mais si tu tentes de me tromper, j'enverrai *Snatcheur* à tes trousses. Il te dépècera pour me rapporter ta carcasse.

Je supposai que ce Snatcheur était le gobelin. L'Épouvanteur avait vu juste. Le briseur d'os était sous les ordres d'une sorcière.

– Tout ce que tu auras à faire, poursuivit-elle, c'est amener l'Épouvanteur jusque chez moi. Il ne va pas tarder à retrouver ma trace, mais c'est moi qui vais m'occuper de lui ! Amène-le-moi, c'est tout.

– Vous ne pouvez pas l'attirer ici comme vous l'avez fait pour moi ?

La sorcière secoua la tête.

– Le sort d'araigne n'aura aucun effet sur lui. Il est trop vieux, trop fort, trop habile. Dis-lui simplement que tu as voulu t'abriter de l'orage dans cette maison, et qu'en regardant par le carreau, tu as vu un enfant ligoté, suspendu à un crochet tandis qu'une sorcière touillait quelque chose dans un chaudron. Ça devrait marcher. Il s'imaginera me prendre par surprise ; et moi, je l'attendrai.

– Que ferez-vous, alors ? m'enquis-je d'une voix incertaine.

Un rictus carnassier étira la bouche de la sorcière.

– Il n'y a rien de plus puissant que les os d'un épouvanteur. Surtout ceux des pouces. Et je saurai bien utiliser ce qui restera de lui. Je n'aime pas le gaspillage. Mais ça, c'est mon affaire. Toi, contente-toi de l'amener ici. Dès qu'il aura franchi le seuil, je m'en occuperai. Tu n'auras plus qu'à reprendre ta route et oublier que tu m'as rencontrée. Qu'en dis-tu ?

C'était horrible. Elle m'obligeait à mener l'Épouvanteur à sa perte. Et si je n'obéissais pas, je ne quitterais jamais cette maison ; ce serait moi qui mourrais. Que faire ?

J'optai pour la lâcheté :

– C'est d'accord.

La sorcière m'adressa un sourire torve, et je fus aussitôt libéré des liens invisibles qui m'entravaient.

– Descends, m'ordonna-t-elle.

Elle traversa la cuisine derrière moi et m'accompagna dans la salle de devant. Puis elle me suivit du regard depuis le seuil tandis que je m'éloignais.

– N'oublie pas, petit, me lança-t-elle. Snatcheur aimerait beaucoup me rapporter tes os ! Dès qu'il aura reniflé cette mèche de cheveux, il te retrouvera n'importe où. Aussi loin que tu ailles, il te retrouvera. Alors, fais ce que je t'ai dit ou attends-toi au pire ! Amène cet Épouvanteur ici à la tombée du jour, sinon je lance Snatcheur à tes trousses ! Et tu ne verras pas le soleil se lever.

Terrifié, je pris la direction que l'Épouvanteur m'avait indiquée la veille au soir, tournant et retournant dans ma tête tout ce qui venait d'arriver. J'étais englué dans un cauchemar dont je n'avais nul espoir de me réveiller.

Le tonnerre grondait au loin, et la pluie n'était plus qu'une bruine. Mais une autre tempête faisait rage dans ma tête.

Et si je rebroussais tout simplement chemin pour me rendre droit à Houghton ? Le gobelin saurait-il vraiment flairer ma trace ? Ou la sorcière avait-elle seulement tenté de m'effrayer ? Le risque me paraissant trop grand, je continuai de marcher pour rejoindre l'Épouvanteur.

Et si je lui disais la vérité ? Que je devais l'entraîner jusqu'à la maison ? Serait-il capable de m'aider ?

Ça me paraissait peu probable. Il n'avait même pas su protéger son propre apprenti...

Je ne mis guère de temps à le rattraper. Le bois de Grimshaw, principalement composé de frênes, de chênes et de sycomores, s'étendait au fond d'une vallée étroite. Comme j'approchais de la lisière, mes pieds s'enfonçant dans une épaisse couche de feuilles mortes, j'entendis quelqu'un remuer la terre meuble.

Là, près des racines d'un très vieux chêne, deux hommes creusaient une fosse. L'Épouvanteur les observait, les bras croisés. Non loin de là, un cheval attendait, attelé à une charrette sur laquelle était ficelée une large dalle de pierre.

L'Épouvanteur se retourna à mon approche, mais les deux hommes poursuivirent leur tâche sans même jeter un coup d'œil dans ma direction.

– Qu'est-ce qui ne va pas, petit ? Tu es encore perdu ? me demanda-t-il.

– J'ai trouvé une sorcière ! m'écriai-je. J'ai voulu m'abriter de l'orage dans une maison abandonnée. Enfin j'ai cru que c'en était une. Mais, en regardant par la fenêtre, j'ai vu un enfant ligoté, et une femme qui touillait le contenu d'un gros chaudron...

L'Épouvanteur me fixa durement.

– Un enfant ligoté, dis-tu ? Sale affaire ! Mais comment as-tu su que cette femme était une sorcière ?

Me rappelant le froid qui régnait dans la maison, j'expliquai :

– J'ai eu froid, très froid. Je ressens la même chose à proximité des fantômes, qui sont des créatures de l'obscur comme les sorcières, n'est-ce pas ?

L'Épouvanteur acquiesça d'un hochement de tête. Puis il m'interrogea, soupçonneux :

– Tu as déjà vu beaucoup de fantômes ?

– Il y en a deux dans notre cave. Un mineur et la femme qu'il a tuée.

– Comment t'appelles-tu ?

– John Gregory.

Il me dévisagea d'un air pensif.

– Tu as des frères, John ?

– Six, répondis-je. Je suis le dernier à quitter la maison.

– Tu es donc le plus jeune. Et ton père ? Combien a-t-il de frères ?

– Six, comme moi. Il était le plus jeune, lui aussi.

– Sais-tu ce que cela fait de toi, petit ?

Je secouai la tête.

– Cela fait de toi le septième fils d'un septième fils. Tu as une particularité : la capacité de voir les morts et de traiter avec eux si nécessaire, de leur parler, de leur permettre de quitter ce monde pour aller vers la lumière. C'est un don.

Il baissa soudain la voix :

– Où se trouve cette maison ?

– Par là-bas. Pas très loin de la grange où nous avons passé la nuit.

– Et tu es tombé sur un endroit où une sorcière tient un enfant captif ? Comme ça ? Par hasard ? Es-tu sûr de me dire la vérité ? Tu as peur, je le vois. Et personne ne peut t'en blâmer, si tu as vraiment été témoin d'une telle chose. Mais, dans mon travail, il est utile de savoir discerner si quelqu'un ment ou ne révèle pas tout. On se fonde pour cela sur l'instinct et sur l'expérience. Et, en te regardant, j'ai un doute. Je me trompe ?

Je me mis à trembler, la tête basse, incapable de supporter son regard. Puis je lâchai d'une traite :

– Il n'y a pas d'enfant. C'est la sorcière qui m'a ordonné de dire ça. Elle m'a coupé une mèche de cheveux en m'assurant que le gobelin viendrait prendre mes os si je n'obéissais pas. Elle veut vous attirer dans sa maison. Elle a promis de me laisser aller si je vous y emmenais. Je suis désolé d'avoir menti, mais j'ai peur. J'ai très peur. Je n'ai que jusqu'à la tombée de la nuit pour vous entraîner là-bas. Après ça, elle enverra son gobelin à mes trousses.

– Bien, à présent on sait où on en est, déclara l'Épouvanteur. Mentais-tu aussi en parlant de la sensation de froid ?

Je secouai la tête.

– Non, c'est vrai. J'étais enfermé dans une chambre de l'étage, et quand elle est entrée dans la maison, j'ai ressenti ce froid étrange.

– Et tu es bien le septième fils d'un septième fils ?

J'acquiesçai d'un signe de tête.

– Eh bien, moi, petit, je ne mens jamais. Aussi, je vais te dire la vérité, aussi désagréable soit-elle. La sorcière détient une mèche de tes cheveux, elle peut s'en servir pour tisser de noirs sortilèges. Elle peut te faire souffrir si elle le désire, ou te rendre malade, ou aider le gobelin à te retrouver. Il existe sous la terre de mystérieuses lignes de pouvoir. On les appelle les *leys*. Le Comté en est sillonné. Les gobelins les utilisent pour se déplacer rapidement d'un endroit à un autre. Ce briseur d'os pourrait se rendre à Houghton en un clin d'œil et te prendre tes os comme il a pris la main de mon malheureux apprenti. Et aucun des prêtres de ce noble séminaire ne serait capable de te venir en aide. Tu es donc en grand danger, tu peux me croire. Mais sache que ça ne t'aurait servi à rien de m'amener dans cette maison. La sorcière ne t'aurait pas laissé partir. Elle t'aurait pris tes os, à toi aussi. Nous sommes l'un et l'autre les septièmes fils d'un septième fils, c'est pourquoi nos os ont tant de prix à ses yeux. Ils augmenteraient la puissance de sa magie noire. Voyons donc ce que nous pouvons faire pour échapper à un tel destin.

Fermant les yeux, l'Épouvanteur se plongea dans ses pensées.

Il resta silencieux plusieurs minutes. On n'entendait plus que le bruit des pelles entamant la terre. Le temps passait, le crépuscule approchait.

Enfin, l'Épouvanteur hocha la tête, comme s'il venait de prendre une grave décision.

– Nous allons nous rendre dans cette maison, sachant l'un et l'autre ce qui nous attend. J'ai une chance de prendre la sorcière par surprise et de l'entraver, bien qu'il faille craindre également l'intervention du gobelin. De plus, nous allons pénétrer sur le territoire de la sorcière. Si elle vit dans cette maison depuis quelque temps, l'endroit peut être truffé de pièges et imprégné de magie noire.

Il serra les mâchoires, l'air déterminé.

– Non ! Laissons-la plutôt venir à nous ! Laissons-la affronter ce que nous lui aurons préparé !

Il s'adressa à ceux qui creusaient.

– Désolé, les gars ! Cette fosse ne conviendra pas. Il va falloir en creuser une autre ailleurs...

Les deux hommes s'appuyèrent sur leurs pelles et le fixèrent avec un mélange d'incrédulité et de mécontentement.

– Ne faites pas cette tête, leur lança l'Épouvanteur. Je vous paierai le double en guise de dédommagement. Vous connaissez la tour de Demdike ?

– Oui, répondit le plus costaud. C'est une ruine. Un endroit qu'il vaut mieux éviter après la tombée de la nuit, si vous voulez mon avis, monsieur Horrocks !

– Vous serez en sécurité avec moi, leur assura l'Épouvanteur. D'ailleurs, ce qui rôde dans les parages ne s'en prendra pas à vous. Mais nous devons agir vite. Le gobelin que nous allons entraver se montrera dès le coucher du soleil. Alors, suivez-moi !

Sur ces mots, il partit à grands pas furieux.

Je m'élançai sur ses talons. En me retournant, je vis que les deux hommes jetaient leurs pelles dans la charrette.

– Pourquoi le gobelin ira-t-il à la tour de Demdike ? m'enquis-je.

– Allons, petit ! Réfléchis un peu ! Pourquoi, à ton avis, se rendra-t-il là-bas ?

La réponse me frappa d'un coup :

– Parce que j'y serai...

– Exactement ! Tu serviras d'appât.

4
L'écuelle de sang

Nous arrivâmes devant la tour en fin d'après-midi. Ce n'était plus qu'une ruine, vestiges écroulés d'une ancienne fortification dont le temps et les éléments étaient venus à bout. Seules quelques pierres à demi enterrées marquaient encore les limites de ce qui avait été autrefois un imposant château, perché sur la colline.

En contemplant les lieux, je me rappelai les paroles d'un des ouvriers. J'interrogeai l'Épouvanteur :

– Qu'est-ce qu'elle a de particulier, cette tour ? Vous avez évoqué quelque chose qui rôde dans les parages. Elle est hantée ?

– Il ne s'agit que d'une ombre, ce qui reste d'un esprit parti vers la lumière ; sa mauvaise part, le fardeau que cette âme doit laisser derrière elle pour se libérer des attaches de ce monde. Tu n'as rien à craindre tant que tu ne montres aucune peur. Car les ombres se nourrissent de ta peur, comme les gobelins. Elle les rend plus fortes. Cela dit, quand il faut affronter un briseur d'os et une sorcière particulièrement maléfique, la présence d'une ombre est le cadet de mes soucis !

L'Épouvanteur dépassa la tour pour se diriger vers la pente boisée, d'où montait un clapotis d'eau.

Bientôt, nous longeâmes une cascade bondissante. Après avoir descendu un sentier escarpé, nous atteignîmes la rive d'un étang, dans lequel se déversait un large torrent.

L'Épouvanteur désigna le rideau écumant.

– Voilà ta meilleure chance, petit. Il est très difficile aux créatures de l'obscur de traverser une eau courante. Les sorcières, par exemple, sont incapables de franchir une rivière. Les gobelins aussi. Derrière cette chute, il y a une cavité dans le rocher, juste assez large pour que tu y tiennes accroupi. Tu devrais y être en sécurité, du moins tant que le ruissellement ne cessera pas.

Il contempla un instant la chute d'eau avant de poursuivre :

– Il a beaucoup plu, ces temps-ci. Espérons que les collines aient été suffisamment arrosées pour que ça se déverse toute la nuit. Certains jours, la cascade se réduit à un filet. Si l'écoulement cessait au mauvais moment...

Il n'eut pas besoin de terminer sa phrase. Je me représentais déjà l'eau tarie, la barrière dont ma vie dépendait abolie, et le féroce gobelin bondissant vers moi. L'image de l'apprenti à la main arrachée me revint à l'esprit.

J'avais beau tenter de la repousser, je revoyais le moignon ensanglanté et l'expression d'horreur sur le visage du mort. Tourné vers la chute d'eau, je murmurai une prière silencieuse.

Nous revînmes en arrière pour rejoindre les terrassiers qui déchargeaient la dalle de pierre de leur charrette. Nous la transportâmes, sous la direction de l'Épouvanteur. Étant donné son poids, nous n'étions pas trop de quatre.

Après quoi, il fallut faire un autre voyage pour rapporter les outils et le reste de l'équipement, y compris deux sacs pesants.

L'Épouvanteur indiqua alors aux deux hommes l'emplacement de la nouvelle fosse : proche de la chute d'eau, sous les branches d'un imposant sorbier.

La fosse achevée, il ne restait que deux heures avant le coucher du soleil. Les terrassiers retournèrent à leur charrette, revenant cette fois avec un gros tonneau, qu'ils roulèrent entre les arbres.

Quand il fut ouvert, je vis qu'il contenait une mixture épaisse à l'odeur écœurante.

– C'est une colle faite d'ossements de bétail, petit, m'apprit l'Épouvanteur. Nous allons y mêler du sel et de la limaille de fer.

– Du sel et du fer ? m'étonnai-je. À quoi ça sert ?

– Le sel brûle les gobelins ; le fer les vide de leurs pouvoirs. Après avoir mélangé ces deux substances à la colle, on en enduit les parois de la fosse – sans oublier le dessous du couvercle – pour retenir la créature à l'intérieur. On attire le gobelin dans la fosse, puis on abaisse la dalle de pierre. Il est alors artificiellement entravé.

L'Épouvanteur vida un demi-sac de limaille dans la colle et se mit à touiller le mélange avec un gros bâton. Pendant ce temps, les terrassiers grimpaient dans l'arbre pour fixer un palan à une branche.

J'avais vu ce genre d'appareil au moulin, où il soulevait les sacs de farine.

Quand le fer fut bien mêlé à la colle, l'Épouvanteur me demanda de verser lentement un demi-sac de sel pendant qu'il remuait de nouveau la mixture. Après quoi, il utilisa une brosse pour badigeonner l'intérieur de la fosse.

– On ne peut pas se permettre d'oublier le moindre centimètre, m'expliqua-t-il. Sinon le gobelin finirait par se libérer.

Je jetai un regard anxieux vers le ciel, chargé de nuages bas. Le jour déclinait déjà. Le soleil ne tarderait pas à sombrer derrière l'horizon.

J'espérais que l'Épouvanteur voyait encore ce qu'il faisait, dans l'obscurité de la fosse, et qu'elle serait parfaitement enduite.

Les terrassiers avaient à présent hissé la dalle. La chaîne pendant au palan était munie d'un crochet qui passait dans un anneau fixé au centre de la pierre, suspendue juste au-dessus de la fosse.

L'Épouvanteur recouvrit rapidement sa face interne de glu. Puis, posant la brosse, il sortit de son sac un objet qu'il polit sur sa manche. C'était un récipient creux, en métal, percé près du bord de trois trous à égale distance l'un de l'autre.

– On appelle ceci une *assiette-appât*, m'apprit-il. Ou parfois une *écuelle de sang*. Il n'y a plus qu'à la remplir... Autant te le dire carrément : j'ai besoin de ton sang. Nous le verserons dans le récipient, que nous descendrons dans la fosse. Quand le gobelin surgira, il courra vers toi pour s'emparer de tes os. Il sera arrêté par la chute d'eau. Dépité, il reniflera alors ton sang – un breuvage délectable ! Et il descendra dans la fosse. Pendant qu'il léchera l'assiette, nous abaisserons la dalle, et le travail sera terminé. Alors, relève ta manche, petit ! Ça va faire mal, mais il faut en passer par là.

Sur ces mots, il tira un couteau de son sac et testa le tranchant sur le gras de son pouce. Une fine ligne rouge apparut aussitôt. La lame était parfaitement aiguisée.

– Agenouille-toi, m'ordonna-t-il, et tiens ton bras au-dessus de l'assiette.

J'obéis avec nervosité, et pour la deuxième fois de la journée, je vis un couteau s'approcher de moi. Mais, alors que la sorcière ne m'avait coupé qu'une mèche de cheveux, l'Épouvanteur m'entama le creux du coude.

Je tressaillis et fermai les yeux. Quand je les rouvris, mon sang dégoulinait dans le récipient.

– Ça suffira, dit enfin l'Épouvanteur. Presse la paume de ton autre main sur la coupure et garde ton bras replié. Le saignement s'arrêtera.

C'est ce que je fis, tout en le regardant s'activer pour me distraire de la douleur.

Il tirait à présent de son sac une longue chaîne terminée par trois autres plus courtes, munies chacune d'un petit crochet. Il inséra soigneusement chaque crochet dans les trous du bord de l'assiette avant de la descendre dans la fosse.

Quand elle toucha le fond, il donna un coup de poignet, et les crochets se libérèrent sans qu'une goutte de mon sang ait sauté hors du récipient. Ce geste nécessitait une grande dextérité ; il avait dû s'exercer longtemps pour le réussir.

Un hurlement à vous glacer jusqu'aux os s'éleva alors du côté de la tour, au-dessus de nous. Frissonnant, j'échangeai un regard avec l'Épouvanteur.

D'un hochement de tête, il me confirma qu'il avait entendu. Les terrassiers, cependant, poursuivaient leur tâche comme si de rien n'était.

– C'est l'ombre dont je t'ai parlé, m'expliqua l'Épouvanteur. Le seigneur du château qui s'élevait jadis sur cette colline avait une fille d'une grande beauté, Miriam. Jeune et insouciante, elle tomba amoureuse d'un pauvre forestier, sans penser aux conséquences d'une telle relation. Le garçon fut poursuivi comme du gibier et déchiqueté par les molosses avec lesquels le seigneur chassait le daim. Quand elle l'apprit, Miriam se jeta du haut de la tour et s'écrasa sur les rochers.

Il secoua la tête en soupirant.

– Son esprit est resté piégé dans cette tour, dans les souffrances d'un deuil éternel. Une de mes premières tâches, après avoir terminé mon apprentissage, fut d'envoyer la malheureuse jeune fille vers la lumière. D'autres épouvanteurs avaient essayé sans y réussir.

Je persévérai et réussis à la raisonner. Néanmoins, elle a laissé derrière elle des témoignages de son tourment. C'est son ombre que tu viens d'entendre. Elle a hurlé pendant sa chute, et son ombre revit indéfiniment ces terribles instants. Parfois, le cri est si perçant que des personnes ordinaires, comme nos deux terrassiers, le perçoivent. C'est pourquoi les gens évitent cette tour en ruine, surtout de nuit.

Puis il conclut en me regardant :

– Bien ! Ne perdons pas de temps ! Tu dois te mettre à l'abri avant le crépuscule. Ne t'inquiète pas, la niche est petite mais assez confortable. Prends seulement garde de ne pas t'endormir et de ne pas tomber dans l'eau !

C'était sans doute une plaisanterie. J'avais peu de chances de m'endormir, sachant qu'un dangereux gobelin allait surgir d'un instant à l'autre.

L'Épouvanteur me conduisit près de la chute d'eau et pointa le doigt.

– Il y a une corniche, juste derrière. Suis-la jusqu'à la cavité. Le rocher offre des quantités de prises où te retenir. Sois tout de même prudent ! Ça va glisser.

Retenant mon souffle, je passai sous le rideau liquide et gagnai la corniche. L'eau glaciale me fit suffoquer, mais il ne me fallut qu'une seconde pour traverser.

L'Épouvanteur avait raison : le passage était très étroit. Et très glissant. Aussi, la face tournée contre le rocher, cramponné à chaque saillie, je progressai lentement. Je m'interdis de penser au torrent, derrière moi, et marmonnai des prières pour garder mon calme.

Quelques instants plus tard, à mon grand soulagement, j'atteignis la niche de rocher. Elle était assez grande pour que je m'y tienne assis, les genoux repliés sous le menton, sans me mouiller les bottes.

J'espérais ne pas avoir à passer toute la nuit dans ce trou humide et froid. Mais n'importe quoi plutôt que d'être à la merci du gobelin !

Je n'eus pas à attendre longtemps. Il faisait de plus en plus sombre, et au bout de vingt minutes, je ne voyais même plus mes mains devant moi. Les bruits, en revanche, étaient plus distincts.

Quelqu'un toussa, du côté de la fosse. Le hululement d'une chouette s'éleva, presque aussitôt suivi d'un nouveau gémissement de l'ombre. Le grondement réconfortant de la chute d'eau couvrait le tout.

Cependant, je finis par m'inquiéter. Le débit n'était-il pas en train de diminuer ? Si c'était le cas, en combien de temps se changerait-il en goutte à goutte, me laissant sans protection ?

Je perçus alors un faible cri, au loin. Je crus d'abord qu'il s'agissait de l'ombre. Mais il monta de nouveau, plus fort, accompagné d'un bruit de vent violent, de celui qui arrache les feuilles aux arbres en plein été et la chair aux os des vivants. Puis une troisième note s'ajouta, en harmonie avec les deux premières.

C'était une sorte de grognement tel que peut en produire un très gros et très dangereux animal bondissant sur sa proie, bondissant vers... *moi* ! C'était le gobelin.

Les trois sons montaient ; le gobelin se rapprochait. Et, soudain, il fut devant la chute d'eau, rugissant si fort que j'aurais voulu me boucher les oreilles. Je ne le fis pas.

Je restai parfaitement immobile, trop épouvanté pour remuer ne serait-ce qu'un sourcil. Je ne distinguais qu'une sorte de rougeoiement à travers le ruissellement de la cascade, mais je savais que l'effroyable créature était là, menaçante.

Il me semblait à présent entendre le claquement et le grincement d'énormes dents, à une longueur de bras à peine. Sans la protection de l'eau, la bête m'aurait déjà broyé les os. J'aurais été aussi mort que le pauvre apprenti de l'Épouvanteur.

J'ignore combien de temps il attendit là. Le rougeoiement allait et venait, brillant plus fort ou s'affaiblissant, comme s'il cherchait une faille dans le rideau d'eau.

Je n'avais jamais eu aussi peur. Je me rappelai ce que m'avait dit l'Épouvanteur : que l'intérieur de la fosse devait être parfaitement enduit de mixture, car un gobelin peut profiter du plus mince interstice pour s'y faufiler. S'il en trouvait un, à présent ? me demandai-je, le cœur tambourinant dans ma poitrine.

Sa recherche ne dura sans doute que quelques minutes bien qu'elles m'aient paru des heures. Puis, à mon grand soulagement, il s'en alla.

Néanmoins, je restai assis, immobile, n'osant risquer le moindre geste jusqu'à ce que j'entende le bruissement soudain des chaînes. Le gobelin devait être descendu dans la fosse, attiré par mon sang dans l'assiette-appât, et les terrassiers abaissaient la pierre pour le prendre au piège.

Il y eut un choc sourd. Je supposai que la dalle, heurtant la terre, s'était encastrée dans les rebords de la fosse. Enfin, l'Épouvanteur m'appela :

– C'est bon, petit ! Tu peux sortir.

Je m'empressai d'obéir. Les jambes tremblantes de soulagement, je parcourus dans l'autre sens le chemin glissant et repassai sous la douche glacée.

L'Épouvanteur avait allumé une lanterne. Il était assis sur la dalle, à présent hermétiquement scellée. Le gobelin était entravé, le cauchemar terminé.

– Tout s'est passé comme prévu, dit l'Épouvanteur. Tu as entendu le gobelin ?

– Oui, je l'ai entendu approcher. Je l'apercevais aussi, un rougeoiement à travers le rideau d'eau.

– Pas étonnant. Tu es le septième fils d'un septième fils. Il rougeoyait parce qu'il s'était abreuvé dans la journée : ces créatures cherchent du sang si elles ne trouvent pas leurs os favoris. Mais quand il a surgi, les deux terrassiers n'ont rien vu ni rien entendu. Tant mieux ! Sinon ils auraient pris leurs jambes à leur cou, et la pierre n'aurait jamais été mise en place. Ils ont tout de même dû l'entendre laper ton sang, au fond de la fosse. L'un d'eux a gémi de terreur, et les mains de l'autre tremblaient si fort qu'il pouvait à peine manœuvrer la chaîne. Eh bien, assieds-toi, petit ! Ce n'est pas encore terminé...

Je m'assis près de lui, sur la dalle. Pas encore terminé ? Que voulait-il dire ?

Je restai cependant silencieux. Les terrassiers démontaient le palan et rassemblaient leurs outils.

– On y va, monsieur Horrocks, annonça le plus grand en levant une lanterne et en touchant respectueusement le bord de son chapeau.

– Vous avez fait du bon boulot, les gars, les félicita l'Épouvanteur. Vous pouvez partir. Une sorcière arrive du nord-est ; je vous conseille d'éviter cette direction !

Sur ces mots, il compta quelques pièces qu'il déposa dans la paume de l'homme en paiement du travail accompli. Et les deux terrassiers escaladèrent la pente comme s'ils avaient le diable aux trousses.

Après leur départ, l'Épouvanteur me tapota l'épaule.

– Tu as fait preuve de courage et d'intelligence, petit. Je vais donc être franc avec toi et te prévenir de ce qui va probablement se passer. Pour commencer, tu ne pourras en aucun cas gagner Houghton avant que tout soit achevé. Cette sorcière, vois-tu, est toujours en possession de ta mèche de cheveux...

Dans l'excitation du danger, j'avais oublié la sorcière. La peur m'envahit de nouveau. Je lui avais désobéi, j'avais révélé la vérité à l'Épouvanteur, et son gobelin était à présent entravé. Elle voudrait se venger.

– Grâce à cette mèche, poursuivit l'Épouvanteur, elle peut t'infliger de sérieux tourments. Il faut donc qu'on la lui reprenne et qu'on la détruise. Sinon tu ne seras plus jamais en sécurité. Et, pour le moment, ta meilleure chance est de rester à mes côtés. Compris ?

J'acquiesçai nerveusement tout en fouillant du regard les ténèbres, au-delà du cercle de lumière projeté par la lanterne.

– Elle va venir ici ? demandai-je.

– C'est ce que je crois. Mais pas avant l'aube, j'espère. Agir de jour lui sera plus facile. Elle viendra voir ce qui est arrivé au gobelin. Quand elle constatera qu'il est entravé, elle cherchera à le libérer. Ça me donnera une chance de lui régler son compte une fois pour toutes. Je la ligoterai avec ma chaîne d'argent, je l'emporterai jusqu'à mon jardin de Chipenden. Elle passera le reste de ses jours au fond d'une fosse, et le Comté sera plus sûr.

À l'entendre, ça paraissait simple. Nous passâmes néanmoins une longue et pénible nuit à attendre la sorcière, sans fermer l'œil. L'aube se leva, la matinée s'écoula.

Aux premières heures de l'après-midi, l'Épouvanteur se mit à marcher de long en large, la mine de plus en plus inquiète.

Enfin, il se tourna vers moi.

– Je me suis trompé. Nous avons affaire à une créature particulièrement retorse. Elle a dû deviner que j'avais entravé le gobelin et que je me préparais à lui faire subir le même sort. Elle ne viendra pas. On va être obligés de la débusquer, j'en ai peur.

– Alors, on va entrer dans sa maison ? Vous disiez qu'elle était truffée de pièges et de chausse-trappes !

– C'est tout à fait exact, petit. Mais on n'a pas le choix. Autant en finir tout de suite. Suis-moi !

Là-dessus, ayant ramassé son sac et son bâton, il prit la direction du nord-ouest à un pas si rapide que j'eus beaucoup de mal à ne pas me laisser distancer.

Nous marchâmes d'abord en silence. Puis, à mesure que nous approchions du repaire de la sorcière, l'Épouvanteur ralentit pour cheminer à côté de moi.

– On n'arrivera pas longtemps avant le crépuscule, me fit-il remarquer. On devra attendre le matin pour régler cette affaire, ce sera plus sûr. Mais je vais t'expliquer à quoi on va être confrontés, pour que tu te prépares au pire. Les alentours de la maison recèlent sans aucun doute de nombreux dangers, sorts de magie noire et pièges en tous genres. Quant à l'intérieur... j'en frémis rien que d'y penser. Je suppose que la sorcière nous attendra dans la cave. C'est ce qu'elles font habituellement lorsqu'elles se sentent traquées. Elles choisissent un lieu obscur, un repaire souterrain, et utilisent pour le défendre les plus sales tours que toute une vie de malignité leur a enseignés. Ça ne va pas être facile.

Quand nous aperçûmes la maison, entre les arbres, la nuit tombait déjà. Nous progressions lentement et prudemment, au cas où la sorcière aurait disposé des pièges.

Un bruissement soudain me fit lever la tête, et je tressaillis de peur en voyant deux larges yeux qui m'observaient du haut d'une branche. C'était un hibou, qui s'envola presque sans bruit à travers les ramures en direction de la maison.

– Si je ne me trompe, dit l'Épouvanteur, le petit compagnon de la sorcière nous a repérés. Il y avait déjà un hibou qui nous observait, la nuit dernière, pendant que tu étais en sécurité derrière la chute d'eau, très probablement le même.

Voyant mon air perplexe, il m'expliqua :

– Le compagnon familier d'une sorcière peut avoir la taille d'un crapaud ou celle d'un gros chien. Quel qu'il soit, il prête ses yeux et ses oreilles à sa maîtresse. Une sorcière, vois-tu, utilise généralement ce qu'on appelle le *long-flair* pour deviner ce qui va arriver, surtout en cas de danger. Mais ça ne marche pas sur les septièmes fils d'un septième fils. Elle doit employer un autre moyen. Si la magie des ossements est plus forte que celle du sang, celle des compagnons familiers est plus efficace que les deux réunies. Et une sorcière assez puissante pour contrôler un gobelin peut avoir aussi un compagnon à son service. Le plus souvent, c'est un hibou. Si c'est celui que nous venons de voir, elle sait ce qui est arrivé au gobelin. De même qu'elle sait que nous sommes tout près de chez elle.

Nous nous installâmes sous les arbres, gardant la maison en vue et nous préparant à une longue veille.

L'Épouvanteur m'avait recommandé de rester aux aguets ; nous ne pouvions nous permettre de nous assoupir, même un bref instant.

Nous n'étions là que depuis une dizaine de minutes quand je ressentis un pénible malaise. Des bras invisibles me serraient dans une étreinte digne d'un ours. Je me mis à haleter et à tousser.

L'Épouvanteur se pencha vers moi et demanda :

– Ça ne va pas, petit ?

– Je n'arrive plus à respirer.

– As-tu déjà eu ce genre de problème ?

Je fis signe que non ; j'avais du mal à parler. Au bout d'un petit moment, la douleur disparut, et je retrouvai mon souffle. Bien que couvert de sueur, je me sentis soulagé. Quel confort que de s'emplir les poumons sans avoir à lutter pour aspirer l'air !

Mon soulagement fut de courte durée. La douleur revint, pire que la première fois. Ma poitrine était si contractée que j'étouffais. Je me mis sur mes pieds en vacillant, pris de panique. Autour de moi, tout se mit à tourner, et je sombrai dans le noir.

5
La chaîne d'argent

Quand je repris connaissance, j'étais allongé sur le dos, fixant la lune entre les branches nues. L'Épouvanteur m'aida à m'asseoir.

– J'ai bien cru que tu étais mort ! C'est un tour de la sorcière. Elle utilise ta mèche de cheveux pour te blesser. Elle tente de me forcer la main, de m'obliger à l'affronter de nuit, quand ses pouvoirs sont à leur apogée. Elle ne me laisse pas le choix ; la prochaine fois, elle serait capable de te tuer. Tu vas devoir venir avec moi : m'attendre seul ici serait beaucoup trop dangereux. Ta meilleure chance est encore de rester à mes côtés...

Il me remit sur mes pieds. Malgré ma faiblesse, je lui emboîtai le pas en titubant tandis qu'il marchait vers la maison. Nous n'avions pas parcouru dix mètres qu'un nouveau malaise s'emparait de moi. Cette fois, je n'étouffais pas. Mais mes membres étaient si lourds, si las que je n'avançais qu'à grand-peine.

Puis je commençai à voir entre les arbres des objets blanchis par la lune. La sueur me mouillait le front, me coulait dans les yeux. Je m'apprêtais à appeler l'Épouvanteur au moment où il fit brusquement halte, levant son bâton pour me faire signe d'arrêter.

Quand il se retourna vers moi, la pâle clarté lunaire éclaira son visage, et je vis qu'il luisait aussi de transpiration.

– Ça va, petit ? Tu n'as pas l'air bien. Pas bien du tout...

– C'est encore la sorcière ? demandai-je. Je me sens engourdi.

– Oui, c'est elle. Cependant, elle n'utilise pas ta mèche de cheveux, parce que je ressens la même chose. Tu vois ces ossements, un peu partout ?

Il me les désigna de son bâton. C'était l'une de ces taches blanches que j'avais remarquées : un amas de petits os, sans doute ceux d'un lapin mort depuis longtemps.

Balayant les alentours du regard, je vis d'autres tas identiques. Certains étaient des os d'oiseaux ; une pile plus importante évoquait les restes d'un daim.

– Nous sommes à la lisière d'un piège magique, reprit l'Épouvanteur. Ce qu'on appelle un *champ d'ossements*. Quiconque y pénètre se met en très mauvaise posture. Ses membres deviennent pesants. S'il s'aventure plus avant, il se trouve bientôt incapable de bouger et meurt lentement de faim. La sorcière n'a plus qu'à faire sa sinistre récolte, dont elle usera pour ses sortilèges. Elle peut se contenter d'animaux, mais elle espère toujours qu'un humain se fera prendre. Près du centre, les victimes connaissent une mort plus rapide. Leur squelette devient si lourd qu'il se désagrège. À présent, petit, faisons marche arrière. Vas-y doucement, tranquillement, en prenant de profondes inspirations. Sinon tu t'évanouiras, et je n'aurai pas la force de te sortir de ce traquenard.

Je suivis son conseil, m'appliquant à respirer à fond, reculant à lents pas prudents. C'était épuisant, et je transpirais plus que jamais.

Un instant, je perdis l'équilibre et me rétablis de justesse. Tomber aurait été aussi fatal que m'évanouir. Peu à peu, la sensation de lourdeur s'apaisa, et je me sentis enfin à l'aise dans ma peau.

– Maintenant, suis-moi ! dit l'Épouvanteur. On va contourner cette souricière.

Tandis que nous marchions vers la maison de la sorcière en décrivant un large cercle, une pensée me vint à l'esprit.

– J'ai eu de la chance de ne pas m'engager dans le piège, hier, quand j'ai découvert la maison !

– La chance n'a rien à voir là-dedans, petit. Le *sort d'araigne* que la sorcière a tissé autour de toi devait te mener à sa porte en toute sécurité. Quoi qu'il en soit, nous voici au moment le plus périlleux : je vais entrer et chercher sa cachette...

Nous étions arrivés à la lisière du bois, en face de la maison. Y pénétrer serait facile, la porte grande ouverte nous y invitait. Mais il faisait complètement noir à l'intérieur.

L'Épouvanteur s'avança et fit halte sur le seuil. Déposant son bâton sur le sol, il tira la lanterne de son sac et l'alluma rapidement. Puis il sortit sa chaîne d'argent, qu'il enroula autour de son poignet gauche avant de me tendre le sac.

– Tu devras le porter, maintenant, petit. Prends aussi mon bâton. Tu me le donneras aussitôt en cas de besoin.

– Comment saurai-je que vous en avez besoin ?

Il me jeta un regard consterné.

– Parce que je crierai si fort que tu sauteras hors de tes bottes ! Sois vigilant, c'est tout ! Quand on fouillera la maison, reste cinq pas derrière moi. J'ai besoin d'espace pour travailler. Je vais tenter d'entraver la sorcière avec ma chaîne. C'est notre unique chance d'en venir à bout.

Sur ces mots, levant la lanterne dans sa main droite, il pénétra dans l'antre de la créature. Je le suivis, chargé du gros sac et du bâton, les genoux flageolants.

La lanterne projetait d'étranges ombres sur les murs et sur le plafond, et je commençai à ressentir ce froid surnaturel annonçant la proximité d'un être de l'obscur.

L'Épouvanteur traversa la petite salle de devant avec prudence et lenteur avant d'entrer dans la cuisine. La sorcière pouvait être n'importe où, prête à attaquer n'importe quand. Il jeta un coup d'œil au tas d'ossements, dans le coin, et secoua la tête.

Puis il s'engagea dans l'escalier. Je le suivis, les jambes plus molles à chaque marche. Je tournai à présent le dos à la cuisine, et je ne savais pas ce qui était le plus terrifiant : ce qui nous attendait en haut ou ce qui pouvait surgir de l'ombre derrière nous.

Je croyais déjà sentir les griffes de la sorcière se refermer sur ma cheville. Je jetai un regard anxieux par-dessus mon épaule, mais la cuisine était vide. Nous visitâmes les deux chambres l'une après l'autre. Rien.

Il nous fallait descendre à la cave. Cette idée m'horrifiait plus que tout. Je détestais les caves. Elles me rappelaient mon cauchemar récurrent, et la nuit où mon père m'avait enfermé à clé dans celle de notre maison.

Revenu dans la cuisine, l'Épouvanteur se dirigea d'un pas décidé vers l'escalier de la cave. J'attendis qu'il soit cinq marches devant moi pour entamer à mon tour la lente descente. Un peu plus bas, l'escalier faisait un coude.

Quand l'Épouvanteur atteignit le tournant, il éleva la lanterne. Je voyais son profil gauche, et, à l'expression de son visage, à la façon dont son corps se raidit soudain, je sus qu'il avait débusqué la sorcière.

D'un bref mouvement de poignet, il déroula sa chaîne, s'apprêtant à la lancer. Le sol, à cet instant, sembla se dérober sous mes pieds. C'était pourtant impossible ! Des marches de pierre ne remuent pas ainsi ! Quoi qu'il en soit, l'Épouvanteur n'eut pas le temps de lancer la chaîne.

Il tituba, perdit l'équilibre, tomba la tête la première et disparut à ma vue.

Je fus aussitôt plongé dans le noir. L'Épouvanteur, avec sa chaîne et sa lanterne, était en bas, dans la cave, à la merci de la sorcière.

Le cœur battant à m'en briser les côtes, je me retournai pour m'enfuir. J'étais aussi incapable de venir en aide à mon compagnon que de combattre une sorcière. Il ne me restait qu'à m'échapper, sinon elle s'emparerait aussi de mes os.

Alors, quelque chose m'arrêta.

Ce qui me fit changer d'avis, je n'ai jamais su l'expliquer. Peut-être était-ce le simple instinct de survie, car si j'avais abandonné l'Épouvanteur, la sorcière aurait toujours été en possession de ma mèche de cheveux. Plus tard, elle aurait libéré le gobelin et l'aurait lancé à mes trousses. Ou peut-être était-ce une force mystérieuse, au fond de moi, cette forme de courage qui pousse un épouvanteur à affronter l'obscur.

Quoi qu'il en soit, je descendis prudemment les marches et, croyant à peine moi-même à ce que je faisais, le cœur cognant dans ma poitrine, je jetai un coup d'œil au-delà du tournant.

La lanterne avait roulé par terre sans s'éteindre, et je découvris l'ensemble de la cave. L'Épouvanteur était à quatre pattes, la tête baissée, le front touchant presque le sol. La sorcière, accroupie devant lui, levait son couteau. Une seconde de plus, et elle lui ôterait la vie.

Elle était si concentrée sur sa tâche qu'elle ne remarqua pas le garçon posté sur les marches.

L'Épouvanteur leva les yeux vers la sorcière et lâcha un grognement d'effroi.

– Non ! Non ! Pas comme ça ! gémit-il. Seigneur, je vous en supplie, ne laissez pas les choses finir ainsi !

Sans même réfléchir, je posai le sac, serrai fort le bâton et, dévalant les dernières marches, me précipitai sur la sorcière. À la dernière seconde, elle me vit; trop tard.

Je balançai le bâton et la frappai au front de toutes mes forces. Elle bascula en arrière avec un cri aigu; le couteau lui échappa des mains. Elle se remit aussitôt sur les genoux, grimaçant de fureur.

Et, pour la deuxième fois, je sentis le sol remuer sous mes pieds. Cette secousse-là fut si violente qu'elle me jeta à terre. Le choc me fit lâcher le bâton.

J'étais tombé à plat dos, et avant que j'aie pu me redresser, la sorcière fut sur moi, les deux mains autour de ma gorge, prête à m'étouffer.

Son visage à deux doigts du mien, je vis ses yeux déments, sa bouche ouverte découvrant des dents pointues. Son haleine de bête, puant le sang et la viande avariée, me souleva le cœur.

Un coup d'œil en coin m'apprit que l'Épouvanteur se remettait péniblement sur ses pieds et s'appuyait en titubant au mur de la cave. Il n'était pas en état de m'aider. Si je n'agissais pas tout de suite, j'étais mort.

J'agrippai la sorcière par les épaules pour tenter de la repousser, mais elle me serra le cou si fort que j'en perdis la respiration. Je sentais mes forces diminuer, un voile noir me passa devant les yeux.

Je tâtais désespérément le sol de mes deux mains dans l'espoir de trouver le bâton. Il n'était pas là.

C'est alors que ma main gauche se referma sur un objet froid. La chaîne d'argent !

Je m'en emparai et la balançai de côté. Atteinte à la tête, la sorcière hurla, ôta ses mains de ma gorge pour les presser sur son visage. Je fis siffler la chaîne dans l'autre sens, la frappant cette fois au menton. Elle se releva, tituba, retomba à genoux.

Je sentis une main sur mon épaule. L'Épouvanteur se tenait au-dessus de moi, le souffle court, il s'écria :

– Bien joué, petit ! Maintenant, donne-moi cette chaîne !

Il l'enroula rapidement autour de son poignet, la projeta, tel un fouet.

Elle décrivit une spirale parfaite autour de la sorcière et la ligota étroitement. Elle se cabra, se contorsionna, les yeux exorbités. Les anneaux d'argent lui retroussaient les lèvres sur les dents et lui maintenaient les bras le long du corps.

– La voilà bel et bien entravée, conclut l'Épouvanteur avec un sourire satisfait. Je te dois une fière chandelle, petit !

La sorcière mise hors d'état de nuire, nous fouillâmes la maison. L'Épouvanteur alluma un grand feu au-dehors et brûla tout ce qu'il put trouver : des poudres, des herbes, un livre de magie noire.

Il finit par récupérer ma mèche de cheveux dans une petite bourse de cuir que la sorcière portait autour du cou, accrochée à une chaîne. Il la brûla aussi. Délivré du sortilège, je me sentais nettement plus léger.

Nous restâmes un moment assis auprès du feu, plongés l'un et l'autre dans nos pensées, jusqu'à ce qu'une question me vienne à l'esprit, me poussant à rompre le silence :

– Qu'est-ce qui vous a fait tomber, sur les marches ? J'ai senti le sol trembler sous mes pieds. Plus tard, dans la cave, il y a eu une autre secousse, et je suis tombé à mon tour.

– C'était un de ses sortilèges de défense, répondit l'Épouvanteur en jetant dans les flammes dansantes une autre poignée d'objets de sorcellerie. On l'appelle la *glissade*. La victime est déstabilisée, elle perd l'équilibre, glisse et se retrouve par terre. Même quand on s'y attend, on ne peut pas y résister. Sans toi, j'y laissais la vie. En témoignage de ma reconnaissance, je vais te faire une offre. Que dirais-tu de suivre une formation d'épouvanteur ? J'ai besoin d'un apprenti pour remplacer celui que j'ai perdu, un garçon courageux que ce travail ne rebute pas. Ça t'intéresse ?

– Je vous remercie, mais je désire devenir prêtre. C'est une chose à laquelle je pense depuis longtemps.

– Je respecte ton choix, petit. Je ne t'en détournerai pas, car beaucoup de prêtres sont de saints hommes qui...

– Le père Barnes consacre toutes ses forces à aider les pauvres, l'interrompis-je. Il passe sa vie au service des gens. Je veux l'imiter.

– Eh bien, bonne chance à toi, jeune John ! Si jamais tu changes d'avis, tu trouveras ma maison près de Chipenden, à l'ouest de Long Ringe. Je m'appelle Henry Horrocks. Tu n'auras qu'à te renseigner au village, on t'indiquera le chemin.

Sur ces mots, nous nous séparâmes. Portant la sorcière sur son épaule, l'Épouvanteur se dirigea vers Chipenden, où il l'enfermerait dans une fosse. Je le regardai s'éloigner, persuadé de ne jamais le revoir.

Je poursuivis mon voyage jusqu'à Houghton et entrai au séminaire. Puis je fus ordonné prêtre. Mais je ne restai pas longtemps dans le sacerdoce, bien que ce soit une tout autre histoire.

L'année de mes vingt ans, je gagnai Chipenden et demandai à Henry Horrocks de me prendre comme apprenti.

Il hésita longtemps avant d'y consentir. Je ne pouvais l'en blâmer. Après tout, j'avais mis un moment, moi aussi, à me décider ! J'étais bien plus âgé que les garçons qu'il formait habituellement. Pourtant, il n'avait pas oublié ce que j'avais fait dans cette maison obscure, face à une sorcière particulièrement dangereuse. C'est ce qui le décida.

Je devins son apprenti. Son dernier. Après sa mort, j'héritai de sa maison de Chipenden et commençai mon travail d'épouvanteur.

Maintenant, après toutes ces années, je forme le jeune Thomas Ward. Lui aussi sera mon dernier apprenti. La maison lui appartiendra, et il sera le nouvel Épouvanteur. Notre tâche continuera. Il faut bien que quelqu'un combatte l'obscur.

Ouvrage publié originellement par The Bodley Head,
un département de Random house Children's Books
sous le titre *The Spook's Apprentice*

18, rue Barbès, 92128 Montrouge Cedex
Vingt et unième édition

Loi n° 49-956 du 16 juillet 1949 sur les publications destinées à la jeunesse

Traduit de l'anglais (Grande-Bretagne)
par Marie-Hélène Delval

JOSEPH
DELANEY

bayard jeunesse

1
Un septième fils

Lorsque l'Épouvanteur se présenta, le jour commençait à baisser. Une longue et dure journée de travail s'achevait et je m'apprêtais à souper.

– Vous êtes bien sûr que c'est un septième fils ? demanda-t-il en m'examinant d'un air dubitatif.

Papa acquiesça.

– Et vous étiez vous-même un septième fils ?

Papa hocha de nouveau la tête et se mit à danser nerveusement d'un pied sur l'autre, éclaboussant mon pantalon de boue et de purin. Sa casquette trempée dégoulinait. La pluie n'avait pratiquement pas cessé depuis un mois. Les arbres commençaient à bourgeonner, mais le printemps tardait à venir.

Mon père était fermier, comme son père avant lui. Et le premier souci d'un fermier est de conserver ses terres. Pas question de les partager entre ses enfants ! Les parcelles se réduiraient à chaque génération jusqu'à ce qu'il n'en reste rien. Un père lègue donc sa ferme à son fils aîné et place les autres en leur trouvant autant que possible un bon métier.

Mieux vaut donc être bien vu du voisinage ! Si on possède une grosse ferme et qu'on ait confié au forgeron de nombreux travaux, il accepte parfois un apprenti. Cela fait déjà un fils de casé.

J'étais le septième enfant, et toutes les possibilités avaient été épuisées. En désespoir de cause, papa envisageait de m'envoyer comme apprenti auprès de l'Épouvanteur. C'était du moins ce que je croyais comprendre. J'aurais dû me douter que maman était derrière tout ça...

Maman était derrière beaucoup de choses. Longtemps avant ma naissance, c'était son argent qui avait payé notre ferme. Comment mon père, un septième fils, aurait-il pu se permettre une telle dépense ?

Maman n'était pas d'ici. Elle venait d'un pays au-delà de la mer et, en l'écoutant attentivement, on remarquait sa façon particulière de prononcer certains mots.

N'allez pas imaginer qu'on voulait me vendre comme esclave ou quelque chose de ce genre ! J'en avais plus qu'assez des travaux de la ferme, de toute façon. Et ce que les gens d'ici appelaient la « ville » n'était qu'un hameau perdu au milieu de nulle part. Je n'avais aucune envie d'y passer le reste de mes jours. Donc, dans un sens, je ne détestais pas l'idée de devenir épouvanteur. C'était probablement plus intéressant que de traire les vaches et d'épandre le fumier. Seulement, ce n'était guère rassurant. Je devrais apprendre à protéger les fermes et les villages de créatures qui surgissent à la faveur de la nuit ; affronter goules, démons et autres monstruosités serait mon lot quotidien. Car telle était la tâche de l'Épouvanteur, et j'allais, semblait-il, devenir son apprenti.

– Quel âge a-t-il ? demanda l'Épouvanteur.

– Il aura ses treize ans en août.

– Pas bien grand pour son âge... Il sait lire et écrire ?

– Oui, répondit papa. Il connaît même le grec. Sa mère le lui a enseigné, et il le parlait quasiment avant de savoir marcher.

L'Épouvanteur hocha la tête et se tourna vers la maison, au bout de l'allée boueuse, comme s'il avait entendu quelque chose. Puis, haussant les épaules, il déclara :

– Ce n'est déjà pas une vie facile pour un homme, alors, pour un gamin...! Vous pensez qu'il en sera capable ?

– Il est fort, et il sera plus grand que moi quand il aura achevé sa croissance, affirma mon père en se redressant de toute sa taille.

Même ainsi, le sommet de son crâne arrivait tout juste à la hauteur du menton de l'Épouvanteur.

Soudain, celui-ci sourit. Je ne m'y attendais pas. Son large visage semblait taillé dans la pierre, et jusqu'à cet instant il m'avait paru redoutable. Son long manteau noir à capuche lui donnait l'allure d'un prêtre, mais quand il vous regardait en face son expression sinistre évoquait plutôt celle du bourreau prêt à vous passer la corde au cou. Les mèches de cheveux qui s'échappaient du capuchon étaient du même gris que sa barbe, tandis que ses sourcils broussailleux étaient noirs, et noires les touffes de poils sortant de ses narines. Il avait les yeux verts, comme moi.

Je notai alors un détail intéressant : il tenait un long bâton. Ça, bien sûr, je l'avais vu dès son arrivée. Mais je venais seulement de remarquer qu'il le tenait de la main gauche.

Était-il gaucher, lui aussi ?

Cette particularité m'avait causé des ennuis sans fin, à l'école du village. On avait même eu recours au curé de la paroisse, qui m'avait longuement examiné en me répétant avec force soupirs qu'il me faudrait combattre ce défaut avant qu'il soit trop tard. Je ne savais pas ce qu'il entendait par là. Ni mon père ni mes frères n'étaient gauchers. Ma mère, il est vrai, était plutôt maladroite, mais ça ne la souciait guère. Lorsque le maître avait menacé de combattre cette mauvaise habitude en attachant mon crayon à ma main droite, elle m'avait retiré de l'école et m'avait fait la classe elle-même à la maison.

– Combien vous dois-je pour son apprentissage ? demanda papa, coupant le fil de mes pensées.

On passait aux choses sérieuses.

– Deux guinées pour le mois. S'il me convient, je reviendrai à l'automne et vous me paierez dix autres guinées. Sinon je vous le renverrai et ne vous compterai qu'une guinée de plus, en dédommagement.

Papa opina ; le marché était conclu. Nous entrâmes dans la grange et papa remit à l'Épouvanteur la somme convenue. Ils n'échangèrent pas de poignée de main. Personne ne voudrait toucher un épouvanteur. Mon père se comportait bravement, tout en se tenant à six pieds de distance de notre visiteur.

– J'ai à faire dans les environs, dit l'Épouvanteur. Je repasserai chercher le garçon aux premières lueurs du jour. Assurez-vous qu'il soit prêt, je n'aime pas attendre.

Dès qu'il se fut éloigné, papa me tapa sur l'épaule.

– C'est une nouvelle vie qui commence, fils. Va te laver ! Tu n'es plus un fermier, désormais.

Quand j'entrai dans la cuisine, mon frère Jack tenait sa femme, Ellie, par la taille, et elle le regardait en souriant. J'aime beaucoup Ellie. Elle est chaleureuse, attentive et amicale. Maman dit qu'épouser Ellie a été une bonne chose pour Jack : elle a le don d'apaiser sa nervosité.

Jack est l'aîné et le plus grand de nous tous. Papa prétend en blaguant que c'est le moins laid de la portée. Je ne suis pas d'accord. C'est vrai que Jack est bien charpenté ; il a des yeux bleus et un air de bonne santé, mais ses vilains sourcils broussailleux se rejoignent au-dessus du nez. Je dois cependant reconnaître qu'il a su séduire une gentille et jolie femme. Les cheveux d'Ellie ont la couleur de la paille trois jours après la moisson, et sa peau irradie à la lumière des chandelles.

– Je pars demain matin, lâchai-je. L'Épouvanteur vient me chercher à la première heure.

Le visage d'Ellie s'éclaira.

– Il a accepté de te prendre !

Je hochai la tête.

– Il m'accorde un mois d'essai.

– C'est merveilleux, Tom ! Je suis vraiment contente pour toi.

– Je n'y crois pas ! s'esclaffa Jack. Apprenti d'un épouvanteur ! Toi qui ne peux pas t'endormir sans laisser ta chandelle allumée !

Je ris, mais il avait touché juste. Il m'arrive de voir des choses dans le noir, et un peu de lumière est le seul moyen de les tenir à l'écart si je veux trouver le sommeil.

Mon frère vint vers moi, me ceintura et me traîna autour de la table de la cuisine en poussant des rugissements. C'est sa façon de manifester son enthousiasme. Je lui opposai juste assez de résistance pour qu'il soit content, et il finit par me libérer en me tapotant le dos.

– Bravo, Tom ! Avec un boulot pareil, ta fortune est assurée ! Il y a juste un petit problème...

– Lequel ? demandai-je.

– Tu dépenseras chaque penny gagné. Tu sais pourquoi ?

– Non.

– Parce que tes seuls amis seront ceux que tu achèteras.

Je haussai les épaules ; pourtant il y avait du vrai dans ces paroles. Un épouvanteur travaille et vit seul.

– Voyons, Jack ! se fâcha Ellie. Ne sois pas méchant comme ça !

– Je blaguais, se défendit mon frère, visiblement étonné que sa femme fasse une histoire pour si peu.

Ellie se tourna vers moi, et je vis son visage s'attrister soudain.

– Oh, Tom ! Tu ne seras pas là pour la naissance de notre bébé !

Elle paraissait si déçue que je me sentis tout malheureux à l'idée de ne pas voir ma petite nièce. Maman avait prédit que l'enfant serait une fille, et elle ne se trompait jamais.

– Je reviendrai à la maison dès que possible, promis-je.

Ellie s'efforça de sourire, et Jack passa un bras autour de mes épaules.

– Tu pourras toujours compter sur la famille, Tom. Nous serons là si tu as besoin de nous.

Une heure plus tard, je m'assis à table pour souper, sachant qu'au matin je serais parti. Papa récita le bénédicité, et nous marmonnâmes tous « Amen », sauf maman. Comme d'habitude, elle fixait son assiette, attendant poliment que nous ayons terminé. Elle eut alors un petit sourire, un sourire très tendre, à moi seul destiné, qui me mit du baume au cœur.

Le feu dansait dans l'âtre, répandant une bonne chaleur. Le cuivre du chandelier posé au centre de notre table était si bien astiqué que nos visages s'y reflétaient. La chandelle était en cire d'abeille. La cire était un produit cher, mais maman ne supportait pas l'odeur du suif dans la cuisine. Si papa prenait presque toutes les décisions concernant la ferme, dans certains domaines maman faisait à son idée.

Tandis que nous attaquions nos larges portions de ragoût fumant, je fus frappé de voir combien papa semblait vieux, ce soir-là – vieux et fatigué. Un voile de tristesse assombrissait de temps à autre son visage. Il s'anima un peu en débattant avec Jack du cours du porc et de l'opportunité d'appeler le charcutier pour tuer les cochons.

– Attendons encore un mois ou deux, proposait papa. Je suis sûr que les prix vont monter.

Jack n'était pas d'accord, et tous deux se mirent à argumenter. C'était le genre de discussion amicale que l'on peut avoir en famille, et papa y prenait visiblement plaisir. Cependant, je n'intervins pas. Ça ne me concernait plus. Comme papa l'avait déclaré, j'en avais terminé avec la vie de fermier.

Maman et Ellie papotaient tout bas en riant. Je n'arrivais pas à saisir ce qu'elles disaient, car Jack était lancé et parlait de plus en plus fort. À un regard que maman lui jeta, je compris qu'elle en avait assez de ses éclats de voix.

Indifférent aux coups d'œil de notre mère, et continuant d'ergoter à grand bruit, Jack tendit la main pour attraper la salière et la renversa accidentellement. Un petit cône de grains blancs se forma sur la table. Jack en prit une pincée, qu'il jeta par-dessus son épaule gauche. Selon une vieille superstition, gaspiller le sel attire le mauvais sort, et ce geste est censé le conjurer.

– Il est inutile d'ajouter du sel à ce plat, de toute façon, le réprimanda maman. Cela gâcherait le ragoût et vexerait la cuisinière.

– Désolé, maman ! s'excusa mon frère. Tu as raison, ce ragoût est parfait.

Elle lui sourit, puis se tourna vers moi.

– Personne ne s'intéresse à Tom. Ce n'est pas très gentil, pour son dernier soir à la maison.

– Ça va, maman, affirmai-je. Je suis content d'être là, à vous écouter.

– Eh bien, moi, fit-elle en remuant la tête, j'ai plusieurs choses à te dire. Reste à la cuisine après le souper, que nous ayons une petite conversation !

Ainsi, quand Jack, Ellie et papa se furent retirés dans leurs chambres, je m'assis près du feu et j'attendis patiemment que maman vienne me parler.

Maman n'était pas du genre à faire des embarras. Elle commença simplement par énumérer ce qu'elle mettait dans mon bagage : un pantalon de rechange, trois chemises et deux bonnes paires de chaussettes qui n'avaient été reprisées qu'une fois.

Je fixai les braises, tapotant les dalles du bout du pied, quand elle approcha son rocking-chair et s'installa face à moi. À part quelques mèches grises qui striaient sa chevelure noire, elle n'avait pas changé depuis l'époque où j'étais à peine assez grand pour grimper sur ses genoux. Son regard était toujours aussi vif, et, malgré la pâleur de sa peau, elle était l'image même de la santé.

– C'est notre dernière occasion de discuter tous les deux avant ton départ, dit-elle. Tu franchis une étape importante : tu vas quitter la maison, apprendre à te débrouiller seul. Si tu as quoi que ce soit à dire, quoi que ce soit à demander, c'est le moment.

Aucune question ne me vint à l'esprit ; je n'arrivais même pas à penser. Ses paroles m'avaient fait monter les larmes aux yeux.

Le silence s'étira, troublé seulement par le *tap tap* de mes pieds sur le carrelage. Maman finit par soupirer :

– Qu'est-ce qui ne va pas ? Le chat a avalé ta langue ?

Je haussai les épaules.

– Arrête de gigoter, Tom, et écoute-moi attentivement. Avant toute chose, attends-tu demain et ton nouveau travail avec impatience ?

Je me souvins des paroles de Jack, prétendant que je devrais acheter mes amis.

– Je n'en suis pas sûr, maman, avouai-je. Personne n'a envie de côtoyer un épouvanteur. Je serai toujours seul, sans amis.

– Ce ne sera pas aussi terrible que tu le penses. M. Gregory, ton maître, deviendra vite un ami, tu verras. De plus, tu seras fort occupé, avec tant de choses nouvelles à apprendre ; tu n'auras pas le temps de souffrir de la solitude. N'est-ce pas une perspective excitante ?

– Si, c'est excitant ; et c'est effrayant. J'ai envie de faire ce travail, mais je doute d'en être capable. Une partie de moi désire voyager, découvrir d'autres lieux, mais ce sera dur de ne plus vivre ici. Tu me manqueras. La maison me manquera.

– Tu ne peux pas rester, insista maman. Ton père vieillit. Dès l'hiver prochain, il laissera la ferme à Jack. Ellie va bientôt avoir son bébé ; elle en aura sans doute plusieurs autres. Un jour, il n'y aura plus de chambre pour toi. Mieux vaut que tu en prennes ton parti avant que cela n'arrive. Non, tu ne peux pas rester.

Sa voix me parut froide, plus pointue qu'à l'ordinaire. Qu'elle s'adresse à moi sur ce ton me troubla si douloureusement que j'en eus le souffle coupé. Je n'avais plus qu'une envie : aller me mettre au lit. Mais maman avait encore beaucoup à dire. Je l'avais rarement entendue aligner tant de mots à la suite.

– Tu as un travail à faire, et tu le feras, reprit-elle avec fermeté. De plus, tu le feras bien. J'ai épousé ton père parce qu'il était un septième fils. Et je lui ai donné six fils avant de t'avoir, toi. Tu es le septième fils d'un septième fils, et tu as le don. Ton maître est encore en pleine possession de ses forces, mais il a vécu sa meilleure part, et son temps va vers sa fin. Voilà presque soixante ans qu'il arpente le pays, accomplissant sa tâche. Bientôt, ce sera ton tour. Et, si tu ne tiens pas ton rôle, qui le tiendra ? Qui prendra soin des gens ordinaires ? Qui les protégera des êtres malfaisants ? Qui assurera la sécurité dans les fermes, les villages et les villes ? Qui permettra aux femmes et aux enfants de se promener sans peur le long des rues et des chemins ?

Je ne savais que répondre et n'osais la regarder dans les yeux. Je réussis du moins à ravaler mes larmes.

– J'aime chacun de ceux qui habitent cette maison, poursuivit-elle d'une voix plus douce. Toi, tu n'es encore qu'un garçon en pleine croissance. Mais, dans ce Comté, tu es le seul qui soit réellement semblable à moi. Et tu es le septième fils d'un septième fils. Tu as le don, et la force d'accomplir ce qui doit être accompli. Je serai fière de toi, j'en suis sûre.

Elle se leva en concluant :

– Bien ! Je suis contente que nous ayons eu cette conversation. Maintenant, au lit ! Demain est un grand jour, il faut que tu sois en forme.

Elle me serra dans ses bras et me regarda avec un bon sourire. Je fis de mon mieux pour paraître réjoui et lui sourire en retour ; mais, arrivé dans ma chambre, je m'assis sur le bord de mon lit, les yeux dans le vague, ressassant ce qu'elle m'avait dit.

Maman est une personne respectée dans le voisinage. Elle connaît mieux les herbes et les potions que le médecin local ; et, lorsqu'un bébé se présente mal, la sage-femme ne manque pas de l'envoyer chercher. Maman est une experte en accouchement par le siège. Parfois, des bébés tentent de naître les fesses devant, et maman sait les remettre dans le bon sens alors qu'ils sont encore dans le ventre de leur mère. Dans le Comté, des douzaines de femmes lui devaient la vie. En tout cas, c'était ce que répétait papa, car je n'avais jamais entendu maman s'en vanter. Elle faisait ce qu'il y avait à faire, rien de plus. C'était aussi ce qu'elle attendait de moi. Et je ne voulais pas la décevoir.

Cependant, qu'avait-elle voulu dire ? Qu'elle avait épousé mon père et mis au monde mes six frères simplement pour que je naisse, moi ? J'avais du mal à le croire.

Après avoir tourné et retourné cette question dans ma tête, j'allai m'installer dans mon vieux fauteuil d'osier, devant ma fenêtre qui donnait au nord, et je regardai à travers les carreaux.

La lune baignait la campagne d'une lumière d'argent. Je distinguais – au-delà de la cour de la ferme, au-delà des champs, au-delà des pâturages –

la limite de nos terres, à mi-chemin de la colline du Pendu. J'aimais ce paysage. J'aimais la colline du Pendu, perdue dans la distance, telle que je pouvais la voir de ma fenêtre.

Depuis des années, c'était mon rituel du soir, avant de me mettre au lit. Je contemplais cette colline et j'essayais d'imaginer ce qu'il y avait derrière. Je savais qu'on y trouvait d'autres prés, d'autres champs, et, plus loin, un village – une douzaine de maisons, une petite église et une école minuscule. Pourtant mon imagination me faisait voir tout autre chose. Je me figurais de blanches falaises surplombant l'océan, ou bien une forêt, ou une grande cité étincelante de lumières, avec de hautes tours.

En cet instant, néanmoins, en contemplant la colline, je me souvenais aussi de mes peurs. De loin, ça allait ; mais je n'avais jamais eu envie de m'en approcher. La colline du Pendu, vous vous en doutez, n'avait pas été nommée ainsi par hasard...

Un siècle auparavant, une guerre avait ravagé le pays, et tous les hommes du Comté y avaient pris part. Ce conflit avait été l'un des pires qui soient, une de ces épouvantables guerres civiles où les familles s'entre-déchirent, où l'on se bat parfois frère contre frère.

Au cours du dernier hiver de la guerre, une bataille s'était déroulée aux abords du village. À la fin, les vainqueurs avaient conduit leurs prisonniers jusqu'à la colline et les avaient pendus aux arbres de la pente exposée au nord. Ils avaient pendu également quelques-uns de leurs hommes, accusés de lâcheté devant l'ennemi. Il existait cependant une autre version de cette histoire : ces prétendus lâches auraient refusé de combattre des voisins et des parents.

Jack lui-même n'aimait pas mener les bêtes du côté de la colline, et les chiens refusaient de franchir la lisière du bois. Quant à moi, sensible comme je l'étais à des choses que les autres ne percevaient pas, j'étais incapable de travailler dans les pâtures proches, car je pouvais *les* entendre. J'entendais les cordes grincer au vent, et les branches craquer sous le poids des corps. J'entendais les mourants s'étouffer et s'étrangler.

Maman avait dit que j'étais semblable à elle. Ce qui est sûr, c'est qu'elle était semblable à moi : je savais qu'elle aussi pouvait voir des choses que les autres ne voient pas. Un hiver, à l'époque où je n'étais encore qu'un bambin et où tous mes frères vivaient sous notre toit, les bruits venus de la colline étaient si forts, la nuit, qu'ils me parvenaient jusque dans ma chambre. Mes frères n'entendaient rien ; moi, si. Et je n'arrivais pas à dormir. Maman venait à mon chevet chaque fois que je l'appelais, alors qu'elle était debout dès le chant du coq pour assurer toutes les tâches ménagères.

Elle finit par me dire qu'elle allait s'en occuper. Une nuit, elle monta seule sur la colline du Pendu, et s'aventura sous les arbres. Quand elle revint, tout était tranquille, et ce calme dura plusieurs mois.

Sur un point au moins je ne ressemblais pas à maman : elle était beaucoup plus courageuse que moi.

2
En chemin

Je me levai une heure avant l'aube. Maman était déjà dans la cuisine, préparant des œufs au bacon, mon petit déjeuner préféré.

Papa descendit au moment où je nettoyais mon assiette avec une tranche de pain. En me souhaitant le bonjour, il tira de sa poche un objet qu'il me mit dans la main. C'était le briquet à amadou qui avait appartenu à son grand-père, puis à son père. Il y tenait beaucoup.

– Je veux que tu l'emportes, fils, déclara-t-il. Il pourra t'être utile dans ton nouveau métier. Et reviens nous voir bientôt ! Le fait de quitter la maison ne t'interdit pas de nous rendre visite.

– C'est l'heure, intervint maman en me serrant encore une fois dans ses bras. Il est au portail. Ne le fais pas attendre !

On n'aimait pas les attendrissements, dans la famille. Nous nous étions déjà dit au revoir, aussi je sortis seul dans la cour.

J'aperçus l'Épouvanteur, de l'autre côté du portail, haute silhouette noire dans la lumière grise du petit jour. Le capuchon rabattu sur la tête, il était là, immobile, son bâton dans la main gauche. Je marchai vers lui, balançant mon baluchon. Je me sentais fort nerveux.

Je fus surpris de le voir pousser la grille et s'avancer dans notre cour.

– Allons-y, mon garçon ! dit-il. Autant prendre tout de suite le chemin qui sera le nôtre.

Et, au lieu d'emprunter la route, il contourna la maison et se dirigea vers le nord, droit vers la colline du Pendu. Bientôt, nous traversions les dernières pâtures, et mon cœur se mit à cogner. L'Épouvanteur franchit la clôture avec l'agilité d'un jeune homme ; moi, je me figeai sur place. Les mains sur la planche de la barrière, j'écoutais la plainte des branches ployant sous leur sinistre charge.

– Qu'est-ce qui ne va pas, mon garçon ? demanda l'Épouvanteur en se retournant. Si, à peine sorti de chez toi, tu te laisses effrayer, tu ne me seras d'aucune utilité.

J'inspirai profondément et j'escaladai la clôture. Nous commençâmes à grimper la pente, et l'obscurité qui régnait sous les arbres masqua la lueur de l'aube. Plus nous montions, plus il faisait froid, et plus je grelottais. C'était un froid à vous donner la chair de poule et à vous faire dresser les cheveux sur la tête, un froid annonciateur d'un phénomène anormal. Il m'était arrivé de le sentir à l'approche de quelque chose qui n'appartenait pas à notre monde.

Quand nous eûmes atteint le sommet de la colline, je me retournai. Alors, je les vis, au-dessous de moi. Ils étaient au moins une centaine, un même arbre en portant parfois deux ou trois. Ils étaient en uniforme de soldats, avec de larges ceintures de cuir et de lourdes bottes, les mains liées dans le dos. Certains se débattaient avec l'énergie du désespoir, et la branche à laquelle ils étaient accrochés pliait et remontait. D'autres tournoyaient lentement au bout de la corde, d'un côté, puis de l'autre.

Le vent me jeta au visage un souffle si glacé, si mauvais, que, de toute évidence, il ne pouvait être naturel. Les arbres se courbèrent, les feuilles séchèrent et tombèrent d'un coup. En un instant, les branches se trouvèrent dénudées. Quand le vent se fut calmé, l'Épouvanteur posa la main sur mon épaule et me força à avancer. Nous nous arrêtâmes devant l'un des pendus.

– Regarde-le, m'ordonna l'Épouvanteur. Que vois-tu ?

– Un soldat mort, répondis-je d'une voix chevrotante.

– Quel âge a-t-il, à ton avis ?

– Dix-sept ans, pas plus.

– Bonne réponse, mon garçon. Maintenant, dis-moi, as-tu peur ?

– Un peu. Je n'aime pas être si près de lui.

– Pourquoi ? Tu n'as aucune raison d'avoir peur. Il n'y a rien là qui puisse te faire du mal. Concentre-toi sur lui, pas sur toi. Qu'a-t-il éprouvé ? Quelle a été sa plus grande souffrance ?

Je tentai de me mettre à la place du jeune soldat et d'imaginer son agonie. La douleur, la lutte contre l'étouffement avaient dû être terribles. Mais il y avait eu pire...

– Il a compris qu'il allait mourir, et qu'il ne rentrerait jamais à la maison, qu'il ne reverrait jamais sa famille, murmurai-je.

Comme je prononçais ces mots, une vague de tristesse me submergea. Au même moment, les pendus commencèrent à s'effacer lentement, jusqu'à ce que nous soyons seuls, sur la colline, et que les arbres aient retrouvé leurs feuilles.

– Comment te sens-tu, à présent ? As-tu encore peur ?

Je secouai la tête.

– Non. Je suis seulement triste.

– Très bien, petit. Tu apprends vite. Nous sommes l'un et l'autre le septième fils d'un septième fils, et nous avons le don de voir ce que les autres ne voient pas. Ce don est parfois une malédiction. Si nous avons peur, certains êtres se nourriront de cette peur ; notre peur les rend plus forts. Le seul moyen de leur tenir tête, c'est de te concentrer sur ce que tu vois et de cesser de penser à toi. C'est toujours efficace.

L'Épouvanteur continua :

– La vision de ces pendus était horrible, mais ce n'étaient que des ombres venues d'un autre temps. On ne peut plus rien pour eux, sinon les laisser s'estomper. Dans une centaine d'années, il n'en restera rien.

J'eus envie de lui raconter ce que maman avait obtenu d'eux, une fois. Mais je me tus, craignant de le contrarier. Ça n'aurait pas été une bonne façon de débuter.

– Lorsqu'il s'agit de fantômes, reprit mon maître, c'est différent. Il est possible de parler avec les fantômes et de leur faire entendre raison. Les aider à prendre conscience qu'ils sont morts est un acte de bienveillance. C'est une étape importante pour les encourager à s'en aller. Un fantôme est le plus souvent un esprit affolé, retenu sur cette terre sans qu'il ait compris ce qui lui arrivait. Il est donc en grand tourment. Cependant, certains sont là dans un but précis, et peuvent avoir des secrets à te révéler. Quant aux ombres, elles ne sont que les traces d'âmes parties vers un monde meilleur. C'est ce que tu as vu, mon garçon : des ombres. En principe, si tu te comportes bravement, elles ne te repèrent pas, et elles ne ressentent rien. As-tu remarqué que les arbres s'étaient transformés ?

– Oui. Les feuilles sont tombées, comme en hiver.

– Puis les feuilles sont revenues. Cette vision appartenait au passé. Une ombre, c'est un reflet dans l'étang de la mémoire. L'être dont elle est l'image n'est plus là depuis longtemps. Tu comprends ?

Je hochai la tête.

– Bien ! C'était ta première leçon. Nous aurons affaire aux morts de temps à autre, autant t'y habituer tout de suite. Allons-y ! Il nous reste un long chemin à parcourir. Et, à partir de maintenant, tu porteras ceci !

L'Épouvanteur me tendit son gros sac de cuir et, sans un regard en arrière, il redescendit la colline. Entre les arbres, on distinguait au loin le ruban gris de la route qui serpentait à travers le patchwork vert et brun des champs, en direction du sud.

– Tu as déjà voyagé, petit ? me lança l'Épouvanteur par-dessus son épaule. Tu connais un peu le Comté ?

J'expliquai que je n'avais pas parcouru plus de six

milles autour de la ferme de mon père, mon plus long voyage m'ayant mené au marché local.

Il grommela quelque chose dans sa barbe. J'en déduisis qu'il n'était guère content de ma réponse.

– Eh bien, ta vie de voyageur commence aujourd'hui, dit-il. Nous nous rendons dans un village du Sud appelé Horshaw. C'est à une quinzaine de milles, à vol de corbeau. Il nous faut y être avant la nuit.

J'avais entendu parler de Horshaw. C'était un village de mineurs, bâti au cœur du plus grand gisement de charbon du pays, et qui comptait une douzaine de puits. Je me demandai pour quel genre de travail on y appelait l'Épouvanteur.

Il marchait à grandes enjambées, sans ralentir l'allure. J'eus vite du mal à le suivre. En plus de mon baluchon, j'étais à présent chargé de son sac, qui me semblait plus lourd à chaque minute. Puis, comme pour rendre notre progression encore plus pénible, il se mit à pleuvoir.

Soudain, environ une heure avant midi, l'Épouvanteur s'arrêta. Il se retourna et me regarda durement. J'étais bien à dix pas en arrière. Les pieds me brûlaient, et j'avais un point de côté. La route n'était guère qu'un chemin dont la poussière se transformait en boue. En levant la tête vers mon maître, je trébuchai, glissai et faillis tomber. Il me réprimanda d'un claquement de langue :

– Tss, tss ! Tu as un étourdissement, petit ?

Je fis non de la tête. J'aurais voulu soulager un peu mon bras, mais poser son sac dans la gadoue ne me paraissait pas la chose à faire.

– À la bonne heure ! lança-t-il en esquissant un sourire.

La pluie dégoulinait de son capuchon et lui mouillait la barbe.

– N'accorde aucune confiance à un homme sujet aux étourdissements, reprit-il. C'est un conseil dont tu tâcheras de te souvenir.

– Je me sens très bien, protestai-je.

Il leva des sourcils étonnés.

– Vraiment ? Alors, c'est la faute de tes bottes. Elles ne sont pas accoutumées aux longues marches.

Mes bottes étaient semblables à celles que portaient Jack et mon père, solides, pratiques pour affronter la fange et le purin d'une cour de ferme. Mais il fallait du temps pour s'y habituer. Une paire neuve vous condamnait à quinze jours d'ampoules avant que vos pieds s'y sentent à l'aise. Je regardai celles de l'Épouvanteur. Elles étaient taillées dans un cuir qui paraissait d'excellente qualité, et garnies d'une semelle épaisse. Elles coûtaient sûrement une fortune, mais quelqu'un qui arpentait sans cesse les routes avait besoin d'être bien chaussé. Elles fléchissaient souplement à chaque pas, et devaient être confortables dès le premier moment où on les enfilait.

– De bonnes bottes sont indispensables dans notre métier, poursuivit l'Épouvanteur. Nous ne pouvons laisser à aucune créature, humaine ou non, la moindre chance de nous rattraper, là où nous avons à intervenir. Compter sur ses jambes ne suffit pas. Donc, si je décide de te garder, je te fournirai une paire de bottes comme les miennes.

À midi, nous fîmes une courte halte à l'abri d'une étable abandonnée. L'Épouvanteur tira un paquet de sa poche. Déballant le torchon qui l'enveloppait, il découvrit une grosse part de fromage jaune. Il en brisa un morceau et me le tendit. J'étais si affamé que je l'engloutis en trois bouchées. L'Épouvanteur n'en mangea qu'un petit bout avant de remballer le tout et de le remettre dans sa poche.

Il avait rejeté sa capuche en arrière, et je pus le dévisager vraiment pour la première fois. En dehors de sa barbe épaisse et de ses yeux de bourreau, ce qu'il avait de plus remarquable était son nez, long, sec et recourbé comme un bec d'oiseau de proie. Sa bouche disparaissait dans les poils de sa barbe et de sa moustache. Au premier regard, cette barbe semblait grise ; en l'observant aussi discrètement que possible, j'y repérai des traces de rouge, de noir, de brun, de toutes les couleurs de l'arc-en-ciel. Plus tard, je m'aperçus que cela dépendait de la lumière.

« À mâchoire molle, caractère mou ! », déclarait souvent mon père. Il prétendait que beaucoup d'hommes portent la barbe pour dissimuler ce défaut. Or celle de l'Épouvanteur, bien que fournie, laissait deviner une forte mâchoire carrée ; et, lorsque sa bouche s'ouvrait, elle révélait une rangée de dents pointues, mieux faites pour déchirer de la viande rouge que pour mâcher un morceau de fromage. Je constatai avec un frisson qu'il m'évoquait un loup, et pas seulement par sa physionomie. Il était une sorte de prédateur, qui chassait dans le noir. Son maigre régime de fromage devait le tenir sans cesse affamé et hargneux. Si je terminais mon apprentissage, un jour, je serais pareil à lui.

– Tu as encore faim, petit ? me demanda-t-il, ses yeux verts plongés dans les miens avec une telle intensité qu'ils me donnaient le vertige.

J'étais trempé jusqu'aux os, j'avais mal aux pieds et, plus que tout, mon estomac criait famine. J'opinais donc, espérant qu'il allait m'offrir une autre part de fromage. Il se contenta de secouer la tête en grommelant je ne sais quoi. Puis il me lança de nouveau un regard aigu.

– Tu t'habitueras à souffrir de la faim. Nous ne mangeons guère quand nous travaillons. Et, si la tâche est particulièrement ardue, nous ne prenons aucune nourriture avant de l'avoir achevée. Le jeûne est indispensable, il nous rend plus forts, moins vulnérables dans l'obscurité. Autant t'y accoutumer dès aujourd'hui, car, à Horshaw, je te soumettrai à un test. Tu passeras la nuit dans une maison hantée. Seul. Je saurais ainsi de quel bois tu es taillé.

3
13, passage Watery

Lorsque nous atteignîmes Horshaw, la cloche d'une église tintait au loin. Il était sept heures, et le soir tombait. Le vent nous envoyait un crachin glacé dans la figure. La lumière rasante me permettait de juger que cet endroit était le dernier où j'aurais souhaité vivre. J'aurais préféré ne pas avoir à m'y arrêter, même pour un bref séjour.

Horshaw était une vilaine excroissance noire sur le vert des champs, une petite ville triste et laide. Deux douzaines de masures se blottissaient les unes contre les autres sur la pente d'une colline fangeuse. Le paysage était criblé de puits de mine, et Horshaw était au milieu. Un monceau de scories dominait le village, marquant l'entrée de la houillère. Derrière ce terril s'étendaient les réserves, où s'entassait assez de combustible pour chauffer tout le Comté pendant le plus rigoureux des hivers.

Nous suivîmes une étroite rue pavée, frôlant les murs sales pour éviter les nombreux chariots remplis de charbon qui luisait sous la pluie. Les lourds chevaux de trait peinaient sous le poids de leur chargement, leurs sabots dérapaient sur les pavés mouillés.

Il y avait peu de passants, mais les rideaux de dentelle se soulevaient furtivement à notre passage. Nous croisâmes un groupe de mineurs aux visages rudes, qui montaient prendre leur service de nuit en discutant à voix haute. En nous voyant, ils se turent brusquement et se mirent en file, du côté opposé de la rue, pour nous éviter. L'un d'eux esquissa même un signe de croix.

– Il faudra t'y habituer, petit, grommela l'Épouvanteur. Nous sommes souvent demandés, mais rarement bienvenus, et certains endroits sont plus hostiles que d'autres.

Tournant au coin, nous prîmes une rue encore plus sinistre, menant dans la partie basse de la ville. On voyait au premier coup d'œil que les maisons étaient inhabitées. Beaucoup de fenêtres étaient cassées, d'autres condamnées avec des planches. Malgré l'obscurité, aucune lampe n'y brillait. Au bout de la rue se dressait un ancien entrepôt de grains dont les larges portails de bois pendaient sur des gonds rouillés.

L'Épouvanteur s'arrêta devant la dernière maison. Accolée à l'entrepôt, elle était la seule à avoir encore un numéro. Ce numéro, gravé sur une plaque de métal clouée contre la porte, était le treize. Le pire des nombres, et le plus maléfique ! Juste au-dessus, un panneau qui ne tenait plus que par un unique rivet menaçait de tomber sur les pavés. Il indiquait : *Passage Watery*.

Les fenêtres avaient encore leurs carreaux, mais aux lambeaux de rideaux qui les garnissaient se mêlaient d'épaisses toiles d'araignées. Ce devait être la fameuse maison hantée.

Mon maître tira une clé de sa poche, ouvrit la porte et pénétra dans cet antre obscur. Je le suivis, content d'être enfin à l'abri du crachin.

Cependant, quand il alluma une chandelle et la posa sur le carrelage, au centre de la pièce, je sus que j'aurais préféré n'importe quelle étable désaffectée à ce lieu lugubre. À part un tas de paille sale, sous la fenêtre, l'endroit était vide ; il n'y restait pas un seul meuble. L'air humide et froid sentait le renfermé, et à la lueur de la chandelle je voyais de la buée s'échapper de ma bouche.

Ce spectacle était assez déprimant, et les paroles de l'Épouvanteur ne furent pas pour me réconforter :

– Eh bien, mon garçon, le travail m'attend. Je vais te laisser ici, je t'y reprendrai plus tard. Tu sais ce que tu as à faire ?

– Non, monsieur, répondis-je en surveillant la flamme de la chandelle, qui vacillait dangereusement.

– Je t'en ai déjà parlé, tu n'as donc pas écouté ? Sois attentif et cesse de rêvasser ! Je ne te demande rien de bien difficile, prétendit-il en se grattant la barbe comme si quelque insecte s'y promenait. Tu vas passer la nuit ici, seul. J'amène tous mes apprentis dans cette vieille maison pour leur première nuit, ça me permet de savoir ce qu'ils ont dans le ventre. Ah ! Il y a une chose que je ne t'ai pas dite ! À minuit, tu descendras à la cave pour affronter la créature qui s'y tapit. Si tu réussis ce test, tu seras sur la bonne voie, et je pourrai envisager de te garder. Des questions ?

Des questions, j'en avais beaucoup ; mais les réponses m'effrayaient d'avance. Je me contentai de remuer la tête en essayant d'empêcher mes lèvres de trembler.

– Comment sauras-tu qu'il est minuit ?

Je haussai les épaules. J'étais assez doué pour me situer d'après la position du soleil ou des étoiles, et, si je m'éveillais au milieu de la nuit, je pouvais deviner presque exactement l'heure qu'il était. Seulement, ici, je me sentais beaucoup moins sûr de moi. Dans certains lieux, le temps passe plus lentement, et cette maison m'avait tout l'air d'être de ceux-là.

Je me rappelai alors la cloche de l'église.

– Il est sept heures passées, dis-je. J'attendrai que sonnent douze coups.

– Bien ! fit mon maître avec un petit sourire. Dès que la cloche sonnera douze coups, tu prendras la chandelle et tu descendras l'escalier de la cave. En attendant, dors, si tu peux. Maintenant, écoute-moi attentivement. Il y a trois choses importantes que tu ne dois pas oublier : n'ouvre la porte de la rue à personne, quelle que soit l'insistance avec laquelle on frappe. Et ne sois pas en retard pour descendre à la cave !

Il se dirigea vers la porte. Au moment où il sortait, je demandai :

– Et la troisième chose ?

– La chandelle, mon garçon. Quoi qu'il arrive, ne la laisse pas s'éteindre !

La porte se referma derrière lui, et je me retrouvai seul.

Je pris le chandelier avec précaution et entrai dans la cuisine. À part une pierre d'évier, elle était vide. La porte de derrière était verrouillée ; le vent passait dessous en gémissant. Il y avait deux autres portes, sur la droite. L'une était ouverte, révélant les degrés de bois nu qui menaient aux chambres, à l'étage. L'autre, plus proche de moi, était fermée.

Cette porte close me mettait mal à l'aise ; je décidai tout de même de jeter un coup d'œil. Je saisis la poignée d'une main mal assurée et tirai. La porte résista, et, l'espace d'un instant, j'eus l'effrayante impression que quelqu'un la retenait, de l'autre côté. Je tirai plus fort, et elle s'ouvrit brusquement. Déséquilibré, je faillis lâcher le chandelier.

Des marches de pierre, salies de poussière de charbon, s'enfonçaient dans les ténèbres. L'escalier tournait vers la gauche, si bien que je ne pouvais apercevoir le fond de la cave. Le courant d'air froid qui en montait chahuta la flamme de la chandelle. Je claquai vivement le battant et retournai dans la pièce principale, fermant aussi derrière moi la porte de la cuisine.

Je reposai le chandelier dans le coin le plus éloigné de la fenêtre. Une fois assuré que la chandelle ne tomberait pas, je cherchai le meilleur endroit pour dormir. Je n'avais guère le choix. Je n'allais certainement pas m'installer sur la paille humide. Je me roulai donc en boule sur le carrelage dur comme de la glace, et je fermai les yeux pour que le sommeil m'emporte loin de cette vieille maison sinistre. J'étais persuadé que je me réveillerais juste avant minuit.

En temps ordinaire, je m'endors facilement. Mais, ici, ce n'était pas pareil. Je grelottais de froid ; le vent secouait les vitres. J'entendais aussi des bruissements, des tapotements le long des murs. « Des souris », pensais-je. On avait l'habitude des rongeurs, à la ferme. Soudain, un nouveau bruit monta des profondeurs de la maison, très léger. Je tendis l'oreille. Il s'amplifia peu à peu, jusqu'à ce que le doute ne fût plus permis : en bas, à la cave, il se passait quelque chose qui n'avait pas à s'y passer. On creusait. Il y eut d'abord le tintement du métal sur la pierre, suivi du chuintement d'une lame de bêche s'enfonçant dans la glaise.

Cela dura plusieurs minutes ; puis le bruit s'arrêta, aussi soudainement qu'il avait commencé. Le silence revint. Même les souris cessèrent leur cavalcade. La maison semblait retenir son souffle. Et moi, je retenais le mien.

Des coups sourds retentirent alors, à une cadence régulière. Cela se rapprochait : *poum*, *poum*, *poum*. Des pas !

Je sautai sur mes pieds, saisis le chandelier et me recroquevillai dans un angle, tout au fond de la pièce.

Poum, *poum*, *poum*. Quelqu'un chaussé de lourdes bottes montait l'escalier de la cave. Quelqu'un avait creusé une fosse, en bas, dans le noir, et s'apprêtait à surgir.

À moins que... Peut-être n'était-ce pas *quelqu'un*, mais *quelque chose* ?

J'entendis grincer la porte de la cave, les pas traverser la cuisine. Je m'aplatis contre le mur, me faisant le plus petit possible, attendant que s'ouvre la porte de la cuisine.

Elle tourna lentement, avec un craquement lugubre. Quelque chose pénétra dans la pièce. Un froid sépulcral me fit frissonner, un froid annonçant la proximité d'un être qui n'est pas de cette terre, un froid semblable à celui que j'avais ressenti sur la colline du Pendu, mais pire encore.

Je levai la chandelle. La lueur de la flamme projeta sur les murs et au plafond des ombres grotesques. D'une voix plus tremblotante que le chandelier dans ma main, je demandai :

– Qui est là ?

Il n'y eut pas de réponse. Même le vent, au-dehors, s'était tu.

– Qui est là ? répétai-je.

Toujours pas de réponse.

Les pas sonnèrent sur le carrelage, s'avançant vers moi, de plus en plus près, et je percevais à présent un halètement, tel celui d'un énorme cheval de trait qui tire sa charge sur un chemin pentu.

Au dernier moment, les pas se détournèrent, se dirigèrent vers la fenêtre. Je n'osais plus respirer, tandis que la créature, elle, aspirait de grandes bouffées d'air comme si elle n'arrivait pas à s'emplir les poumons.

À l'instant où je me crus incapable d'en supporter davantage, l'être invisible poussa un profond soupir, lourd de tristesse et de lassitude. Au bruit de bottes sur le carrelage je compris qu'il regagnait la cuisine. Ce n'est qu'en l'entendant redescendre pesamment les marches de la cave que je repris enfin mon souffle.

Mon rythme cardiaque se ralentit, mes mains cessèrent de trembler ; peu à peu, je retrouvai mon calme. Il me fallait maintenant remettre mes pensées en ordre. J'avais eu très peur ; cependant, si rien de plus terrible ne m'arrivait cette nuit, je réussirais mon premier test. J'allais devenir l'apprenti de l'Épouvanteur. Je devrais donc m'habituer aux lieux hantés ; mon travail m'y obligerait.

Au bout de quelques minutes, je me sentis mieux. Je m'apprêtais à me réinstaller pour dormir, mais, comme le dit souvent mon père, « les esprits mauvais ne connaissent pas le repos ». Peut-être n'avais-je pas fait ce qu'il fallait ? Toujours est-il qu'un nouveau bruit, bien que d'abord faible et lointain, me fit sursauter : on frappait à une porte.

Il y eut un silence, puis j'entendis distinctement trois coups. Un autre silence, et trois autres coups résonnèrent, plus près. Alors, je compris : quelqu'un parcourait la rue, frappant à chaque maison, s'approchant peu à peu du numéro treize. Lorsque l'inconnu atteignit enfin la maison hantée, les trois coups retentirent avec une force à réveiller un mort. La créature de la cave allait-elle remonter pour ouvrir au visiteur ?

Soudain, ma peur s'envola. Une voix m'appelait de l'extérieur, une voix que je connaissais bien :

– Tom ? Tom ! Ouvre ! Laisse-moi entrer !

C'était maman ! J'étais si heureux de l'entendre que je courus vers la porte sans réfléchir. Dehors, il pleuvait toujours, elle devait être trempée.

– Dépêche-toi, Tom ! me pressait maman. Ne me fais pas attendre !

Ma main soulevait déjà le loquet quand la mise en garde de l'Épouvanteur me revint en mémoire : « N'ouvre la porte de la rue à personne, quelle que soit l'insistance avec laquelle on frappe ! »

Mais... pouvais-je laisser maman dehors, dans la nuit ?

J'inspirai longuement et m'efforçai de raisonner. Le simple bon sens me disait que ce ne pouvait pas être elle. Pourquoi m'aurait-elle suivi jusqu'ici ? Comment aurait-elle su que j'étais dans cette maison ? De plus, elle n'aurait jamais entrepris seule un tel voyage ; Jack ou mon père l'aurait accompagnée.

Non, c'était autre chose qui attendait, dehors. Une chose sans mains, et cependant capable de frapper. Une chose sans pieds, qui se tenait pourtant sur le trottoir.

On cogna encore contre le battant avec insistance.

– Laisse-moi entrer, Tom ! supplia la voix. Pourquoi es-tu aussi méchant ? J'ai froid, je suis mouillée, je suis fatiguée...

J'entendis des pleurs, et je fus alors certain que ce n'était pas maman. Maman était forte. Maman ne pleurait jamais, même dans les situations les plus douloureuses.

Au bout d'un moment, les coups faiblirent, puis cessèrent. M'allongeant par terre, je tentai encore une fois de m'endormir. Je me tournai et me retournai sans trouver le sommeil. Le vent s'était remis à secouer les carreaux ; les demies et les heures s'égrenaient au clocher de l'église ; bientôt, il serait minuit.

Plus le moment de descendre l'escalier de la cave approchait, plus j'étais angoissé. Je voulais réussir le test de l'Épouvanteur, mais, oh ! que j'aurais aimé être de retour chez moi, en sécurité dans mon lit, bien au chaud !

Juste après la demie de onze heures, la créature, en bas, recommença à creuser. Puis des pas lourds montèrent de nouveau les marches de pierre. De nouveau la porte de la cuisine s'ouvrit, et les bottes sonnèrent sur le carrelage de la salle. J'étais pétrifié. Seul mon cœur bougeait encore, cognant contre mes côtes à les briser. Et, cette fois, les pas ne se dirigèrent pas vers la fenêtre. Ils vinrent droit sur moi, *poum*, *poum*, *poum*...Une main invisible me saisit par le col et me souleva, à la manière d'une chatte transportant son chaton. Un bras invisible s'enroula autour de mon corps, immobilisant mes bras, m'écrasant la poitrine. Je suffoquai comme un poisson hors de l'eau.

On m'emportait vers la porte de la cave ! Je ne voyais pas celui qui me tenait, j'entendais juste sa respiration sifflante. Je me débattis frénétiquement, car, au fond de moi, je savais ce qui allait arriver. Je savais pourquoi on avait creusé une fosse. On allait me descendre dans cette cave, par cet escalier obscur. Et c'était une tombe qui m'attendait. J'allais être enterré vivant.

Une terreur sans nom me submergea. J'aurais voulu hurler, mais aucun son ne sortait de ma bouche.

Soudain, on me lâcha. Je tombai lourdement.

Je me retrouvai à quatre pattes, devant l'entrée béante de la cave, le nez à quelques centimètres de la première marche. Mon cœur tapait si vite que je n'aurais pu compter ses battements. Je bondis sur mes pieds et claquai la porte. Le corps agité de tremblements, je courus me réfugier dans la salle, en me demandant laquelle des trois règles de l'Épouvanteur j'avais transgressée.

La chandelle ! Elle s'était éteinte...

Un éclair illumina alors la pièce, suivi d'un violent coup de tonnerre ; la pluie s'abattit sur la maison, tambourinant sur les carreaux. Une bourrasque malmena la porte comme si quelqu'un, dehors, essayait d'entrer.

Je restai un long moment immobile, sursautant à chaque éclair. Jamais je ne m'étais senti aussi misérable. C'était vraiment une sale nuit. Pourtant, malgré ma peur de l'orage, j'aurais donné n'importe quoi pour m'enfuir dans la rue, pour ne pas avoir à descendre dans cette cave.

J'entendis la cloche de l'église sonner au loin. Je comptai les coups. Minuit, l'heure d'affronter ce qui m'attendait en bas !

À cet instant, je remarquai à la lueur d'un éclair de larges empreintes de pas sur le carrelage. Je pensai d'abord qu'il s'agissait de celles de l'Épouvanteur. Mais elles étaient noires, comme si les semelles qui les avaient laissées avaient été pleines de poussière de charbon. Elles sortaient de la cuisine, bifurquaient vers la fenêtre, puis repartaient d'où elles étaient venues, vers les profondeurs de la cave où j'allais devoir m'enfoncer.

Je tâtonnai à la recherche du chandelier et mis la main sur mon baluchon. Dedans, il y avait le briquet que mon père m'avait donné !

À l'aveuglette, je réunis quelques brins de paille, battis le briquet pour faire jaillir des étincelles. En soufflant doucement dessus, je portai la mèche d'amadou à incandescence et l'approchai de la paille. Une courte flamme s'éleva, juste le temps que j'y rallume la chandelle. Papa ne se doutait sûrement pas, en me faisant ce cadeau, qu'il me serait si vite utile !

Lorsque j'ouvris la porte de la cave, un nouvel éclair illumina la cuisine ; un violent coup de tonnerre ébranla la maison, et son écho roula jusque dans les fondations. Je m'engageai dans l'escalier, levant le chandelier d'une main si tremblante que sa lumière projeta sur le mur des ombres fantastiques.

Tout en moi refusait de descendre. Mais, si je ne réussissais pas le test, je n'aurais probablement plus qu'à repartir chez moi dès l'aube. J'imaginais alors ma honte d'avoir à raconter à maman ce qui s'était passé.

Huit marches plus bas, je franchis le tournant ; la cave m'apparut, pas très grande, pleine de recoins obscurs, que la flamme de la chandelle n'arrivait pas à éclairer. D'épaisses toiles d'araignées pendaient du plafond voûté, telles des tentures déchirées, des morceaux de charbon traînaient sur le sol en terre battue. Je contournai un tonneau à bière et une table bancale...

Je distinguai alors quelque chose derrière un tas de cageots. D'effroi, je faillis lâcher le chandelier.

C'était une forme sombre, ressemblant vaguement à un tas de chiffons. Il en sortait un bruit étouffé, régulier : *ça* respirait !

Il me fallut user de toute ma volonté pour obliger mes jambes à remuer. J'avançai d'un pas, d'un autre, d'un autre encore... La chose se dressa soudain devant moi, immense silhouette encapuchonnée de noir, avec des yeux luisant d'une terrifiante lueur verte.

J'étais sur le point de m'enfuir en hurlant lorsque je remarquai le long bâton que la créature tenait dans sa main gauche.

– Qu'est-ce que tu fabriquais ? me lança l'Épouvanteur. Tu as cinq minutes de retard.

4
La lettre

– Enfant, j'habitais cette maison, me dit mon maître. J'y ai vu des choses effroyables. Mais j'étais le seul à les voir, et mon père me battait pour me punir de raconter des mensonges. Une créature montait de notre cave. Tu l'as entendue, n'est-ce pas ?

Je hochai la tête.

– Rien dont il faille s'inquiéter, mon garçon. Ce n'est qu'une ombre, une de plus ; la trace d'une âme en peine qui s'en est allée dans un monde meilleur. Si elle n'avait pas laissé derrière elle sa part mauvaise, elle aurait été retenue ici tout entière pour l'éternité.

– Sa part mauvaise ? répétai-je, et ma voix résonna sous la voûte.

L'Épouvanteur remua tristement la tête.

– La maison appartenait autrefois à un mineur dont les poumons étaient si malades qu'il ne pouvait plus travailler. Il toussait jour et nuit à en étouffer, et sa malheureuse épouse, pour subvenir à leurs besoins, travaillait dans une boulangerie. Pour leur malheur à tous deux, elle était fort belle. L'homme était d'un caractère jaloux, et sa maladie l'avait aigri. Un soir, la femme rentra de son travail plus tard qu'à l'ordinaire. Il l'avait attendue en faisant les cent pas devant la fenêtre, de plus en plus furieux, persuadé qu'elle traînait avec un autre. Quand elle arriva enfin, il était dans un tel état de rage qu'il lui fendit la tête avec un bloc de charbon. Puis, la laissant agoniser sur le carrelage, il descendit creuser une fosse à la cave. Lorsqu'il remonta, elle vivait encore, mais elle n'avait plus la force ni de bouger ni de parler. C'est sa terreur qui t'est parvenue, celle qui l'a envahie quand elle s'est sentie soulevée et transportée dans les profondeurs du sous-sol. Elle avait entendu son mari creuser, elle savait ce qui l'attendait.

Il l'a enterrée, puis il s'est donné la mort. C'est une triste histoire. Et, bien que l'un et l'autre soient en paix, à présent, l'ombre du meurtrier rôde encore ici, ainsi que les derniers souvenirs de sa victime, assez puissants pour tourmenter des gens comme nous. Je te l'ai déjà dit, nous percevons des choses que les autres ne perçoivent pas ; c'est à la fois un don et une malédiction. Mais c'est essentiel dans notre métier.

Ce récit me fit frissonner. J'éprouvais une pitié infinie pour la pauvre femme assassinée, pour le mineur qui l'avait tuée, et aussi pour l'Épouvanteur. Vous imaginez ça : être obligé de passer votre enfance dans une maison pareille ?

Je jetai un coup d'œil vers la chandelle, que j'avais posée sur la table. Elle était presque entièrement consumée, et la flamme lançait ses dernières lueurs. L'Épouvanteur ne semblait pourtant nullement pressé de remonter l'escalier. Je n'aimais pas les ombres qui modifiaient l'aspect de son visage, comme s'il lui poussait un museau ou quelque chose de ce genre.

– Sais-tu comment j'ai vaincu ma peur ? me demanda-t-il.

– Non, monsieur.

– Une nuit, j'étais si terrifié que je me suis mis à hurler sans pouvoir m'arrêter. Mes cris ont réveillé toute la maisonnée. Dans un accès de colère, mon père m'a saisi par la peau du cou et m'a descendu à la cave. Puis il s'est armé d'un marteau et a condamné la porte derrière moi.

Je n'étais pas bien grand, j'avais sept ans, tout au plus. J'ai grimpé les marches, braillant à m'en faire éclater les poumons ; j'ai martelé le battant de mes poings, je me suis arraché les ongles sur le bois. Mais mon père était un homme dur ; il m'a laissé seul dans le noir. Au bout d'un moment, je me suis calmé, et sais-tu ce que j'ai fait ?

J'ai secoué la tête, évitant de le regarder en face. Ses yeux flambaient dans la semi-obscurité, et il ressemblait plus que jamais à un loup.

– J'ai redescendu l'escalier, et je me suis assis au milieu de la cave, dans le noir. J'ai pris trois grandes inspirations, et j'ai affronté ma peur. J'ai affronté les ténèbres, l'élément le plus effrayant pour les gens de notre sorte, car c'est au milieu d'elles que des créatures viennent à nous. Elles nous appellent en chuchotant, et prennent des formes que seuls nos yeux peuvent voir. Mais je l'ai fait, et j'ai tenu le coup. Je suis resté dans cette cave jusqu'à l'aube et, lorsque j'en suis enfin sorti, le pire était derrière moi.

À cet instant, la flamme de la chandelle vacilla et s'éteignit, nous plongeant dans le noir total.

– Voilà, mon garçon, reprit l'Épouvanteur. Il n'y a plus ici que toi, moi, et le noir. As-tu le courage de le supporter ? Es-tu prêt à devenir mon apprenti ?

Sa voix me parut différente, plus profonde, étrange. Je l'imaginai à quatre pattes, un pelage dru recouvrant peu à peu son visage, ses dents se changeant en crocs. Je tremblais si fort que je fus incapable de dire un mot avant d'avoir respiré trois fois profondément. Alors seulement je lui donnai ma réponse. C'était la phrase de mon père lorsqu'une tâche difficile ou désagréable l'attendait :

– Puisque quelqu'un doit le faire, pourquoi pas moi ?

L'Épouvanteur dut trouver ça drôle, car son rire emplit toute la cave, se mêlant au grondement du tonnerre, qui s'éloignait.

– Il y aura bientôt treize ans de cela, fit-il enfin, une lettre cachetée m'est parvenue. Elle était brève, précise et rédigée en grec. C'est ta mère qui me l'avait adressée. Sais-tu ce qu'elle m'écrivait ?

– Non, fis-je à voix basse, me demandant ce qui allait suivre.

– Elle m'écrivait ceci : « J'ai donné le jour à un petit garçon. Il est le septième fils d'un septième fils. Son nom est Thomas J. Ward, et c'est le cadeau que je fais à ce Comté. Dès qu'il aura l'âge requis, je vous enverrai un mot. Je compte sur vous pour le former. Il sera le meilleur apprenti que vous ayez jamais eu, et le dernier. »

Les paroles de l'Épouvanteur n'étaient plus qu'un murmure dans le noir :

– Nous ne sommes pas des magiciens, mon garçon. Nos outils de travail se nomment bon sens, courage et mémoire, car nous devons tirer les leçons du passé. Et, surtout, nous ne croyons pas aux prophéties, car l'avenir n'est pas défini. Si ce que ta mère m'a écrit s'est révélé vrai, c'est parce que *nous* l'avons fait devenir vrai. Comprends-tu ?

Il y avait comme de la colère dans sa voix, mais je sentis qu'elle n'était pas dirigée contre moi. Je me contentai de hocher la tête, même s'il ne pouvait pas me voir.

– Quant au cadeau de ta mère au Comté, sache que chacun de mes apprentis a été le septième fils d'un septième fils. Ne te considère donc pas comme un être exceptionnel. De longues études et un dur travail t'attendent.

Il se tut un instant, puis conclut d'un ton plus amène, dont toute trace d'irritation avait disparu :

– La famille peut aussi être un poids. Il ne me reste que deux frères. L'un est serrurier, et nous avons de bonnes relations. Mais l'autre ne m'a pas adressé la parole depuis quarante ans, bien qu'il vive toujours ici, à Horshaw.

Lorsque nous quittâmes la maison, la tempête s'était apaisée, et la lune brillait. Tandis que l'Épouvanteur refermait la porte, je remarquai des lettres gravées dans le bois :

γx
Gregory

Mon maître désigna l'inscription d'un mouvement de tête.

– J'utilise des marques de ce genre pour avertir les personnes capables de les lire, ou même, parfois, pour me rafraîchir la mémoire. Tu reconnais le *gamma* grec ? Il indique la présence d'une ombre ou d'un fantôme. Le x, à droite, signifie dix en chiffre romain, l'échelon le plus bas. De dix à six, il s'agit d'une ombre. Il n'y a rien dans cette maison qui puisse te nuire tant que tu te comportes bravement. Souviens-toi : l'obscur se nourrit de peur. Domine ta peur, et aucune ombre ne tentera quoi que ce soit contre toi.

J'aurais aimé savoir cela quelques heures plus tôt !

– Courage, petit ! reprit l'Épouvanteur. Tu m'as l'air d'avoir le moral au fond des bottes ! Tiens, ceci te réconfortera !

Il sortit le fromage jaune de sa poche, en brisa un morceau et me le tendit.

– Ne l'engloutis pas d'un coup ! Prends le temps de mastiquer !

Je suivis mon maître le long de la rue pavée. L'air était humide, mais, au moins, il ne pleuvait plus. À l'ouest, les nuages ressemblaient à des lambeaux de laine blanche qu'une main invisible dispersait dans le ciel.

Laissant le village derrière nous, nous continuâmes vers le sud. Sur notre droite, là où la chaussée redevenait un chemin boueux, se dressait une petite église en piteux état. Le toit perdait ses ardoises et la peinture du portail s'écaillait. Nous n'avions pas rencontré âme qui vive depuis notre départ de la maison hantée. Or, un vieil homme aux cheveux gras, à l'allure négligée, était debout sur le parvis. À ses vêtements sombres je reconnus un prêtre.

Tandis que nous approchions, l'expression de son visage attira mon attention. Il tordait la bouche, dardant sur nous un regard noir. Soudain, d'un geste théâtral, il traça dans l'air un immense signe de croix, se haussant sur la pointe des pieds pour lever sa main droite le plus haut possible. J'avais déjà vu des prêtres donner leur bénédiction, mais aucun n'avait eu cette mimique exagérée, ni cet air furibond. Pas de doute, c'était notre passage qui déclenchait le courroux de l'homme.

Je supposai qu'il avait quelque grief contre mon maître, ou du moins contre sa profession. Je comprenais que la présence d'un épouvanteur rende les gens nerveux ; mais une telle réaction me stupéfiait.

– Qu'est-ce qu'il avait ? demandai-je quand nous fûmes assez loin pour parler sans être entendus.

– Les prêtres ! cracha l'Épouvanteur avec colère. Ils savent tout, mais ne voient rien ! Et celui-ci est pire que les autres ! C'est mon frère.

J'aurais aimé qu'il m'en dise plus. J'eus cependant la sagesse de ne pas l'interroger davantage. J'avais bien des choses à apprendre sur le passé de M. Gregory, et je devinais qu'il ne me les révélerait que lorsqu'il l'aurait décidé.

Je me contentai donc de le suivre, portant toujours son sac, et pensant à la lettre de maman. Elle n'était pas du genre à se vanter et n'affirmait jamais rien à la légère. Maman ne disait que ce qu'il fallait dire, aussi avait-elle sûrement pesé chaque mot. Elle ne faisait également que ce qu'il fallait faire. L'Épouvanteur prétendait qu'on n'avait aucune prise sur les ombres. Pourtant, une nuit, maman avait obtenu de celles qui hantaient la colline du Pendu qu'elles cessent leur tapage.

Dans ma situation, être le septième fils d'un septième fils était des plus banal. C'était simplement la condition pour devenir l'apprenti d'un épouvanteur. Cependant, quelque chose me rendait différent, je le savais.

J'étais aussi le fils de ma mère.

5
Gobelins et sorcières

Tandis que nous marchions, les derniers nuages du matin s'effacèrent, et je remarquai un net changement. Même en hiver, le soleil brille parfois sur le Comté. S'il ne nous réchauffe guère, il est cependant préférable à la pluie. Mais il est une période de l'année où l'on ressent tout à coup sa chaleur, et c'est comme le retour d'un ami.

L'Épouvanteur devait ruminer la même pensée, car il fit brusquement halte, me regarda de côté et m'adressa un de ses rares sourires.

– C'est le premier jour du printemps, petit, me dit-il. Nous irons donc à Chipenden.

Cela me parut curieux. Se rendait-il toujours à Chipenden le premier jour du printemps et, si oui, pourquoi ? Je l'interrogeai.

– Ce sont mes quartiers d'été, m'expliqua-t-il. Je passe l'hiver au bord de la lande d'Anglezarke, et l'été à Chipenden.

– Je n'ai jamais entendu parler d'Anglezarke. C'est où ?

– Dans le sud du Comté. C'est là que je suis né. Nous avons vécu là-bas jusqu'à ce que mon père nous emmène à Horshaw.

Je connaissais l'existence de Chipenden, ce qui me rassurait un peu. Je découvrais qu'en tant qu'apprenti d'un épouvanteur j'allais voyager sans cesse et devrais apprendre à m'orienter.

Nous changeâmes donc de cap, nous dirigeant vers les lointaines collines du nord-est, et je ne posai pas d'autres questions.

Cette nuit-là, alors que nous nous étions abrités dans une grange et que notre souper s'était résumé une fois encore à quelques bouchées de fromage jaune, mon estomac protesta violemment. Je n'avais jamais eu aussi faim.

Je me demandais où nous logerions, à Chipenden, et si nous y prendrions enfin un repas convenable. Je ne connaissais personne qui y soit allé ; mais on en parlait comme d'un lieu peu accueillant, isolé quelque part dans le creux des lointaines collines, dont la ligne pourpre et grise était à peine visible depuis la ferme de mon père. Ces collines m'évoquaient toujours de grosses bêtes assoupies, sans doute à cause des histoires que me contait l'un de mes oncles. La nuit, prétendait-il, elles s'agitaient, et le lendemain matin des villages entiers avaient disparu de la surface de la terre, réduits en poussière sous leur poids.

Le matin suivant, des nuages d'un gris sombre cachaient de nouveau le soleil. Nous ne verrions sans doute pas de sitôt une deuxième journée de printemps. Le vent s'était levé, faisant claquer nos vêtements, bousculant les vols d'oiseaux dans le ciel, tandis que les nuages semblaient se courser pour cacher plus vite le sommet des collines.

Nous gravissions la route en pente à pas lents, et ce rythme me convenait, car j'avais des ampoules aux talons. La journée était donc bien avancée quand nous approchâmes de Chipenden, et la lumière commençait à baisser.

Le vent soufflait toujours, mais le ciel s'éclaircissait, et la crête pourpre des collines se détachait sur l'horizon. L'Épouvanteur n'avait guère été bavard durant le voyage. Il s'anima soudain en me désignant les sommets un à un. Il y avait le Pic de Parlick, le plus proche de Chipenden ; et d'autres, plus ou moins éloignés, qui avaient pour nom Mont Mellor, la Selle ou la Colline au Loup. Je demandai à mon maître s'il y avait encore des loups à cet endroit. Il eut un sourire inquiétant.

– On ne sait jamais ce qui peut se passer par ici, petit. Nous devons toujours rester sur nos gardes.

Lorsque les premiers toits du village furent en vue, l'Épouvanteur me montra du doigt un sentier, à l'écart de la route, le long d'un ruisseau qui dévalait la colline en gargouillant.

– Ma maison est par là, dit-il. Le chemin est un peu plus long, mais ce détour nous évite la traversée du village. J'aime autant garder mes distances avec les gens d'ici. D'ailleurs, eux-mêmes trouvent cela préférable.

Je me souvins encore une fois de l'avertissement de Jack, et mon cœur se serra. Mon frère avait raison : un épouvanteur vit et travaille seul ; il ne peut compter que sur lui-même.

Des arbustes rachitiques poussaient sur les berges, agrippés à la pente pour résister au vent. Celui-ci faiblit jusqu'à n'être plus qu'un lointain soupir lorsque nous pénétrâmes dans un bois de frênes et de sycomores. Je n'y vis d'abord qu'une simple futaie nous protégeant des rafales. Puis je compris qu'il s'agissait de bien autre chose.

J'avais déjà remarqué, de temps à autre, que certains arbres sont particulièrement bruyants : leurs branches craquent, leurs feuilles chuchotent ; tandis que d'autres n'émettent presque aucun son. J'entendais le souffle du vent au-dessus de nos têtes. Mais, dans le sous-bois, le seul bruit perceptible était celui de nos bottes. L'endroit était étrangement calme. Tous ces arbres, et un tel silence ! Un frisson me parcourut le dos lorsque l'idée me vint qu'ils nous écoutaient...

Nous entrâmes alors dans une clairière. Devant nous, il y avait une maison. On n'apercevait que son toit et son étage supérieur, tant la haie d'aubépines qui l'entourait était haute. Le filet de fumée blanche qui sortait de la cheminée montait tout droit. Puis, ayant dépassé la cime des arbres, elle était dispersée par le vent, qui la chassait vers l'est.

La maison et le jardin étaient nichés dans un vallon, au bas de la colline. On aurait dit qu'un géant obligeant avait creusé le sol du tranchant de son énorme pogne.

Je suivis l'Épouvanteur jusqu'à un portail de fer, qui ne m'arrivait pas plus haut que la ceinture. Il était repeint de frais, d'un vert si vif que je me demandai si le badigeon avait eu le temps de sécher. Mon maître tendit la main.

Il se passa alors une chose qui me coupa le souffle. Sans que l'Épouvanteur ait touché le loquet, celui-ci se souleva, et la grille pivota sur ses gonds, comme manœuvrée par un bras invisible. J'entendis mon maître dire :

– Merci !

La porte de la maison, elle, ne s'ouvrit pas toute seule. L'Épouvanteur dut tourner dans la serrure une grosse clé qu'il avait tirée de sa poche, identique à celle qui avait déverrouillé la porte de la maison hantée.

– C'est la clé que vous avez utilisée à Horshaw, remarquai-je.

Il me regarda du coin de l'œil tout en poussant la porte.

– Oui, petit ! Mon frère, le serrurier, l'a fabriquée pour moi. Elle ouvre la plupart des serrures, tant qu'elles ne sont pas trop compliquées. C'est très utile pour le travail qui est le nôtre.

Le battant tourna avec force craquements et grincements, et je pénétrai derrière mon maître dans une petite entrée sombre. On devinait sur la droite un escalier raide, et sur la gauche un étroit corridor au sol carrelé.

– Laisse les sacs au pied de l'escalier, m'ordonna l'Épouvanteur, et viens ! Ne lambine pas ! J'aime manger bien chaud.

Je me débarrassai donc de son sac et de mon baluchon, et le suivis dans le couloir menant à la cuisine, d'où venait une odeur fort appétissante.

En entrant dans la pièce, je ne fus pas déçu ; elle me rappelait la cuisine de maman. Des pots d'herbes aromatiques étaient alignés sur le rebord de la fenêtre. Les derniers rayons du soleil qui passaient entre les feuilles tachetaient les murs d'ombres mouvantes. Un bon feu flambait dans la cheminée d'angle, répandant une douce chaleur. Au centre, sur une massive table en chêne, deux larges assiettes étaient disposées. Au milieu de la table attendaient cinq plats de service chargés de mets, à côté d'une saucière emplie jusqu'au col de jus de viande fumant.

– Assieds-toi, petit, et mange ! m'invita l'Épouvanteur.

Il n'eut pas besoin de me le dire deux fois.

Il me servit de gros morceaux de poulet et d'énormes tranches de bœuf, y ajouta une montagne de légumes et de pommes de terre rôties. Je recouvris le tout d'une sauce délicieusement parfumée. Seule maman aurait su en faire une meilleure.

Je me demandai où était la cuisinière, et comment elle avait prévu l'heure exacte de notre arrivée pour que tout soit chaud et sur la table au bon moment. Ma tête était pleine de questions, mais j'étais si fatigué que je consacrai toute l'énergie qui me restait à manger.

– Ça t'a plu ? s'enquit l'Épouvanteur, quand j'eus vidé mon assiette.

Je hochai la tête, trop repu pour parler. J'avais sommeil.

– Après un régime de fromage, c'est agréable de retrouver la maison et un bon repas chaud, dit-il.

On est bien nourris, ici. On reprend des forces en prévision des temps où il faut travailler.

J'opinai de nouveau et bâillai. Il continua :

– Nous aurons beaucoup à faire, demain. Alors, va te coucher ! Ta chambre est celle avec une porte verte, à l'étage. Dors bien ! Mais ne va surtout pas te promener dans la maison pendant la nuit ! Au matin, tu entendras sonner la cloche du petit déjeuner. Tu descendras aussitôt. Lorsque quelqu'un se donne du mal pour préparer de bonnes choses, il ne s'agit pas de le froisser en les laissant refroidir. Ne descends pas trop tôt non plus, ce ne serait pas mieux !

J'acquiesçai, le remerciai pour ce souper et retournai dans l'entrée. Le sac de l'Épouvanteur et mon baluchon n'y étaient plus. Tout en me demandant qui les avait emportés, je montai les marches pour aller me coucher.

Ma nouvelle chambre était bien plus grande que celle où je dormais à la ferme, et que j'avais longtemps partagée avec deux de mes frères. Celle-ci contenait un lit, une petite table avec un chandelier, une chaise, une commode, et on avait encore largement la place de circuler. Mon baluchon m'attendait, posé sur la commode.

Face à la porte, une haute fenêtre à guillotine semblait fermée depuis des années. Le verre des carreaux était si épais et si irrégulier que le paysage, vu au travers, se déformait en volutes de couleurs. Le lit était poussé contre le mur, juste en dessous. J'ôtai mes bottes, m'agenouillai sur l'édredon et tâchai de soulever le panneau du bas. Quoique un peu dur, il céda plus facilement que je ne m'y attendais. Je le relevai à petits coups, juste assez pour passer la tête au-dehors et observer les alentours.

Je vis une large pelouse divisée en deux par une allée recouverte de graviers blancs, qui menait dans le sous-bois à travers une ouverture dans la haie. En arrivant, j'avais pensé que le jardin était totalement entouré par cette barrière d'aubépines ; je m'étais trompé.

Sur la droite, par-delà la cime des arbres, on apercevait les collines. La première paraissait si proche qu'il me semblait pouvoir la toucher. J'inspirai une grande goulée d'air frais chargée d'une bonne odeur d'herbe, puis je rentrai la tête et m'occupai à déballer mes affaires. Elles tenaient à l'aise dans un seul tiroir de la commode. En le refermant, je remarquai des suites de mots, sur le mur du fond, dans l'ombre du lit.

Je m'approchai. Le mur était couvert de noms, tracés à l'encre noire sur le plâtre nu. Certains étaient plus grands que les autres, comme si ceux qui les avaient écrits avaient une haute estime d'eux-mêmes. Beaucoup s'étaient à moitié effacés au fil du temps et je me demandai si c'étaient ceux des apprentis qui avaient dormi dans cette chambre. Devais-je ajouter le mien, ou me fallait-il attendre la fin du mois, quand je saurais si l'Épouvanteur me gardait ? Je ne possédais ni encre ni plume, aussi résolus-je d'y penser plus tard ; mais j'examinai les noms avec attention, cherchant lequel paraissait le plus récent.

J'en conclus que c'était *Billy Bradley*. Les lettres étaient très nettes, tassées dans un tout petit espace du mur, là où il restait un peu de place. Je me demandai ce que ce Billy pouvait bien faire, à présent.

J'avais sommeil et j'étais fatigué. Les draps étaient propres, le lit confortable. Je me déshabillai donc et, à peine la tête sur l'oreiller, je m'endormis.

Lorsque je rouvris les yeux, le soleil entrait à flots par la fenêtre. Un bruit m'avait réveillé au beau milieu d'un rêve, sans doute la cloche du petit déjeuner.

Cependant, j'étais perplexe. La cloche avait-elle réellement sonné, ou l'avais-je rêvé ? Comment savoir ? Qu'étais-je censé faire ? Que je descende trop tôt ou trop tard, je mécontenterais la cuisinière !

Je décidai que j'avais *entendu* la cloche. Je m'habillai donc, et descendis. Depuis l'escalier me parvenaient des bruits de pots et de casseroles montant de la cuisine. Pourtant, au moment où je poussai la porte, la maison retomba dans un profond silence.

Je commis alors une erreur. J'aurais dû remonter aussitôt dans ma chambre, car il était clair que le petit déjeuner n'était pas prêt. La table du souper avait été débarrassée, mais le couvert n'était pas mis, et la cheminée était pleine de cendres refroidies. De fait, la cuisine était glaciale ; et le pire était qu'elle me semblait plus froide à chaque seconde.

Mon erreur fut d'avancer d'un pas vers la table. Un bruit étrange s'éleva dans mon dos. Pas de doute, c'était un sifflement de colère ; et il avait retenti tout près de mon oreille gauche, si près que je sentis même un souffle dans mon cou.

L'Épouvanteur m'avait enjoint de ne pas descendre trop tôt. Je compris que j'étais en danger.

À peine avais-je eu cette pensée que je reçus un violent coup sur la nuque. Je titubai vers la porte, manquant de peu de m'écrouler.

Je n'avais pas besoin d'un autre avertissement. Je sortis de la cuisine en courant et remontai les escaliers. À mi-étage, je me figeai : quelqu'un m'attendait sur le palier, une silhouette imposante se dessinant à contre-jour dans l'embrasure de ma porte.

J'hésitai, ne sachant quel parti prendre, quand le son d'une voix familière me rassura : c'était l'Épouvanteur.

Je le voyais pour la première fois sans son grand manteau. Il était vêtu d'un pantalon gris et d'une tunique noire, et je découvris que, en dépit de sa haute taille et de ses larges épaules, c'était un homme mince, sans doute à cause de ces longues périodes où il ne se nourrissait que de fromage. Il me rappelait les meilleurs laboureurs, lorsqu'ils avancent en âge. Certains s'empâtent, mais la plupart – comme ceux que mon père engageait pour la moisson, depuis que cinq de mes frères avaient quitté la ferme – étaient secs et musclés. « Moins de graisse, plus de force », disait toujours papa. Et, en regardant l'Épouvanteur, je comprenais pourquoi il était capable de marcher sur d'aussi longues distances sans ralentir le pas.

– Je t'avais pourtant demandé de ne pas descendre trop tôt, remarqua-t-il d'une voix tranquille. Tu t'es fait boxer les oreilles, n'est-ce pas ? Que cela te serve d'avertissement, petit ! La prochaine fois, ça pourrait être pire.

– J'ai cru avoir entendu la cloche, me défendis-je. Mais c'était sans doute en rêve.

L'Épouvanteur rit doucement :

– Voilà l'une des premières leçons d'un futur épouvanteur : apprendre à reconnaître si on rêve ou si on est éveillé ! Certains n'y réussissent jamais.

Il descendit quelques marches et me tapota l'épaule.

– Viens ! Je vais te montrer le jardin. Il faut bien commencer ton instruction quelque part, et cela nous aidera à patienter jusqu'au petit déjeuner.

Mon maître me fit passer par la porte de derrière, et je constatai que le jardin était beaucoup plus grand que je l'avais cru. Nous marchâmes vers l'est, clignant des yeux à cause du soleil matinal, et atteignîmes la pelouse coupée par l'allée de graviers.

– En réalité, m'expliqua l'Épouvanteur, il y a trois jardins, où l'on accède par une allée comme celle-ci. Nous visiterons d'abord celui qui donne à l'est. Au lever du soleil, on y est en sécurité. Mais ne t'y aventure pas à la nuit tombée sans une excellente raison ; et, en tout cas, jamais seul !

Un peu nerveux, je suivis mon maître vers la lisière du bois. À proximité des arbres, l'herbe était plus haute, et piquetée de jacinthes sauvages. J'ai toujours aimé les jacinthes, parce qu'elles fleurissent au printemps et annoncent le retour des beaux jours. Mais, à cet instant, je ne leur accordai pas même un regard. Les branches cachaient le soleil, et l'air se refroidit brusquement, ce qui me rappela ma mésaventure dans la cuisine. Cette partie du bois avait quelque chose d'étrange et de menaçant, et plus nous avancions, plus la température baissait.

Il y avait des nids de corneilles au-dessus de nos têtes, et leurs cris rauques et furieux me firent frissonner autant que le froid. Leurs voix étaient aussi peu harmonieuses que celle de mon père, qui se mettait toujours à chanter quand nous terminions la traite. Si le lait tournait, maman disait que c'était sa faute.

L'Épouvanteur s'arrêta et désigna quelque chose par terre, cinq pas devant nous.

– Qu'est-ce que c'est ? me demanda-t-il à voix basse.

L'herbe avait été arrachée, et, au centre d'un large cercle de terre nue, il y avait une pierre tombale. Plantée verticalement, elle penchait légèrement sur la gauche. Devant la stèle, une portion du sol était délimitée par des pierres moins hautes. C'était tout à fait inhabituel. Or, il y avait plus étrange encore : treize épais barreaux de fer étaient fermement fixés aux pierres du pourtour par de gros verrous. Je les comptai deux fois pour être sûr.

– Eh bien, petit, je t'ai posé une question. Qu'est-ce que c'est ?

J'avais la bouche si sèche que je réussis tout juste à coasser deux mots :

– Une tombe.

– Bonne réponse ! Remarques-tu quelque chose de particulier ?

Je hochai la tête, incapable d'en dire plus.

L'Épouvanteur sourit et me tapota l'épaule.

– Tu n'as aucune raison d'avoir peur. Il n'y a là qu'une sorcière morte, et pas des plus puissantes. Comme elle ne pouvait reposer dans une terre bénie, on l'avait enterrée en dehors du cimetière, à quelques milles d'ici. Mais elle a réussi à se libérer. Je l'ai sermonnée et, comme elle ne voulait rien entendre, je l'ai bouclée là. Les gens du pays se sentent plus tranquilles ; ils peuvent aller et venir en paix. Ils n'aiment pas s'embarrasser de soucis de ce genre, c'est notre tâche à nous.

J'opinai de nouveau et m'aperçus soudain que j'avais cessé de respirer. J'aspirai une longue goulée d'air. Mon cœur cognait follement, et je tremblais de la tête aux pieds.

– Elle n'est plus guère dangereuse, maintenant, continua mon maître. De temps à autre, à la pleine lune, on l'entend s'agiter ; mais elle n'a pas assez de force pour atteindre la surface, et les barres de fer l'empêcheraient de sortir, de toute façon. Il y a pire, un peu plus loin, sous les arbres.

Il tendit le doigt vers l'est.

– Compte vingt pas, et tu y seras.

Pire ? Qu'est-ce qui pouvait être pire ? Je devinais qu'il ne tarderait pas à me le dire.

– Il y a là deux autres sorcières, m'apprit-il en effet, l'une morte, l'autre vivante. La morte est enterrée verticalement, la tête en bas. Malgré ça, une ou deux fois par an, il faut renforcer les barres sur sa tombe. Ne t'en approche jamais après le crépuscule.

– Pourquoi la tête en bas ? demandai-je.

– Bonne question, petit ! L'esprit d'une sorcière morte, vois-tu, se réfugie dans ses os. Certaines n'ont même pas conscience d'être mortes. Les enterrer la tête en bas suffit généralement à les faire tenir tranquilles. Mais les sorcières ont chacune leur caractère ; certaines se montrent particulièrement têtues. On dirait qu'elles cherchent à renaître. Il faut donc leur rendre les choses les plus difficiles possible en les enterrant dans le mauvais sens. Venir au monde les pieds devant n'est pas une chose aisée, ni pour un bébé, ni pour une sorcière. Toutefois, celle-ci reste dangereuse. Ne t'en approche pas !

Quant à la vivante, tiens-t'en à bonne distance ! Morte, elle serait encore plus dangereuse, car une sorcière aussi puissante n'aurait aucun mal à revenir de l'au-delà. C'est pourquoi nous la gardons au fond d'un puits. Elle s'appelle Mère Malkin. On l'entend sans cesse chuchoter, se parlant à elle-même. C'est l'être le plus maléfique qui soit. Elle est dans ce puits depuis fort longtemps, et une partie de ses pouvoirs se sont dissous dans la terre. Mais elle serait enchantée de mettre la main sur un gamin dans ton genre. Aussi, je te le répète, reste à bonne distance ! Promets-moi de ne jamais l'approcher. Je veux t'entendre le dire !

– Je promets de ne pas m'en approcher, murmurai-je, affreusement mal à l'aise.

Cela me paraissait bien cruel de garder dans un trou une créature vivante, fût-elle sorcière. J'étais sûr que cette méthode ne plairait pas à maman.

– C'est bien, mon garçon. Je ne veux plus voir se reproduire un incident comme celui de ce matin. Il pourrait t'arriver pire que de te faire boxer les oreilles. Bien pire.

Il me l'avait déjà dit, et je le croyais. Je n'avais pas besoin qu'il me le répète. Heureusement, il avait d'autres choses à me montrer, et il ne revint pas sur la question. Nous sortîmes du bois, et il me mena vers une autre pelouse.

– Voici le jardin sud, dit-il. N'y viens pas non plus le soir venu.

Là aussi, une allée menait vers le bois. Le soleil fut caché par un épais branchage, et l'air se refroidit : nous approchions d'une chose mauvaise. L'Épouvanteur s'arrêta à dix pas d'une dalle. Près des racines noueuses d'un chêne, elle couvrait une surface beaucoup plus grande que celle d'une tombe ordinaire, et, à en juger d'après la hauteur de pierre qui dépassait du sol, elle devait être très épaisse.

– Qu'est-ce qui est enterré là, à ton avis ? me demanda l'Épouvanteur.

Je fis de mon mieux pour répondre d'un ton assuré :

– Une autre sorcière ?

– Non. On n'a pas besoin d'une telle pierre pour retenir une sorcière. Le fer y suffit, généralement. Or, la créature qui est là-dessous se glisserait en un clin d'œil entre des barres métalliques. Examine attentivement cette dalle ! Vois-tu l'inscription gravée dessus ?

γ1 Gregory

J'acquiesçai. Je reconnaissais la lettre, mais j'ignorais ce qu'elle représentait.

– C'est le *gamma* grec, dit l'Épouvanteur, la lettre que nous utilisons pour désigner un gobelin. La ligne diagonale signifie qu'un artifice le retient sous cette dalle. À droite de la lettre, le chiffre romain *un*, l'échelon le plus haut, signale une créature extrêmement dangereuse. On utilise un classement de un à dix, souviens-t'en. Un jour ou l'autre, cela peut te sauver la vie. Un être classé *dix* a si peu de pouvoir qu'on remarque à peine sa présence. Celui qui est classé *un* est en mesure de te tuer. J'ai dépensé une fortune pour faire transporter cette dalle jusqu'ici, mais ça valait le coup. Ce gobelin est étroitement emprisonné, désormais, et il ne bougera pas d'ici avant que sonne la trompette du Jugement dernier. Tu auras beaucoup à apprendre à propos des gobelins, mon garçon, et je vais commencer ton instruction tout de suite après le petit déjeuner. Un gobelin en liberté peut parcourir des milles, usant partout de sa malignité. Si un gobelin particulièrement gênant refuse d'entendre raison, ton travail est de trouver l'artifice capable de l'entraver définitivement ; ce qui est, tu t'en doutes, plus facile à dire qu'à faire.

L'Épouvanteur fronça les sourcils, comme si une pensée désagréable le frappait soudain.

– Un de mes apprentis a eu de sérieux ennuis en tentant de neutraliser un gobelin, fit-il d'un ton lourd de tristesse. Mais ce n'est que ton premier jour ici, nous en reparlerons plus tard.

Au même instant, une cloche sonna au loin. L'Épouvanteur sourit.

– Sommes-nous éveillés ou endormis ? me demanda-t-il.

– Éveillés.

– Tu en es sûr ?

Je hochai la tête.

– En ce cas, allons déjeuner ! Je te montrerai l'autre jardin quand tu auras le ventre plein.

6
Une fille aux souliers pointus

La cuisine s'était transformée, depuis ma malencontreuse incursion matinale. Un feu flambait dans l'âtre, deux assiettes emplies d'œufs au bacon étaient disposées sur la table, ainsi qu'une miche de pain frais et une grosse motte de beurre.

– Mange pendant que c'est chaud ! m'invita l'Épouvanteur.

Je ne me fis pas prier, et j'eus vite fait de vider mon assiette tout en dévorant la moitié du pain.

Après quoi, mon maître s'adossa à sa chaise, fourragea dans sa barbe et me posa une question d'importance :

– Qu'en penses-tu ? demanda-t-il, les yeux fixés sur les miens. N'étaient-ce pas les meilleurs œufs au bacon que tu aies jamais mangés ?

Ce n'était pas mon avis. Je les avais trouvés bons ; bien supérieurs à un morceau de fromage jaune, en tout cas ! Mais, chez moi, à la ferme, maman m'en préparait de bien meilleurs. Il me sembla toutefois que ce n'était pas la réponse appropriée. J'optai donc pour un pieux mensonge, de ceux qui ne prêtent pas à conséquence et font plaisir à votre interlocuteur.

– Oui, affirmai-je. Je n'avais jamais eu de petit déjeuner plus exquis. Je suis vraiment désolé d'être descendu trop tôt. Cela ne se reproduira plus, je le promets.

L'Épouvanteur eut un sourire qui lui fendit le visage d'une oreille à l'autre. Se levant, il me flanqua une tape amicale sur l'épaule et me conduisit de nouveau au jardin.

Dès que nous fûmes sortis, il retrouva son air grave.

– Bien joué, petit ! Il existe deux catégories d'êtres particulièrement sensibles à la flatterie : les femmes et les gobelins. Ça marche à tous les coups.

Rien ne me permettait de croire à la présence d'une femme dans la cuisine. Cela confirmait donc mes soupçons : c'était un gobelin qui préparait nos repas. Cependant, j'étais troublé. Un épouvanteur n'avait-il pas pour tâche d'entraver les gobelins pour les empêcher de nuire ? Comment mon maître pouvait-il en avoir un à son service, chargé des corvées ménagères ?

Nous empruntâmes la troisième allée, les graviers blancs crissant sous nos pieds.

– Voici le jardin ouest, m'expliqua l'Épouvanteur. On y est en sécurité de jour comme de nuit. J'y médite souvent quand un problème demande réflexion.

Franchissant la trouée dans la haie, nous marchâmes bientôt sous les arbres. Je sentis aussitôt la différence. Ici, les oiseaux chantaient, les branches se balançaient doucement dans la brise matinale. C'était un endroit plaisant.

Nous continuâmes jusqu'au sortir du bois, à flanc de colline. Le ciel était si clair que l'on voyait distinctement les autres monts, sur notre droite ; et, le long de la pente, les murets de pierres sèches délimitant les parcelles de culture.

L'Épouvanteur désigna un banc de bois.

– Assieds-toi, petit !

J'obéis. Mon maître me scruta un long moment, ses yeux verts fixés sur les miens. Puis il se mit à faire les cent pas sans dire un mot, regardant maintenant droit devant lui, le visage dépourvu d'expression. Il enfonça les mains dans les poches de son pantalon, puis s'assit à mon côté et m'interrogea :

– À ton avis, combien de sortes de gobelins existe-t-il ?

Je n'en avais pas la moindre idée.

– J'en connais au moins deux, répondis-je. Les libres et les entravés. Pour les autres, je n'en sais rien.

– Bonne réponse, petit ! Tu as enregistré ce que je t'ai déjà appris, et tu ne parles pas à tort et à travers. Vois-tu, les gobelins sont comme les gens, ils ont chacun leur personnalité. Malgré tout, on peut distinguer certaines catégories et les nommer, d'après la forme qu'ils prennent ou d'après leur comportement et le genre de maléfice dont ils usent.

Il sortit de sa poche droite un volume à couverture noire et me le tendit.

– Ceci est à toi, à présent. Prends-en grand soin et, quoi que tu fasses, ne le perds pas !

À sa forte odeur de cuir, je compris que l'ouvrage était fraîchement relié. M'attendant à y lire tous les secrets du métier d'épouvanteur, je fus déçu, en l'ouvrant, de n'y trouver que des pages blanches. Apparemment, ce serait à moi de le remplir, car mon maître tira de son autre poche une plume et une petite bouteille d'encre.

– Prépare-toi à prendre des notes, me dit-il en se levant et en se remettant à arpenter l'allée. Et ne gaspille pas l'encre, elle ne coule pas du pis d'une vache !

Je débouchai le flacon avec précaution ; puis,

avec la même précaution, je trempai la plume dedans et ouvris mon calepin à la première page.

L'Épouvanteur avait déjà commencé la leçon :

– Tout d'abord, il y a les gobelins velus, qui prennent l'apparence d'animaux, de chiens ou de chats le plus souvent, de chèvres à l'occasion, voire de chevaux. Ceux-là sont particulièrement retors. Quelle que soit la forme qu'ils choisissent, il y a les hostiles, les débonnaires, et ceux qui oscillent entre les deux.

On trouve ensuite les esprits frappeurs, qui se manifestent parfois sous forme de pluie de pierres, et qui deviennent furieux lorsqu'on les provoque. Mais ne t'imagine pas que nous, les épouvanteurs, n'avons à faire qu'aux gobelins ! Des morts en quête de repos errent ici et là. Et, pour nous rendre la tâche encore plus difficile, les sorcières sont légion, dans ce Comté. Nous n'en avons plus en activité dans le coin, pour le moment ; par contre, vers l'est, du côté de la colline de Pendle, c'est un véritable fléau. D'autre part, souviens-toi qu'elles sont toutes différentes. Elles se divisent en quatre catégories : les pernicieuses, les bénévolentes, les faussement accusées et les inconscientes.

Comme vous pouvez vous en douter, j'étais complètement perdu. Il parlait si vite que je n'avais pas réussi à écrire un seul mot. De plus, il employait des termes que je ne connaissais pas. Heureusement, il fit une pause ; il avait dû remarquer mon air ahuri.

– Qu'est-ce qui ne va pas, petit ? Exprime-toi ! Ne crains pas de poser des questions !

– Je n'ai pas tout compris, à propos des sorcières, dis-je.

– C'est simple, expliqua-t-il. Les pernicieuses sont mauvaises, les bénévolentes sont bonnes. Quant aux inconscientes, elles ignorent qu'elles sont sorcières. Et, comme elles sont également femmes, elles causent deux fois plus de problèmes. Ne fais jamais confiance à une femme !

– Ma mère est une femme, répliquai-je avec un brin d'irritation. Et je lui fais confiance.

– Les mères sont généralement des femmes, ironisa l'Épouvanteur, et généralement dignes de confiance, au moins pour leurs fils. Quant aux autres, méfie-toi d'elles ! J'ai eu une mère, et j'ai eu confiance en elle, je me souviens de ce sentiment.

À brûle-pourpoint, il me demanda :

– Aimes-tu les filles ?

– Je n'en connais pas vraiment, avouai-je. Je n'ai pas de sœur.

– Tu seras donc pour elles une victime toute désignée. Méfie-toi des filles du village ! En particulier de celles qui portent des souliers pointus. Note ça, c'est une bonne façon de commencer !

Je ne voyais pas quel mal il y avait à porter des souliers pointus. Je savais que maman n'approuverait pas ces propos. Elle estimait que l'on devait se faire sa propre opinion sur les gens, sans s'occuper des idées préconçues. Je me gardai cependant d'argumenter, et j'écrivis en haut de la première page :

Les filles qui portent des souliers pointus

Il attendit que j'aie fini, puis me prit le cahier et la plume des mains et m'ordonna :

– Il faut noter plus rapidement. Tu as beaucoup à apprendre, et tu auras vite rempli une douzaine de pages. Pour le moment, nous nous contenterons de trois ou quatre têtes de chapitre.

En haut de la deuxième page, il inscrivit *Gobelins velus* ; sur la page trois, *Esprits frappeurs* ; et en page quatre, *Sorcières*.

–Voilà ! fit-il. C'est un bon début. Tu inscriras là ce que tu as appris aujourd'hui sur ces différents sujets. Mais, d'abord, tu vas acheter de la nourriture au village, sinon nous ne mangerons pas demain. Le meilleur cuisinier ne peut rien préparer sans approvisionnement. Rappelle-toi que tout doit tenir dans mon sac. Avant mon départ, je l'ai laissé chez le boucher ; tu passeras donc en premier à la boucherie. Tu n'auras qu'à demander la commande de M. Gregory.

Il me remit une pièce d'argent en m'enjoignant de ne pas perdre la monnaie. Puis il m'indiqua le chemin le plus court pour aller au village.

Je marchai un moment sous les arbres, franchis un échalier, avant de m'engager sur un étroit sentier escarpé. Cent pas plus loin, les toits d'ardoises grises de Chipenden m'apparurent.

Le village était plus important que je l'avais cru. Il comprenait au moins une centaine de maisons, une auberge, une école et une grande église surmontée d'un clocher. Je ne vis pas de marché, mais de nombreuses boutiques bordaient la rue principale, pavée et pentue, où circulaient des femmes chargées de paniers. Des charrettes attendaient des deux côtés de la chaussée. Apparemment, les épouses des fermiers des environs et les habitants des hameaux voisins faisaient leurs courses à Chipenden.

Je n'eus aucun mal à trouver la boucherie, et fis la queue derrière une file de ménagères qui bavardaient avec animation. Le boucher, un gros barbu rougeaud et affable, appelait chacune par son nom. Toutes riaient aux éclats à ses plaisanteries. Je n'en comprenais pas la moitié, mais les clientes, elles, s'amusaient beaucoup. Personne ne remarquait ma présence.

Puis ce fut mon tour d'être servi.

– Je viens prendre la commande de M. Gregory, dis-je.

Le silence se fit aussitôt, et les rires cessèrent. Le boucher sortit un grand sac de derrière le comptoir. J'entendis des chuchotements dans mon dos. Mais, même en tendant l'oreille, je ne pus rien saisir. Lorsque je me retournai, les regards m'évitèrent, certains obstinément baissés vers le sol.

Je tendis la pièce d'argent au boucher, vérifiai ma monnaie et remerciai. Balançant le sac sur mon épaule, je quittai la boutique. Mes achats à l'épicerie se firent en un rien de temps : les provisions étaient déjà enveloppées. Je mis le paquet dans le sac, qui commençait à s'alourdir.

Jusque-là, les choses ne s'étaient pas trop mal passées.

C'est en me dirigeant vers la boulangerie que j'aperçus la bande. Ils étaient sept ou huit garçons, assis sur le muret d'un jardin. Rien d'étrange à cela, sinon qu'aucun d'eux ne parlait. Ils se contentaient de m'examiner avec des mines de loups affamés. On aurait dit qu'ils comptaient mes pas tandis que je m'avançais.

Lorsque je sortis de la boutique, ils étaient toujours là. Et, quand je quittai le village pour reprendre le chemin de la colline, ils m'emboîtèrent le pas. Ce n'était sûrement pas une simple coïncidence. Cependant, je n'étais guère inquiet. En tant que petit dernier d'une famille de sept frères, je ne craignais pas les bagarres.

Le bruit de leurs bottes se rapprochait rapidement, peut-être parce que je ralentissais peu à peu. Je ne voulais pas qu'ils s'imaginent m'impressionner ; d'autre part, le sac était lourd, et la pente raide.

Ils me rattrapèrent une dizaine de pas avant l'échalier, là où le sentier s'enfonçait dans le petit bois. Les arbres poussant des deux côtés entremêlaient leurs branches, cachant le soleil.

– Ouvre ton sac, et montre-nous ce que tu as ! lança une voix derrière moi.

C'était une voix dure, habituée à donner des ordres ; une voix menaçante laissant entendre que son propriétaire aimait faire du mal et croyait avoir trouvé sa prochaine victime.

Je fis face, serrant le sac plus fort et le gardant solidement calé sur mon épaule. Celui qui avait parlé était le chef, il n'y avait aucun doute là-dessus. Les autres avaient les visages décharnés de types qui auraient bien besoin d'un bon repas ; mais lui, avec sa carrure de lutteur de foire, son cou de taureau et sa large face rouge, semblait avoir mangé pour eux tous. Il mesurait au moins une tête de plus que moi. Ses tout petits yeux me fixaient sans ciller.

Je crois que, s'il ne s'était pas montré si arrogant, je me serais laissé attendrir. Ces garçons paraissaient à moitié morts de faim, et je transportais quantité de pommes et de gâteaux dans mon sac.

D'un autre côté, je ne pouvais pas distribuer des provisions qui ne m'appartenaient pas.

– Ce n'est pas à moi, répondis-je. C'est à M. Gregory.

– Son dernier apprenti n'avait pas tant de scrupules, répliqua le caïd en approchant son visage du mien. Il ouvrait gentiment son sac. Si tu as un peu de jugeote, tu feras pareil. Tu es contre la manière douce ? Alors, ce sera la manière forte, et le résultat sera le même, de toute façon.

La bande m'encercla, et je sentis qu'on tirait sur le sac, derrière moi. Je ne voulais pas céder. J'affrontai mon adversaire du regard, m'efforçant de ne pas baisser les yeux.

À cet instant, il y eut un mouvement dans les fourrés, quelque part sur ma droite. Surpris, nous tournâmes tous la tête de ce côté.

Une silhouette sombre se dessina dans l'obscurité du bois. En plissant les paupières, je vis que c'était une fille. Elle avançait vers nous à pas lents, dans un silence tel qu'on aurait entendu tomber une épingle, si souplement qu'elle semblait flotter au ras du sol. Elle s'arrêta à la lisière des arbres, comme si elle craignait la lumière du soleil.

– Pourquoi ne le laissez-vous pas tranquille ? lança-t-elle.

Ça ressemblait à une question, mais le ton de sa voix me fit comprendre que c'était un ordre.

– De quoi tu te mêles ? aboya le meneur, le menton en avant et les poings serrés.

– Ce n'est pas de moi qu'il faut vous inquiéter, répliqua-t-elle, toujours dans l'ombre. Lizzie est de retour et, si vous ne faites pas ce que je vous demande, elle s'occupera de vous.

– Lizzie ? lâcha le garçon en reculant d'un pas.

– Lizzie l'Osseuse. Ma tante. Ne me dites pas que vous n'avez jamais entendu parler d'elle !

Avez-vous déjà eu l'impression que le temps s'arrêtait ? Avez-vous déjà écouté une pendule battre comme si une éternité s'étirait entre le tic et le tac ? Eh bien, c'est exactement ce que je ressentis, jusqu'au moment où la fille émit un sifflement entre ses dents. Puis elle cria :

– Fichez-le camp ! Filez ! Vite ! Ou vous êtes morts !

L'effet de ses paroles fut immédiat. Ce que je lus sur les visages des garçons n'était pas de la peur, c'était de la terreur. Le chef tourna les talons et dévala la colline, sa troupe d'affamés à sa suite.

Bien qu'ignorant la raison d'une telle panique, je faillis partir moi aussi en courant. La fille me dévisageait avec de grands yeux, et je n'arrivais plus à respirer normalement ; j'étais comme une souris sous le regard d'un serpent. Mais, qui qu'elle soit, je ne voulais pas la laisser me dominer.

Toujours cramponné au sac de l'Épouvanteur, j'obligeai mon pied gauche à bouger, mon corps à se tourner dans la même direction que mon nez. La fille m'interpella :

– Et toi, tu ne t'enfuis pas ?

Je fis non de la tête, la bouche sèche. Si j'avais tenté de parler, les mots ne seraient pas sortis.

Elle semblait être à peu près de mon âge ou juste un peu plus jeune. Elle avait un joli visage encadré de longs cheveux noirs, de grands yeux bruns et de hautes pommettes. Elle portait une robe noire étroitement serrée à la taille par une cordelière blanche. En l'observant mieux, je notai un détail troublant : cette fille portait des souliers pointus.

Je me rappelai aussitôt l'avertissement de l'Épouvanteur. Cependant, je me refusai à filer comme les autres.

– Ne devrais-tu pas me remercier ? poursuivit-elle. Un remerciement, ça fait plaisir, de temps en temps.

– Merci, murmurai-je tout bas, incapable d'en dire plus.

– Eh bien, c'est un début ! soupira-t-elle. Mais, pour me remercier comme il faut, tu devrais m'offrir quelque chose, non ? Un gâteau ou une pomme ferait l'affaire. Ce n'est pas beaucoup demander, tu en as plein ton sac. Le vieux Gregory ne s'en apercevra pas. Et, même s'il s'en apercevait, il ne dirait rien.

Je fus choqué de l'entendre appeler l'Épouvanteur « le vieux Gregory ». Je savais que cela ne plairait pas à mon maître, et j'en déduisais deux choses. Premièrement, cette fille n'avait guère de respect pour lui ; deuxièmement, elle ne le craignait pas le moins du monde. Là d'où je venais, la simple idée d'avoir un épouvanteur dans le voisinage faisait frissonner les gens.

– Désolé, répliquai-je, je ne peux pas. Ces provisions ne sont pas à moi.

Elle me fixa un long moment avec intensité, sans dire un mot. Je crus qu'elle allait se mettre de nouveau à siffler entre ses dents. Je soutins son regard de mon mieux, jusqu'à ce qu'un léger sourire éclaire son visage. Elle reprit alors :

– En ce cas, tu dois au moins me faire une promesse.

– Une promesse ? répétai-je, me demandant où elle voulait en venir.

– La promesse de m'aider comme je t'ai aidé. Je n'ai besoin de rien, pour l'instant, mais un autre jour, peut-être...

– Ça me paraît juste, répondis-je. Le moment venu, tu n'auras qu'à me prévenir.

Cette fois, elle eut un large sourire.

– Comment t'appelles-tu ?

– Tom Ward.

– Moi, je suis Alice, et j'habite par là, dit-elle en désignant les profondeurs du bois. Je suis la nièce préférée de Lizzie l'Osseuse.

Ce nom me parut bizarre. De plus, il avait suffi à terroriser les garçons du village. Je trouvai cependant impoli de l'interroger là-dessus.

Ce fut la fin de notre conversation et nous repartîmes chacun de notre côté. Comme elle s'éloignait, Alice me lança par-dessus son épaule :

– Sois prudent si tu ne veux pas finir comme le dernier apprenti !

– Que lui est-il arrivé ?

– Pose plutôt la question au vieux Gregory ! me cria-t-elle en disparaissant derrière les arbres.

Lorsque je fus de retour, l'Épouvanteur sortit le contenu du sac en vérifiant tout sur une liste. Enfin, il me questionna :

– As-tu eu des problèmes, au village ?

– Des garçons m'ont suivi sur la colline et m'ont ordonné d'ouvrir mon sac. Mais j'ai refusé.

– C'est courageux de ta part. La prochaine fois, tu pourras leur laisser quelques gâteaux et quelques pommes. La vie n'est pas facile, par ici, et ces gamins appartiennent à des familles très pauvres. Je commande toujours un peu plus que nécessaire, au cas où.

Je me sentis contrarié. Pourquoi ne me l'avait-il pas dit plus tôt ?

– Je ne voulais pas le faire sans votre autorisation, dis-je.

L'Épouvanteur leva les sourcils.

– Tu avais envie de leur donner quelque chose ?

– Je n'aime pas qu'on me force la main. Mais ils semblaient vraiment affamés.

– Alors, la prochaine fois, suis ton instinct, décide toi-même, me recommanda mon maître. Fais confiance à la voix de ton cœur, elle se trompe rarement. Un épouvanteur doit pouvoir s'appuyer là-dessus, c'est parfois une question de vie ou de mort. Il va te falloir réfléchir à ça : dans quelle mesure peux-tu te fier à tes impulsions ?

Il se tut, ses yeux verts scrutant mon visage.

– Pas de problèmes avec des filles ? s'enquit-il brusquement.

Je lui en voulais encore un peu, c'est pourquoi je ne fus pas tout à fait franc.

– Aucun problème !

D'ailleurs, ce n'était pas un mensonge. Alice ne m'avait pas posé de problème ; au contraire, elle m'était venue en aide. Cela dit, je savais bien qu'il me demandait si j'avais rencontré des filles, et je savais aussi que j'aurais dû lui parler de celle-ci. D'autant qu'elle portait des souliers pointus.

Je commis beaucoup d'erreurs pendant mon apprentissage.

Ne pas dire l'entière vérité à l'Épouvanteur fut la deuxième.

La première, et de loin la plus grave, avait été de faire cette promesse à Alice.

7
Il faut que quelqu'un le fasse

Après cet incident, la routine du travail occupa mes journées. L'Épouvanteur continuait ses leçons à un rythme si rapide que j'avais mal au poignet à force d'écrire, et les yeux me piquaient.

Un après-midi, il m'emmena à l'autre bout du village, au-delà des dernières maisons, jusqu'à un cercle de saules que, dans le pays, on appelait « arbres à osier ». C'était un endroit lugubre. Une corde pendait à une des branches. En levant les yeux, je vis une grosse cloche de cuivre.

– Les gens qui ont besoin d'aide ne montent pas à la maison, m'expliqua-t-il. Personne ne vient chez moi à moins d'avoir été invité, je suis strict sur ce point. En cas de nécessité, ils descendent ici et font sonner la cloche. Alors, nous nous rendons chez eux.

Depuis que j'étais l'apprenti de l'Épouvanteur, des jours et des jours avaient passé, et personne n'avait tiré la cloche. En dehors de mes visites au village pour les courses de la semaine, je ne m'étais pas promené plus loin que le jardin ouest. Je me sentais très seul, et ma famille me manquait.

Heureusement, mon maître ne me laissait jamais inoccupé, je n'avais donc guère le temps de déprimer. Le soir, j'étais si fatigué que je m'endormais à peine la tête posée sur l'oreiller.

Les leçons étaient les moments les plus intéressants de la journée, même si je n'apprenais pas grand-chose à propos des ombres, des fantômes ou des sorcières. Selon l'Épouvanteur, le sujet d'étude principal d'un apprenti au cours de sa première année concernait les gobelins, ainsi qu'un peu de botanique : les plantes médicinales, et celles que l'on peut consommer si on ne dispose pas d'autre nourriture. Toutefois, les leçons ne se résumaient pas à la prise de notes, et certains travaux pratiques se révélèrent aussi durs que ceux de la ferme.

Les exercices commencèrent lors d'une chaude matinée ensoleillée, quand l'Épouvanteur m'ordonna de poser mon livre et me conduisit dans le jardin sud. Il me fit emporter une bêche et une longue baguette servant à mesurer.

– Les gobelins en liberté, m'informa-t-il, circulent le long de leys. Quelquefois, il y a des complications, suite à une tempête ou à un tremblement de terre. De mémoire de vivants, il ne s'est pas produit d'importante secousse dans notre Comté ; cependant, les leys étant tous reliés entre eux, ce qui bouleverse l'un, même à des milles de distance, perturbe aussi les autres. Il arrive donc qu'un gobelin soit immobilisé dans tel ou tel lieu pendant des années. On dit qu'il est « naturellement entravé ». Bien souvent, il ne peut alors se déplacer de plus d'une dizaine de pas dans chaque direction, et cause peu d'embarras tant qu'on ne s'en approche pas. Au cas où il se trouve enfermé près d'une habitation ou, pire, à l'intérieur, il faut le déplacer et l'entraver artificiellement ailleurs.

– Qu'est-ce qu'un ley ? demandai-je.

– Personne n'a de certitude là-dessus, petit. On pense généralement qu'il s'agit de très anciens sentiers quadrillant le pays, les sentiers de nos lointains ancêtres, au temps où les choses de l'ombre savaient rester à leur place. La santé était meilleure, alors, la vie plus longue, et les hommes plus heureux.

– Qu'est-ce qui s'est passé ensuite ?

– Les glaces du Nord se répandirent, refroidissant la terre. Il devint si difficile de survivre que les hommes oublièrent tout ce qu'ils avaient appris. Les anciens savoirs ne comptaient plus. Manger et se tenir au chaud étaient les seuls soucis. Quand la glace se retira enfin, les survivants étaient devenus des chasseurs, vêtus de peaux de bêtes, et les forces obscures régnaient partout.

Il se tut un instant avant de continuer :

– Les choses vont un peu mieux, de nos jours, bien qu'il y ait encore beaucoup à faire. Les leys sont des vestiges de ces temps reculés. Cependant, ils sont bien plus que des sentiers : ce sont des lignes de pouvoir, profondément enfoncées dans la terre, des routes invisibles que les gobelins en liberté parcourent à une vitesse folle. Lorsque ces grands fauteurs de troubles investissent un nouveau lieu, ils ne sont pas les bienvenus, ce qui les emplit de colère. Ils jouent alors aux gens des tours à leur façon, parfois extrêmement cruels. C'est là que nous agissons, en les maintenant artificiellement enfermés au fond d'une fosse, comme celle que tu vas creuser maintenant.

Il me désigna un emplacement, au pied d'un vieux chêne.

– Voici un endroit qui convient. Il y a assez de place entre les racines.

L'Épouvanteur m'indiqua les dimensions du trou : six pieds de long, trois pieds de large, six pieds de profondeur. Malgré l'ombre des arbres, il faisait trop chaud pour ce travail, qui me prit des heures, mon maître étant un perfectionniste.

Après avoir creusé la fosse, je préparai un mélange puant, composé de sel, de limaille de fer et d'une sorte de glu à base d'ossements pilés.

– Le sel brûle les gobelins, m'expliqua l'Épouvanteur. Le fer, de même qu'il attire la foudre et l'emmène se perdre dans la terre, aspire les forces des êtres des ténèbres. Il peut mettre fin aux méfaits des gobelins les plus nuisibles. Le mélange de sel et de fer est extrêmement efficace

Je remuai cette mixture dans un grand seau de métal, puis j'en barbouillai l'intérieur de la fosse avec une brosse. C'était plus difficile que de peindre un mur, car la couche devait être parfaitement égale, afin d'empêcher le plus roué des gobelins de s'échapper.

– Ceci exige un soin extrême, petit, me dit l'Épouvanteur. Ces créatures sont capables de se faufiler par un trou pas plus gros qu'une tête d'épingle.

Bien sûr, une fois mon maître satisfait de mon travail, il ne me resta plus qu'à reboucher la fosse, et à en commencer une autre. Il me fit préparer ainsi deux fosses par semaine. C'était long, c'était dur, et assez effrayant aussi, car je travaillais parfois tout près de celles contenant réellement un gobelin. Même en plein jour, ces lieux me collaient la chair de poule. L'Épouvanteur n'était jamais bien loin, cependant, et il se tenait sur ses gardes, un gobelin – même entravé – restant toujours dangereux.

J'appris également à connaître chaque pouce du Comté, chaque ville, chaque village, et les voies les plus rapides pour se rendre d'un lieu à un autre. Alors qu'il disait avoir dans sa bibliothèque quantité de cartes, il ne me facilitait jamais la tâche. Ainsi, il m'obligea à dessiner ma propre carte.

Au centre, il y avait sa maison avec ses jardins, puis le village et les collines proches. J'étais censé la compléter en y ajoutant au fur et à mesure les campagnes environnantes. Le dessin n'était pas mon point fort, et, mon maître étant pointilleux en tout, ma carte mit bien du temps à prendre forme. Alors seulement il me montra ses propres cartes, que je passai plus de temps à déplier et à replier avec le plus grand soin qu'à étudier.

Dans le même temps, je commençai à tenir mon journal. Pour cela, l'Épouvanteur m'avait remis un autre cahier, me rappelant pour la millième fois que je devais consigner chaque fait, car, plus tard, cela pourrait m'être fort utile. Je n'écrivais cependant pas tous les jours. J'étais parfois trop fatigué, et j'avais des crampes dans la main à force de noter à toute vitesse les paroles de mon maître.

Un matin, au petit déjeuner, alors que j'étais chez lui depuis un mois, il me demanda :

– Eh bien, mon garçon, qu'en penses-tu ?

Je crus qu'il parlait du repas, car le bacon avait été servi un peu brûlé, ce jour-là. Je me contentai donc de hausser les épaules. Je ne voulais pas offenser le gobelin cuisinier, qui était sûrement là, à nous écouter.

– C'est un dur travail, reprit-il, et je ne te blâmerais pas si tu décidais d'abandonner maintenant. Au bout d'un mois, j'offre à chacun de mes apprentis la possibilité de retourner chez lui, afin de réfléchir tranquillement. Libre à lui, ensuite, de revenir ou pas. Veux-tu faire de même ?

Je m'appliquai à ne pas trop montrer ma joie ; je ne pus cependant dissimuler le sourire qui s'étalait sur mon visage. Malheureusement, plus je souriais, plus l'Épouvanteur semblait abattu. J'eus la certitude qu'il souhaitait que je reste, mais j'avais trop envie de m'en aller. L'idée de revoir ma famille et de goûter de nouveau aux bons petits plats de maman m'apparaissait comme un rêve.

Une heure plus tard, j'étais parti.

– Tu es un brave garçon, et tu es doué, m'avait dit mon maître, à la grille. Tu as réussi l'épreuve du premier mois. Tu pourras donc dire à ton père que, si tu désires continuer, je passerai le voir à l'automne pour encaisser mes dix guinées. Bien que tu aies l'étoffe d'un bon apprenti, c'est à toi de décider, petit. Si tu ne reviens pas, je saurai que tu as renoncé. Sinon je t'attends dans une semaine. Je te dispenserai alors cinq années d'enseignement, qui feront de toi un épouvanteur digne de ce nom.

Je cheminais le cœur léger. Je n'avais pas osé dire à mon maître qu'au moment même où il m'avait offert cette chance de retourner chez moi, j'avais décidé que je ne reviendrais pas. Il m'en avait suffisamment appris pour que je devine combien ce métier était terrible. En plus de la solitude, il fallait affronter sans cesse la peur et le danger. Personne ne se souciait de savoir si vous étiez vivant ou mort. Les gens voulaient seulement qu'on les débarrasse des êtres maléfiques qui leur pourrissaient l'existence ; peu leur importait ce que cela vous coûtait.

L'Épouvanteur m'avait raconté qu'il avait bien failli être tué par un gobelin. En l'espace d'un clignement d'œil, celui-ci s'était transformé en pluie de pierres, et l'avait presque assommé avec un rocher gros comme une enclume. Il n'avait pas encore été payé pour ce travail ; il espérait recevoir l'argent au printemps suivant. Ce n'était pas demain la veille ! Franchement, pourquoi choisir un tel métier ? Tout en marchant d'un bon pas, je me disais que j'aimerais encore mieux trimer à la ferme.

Le voyage me prit presque deux journées, ce qui me donna le loisir de réfléchir. Je me souvins combien je m'étais ennuyé, parfois, à la maison. Supporterais-je vraiment la vie de fermier pour le reste de mes jours ?

Je me demandais aussi ce qu'en penserait maman. Elle avait tout fait pour que je devienne l'apprenti de l'Épouvanteur, et, si je renonçais, je la décevrais beaucoup. Le plus difficile serait de le lui dire, et d'encaisser sa réaction.

Le soir de mon premier jour de marche, j'avais terminé le fromage que l'Épouvanteur m'avait remis pour le voyage. Le lendemain, je ne fis donc halte qu'une seule fois pour baigner mes pieds dans un ruisseau, et j'arrivai à la ferme à l'heure de la traite du soir.

Lorsque je franchis le portail, papa traversait la cour, se rendant à l'étable. Quand il m'aperçut, son visage s'épanouit. Je proposai de l'aider pour qu'on puisse bavarder, tous les deux, mais il me dit d'entrer et de parler d'abord avec maman.

– Tu lui as beaucoup manqué, fils. Te voir chassera la tristesse de ses yeux.

Il me tapota le dos et s'en alla traire les bêtes. À peine avais-je fait dix pas que Jack sortit de la grange et se dirigea vers moi.

– Qu'est-ce qui te ramène si tôt ? demanda-t-il sur un ton un peu frais.

Pour être honnête, je dois même dire qu'il était plutôt froid. Un rictus lui tordait la bouche comme s'il tentait de cracher et de sourire en même temps.

– L'Épouvanteur m'a envoyé à la maison pour quelques jours, dis-je. Il m'a demandé de réfléchir et de décider si je continue ou pas.

– Ah oui ? Et qu'est-ce que tu envisages ?

– Je vais en parler à maman.

– Tu feras à ton idée, comme d'habitude ! grommela-t-il.

Il m'observait d'un œil renfrogné, et j'en déduisis que quelque chose était arrivé en mon absence. Sinon pourquoi aurait-il été aussi peu amical ? Pourquoi mon retour l'aurait-il contrarié ainsi ?

– Et je n'arrive pas à croire que tu aies pris le briquet de papa, fit-il.

– C'est lui qui me l'a donné. Il voulait que je l'emporte.

– Il te l'a offert, mais ça ne signifiait pas que tu devais le garder. Le problème, avec toi, c'est que tu ne penses qu'à ta petite personne. Pauvre papa ! Il aimait tant ce briquet !

Je ne répondis rien, ne voulant pas entamer une dispute. Jack se trompait. Papa m'avait vraiment légué cet objet, j'en étais sûr.

– Puisque je suis de retour, dis-je pour changer de sujet, je vais pouvoir aider un peu.

– Si tu tiens vraiment à payer ton séjour, alors va nourrir les cochons, me lança-t-il en me plantant là.

C'était la corvée que chacun de nous détestait. Les cochons étaient énormes, velus, puants, et si voraces qu'il était imprudent de leur tourner le dos.

En dépit du mauvais accueil de Jack, j'étais heureux d'être de retour. Tandis que je traversais la cour, je regardai notre maison. Les rosiers grimpants de maman, qui couvraient tout un mur, se portaient bien, quoique exposés au nord. Pour l'instant, ils étaient encore en boutons, mais à la mi-juin ils seraient en pleine floraison. La porte de derrière était toujours coincée, depuis le jour où la foudre avait frappé la maison. Le battant avait pris feu. On l'avait remplacé, mais le chambranle était légèrement faussé, et il fallait pousser fort pour ouvrir.

La première chose qui me frappa, à mon entrée, fut le sourire de maman.

Elle était assise dans son vieux rocking-chair, dans le coin de la cuisine que le soleil couchant n'atteignait pas. Trop de lumière lui blessait les yeux. Maman préférait l'hiver à l'été, et la nuit au jour.

Elle fut heureuse de me voir, et je résolus de ne pas lui dire tout de suite que j'avais l'intention de rester. J'affichai une mine satisfaite qui ne la trompa nullement. Je ne pouvais jamais rien lui cacher.

– Qu'est-ce qui ne va pas ? demanda-t-elle.

Je haussai les épaules et tentai de sourire, déguisant sans doute encore moins bien que mon frère mes véritables sentiments.

– Parle ! m'ordonna-t-elle. Ça ne sert à rien de retenir les choses.

Je ne répondis pas tout de suite, cherchant les mots appropriés. Le balancement du rocking-chair se ralentit peu à peu jusqu'à s'arrêter tout à fait. C'était mauvais signe.

– J'ai fini mon mois d'essai, et M. Gregory m'a dit que c'était à moi de décider si je continuais ou non. Mais je me sens si seul, maman ! avouai-je avec un soupir. C'est pire que ce que je croyais. Je n'ai pas d'amis, personne de mon âge avec qui parler. J'aimerais mieux revenir travailler ici.

J'aurais pu en dire davantage, lui rappeler combien nous étions heureux, quand mes frères vivaient encore tous à la ferme. Je ne le fis pas. Je savais qu'elle regrettait ce temps-là, elle aussi. Je pensais que, pour cette raison, elle me comprendrait. J'avais tort.

Elle resta silencieuse un long moment, et j'entendis Ellie, dans la pièce à côté, chantonner à mi-voix tout en balayant.

– Tu te sens seul ? fit-elle enfin d'une voix sourde et chargée de colère. Comment peux-tu te sentir seul ? Tu as ta propre compagnie, non ? Si tu n'es plus satisfait de ta propre compagnie, alors tu seras vraiment seul. Cesse donc de te plaindre ! Tu es presque un homme, maintenant. Et un homme doit travailler. Depuis que le monde est monde, les hommes ont à s'acquitter de tâches qu'ils n'aiment pas. Pourquoi en irait-il autrement pour toi ? Tu es le septième fils d'un septième fils, et tu es né pour cette mission.

– M. Gregory a formé d'autres apprentis, protestai-je. L'un d'eux pourrait revenir et veiller sur le Comté. Pourquoi moi ?

– Il en a eu beaucoup, mais peu ont achevé leur formation. Et ceux qui y sont parvenus sont loin d'être à la hauteur. Ils sont fragiles, veules ou lâches. Ils se font payer fort cher de bien maigres services. Il ne reste que toi, mon fils. Tu es notre dernière chance, notre dernier espoir. Il faut que quelqu'un le fasse. Il faut que quelqu'un se dresse contre les forces obscures. Tu es le seul qui en soit capable.

Le fauteuil se balança de nouveau, reprenant son rythme.

– Bien, conclut maman. Je suis contente de cette mise au point. Attendras-tu l'heure du souper, ou dois-je te servir quelque chose dès à présent ?

– Je n'ai rien mangé depuis hier, maman.

– J'ai préparé du lapin. Cela va te ragaillardir un peu.

Je m'assis à la table de la cuisine, plus abattu que jamais, tandis que maman s'activait au fourneau. Bientôt, la délicieuse odeur du civet me fit saliver. Personne ne cuisinait comme maman, et ça aurait valu la peine de rentrer à la maison, même si je n'avais dû y prendre qu'un seul repas.

Maman apporta une assiette fumante, qu'elle déposa devant moi en souriant.

– Je vais monter faire ton lit, me dit-elle. Puisque te voilà ici, autant que tu restes quelques jours !

Je grommelai un remerciement et me jetai sur la nourriture. À peine maman avait-elle disparu dans les escaliers qu'Ellie entra dans la cuisine.

– C'est bon de te revoir, Tom ! s'écria-t-elle.

Elle regarda ma large assiettée et proposa :

– Veux-tu un peu de pain, pour manger avec ?

– Oui, s'il te plaît !

Elle me beurra trois énormes tartines et s'assit en face de moi.

Je vidai mon assiette sans même reprendre ma respiration, ramassant la sauce jusqu'à la dernière goutte avec mon pain fraîchement sorti du four.

– Tu te sens mieux ?

Je hochai la tête et m'efforçai de sourire. Je ne dus pas être bien convaincant, car Ellie me regarda d'un air préoccupé.

– Je n'ai pu m'empêcher d'écouter ce que tu disais à ta mère. Je suis sûre que les choses ne vont pas si mal. Ce travail est nouveau pour toi, et assez étrange, mais tu y seras vite accoutumé. De toute façon, tu n'es pas obligé de repartir tout de suite. Après quelques jours passés à la maison, tu auras repris des forces. Et tu seras toujours le bienvenu, même quand la ferme appartiendra à Jack.

– Tu crois ? Jack ne m'a pas paru ravi de me voir.

– Qu'est-ce qui te fait dire ça ?

– Il ne s'est pas montré très accueillant. J'ai senti qu'il ne voulait pas de moi, ici.

– Allons ! Tu connais ton grand malappris de frère ! Je vais arranger ça comme de rien !

Cette fois, je souris vraiment ; elle avait raison. Comme disait maman, Ellie aurait pu entortiller Jack autour de son petit doigt. Caressant son gros ventre, elle me confia :

– Voilà surtout ce qui l'angoisse. La sœur de ma mère est morte en couches, et on en parle encore dans la famille. Ça le rend nerveux, mais moi, je suis tranquille. Je ne pourrais pas accoucher dans un meilleur endroit, avec ta maman pour prendre soin de moi.

Elle se tut, puis reprit :

– D'autre part, ton nouveau travail l'inquiète.

– Il avait pourtant l'air content lorsque je suis parti de la maison.

– Il s'est comporté ainsi pour t'encourager, parce que tu es son jeune frère et qu'il se soucie de toi. Les activités d'un épouvanteur ont quelque chose d'effrayant, et cela met les gens mal à l'aise. Je suppose que, si rien de spécial n'était arrivé après ton départ, tout irait bien. Seulement, Jack prétend que, depuis le jour où tu as quitté la ferme en passant par la colline, les chiens se comportent bizarrement.

Ils ne veulent même plus entrer dans les pâtures du nord. Jack pense que tu as réveillé quelque chose. Voilà le problème.

Ellie tapota doucement son ventre.

– Il est un peu trop protecteur, c'est tout. Il pense d'abord à sa femme et à son enfant. Allons, ne te fais pas de mauvais sang ! Tout s'arrangera, tu verras !

Je restai trois jours, essayant de faire bon visage ; finalement, je sentis qu'il valait mieux que je parte. Maman fut la dernière personne que je vis avant de m'en aller. Nous étions seuls dans la cuisine. Elle me serra dans ses bras en me disant qu'elle était fière de moi. Puis elle déclara en me regardant tendrement :

– Tu représentes bien plus que le septième fils d'un septième fils, Tom ! Tu es aussi mon fils, et tu as la force de faire ce qui doit être fait.

J'acquiesçai d'un hochement de tête pour qu'elle soit contente, mais le sourire que j'avais accroché à mon visage s'effaça dès que je fus dans la cour. Je repris la route en traînant les pieds, déçu que maman n'ait pas voulu me garder à la maison.

Il plut tout le long du chemin, jusqu'à mon arrivée à Chipenden. J'avais froid, j'étais mouillé et malheureux. À ma grande surprise, lorsque je me présentai devant la demeure de mon maître, le loquet se souleva et le portail s'ouvrit sans que je les aie touchés. C'était sans doute un signe de bienvenue, un encouragement à entrer, une faveur que j'avais crue jusque-là réservée à l'Épouvanteur. J'aurais dû m'en réjouir. Je n'en fus qu'effrayé.

Je frappai trois fois à la porte avant de remarquer que la clé était dans la serrure. Mes coups n'ayant fait venir personne, je la tournai et entrai.

Je visitai toutes les chambres du rez-de-chaussée. En bas des escaliers, j'appelai. Comme personne ne répondait, je me risquai dans la cuisine.

Le feu brûlait dans l'âtre, et le couvert était mis pour une seule personne. Au centre de la table fumait un plat de ragoût. J'avais tellement faim que je me servis et vidai mon assiette avant de remarquer le mot coincé sous la salière :

Suis à Pendle. Problème avec une sorcière, serai parti un certain temps. Fais comme chez toi, mais n'oublie pas les provisions de la semaine. Le sac est chez le boucher.

Pendle était une haute colline, presque une montagne, à l'est du Comté. La région était infestée de sorcières, et il était dangereux de s'y rendre, surtout seul. Cela me rappela à quel point le métier d'épouvanteur pouvait être dangereux.

En même temps, j'étais désappointé. J'avais si longtemps attendu qu'il se passe quelque chose, et l'Épouvanteur profitait de mon absence pour s'en aller sans moi !

Toutefois, je dormis bien, cette nuit-là, et, au matin, je ne manquai pas la cloche du petit déjeuner.

Je fus accueilli à la cuisine par le meilleur plat d'œufs au bacon que j'eus mangé jusqu'alors dans cette maison. Cela me procura un tel plaisir qu'avant de me lever de table je lançai à haute voix la phrase que mon père avait coutume de prononcer chaque dimanche après le déjeuner :

– C'était excellent ! Mes compliments à la cuisinière !

À peine avais-je fini de parler que le feu flamba plus fort dans l'âtre, et qu'un chat se mit à ronronner. Je ne voyais pas le moindre matou, pourtant ce ronronnement était si sonore que les vitres de la fenêtre en tremblaient. Apparemment, j'avais dit les mots qu'il fallait.

Fort content de moi, je partis au village faire les courses de la semaine. Le soleil brillait dans un ciel sans nuages, les oiseaux chantaient. Après ces tristes jours de pluie, le monde entier me paraissait lumineux, comme repeint de neuf.

Je passai chez le boucher, y pris le sac de mon maître ; puis je me dirigeai vers l'épicerie et terminai par la boulangerie. Quelques garçons étaient là, appuyés au muret de pierre. Je n'avais pas revu la bande depuis le jour où ils m'avaient suivi. Cette fois, ils n'étaient pas aussi nombreux, et leur chef, le costaud à cou de taureau, n'était pas avec eux.

Me rappelant les paroles de l'Épouvanteur, je m'avançai à leur rencontre.

– Désolé pour l'autre jour ! dis-je. Je suis nouveau ici, et je ne connais pas bien les habitudes. M. Grégory m'a autorisé à vous donner une pomme et un gâteau à chacun.

Tout en parlant, j'ouvris mon sac et leur tendis leurs parts. Je crus que les yeux allaient leur sortir de la tête. Ils marmonnèrent un remerciement.

Je repartis. En haut du chemin, quelqu'un m'attendait. C'était la fille, Alice. Elle se tenait de nouveau dans l'ombre des arbres, comme si elle craignait le soleil. Je m'approchai d'elle.

– Si tu veux, je te donne une pomme et un gâteau.

Elle secoua la tête.

– Je n'ai pas faim. Mais tu peux me donner autre chose. J'ai besoin d'aide. C'est le moment de tenir ta promesse.

Une promesse est une promesse, et je me rappelais l'avoir faite. Je ne pouvais qu'honorer ma parole.

– Demande-moi ce que tu veux, déclarai-je. Je ferai de mon mieux.

Un large sourire éclaira son visage. Et ce sourire me fit oublier qu'elle était vêtue de noir et surtout qu'elle portait des souliers pointus. Elle me dit alors des mots qui me plongèrent dans l'angoisse et me gâchèrent le reste de la journée :

– Pas tout de suite ! Viens me retrouver ce soir, après le coucher du soleil, quand tu entendras la cloche du vieux Gregory.

Lorsque la cloche sonna, je descendis jusqu'au cercle de saules, plein d'appréhension. Ce rendez-vous ne me disait rien qui vaille. Alice avait-elle un travail à demander à l'Épouvanteur ? J'en doutais.

Si les derniers rayons du soleil baignaient encore le sommet des collines d'une lueur orangée, les ombres grises du crépuscule s'allongeaient sous les arbres.

Je frissonnai en voyant la fille, car elle tirait la corde d'une seule main et, pourtant, le lourd battant s'agitait follement. J'en conclus qu'elle était beaucoup plus forte que le laissaient penser son corps mince et ses bras frêles.

Dès que je me montrai, elle cessa de sonner. Elle me regardait avancer, une main sur la hanche, tandis que la branche continuait d'osciller au-dessus de sa tête. Nous nous fixâmes sans rien dire, jusqu'à ce que mes yeux tombent sur un panier posé à ses pieds, recouvert d'un tissu noir.

Elle prit le panier et me le tendit.

– Qu'est-ce que c'est ? demandai-je.

– De quoi tenir ta promesse.

Je le pris, plutôt mal à l'aise. Par curiosité, je voulus soulever le morceau de tissu.

– Non ! fit-elle sèchement. N'y touche pas ! L'air les abîmerait.

– Abîmerait quoi ?

Il faisait de plus en plus sombre, et je me sentais de plus en plus nerveux.

– Les gâteaux.

– Merci ! dis-je.

Un léger sourire releva les coins de sa bouche.

– Ce n'est pas pour toi. Ces gâteaux sont pour la vieille Mère Malkin.

Mère Malkin, la sorcière que l'Épouvanteur gardait, vivante, dans une fosse de son jardin ! Ma bouche se dessécha d'un coup, et un frisson me parcourut le dos.

– Je ne pense pas que M. Gregory serait d'accord, objectai-je. Il m'a bien recommandé de ne pas m'approcher d'elle.

– Le vieux Gregory est un homme cruel, affirma Alice. La pauvre Mère Malkin moisit au fond de ce trou humide depuis bientôt treize ans. Tu trouves ça juste, de traiter ainsi une vieille femme ?

Je haussai les épaules. Non, je ne trouvais pas ça juste ; mais mon maître avait sûrement une bonne raison d'agir ainsi.

– Ce sont ses gâteaux préférés, préparés par sa famille. Il n'y a pas de mal à lui apporter un petit réconfort, à rendre un peu de chaleur à ses os glacés ! Et tu n'as pas à t'inquiéter, le vieux Gregory n'en saura rien.

Je ne trouvai rien à répliquer. C'étaient des arguments valables.

– Il y a trois gâteaux. Tu les lui donneras un par un, trois nuits d'affilée. Le mieux, c'est de le faire à minuit, l'heure où elle a toujours un petit creux. Porte-lui le premier dès aujourd'hui.

Alice s'apprêta à partir. Puis, se ravisant, elle me sourit.

– On pourrait devenir bons amis, toi et moi, fit-elle en gloussant.

Puis elle disparut dans l'obscurité.

8
Mère Malkin

De retour à la maison de l'Épouvanteur, je commençai à me faire du souci. Mais plus je réfléchissais, moins j'avais les idées claires. Je savais quelle aurait été la réaction de mon maître : il aurait envoyé promener les gâteaux et m'aurait longuement sermonné à propos du danger que représentent les sorcières et les filles qui portent des souliers pointus. Seulement, il n'était pas là.

Deux raisons me poussaient à affronter l'obscurité du jardin est. D'abord, j'avais promis. Je n'avais donc pas le choix.

« Ne fais jamais une promesse que tu n'es pas sûr de pouvoir tenir », me disait toujours papa. C'était la morale qu'il m'avait inculquée, et que je sois l'apprenti de l'Épouvanteur n'y changeait rien.

Ensuite, je ne supportais pas l'idée qu'une vieille femme vive au fond d'un trou dans la terre. Enterrer ainsi une sorcière morte me paraissait raisonnable ; une vivante, non. Elle avait dû commettre un bien terrible crime pour mériter un sort pareil. Mais quel mal y avait-il à lui donner trois malheureux gâteaux si cela pouvait l'aider à résister au froid et à l'humidité ? L'Épouvanteur m'avait encouragé à suivre mon cœur, et, après avoir pesé le pour et le contre, je conclus que je prenais la bonne décision.

Le seul problème était que je devais porter les gâteaux moi-même, à minuit. Il fait très noir, à cette heure, particulièrement par les nuits sans lune...

Le panier à la main, je me dirigeai vers le jardin est. Il n'était pas aussi sombre que je m'y attendais. D'une part, mes yeux y voient plutôt bien dans l'obscurité, je tiens cela de ma mère. D'autre part, il n'y avait pas un nuage, et la lune éclairait mon chemin.

Il faisait froid, sous les arbres, et je frissonnai. Lorsque j'arrivai en vue de la première fosse, celle qui était maintenue fermée par treize barres de fer, le froid se fit plus intense. C'était la tombe d'une sorcière morte, et pas des plus puissantes, d'après l'Épouvanteur ; je n'avais aucune raison d'avoir peur. Je tâchai du moins de m'en persuader.

À la lumière du jour, je m'étais senti capable de tenir ma promesse. À cette heure, alors qu'approchait minuit, je n'étais plus si sûr de moi. Mon maître m'avait recommandé de ne pas m'aventurer dans ce jardin après le crépuscule. Il avait insisté là-dessus à plusieurs reprises ; je transgressais donc une règle importante.

J'entendais des froissements, des craquements... Ce n'était rien, de petites bêtes s'enfuyant à mon passage ! Mais ces bruits légers me rappelaient que je n'avais pas le droit d'être là. D'après l'Épouvanteur, les deux autres sorcières étaient à une vingtaine de pas plus loin. J'avançai en comptant soigneusement, ce qui me mena à une deuxième tombe, semblable à la première, celle de la sorcière morte, mais toujours dangereuse, enterrée la tête en bas. La plante de ses pieds devait se trouver juste sous la terre que j'apercevais, entre les barres de fer, nue, tassée, sans le moindre brin d'herbe.

Tandis que je fixais la fosse, il me sembla voir quelque chose remuer. Ce n'était sans doute qu'un effet de mon imagination, ou alors une bestiole, souris ou musaraigne. Je m'écartai vivement : et si c'était un orteil...?

Trois pas de plus me conduisirent à l'endroit que je cherchais, cela ne faisait aucun doute. La fosse bordée de pierres était également fermée par treize barres de fer. Trois choses la différenciaient cependant des autres : elle était carrée, beaucoup plus grande, et, sous les barreaux, on ne voyait pas de terre, mais un trou noir et profond.

Je m'arrêtai et tendis l'oreille : l'Épouvanteur m'avait dit qu'on entendait la prisonnière chuchoter sans cesse. Je ne perçus que l'agitation assourdie des animaux nocturnes et le souffle du vent. Le souffle du vent... Je ne l'avais pas remarqué, jusqu'alors. Je n'en pris conscience que lorsqu'il se tut. Soudain, un silence surnaturel tomba sur le bois.

Je m'étais immobilisé pour écouter les chuchotements de la sorcière, et j'avais maintenant l'impression que c'était elle qui m'écoutait. Le silence s'étira, comme s'il devait durer toute l'éternité. Puis un faible bruit de respiration me parvint, montant du puits.

Bizarrement, cela me rendit l'usage de mes jambes. J'approchai de la fosse, le bout de ma botte touchant la bordure de pierres.

Je me rappelai alors la mise en garde de l'Épouvanteur à propos de la Mère Malkin : « Elle est dans ce puits depuis fort longtemps, et une partie de ses pouvoirs se sont dissous dans la terre. Mais elle serait enchantée de mettre la main sur un gamin dans ton genre. »

Je reculai d'un pas. Et si une main sortait tout à coup du trou pour agripper ma cheville ?

Pressé d'en finir, j'appelai à voix basse :

– Mère Malkin ? Je vous apporte quelque chose de la part de votre famille. Vous êtes là ? Vous m'entendez ?

Il n'y eut pas de réponse, mais la respiration sembla s'accélérer. Aussi, sans perdre plus de temps, impatient de me retrouver au chaud et en sécurité dans la maison de l'Épouvanteur, je plongeai la main dans le panier et farfouillai sous le tissu. Mes doigts se refermèrent sur l'un des gâteaux. Il était mou, un peu collant. Je le tendis au-dessus du trou.

– Ce n'est qu'un gâteau, dis-je. J'espère que cela vous fera du bien. Je vous en apporterai un autre la nuit prochaine.

Et je le laissai tomber dans le noir.

J'aurais dû repartir aussitôt. Au lieu de ça, je m'attardai quelques secondes pour écouter. Je ne sais pas trop à quoi je m'attendais ; en tout cas, ce fut une erreur.

Quelque chose remua au fond du trou, comme si on se traînait par terre. Puis j'entendis la vieille Mère Malkin manger.

J'avais toujours cru que mes frères étaient les seuls à faire de vilains bruits en mastiquant. Or, le plus gros de nos cochons fouaillant du groin dans son auge en aspirant et reniflant n'aurait pas produit de son plus répugnant ! Je ne sus en conclure si le gâteau plaisait à la sorcière ou non...

De retour dans ma chambre, j'eus beaucoup de mal à m'endormir. Je ne cessai de penser à ce puits noir, et je redoutais déjà d'avoir à y retourner la nuit suivante.

Le lendemain matin, je fus à l'heure à la cuisine, et y trouvai du bacon brûlé ainsi qu'un morceau de pain rassis. C'était à n'y rien comprendre : j'avais rapporté du pain frais la veille. De plus, le lait avait tourné. Le gobelin était-il en colère contre moi ? Me reprochait-il mon escapade nocturne ? Était-ce une sorte de mise en garde ?

L'Épouvanteur ne m'avait laissé aucune consigne. Accoutumé à travailler du matin au soir, je ne savais comment occuper mon temps. Je montai à la bibliothèque, pensant que mon maître ne verrait pas d'inconvénient à ce que j'y cherche quelque lecture intéressante. Je fus déçu de constater que la porte était verrouillée.

J'optai donc pour une promenade. Je décidai de grimper sur la colline de Parlick. Arrivé au sommet, je m'assis sur un tumulus pour admirer la vue.

C'était une belle journée, le ciel était dégagé ; je voyais tout le Comté à mes pieds, et le bleu de la mer étincelant à l'horizon, vers l'ouest. Les collines se succédaient sans fin. Il aurait fallu une vie entière pour les explorer toutes.

Non loin de là se dressait la colline du Loup, et je me demandai une fois de plus s'il y avait encore des loups dans le pays. Par les hivers rigoureux, disait-on, ils chassaient en meute. On était au printemps ; cela ne signifiait pas pour autant qu'il n'y en avait plus dans les parages, et se trouver seul dans les collines après la nuit tombée devait être assez effrayant. Pas aussi effrayant, toutefois, que de devoir apporter un autre gâteau à Mère Malkin...

Le soleil descendait déjà, bien trop vite à mon goût. Je dus retourner à la maison.

Quelques heures plus tard, mon panier à la main, j'affrontai de nouveau l'obscurité du jardin. Je décidai que, cette fois, ma tâche accomplie, je ficherais le camp aussitôt. Je me hâtai vers la fosse pour y jeter le deuxième gâteau.

À la seconde même où je le lâchais – trop tard pour le rattraper –, je sentis mon sang se glacer : les barreaux de fer condamnant le puits avaient été tordus.

La nuit précédente, les treize barres étaient parfaitement droites et parallèles. Celles du milieu étaient maintenant presque assez écartées pour laisser passer une tête.

Elles avaient pu être forcées de l'extérieur ; toutefois j'en doutais. L'Épouvanteur m'avait appris que la maison et le jardin étaient gardés, et que personne ne pouvait y pénétrer. Il n'avait pas précisé l'identité du gardien, mais c'était sûrement un gobelin, peut-être même celui qui nous préparait nos repas.

Donc, c'était l'œuvre de la sorcière ! Elle avait dû réussir à grimper le long des parois. La vérité se fit alors jour dans mon esprit : cette nourriture lui rendait sa force. Quel idiot j'avais été ! Je l'entendais bâfrer, en bas, dans le noir, avec les mêmes bruits répugnants que la veille. Je m'enfuis du bois en courant. Pour ce que j'en devinais, elle n'aurait même pas besoin d'un troisième gâteau...

Après une nuit sans sommeil, ma décision fut prise : j'irais voir Alice, je lui rendrais le dernier gâteau et lui expliquerais que je ne pouvais tenir ma promesse.

En premier lieu, il me fallait la trouver. Sitôt le petit déjeuner avalé, je pris le chemin du bois, jusqu'à l'endroit où je l'avais rencontrée. Elle m'avait dit vivre « par là », pourtant je ne vis aucune trace d'habitation, rien qu'un paysage boisé et vallonné.

Pensant qu'il serait plus simple de demander, je descendis au village. Curieusement, il y avait fort peu de gens dans les rues ; seuls quelques garçons traînassaient du côté de la boulangerie, leur lieu de rendez-vous favori. Sans doute aimaient-ils autant que moi l'odeur du pain. L'arôme d'une miche sortant du four est l'un des meilleurs au monde !

Pour des types à qui, lors de notre dernière rencontre, j'avais fait cadeau d'une pomme et d'un gâteau, ils ne se montrèrent guère accueillants. Je devais probablement cette attitude à la présence, cette fois, de leur chef aux petits yeux porcins. Toutefois, ils m'écoutèrent. Sans entrer dans les détails, je leur dis simplement que je désirais contacter la fille du bois.

– Je sais où tu peux la trouver, grogna le costaud en me jetant un regard farouche. Mais tu serais bien bête d'y aller.

– Pourquoi cela ?

– Tu n'as donc pas entendu ce qu'elle a dit ? fit-il en levant les sourcils. Elle est la nièce de Lizzie l'Osseuse.

– Qui est Lizzie l'Osseuse ?

Ils échangèrent des regards consternés, secouant la tête comme si j'avais posé une question débile. Que savaient-ils, tous, que j'ignorais ?

Mon interlocuteur reprit :

– Lizzie et sa grand-mère ont passé un hiver ici, avant que Gregory se charge d'elles. C'étaient les plus affreuses sorcières qui aient jamais sévi dans le coin. Elles vivaient avec un compagnon encore plus affreux qu'elles, une créature ressemblant à un homme, en beaucoup plus grand, avec tellement de dents qu'elles débordaient de sa bouche. C'est ce que mon père m'a raconté. Et, pendant ce long hiver, plus personne n'osait sortir à la nuit tombée. Tu fais un drôle d'épouvanteur, si tu n'as jamais entendu parler de Lizzie l'Osseuse !

Je n'aimais pas du tout cela. Je compris à quel point j'avais été stupide. Si seulement j'avais rapporté à mon maître ma conversation avec Alice ! Il en aurait déduit que cette Lizzie était de retour, et il aurait agi en conséquence.

D'après le père du chef de bande, Lizzie l'Osseuse avait habité à environ trois milles à l'est, dans une ferme abandonnée depuis des années. C'était donc sûrement là qu'elle s'était installée de nouveau. L'information me parut plausible, car c'était bien la direction qu'Alice avait désignée.

À cet instant, un petit groupe de villageois aux visages tendus sortit de l'église. Ils se dirigèrent en file vers la colline, le prêtre ouvrant la marche. Ils portaient des vêtements chauds, et certains étaient munis de bâtons.

– Que se passe-t-il ? demandai-je.

L'un des garçons cracha sur les pavés et m'informa :

– Un enfant a disparu, hier soir. Un gamin de trois ans. Ils pensent qu'il s'est égaré par là. Et ce n'est pas le premier, je te signale. Il y a deux jours, un bébé trop petit pour marcher a été enlevé dans une ferme du côté de Long Ridge. Ils disent que c'est peut-être les loups. On a eu un rude hiver, ça les ramène, parfois.

Leurs indications se révélèrent exactes. Le temps de retourner chercher le panier d'Alice, il me fallut près d'une heure pour arriver en vue de la ferme de Lizzie.

Je m'arrêtai un instant au soleil et soulevai le tissu pour jeter un coup d'œil sur le dernier gâteau. Son odeur était atroce, et son aspect pire encore. Ça évoquait un hachis de pain et de viande, mêlé à d'autres ingrédients impossibles à identifier. C'était humide, gluant, presque noir. Et ce n'était pas cuit, seulement aggloméré. De minuscules choses blanches se tortillaient dessus. Des asticots !

Je rabattis le tissu avec un frisson de dégoût et descendis le sentier menant au bâtiment délabré. Les clôtures étaient brisées, le toit de la grange s'était à moitié écroulé, et on n'apercevait pas le moindre animal.

De la fumée montait pourtant de la cheminée. Il y avait quelqu'un à la maison. Je repensai soudain à la créature munie de trop de dents.

Comment me débrouiller pour parler à la fille sans être repéré par les autres membres de la famille ? Ça n'allait pas être facile !

Tandis que je faisais halte à mi-pente, hésitant sur le parti à prendre, mon problème se résolut de lui-même. Une mince silhouette noire sortit de la ferme et marcha vers moi. C'était Alice. Comment avait-elle su que j'étais là ? Des arbres me dissimulaient, et les fenêtres de la maison ne donnaient pas de ce côté.

Pourtant, elle n'avait pas pris ce chemin par hasard, car elle se dirigeait droit sur moi.

Elle s'arrêta à quelques pas.

– Qu'est-ce que tu veux ? siffla-t-elle. Tu es complètement fou d'être venu. Tu as de la chance que les autres dorment !

– Je ne peux pas continuer à faire ce que tu m'as demandé, dis-je en lui tendant son panier.

Elle croisa les bras et fronça les sourcils.

– Pourquoi cela ? Tu as promis, non ?

– Tu ne m'as pas averti des conséquences. Elle a déjà mangé deux gâteaux, et ça lui a rendu ses forces. Elle a commencé à tordre les barreaux de la fosse. Un gâteau de plus, et elle sera libre. Et tu le sais. C'était ça que tu voulais, hein ? l'accusai-je, sentant monter la colère. Tu m'as trompé, je suis donc délié de ma promesse.

Elle avança d'un pas, et je vis que sa propre colère faisait soudain place à un autre sentiment : Alice avait peur.

– Je ne voulais pas. Ils m'ont obligée, dit-elle en désignant la ferme, derrière elle. Si tu ne fais pas jusqu'au bout ce que tu as promis, ça ira mal pour nous deux. Je t'en prie, va ! Donne-lui le troisième gâteau ! Quel mal y a-t-il à ça ? Mère Malkin a payé. Il est temps de la laisser sortir. Donne-lui ce gâteau !

Elle sera partie dès cette nuit, et ne te causera plus le moindre souci.

– M. Gregory avait sûrement une bonne raison de l'emprisonner au fond de ce trou, dis-je lentement. Je ne suis que son apprenti, ce n'est pas à moi de décider. Quand il reviendra, je lui raconterai tout.

Alice eut un petit sourire, le sourire de quelqu'un qui en sait plus long que vous.

– Il ne reviendra pas, dit-elle. Lizzie a tout prévu. Elle a de bons amis du côté de Pendle, Lizzie. Tout ce qu'elle voudra, ils le feront. Ils ont tendu un piège au vieux Gregory. Il a dû être étonné par l'accueil qu'on lui réservait. Il est probablement déjà mort et enterré, à l'heure qu'il est. Attends un peu, et tu verras que j'ai raison. Bientôt, tu ne seras plus en sécurité nulle part, pas même dans sa maison. Une nuit ou l'autre, ils viendront te prendre. Sauf, bien sûr, si tu nous aides. En ce cas, ils te laisseront tranquille.

À peine avait-elle fini de parler que je tournai les talons, la laissant sur place. Je crois bien qu'elle m'appela plusieurs fois, mais je ne l'écoutai pas, tourmenté par ce qu'elle avait dit à propos de mon maître.

Soudain je m'aperçus que je portais toujours le panier contenant le dernier gâteau. Je jetai le tout dans la rivière.

De retour à la maison, je n'eus pas besoin de réfléchir longtemps pour évaluer la gravité de la situation et prendre une décision.

Tout avait été manigancé depuis le début ! Ils avaient attiré l'Épouvanteur loin d'ici, sachant que, nouvel apprenti sans la moindre expérience, je serais facile à berner. En revanche, mon maître, lui, ne se laisserait pas avoir si aisément ; sinon il n'aurait pas survécu tant d'années. Je ne pouvais cependant pas me permettre d'attendre son retour. D'une manière ou d'une autre, il me fallait empêcher Mère Malkin de sortir du puits.

Je me sentais si cruellement démuni que j'envisageai de chercher du secours au village. Puis je me souvins que j'avais une sorte d'aide très particulière à portée de main. J'allai donc à la cuisine et m'assis devant la table.

Craignant de me faire boxer les oreilles dès la première seconde, je pris aussitôt la parole. Je relatai tout ce qui était arrivé, sans rien omettre. Je reconnus que c'était ma faute et demandai – suppliai – qu'on vienne à ma rescousse.

Je ne sais pas très bien ce que j'attendais. Je ne me trouvais même pas idiot de parler ainsi à une pièce vide, tant j'étais tourneboulé. Mais, le silence s'éternisant, je compris peu à peu que je perdais mon temps. Pourquoi le gobelin m'aurait-il aidé ?

Autant que je sache, il était prisonnier, attaché à la maison et au jardin par l'Épouvanteur comme un esclave, sans espoir de jamais retrouver sa liberté. Me voir dans une telle angoisse le réjouissait peut-être.

Au moment où j'allais abandonner et quitter la cuisine, je me rappelai une chose que papa disait souvent avant de partir avec moi au marché local : « Chacun est prêt à mettre son prix. À toi de faire une offre qui plaise à l'acheteur sans trop nuire à ton intérêt. »

Aussi fis-je une offre au gobelin :

– Si tu m'aides, je ne l'oublierai pas. Quand je deviendrai le nouvel Épouvanteur, je te laisserai libre chaque dimanche. Ce jour-là, je préparerai moi-même mes repas, et tu pourras te reposer et faire ce qui te plaira.

Quelque chose frôla alors mes jambes. J'entendis un doux ronronnement, et vis un gros chat roux se diriger lentement vers la porte.

Je le suivis dans l'entrée, puis en haut des escaliers. Il s'arrêta devant la porte verrouillée de la bibliothèque. Il se frotta contre le bois, comme font les chats. La porte pivota lentement, révélant plus de livres qu'on pourrait en lire en une vie, soigneusement alignés sur des étagères. J'entrai, me demandant par où commencer. Quand je me retournai, le chat roux avait disparu.

Le titre de chaque livre était écrit sur le dos. Beaucoup étaient en latin, quelques-uns en grec. Il n'y avait pas un grain de poussière, pas une toile d'araignée. La bibliothèque était aussi propre et bien tenue que la cuisine.

Je marchai le long de la première rangée de livres jusqu'à ce que quelque chose attire mon regard. Près de la fenêtre, il y avait trois longues étagères chargées de calepins recouverts de cuir, semblables à celui que l'Épouvanteur m'avait donné. Celle du haut contenait des volumes plus gros, portant des dates. Chacun couvrait une période de cinq ans. Je pris donc le dernier et l'ouvrit avec précaution.

Je reconnus l'écriture de l'Épouvanteur. Feuilletant le cahier, je compris qu'il s'agissait d'une sorte de journal. Chaque travail exécuté y était noté, ainsi que la durée des voyages et le montant des honoraires. Et, surtout, on y trouvait expliquée la façon dont chaque gobelin, chaque fantôme, chaque sorcière avait été éradiqué.

Je replaçai le calepin sur l'étagère et examinai les autres. Certains journaux, probablement rédigés par des épouvanteurs des siècles passés, remontaient à des centaines d'années. À supposer qu'Alice ait eu raison et que M. Gregory ne revienne pas, l'étude de ces annales me suffirait-elle pour apprendre tout ce que j'avais besoin de savoir ? En tout cas, il y avait sans doute, parmi ces milliers de pages, une information qui m'aiderait dès maintenant. Comment la dénicher ?

La sorcière était au fond de son trou depuis presque treize ans. Il devait donc y avoir quelque part un compte rendu relatant comment l'Épouvanteur l'y avait enfermée. Je parcourus les rayonnages des yeux ; et, sur une étagère basse, je fis une découverte intéressante.

Les volumes rangés là étaient très épais, et consacrés chacun à un sujet particulier. Comme ils étaient classés par ordre alphabétique, je trouvai facilement celui que je cherchais : *Sorcières*.

Je l'ouvris d'une main tremblante et ne fus pas surpris de constater qu'il était divisé en quatre sections : *les pernicieuses*, *les bénévolentes*, *les faussement accusées*, *les inconscientes*.

Je feuilletai la première partie. Tout était noté de la belle écriture de l'Épouvanteur, et également organisé par ordre alphabétique. Je tombai très vite sur le chapitre intitulé *Mère Malkin*.

C'était pire que ce que j'avais craint. Dans tous les endroits où Mère Malkin était passée, des choses épouvantables s'étaient produites. La plus horrible était survenue dans l'ouest du Comté.

À cette époque, la sorcière habitait une ferme, y hébergeant des jeunes femmes sur le point d'accoucher, et qui n'avaient pas de mari. C'est là que lui fut donné ce titre de « Mère ». Cela avait duré des années, sans qu'on ait jamais revu les accouchées.

Elle avait un fils qui vivait avec elle, un garçon d'une force incroyable appelé Tusk[1]. Il avait des pieds énormes, et les gens avaient si peur de lui que personne n'approchait de leur repaire. Finalement, la population locale avait réagi. Une troupe d'hommes décidés et armés avaient attaqué la ferme, forçant Mère Malkin à se réfugier à Pendle. Après son départ, on avait découvert la première tombe. Elle était pleine d'ossements et de chairs en décomposition. C'étaient les restes des enfants qu'elle avait massacrés pour étancher sa soif de sang, et ceux de nombreuses jeunes femmes. Leurs corps avaient été broyés, leurs côtes brisées ou écrasées. On avait alors commencé à parler d'une créature « avec tellement de dents qu'elles débordaient de sa bouche ». S'agissait-il de Tusk, le fils de Mère Malkin ? Celui qui avait probablement dévoré ces malheureuses ?

Mes mains se mirent à trembler si fort que je pouvais à peine continuer à lire. J'appris ensuite que certaines sorcières utilisaient la magie des ossements, et que d'autres tiraient leur pouvoir de l'invocation des morts. Mais Mère Malkin était la plus

1. En anglais : *défense* (NDT).

redoutable : elle se servait de la magie du sang. Elle puisait ses forces dans le sang humain, et se montrait particulièrement avide du sang des enfants.

Je revis les gâteaux noirs et gluants, et je frémis. Un bébé de Long Ridge avait disparu. Avait-il été enlevé par Lizzie l'Osseuse ? Son sang avait-il servi à préparer ces affreuses pâtisseries ?

Et l'autre enfant, celui que les villageois recherchaient ? Lizzie l'Osseuse l'avait-elle capturé, lui aussi, en prévision du jour où Mère Malkin s'échapperait de la fosse et aurait besoin de sang frais pour raviver ses pouvoirs ? Ce gamin était peut-être enfermé dans la maison de Lizzie, à présent !

Je me forçai à lire encore.

Treize ans plus tôt, au début de l'hiver, Mère Malkin était venue vivre à Chipenden, amenant avec elle sa petite-fille, Lizzie l'Osseuse. De retour de sa maison d'hiver d'Anglezarke, l'Épouvanteur s'était aussitôt occupé d'elle. Après avoir chassé Lizzie l'Osseuse, il avait entravé Mère Malkin avec une chaîne d'argent et l'avait emprisonnée dans le puits, au fond de son jardin.

L'Épouvanteur semblait débattre avec lui-même, dans ce compte rendu. Il répugnait visiblement à l'enterrer vivante, et expliquait pourquoi il devait agir ainsi : il estimait trop dangereux de la tuer, car, une fois morte, elle serait capable de revenir, plus puissante et plus dangereuse que jamais.

La question que je me posais était donc : et si elle s'échappait ? Un seul gâteau lui avait donné la force de tordre les barres de fer . Elle n'avait pas besoin de manger le troisième ; deux lui suffiraient sûrement. À minuit, elle sortirait de la fosse. Que faire ? Si une chaîne d'argent servait à lier une sorcière, je pouvais essayer d'en entrelacer une entre les barreaux pour l'empêcher de s'évader. Seulement, la chaîne de l'Épouvanteur était dans le sac qu'il emportait toujours en voyage...

En sortant de la bibliothèque, j'aperçus un papier jaune accroché à côté de la porte, que je n'avais pas remarqué en entrant. Je reconnus l'écriture de mon maître. C'était une longue liste de noms. Le mien, *Thomas J. Ward*, était tout en bas. Juste au-dessus, je lus celui de *William Bradley*, barré par une ligne horizontale. À côté était tracées les lettres REP.

Je me sentis glacé, car je savais ce que cela signifiait : *Repose en Paix*. Billy Bradley était mort. Plus des deux tiers des noms de cette liste étaient ainsi barrés. Parmi eux, ceux de neuf autres anciens apprentis qui n'étaient plus de ce monde.

Je supposai que les autres étaient rayés parce qu'ils avaient échoué dans leur formation, n'ayant pas été plus loin que le premier mois d'apprentissage. Les morts m'inquiétaient davantage. Je me demandai quel avait été le sort de Billy Bradley, et je me souvins qu'Alice avait dit :

« Tu ne veux pas finir comme le dernier apprenti du vieux Gregory ? »

Comment savait-elle ce qui était arrivé à Billy ? Mais peut-être tout le monde était-il au courant, dans le pays. Étais-je le seul à l'ignorer ? À moins que la famille d'Alice y soit pour quelque chose ? J'espérais que non ; toutefois, cette idée me fournit un autre sujet d'inquiétude.

Sans perdre plus de temps, je descendis au village. Le boucher semblait avoir d'assez bonnes relations avec l'Épouvanteur, qui lui confiait souvent son sac à provisions. Je décidai de lui faire part de mes soupçons, et de le persuader de chercher l'enfant disparu dans la maison de Lizzie.

L'après-midi était bien avancé quand je m'arrêtai devant la boutique.

Elle était fermée. Je frappai à la porte de cinq maisons avant que l'une d'elles consente à s'ouvrir.

On m'apprit que le boucher était parti dans les collines avec les autres hommes. Ils ne seraient pas de retour avant le lendemain midi. Après avoir fouillé les monts environnants, ils traverseraient la vallée jusqu'à Long Ridge, où le premier enfant avait disparu. Puis ils élargiraient leur zone de recherches, et la battue leur prendrait toute la nuit.

Il me fallait regarder les choses en face : je devrais agir seul.

Découragé autant qu'effrayé, je remontai le chemin menant à la maison de l'Épouvanteur. Je savais que, si Mère Malkin sortait de la fosse, l'enfant serait mort avant le matin. Si quelqu'un pouvait encore le sauver, c'était moi.

9
Au bord de la rivière

De retour à la maison, j'entrai dans la pièce où l'Épouvanteur rangeait ses vêtements de voyage. Je choisis une de ses vieilles capes. Elle était trop grande pour moi, évidemment. L'ourlet me battait les chevilles et le capuchon me tombait sur les yeux. Cependant, elle me protégerait du froid. J'empruntai également un de ses bâtons de marche, le plus court, qui était bombé à une extrémité.

Lorsque je franchis la porte, il était presque minuit. Le ciel était clair, une grosse lune ronde montait au-dessus des arbres, même si le vent frais qui soufflait de l'ouest apportait une odeur de pluie.

Je marchai droit vers la fosse de Mère Malkin. J'avais peur, mais il fallait que quelqu'un le fasse, et qui d'autre que moi l'aurait pu ? D'autant que j'étais responsable de tout. Si seulement j'avais parlé à l'Épouvanteur de ma rencontre avec Alice ! Si seulement je lui avais répété ses paroles concernant le retour de Lizzie ! Il aurait réglé cette affaire. Il ne se serait pas laissé piéger à Pendle.

Plus j'y pensais, plus j'en étais malade. Le bébé de Long Ridge était sans doute mort. Je me sentais affreusement coupable, et je ne pouvais supporter l'idée qu'un autre enfant périsse par ma faute.

Je dépassai la tombe de la sorcière enterrée la tête en bas et marchai sur la pointe des pieds jusqu'à la fosse de Mère Malkin.

Un rayon de lune passant entre les branches tombait juste dessus, et aucun doute n'était permis : j'arrivais trop tard.

Les barreaux avaient été tordus en arc de cercle. Le boucher lui-même aurait pu introduire ses larges épaules par l'ouverture. Je scrutai les profondeurs du puits. J'avais encore le mince espoir que, l'effort ayant épuisé la sorcière, elle était retombée au fond, sans forces pour se hisser au-dehors. Je rêvais ! La fosse était vide...

À cet instant, un nuage cacha la lune, et le bois s'assombrit. Heureusement, les fougères aplaties m'avaient montré la direction prise par la fugitive. J'y voyais encore assez pour m'engager sur ses traces.

J'avançais lentement, avec mille précautions. Elle avait fort bien pu se cacher et me guetter au tournant. Elle ne devait pas être loin : minuit avait sonné depuis cinq minutes à peine. Quoi que ces gâteaux aient contenu, ils n'avaient pas suffi à lui rendre toute sa vigueur ; et elle n'en avait mangé que deux, ce qui était en ma faveur. Elle avait cependant fait preuve d'une énergie phénoménale pour tordre ainsi ces épaisses barres de fer ! À l'évidence, la magie noire jouait un rôle là-dedans, le genre de magie qui déploie sa pleine puissance pendant les heures nocturnes, particulièrement autour de minuit.

Une fois hors du bois, il me fut facile de suivre ses empreintes dans l'herbe. Elles descendaient la colline, mais dans la direction opposée à la maison de Lizzie. Cela me troubla d'abord ; puis je me souvins que la rivière, un peu plus bas, formait une large boucle. Une *pernicieuse* ne pouvait traverser l'eau courante, l'Épouvanteur m'avait appris cela. Elle devrait donc contourner ce méandre avant d'obliquer vers la ferme.

Arrivé en vue de la rivière, je m'arrêtai à mi-pente et observai les environs. La lune sortit de derrière le nuage, mais, même à sa lumière, je ne distinguai pas grand-chose, car les rives étaient bordées d'arbres qui projetaient des ombres denses.

Soudain, je notai une chose fort étrange : une traînée argentée le long de la berge. Elle scintillait chaque fois qu'un rayon de lune la touchait, et ressemblait alors à la trace luisante laissée par un escargot. Quelques secondes plus tard, une ombre bossue m'apparut, qui semblait se traîner au bord de l'eau.

Je dévalai la pente aussi vite que je le pus, dans l'intention de lui couper la route avant qu'elle atteigne le coude de la rivière. J'y réussis, et me tins là pour l'attendre. Le plus dur restait à faire : affronter la sorcière.

Je tremblais, je haletais, aussi essoufflé que si j'avais couru durant une heure dans les collines. Un mélange de peur et d'énervement m'amollissait les genoux, et je me serais écroulé sans le bâton de l'Épouvanteur.

À cet endroit, la rivière n'était pas très large, mais elle était profonde, gonflée par les pluies du printemps au point de déborder. Le courant était violent ; à ma droite, les flots bondissaient furieusement. Je scrutai la masse obscure des arbres d'où allait surgir la sorcière. Il me fallut quelques instants pour la repérer.

Mère Malkin marchait vers moi, ombre mouvante, plus noire que l'ombre des aulnes, de cette noirceur capable de vous absorber si vous aviez le malheur de tomber dedans. Le rugissement de la rivière couvrait le glissement de ses pieds nus dans l'herbe de la berge. Pourtant, je l'entendis avant de la voir, à cause des mêmes bruits de mâchoires et de déglutition qu'elle avait produits en avalant son gâteau ; et j'eus de nouveau en mémoire l'image de nos cochons dévorant leur pâtée. Puis je perçus un son différent, une sorte d'aspiration.

Quand elle surgit d'entre les arbres, sous la lumière de la lune, je la découvris pour la première fois. Elle avançait tête baissée, le visage dissimulé sous un enchevêtrement de cheveux gris, comme si elle regardait ses pieds, à peine visibles sous la robe brune qui lui tombait jusqu'aux chevilles. Elle portait par-dessus un manteau noir trop long ; à croire que les années passées au fond de son trou l'avaient rapetissée. C'était ce tissu traînant derrière elle qui laissait dans l'herbe une trace argentée.

Sa robe était maculée et déchirée, ce qui n'était guère surprenant. Mais j'y remarquai des taches fraîches, sombres, encore humides. Quelque chose gouttait dans l'herbe, tombant de ce qu'elle tenait serré dans sa main gauche.

C'était un rat. Elle mangeait un rat. Tout cru.

Elle ne semblait pas s'être aperçue de ma présence. Elle était tout près, maintenant ; si rien ne l'arrêtait, elle ne tarderait pas à me heurter. Soudain, je toussai. Ce n'était qu'un réflexe nerveux, je n'avais pas eu l'intention de l'avertir.

Elle leva la tête, offrant à la clarté lunaire une face de cauchemar, un visage qui ne pouvait être celui d'un être vivant. Or, vivante, elle l'était ! Impossible d'en douter, vu le bruit qu'elle faisait en dévorant son rat !

Mais il y avait quelque chose d'autre, qui me causa une telle terreur que je manquai de m'évanouir : ses yeux ! Ses yeux étaient deux charbons ardents, rougeoyant au fond de leurs orbites.

Alors, elle me parla, d'une voix tout en craquements et en chuintements, évoquant des feuilles sèches malmenées par le vent d'automne.

– Voilà un garçon, fit-elle. J'aime les garçons. Approche, mon garçon !

Je ne bougeai pas, évidemment. J'étais figé sur place, la tête vide.

Elle avança encore un peu, et ses yeux s'agrandirent. Tout son corps sembla enfler ; elle devenait un amas de ténèbres qui, dans un instant, enténébrerait mes propres yeux pour toujours.

Sans réfléchir, je brandis le bâton de l'Épouvanteur. Plus exactement, ma main le brandit, pas moi.

– Que tiens-tu là, mon garçon ? coassa-t-elle. Une baguette magique ?

Avec un ricanement mauvais, elle lâcha le rat mort et tendit ses deux bras vers moi.

C'était moi qu'elle voulait ; elle voulait mon sang. Je sentis mon corps frémir d'effroi comme un arbuste dans les premières rafales d'un noir hiver qui n'aurait pas de fin.

J'allais mourir là, sur la berge de la rivière ! Il n'y avait personne pour me porter secours, et j'étais bien incapable de me secourir moi-même.

Soudain, il se produisit une chose étrange…

Le bâton de l'Épouvanteur n'était pas une baguette magique, mais il existe bien des sortes de magie. Mes deux mains se refermèrent dessus. Mes bras se mirent à dessiner dans l'air, plus vite que ma pensée, je ne sais quel geste de conjuration. Puis ils élevèrent le bâton et l'abattirent avec force, frappant la sorcière à la tempe.

Elle poussa une espèce de grognement et bascula dans la rivière, dans un grand bruit d'éclaboussures. L'affreuse créature disparut sous l'eau. Je pensais que c'en était fini d'elle, quand elle remonta à la surface, à proximité du bord, cinq ou six pas plus loin. Je vis avec horreur son bras gauche sortir de l'eau, et sa main agripper une touffe d'herbe. Son autre bras émergea à son tour, et elle commença à se hisser sur la berge.

Il me fallait agir avant qu'il ne soit trop tard. Rassemblant toute ma volonté, je m'ordonnai à moi-même d'avancer, tandis qu'elle tirait peu à peu son corps sur la terre ferme.

Dès que je me jugeai assez près, je fis une chose dont l'image hantera mes cauchemars jusqu'à mon dernier jour. Cependant, qu'aurais-je pu faire d'autre ? C'était elle ou moi.

Je frappai la sorcière de mon bâton. Je la frappai de toutes mes forces, et ne cessai de frapper que lorsqu'elle lâcha enfin prise et disparut dans les flots noirs, emportée par le courant.

Ce n'était pas terminé pour autant. Si elle réussissait à sortir de l'eau, un peu plus bas, elle pourrait encore rejoindre la maison de Lizzie. Je devais l'en empêcher à n'importe quel prix. Je savais que la tuer n'était pas la solution. Un jour ou l'autre, elle reviendrait, plus puissante et plus pernicieuse que jamais. Et je n'avais pas de chaîne d'argent pour la lier ! Or, il fallait agir sur-le-champ. Quelle que fût la difficulté de la tâche, je devais descendre le cours de la rivière entre les arbres.

Je suivis donc la berge, m'arrêtant tous les dix pas pour écouter. Je ne percevais que le soupir du vent dans les branches. Il faisait très noir. Ici et là, la clarté de la lune perçait l'épais feuillage, plantant dans le sol de fines lances argentées.

Cela arriva au moment où je m'y attendais le moins. Je ne vis rien, je n'entendis rien ; je sentis seulement une main s'enrouler autour de ma botte et se refermer sur ma cheville comme un étau. Je baissai la tête et découvris une paire d'yeux braqués sur moi, flamboyant dans les ténèbres. Affolé, je tentai de frapper à l'aveuglette cette poigne invisible qui me serrait les os à les briser. Je n'en eus pas le temps. On me tira violemment, et je tombai par terre. Le choc me coupa la respiration. Pour comble de malheur, le bâton m'échappa des mains, me laissant sans défense.

Je restai étendu quelques secondes, tâchant de reprendre mon souffle. Puis on me tira de nouveau, et je compris aux clapotements réguliers que Mère Malkin s'accrochait à moi pour se hisser hors de la rivière, battant l'eau de ses jambes. De deux choses l'une : ou elle réussirait à se sortir de là, ou je serais emporté avec elle dans le courant.

Dans un effort désespéré, je roulai sur le côté, secouant ma cheville pour me libérer. La sorcière tint bon. Je roulai de l'autre côté, la joue pressée contre le sol humide. Le bâton était là, son bout épais éclairé par un rayon de lune, juste au bord de la rive, hors de ma portée ; il s'en fallait de deux ou trois pas.

Enfonçant les doigts dans la terre, je me tortillai comme un ver. Mère Malkin ne me lâchait pas, mais son corps était toujours à moitié dans l'eau. À force de rouler d'un côté et de l'autre, je l'entraînai derrière moi le long de la berge.

Je finis par atteindre le bâton et l'abattis violemment sur la sorcière. Son autre main se tendit aussitôt et en saisit l'extrémité.

Je me dis que tout était raté, et que c'était terminé. Alors, à ma grande surprise, Mère Malkin hurla. Son corps s'arc-bouta, ses yeux se révulsèrent. Puis elle poussa un profond soupir et s'immobilisa.

Nous restâmes étendus ainsi sur la rive pendant un temps que je ne n'aurais su mesurer. Seule ma poitrine se soulevait et s'abaissait tandis que j'aspirais l'air à grand bruit. Mère Malkin ne bougeait pas. Peu à peu, sa main gauche se desserra, libérant ma cheville. Sa main droite lâcha le bâton. Elle glissa lentement sur la pente humide et s'enfonça dans l'eau presque sans une éclaboussure. Je ne compris pas ce qui s'était passé ; en tout cas, elle était morte. De ça, j'étais sûr.

Je la regardai flotter dans le courant.

Un tourbillon l'emporta au milieu de la rivière. La lune éclaira une dernière fois son visage, puis elle sombra. Mère Malkin avait disparu.

10
Pauvre Billy

Je me sentis si faible que je restai à genoux, plié en deux, saisi de nausée. Je vomis, et vomis encore, jusqu'à ce qu'il ne remonte plus dans ma bouche qu'une bile âcre. Puis je me relevai, la gorge brûlante et l'estomac retourné.

Il fallut encore un bon moment pour que mon souffle se ralentisse et que mon corps cesse de trembler. Je n'avais qu'une envie, retourner à la maison de l'Épouvanteur. J'en avais assez fait pour cette nuit, me semblait-il !

Mais je n'en avais pas le droit. L'enfant enlevé était à la ferme de Lizzie, mon instinct me le disait. Il était prisonnier d'une sorcière prête à le tuer. Je devais me rendre au repaire de Lizzie l'Osseuse.

Une tempête montait à l'ouest. Une sombre masse de nuages tourmentés avalait peu à peu les étoiles. Il ne tarderait pas à pleuvoir. Heureusement, lorsque je pris le chemin menant chez Lizzie, la lune brillait encore, ronde, énorme. Jamais je n'avais vu de pleine lune aussi grosse.

Mon ombre s'allongeait devant moi. Je la regardais croître, et, plus j'approchais de mon but, plus elle me paraissait démesurée. J'avais rabattu mon capuchon et je serrais le bâton de l'Épouvanteur dans ma main gauche ; du coup, l'ombre ne semblait pas être vraiment la mienne. Elle me précéda ainsi jusqu'à ce qu'elle s'étende sur la maison de Lizzie l'Osseuse.

Je jetai un regard en arrière, m'attendant presque à découvrir mon maître derrière moi. Il n'était pas là, bien sûr, ce n'était qu'une illusion. J'avançai donc, franchis le portail menant dans la cour et m'arrêtai sur le seuil de la maison pour réfléchir : et si j'arrivais trop tard, et que l'enfant soit déjà mort ? Et si Lizzie n'était pour rien dans cette disparition ? Si je me mettais en danger pour rien ?

Alors que mon esprit se posait toutes ces questions, mon corps, lui, comme au bord de la rivière, savait ce qu'il devait faire. Avant que j'aie pu l'en empêcher, ma main gauche se leva et frappa trois coups avec le bâton.

Il y eut un long moment de silence, puis un bruit

de pas qui se rapprochaient. Un rai de lumière glissa sous la porte.

Le battant tourna lentement, et je reculai. À mon grand soulagement, je vis apparaître Alice. Elle tenait une lanterne à la hauteur de sa tête, si bien qu'une moitié de son visage était éclairée tandis que l'autre restait dans l'ombre. D'une voix pleine de colère, elle demanda :

– Qu'est-ce que tu veux ?

– Tu le sais très bien, répliquai-je. Je veux l'enfant. L'enfant que vous avez enlevé.

– Ne sois pas stupide ! siffla-t-elle. Fiche le camp avant qu'il soit trop tard ! Ils sont partis à la rencontre de Mère Malkin, ils peuvent revenir d'une minute à l'autre.

À cet instant, des pleurs s'élevèrent quelque part dans la maison. Bousculant Alice, j'entrai.

Une unique chandelle, bizarrement faite de cire noire, éclairait d'une flamme tremblante l'étroit corridor. Je m'en emparai et me laissai guider par les plaintes. Je poussai une porte et découvris une pièce vide, sans le moindre mobilier ; le gamin était couché sur le plancher, au milieu d'un fouillis de paille et de chiffons.

Posant mon bâton contre le mur, je m'approchai, me penchai vers lui et demandai avec mon sourire le plus engageant :

– Comment t'appelles-tu ?

Il cessa de pleurer et me dévisagea, les yeux écarquillés.

– N'aie pas peur ! dis-je d'une voix aussi rassurante que possible. Je vais te ramener chez ta maman.

Je posai le chandelier sur le sol et pris le petit dans mes bras. Il était glacé, mouillé, et sentait aussi mauvais que son grabat. Je l'enveloppai de mon mieux dans les plis de ma cape. Alors, il murmura :

– Je suis Tommy.

– Eh bien, Tommy, nous avons le même prénom, tous les deux ! Moi aussi, je m'appelle Tommy. Tu n'as plus rien à craindre, maintenant. Je te ramène chez toi.

Tout en parlant, je repris mon bâton au passage, remontai le couloir et franchis la porte. Alice m'attendait près du portail ; elle n'avait plus sa lanterne. La lumière de la lune projeta mon ombre sur la grange, une ombre immense, dix fois plus haute que moi.

Je marchai droit vers la grille, mais Alice me barra le chemin.

– Ne te mêle pas de ça ! gronda-t-elle, menaçante, et je vis luire ses dents pointues. Ce ne sont pas tes affaires !

Je n'étais pas d'humeur à perdre mon temps en palabres. Je continuai d'avancer, et elle n'essaya pas de m'arrêter. Elle s'écarta et lança dans mon dos :

– Tu es complètement fou ! Laisse ce gosse si tu

tiens à ta peau ! Ils vont te poursuivre ; tu ne leur échapperas pas.

Je ne me donnai pas la peine de répondre. Sans un regard en arrière, je franchis le portail et repartis sur le chemin de la colline.

La pluie se mit à tomber. Froide, serrée, elle me cinglait le visage. Mon père l'aurait qualifiée de « pluie qui mouille ». Toutes les pluies mouillent, évidemment. Mais certaines semblent plus déterminées que d'autres à vous tremper comme une soupe. C'était le cas de celle-ci, et je me hâtais vers la demeure de l'Épouvanteur.

Je n'étais pas certain d'y être en sécurité, malgré tout. Si par malheur mon maître était mort, le gobelin jouerait-il encore son rôle de gardien de la maison et des jardins ?

J'eus bientôt un autre motif d'inquiétude : j'avais l'impression d'être suivi.

Je m'immobilisai et tendis l'oreille. Je n'entendis que le hurlement du vent et le bruit de la pluie, qui martelait les feuillages et tambourinait sur le sol. La nuit était complètement noire, maintenant ; je ne distinguai rien.

Je repris donc ma course, allongeant ma foulée, espérant que je me dirigeais du bon côté. Je fus soudain arrêté par une haie d'aubépines, et je dus faire un long détour avant de trouver un passage ; je sentais le danger se rapprocher.

Presque au sommet de la colline, juste après avoir pénétré dans un petit bois, j'eus la certitude d'une présence. Je m'arrêtai un instant pour reprendre haleine. L'averse s'était calmée, et je me retournai pour scruter l'obscurité des arbres, derrière moi. J'entendis un craquement de branches brisées. *On* était sur mes talons, et *on* se souciait peu de savoir où *on* posait les pieds. Parvenu en haut de la pente, je jetai de nouveau un coup d'œil en arrière. Un éclair illumina alors le paysage, révélant deux silhouettes qui émergeaient d'entre les arbres et montaient vers moi. L'une était celle d'une femme. L'autre avait la haute taille et la large carrure d'un homme.

Le tonnerre gronda, et Tommy enfouit son visage dans mon cou.

– J'aime pas l'orage ! J'aime pas l'orage !

– L'orage ne peut pas te faire de mal, affirmai-je, sachant pertinemment que ce n'était pas vrai.

Moi non plus, je n'aimais pas l'orage. Un de mes oncles avait été frappé par la foudre en rassemblant son troupeau. Il était mort sur le coup. Ce n'était pas prudent de rester dehors par une pareille tempête. Mais, si les éclairs me terrifiaient, ils avaient un avantage : leur lueur blême éclairait ma route par intermittence et me montrait la direction de la maison.

J'ahanais de peur et de fatigue mêlées, tout en forçant l'allure. J'espérais que nous serions en sécurité dans le jardin de l'Épouvanteur. Personne ne pouvait pénétrer sur son domaine sans y être invité. C'était notre seule chance. Si nous y parvenions à temps, le gobelin nous protégerait.

J'arrivai en vue du banc où mon maître et moi nous étions assis tant de fois pour nos leçons. Un peu plus bas, le jardin m'attendait. C'est alors que je glissai sur l'herbe mouillée. La chute ne fut pas trop brutale, mais Tommy se remit à pleurer. Comme je me relevai, j'entendis un bruit de course derrière moi, des pieds martelant lourdement le sol. Le souffle court, je me retournai. Je n'aurais pas dû.

Le fils de Mère Malkin précédait Lizzie de cinq ou six pas et gagnait rapidement du terrain. Lorsqu'un éclair illumina son visage, je crus voir des défenses des deux côtés de sa bouche. Tout en courant, il balançait la tête de droite et de gauche. La description des cadavres de femmes, que j'avais lue dans la bibliothèque de l'Épouvanteur, me revint en mémoire. Si Tusk m'attrapait, je finirais comme elles, les côtes broyées.

Un instant, la terreur me cloua sur place. Le monstre poussa un mugissement de taureau, et cela me remit en mouvement. J'aurais foncé, si j'avais pu. Seulement, je portais Tommy, j'étais las, mes jambes lourdes remuaient au ralenti, les poumons me brûlaient. Je m'attendais à chaque seconde à ce qu'une poigne me saisisse par-derrière. Je dépassai pourtant le banc, et me retrouvai enfin sous les premiers arbres du jardin.

Y étais-je réellement en sécurité ? Si ce n'était pas le cas, nous étions perdus, tous les deux, car je ne courrais jamais assez vite pour atteindre la maison avant que Tusk me rattrape. Je fis encore quelques pas en titubant et m'arrêtai, hors d'haleine.

Quelque chose, alors, se faufila entre mes jambes. Je ne voyais rien, il faisait trop noir. Je sentis juste une légère pression contre mon mollet tandis qu'un fort ronronnement faisait vibrer le sol sous mes pieds. Puis cela s'éloigna, pour se placer entre moi et la lisière des arbres, entre moi et mes poursuivants. Je ne percevais plus aucun bruit de pas, maintenant. En revanche, j'entendis autre chose.

C'était le feulement furieux d'un matou, en cent fois plus puissant ; un mélange de grondements sourds et de cris aigus, qui devait résonner à des milles de distance ; le cri le plus menaçant, le plus terrifiant qu'on puisse imaginer ! Je compris pourquoi les gens du village ne se risquaient jamais jusqu'à la maison de l'Épouvanteur : ce cri portait la mort. Il disait : *Franchis cette ligne, et je t'arrache le cœur ! Franchis cette ligne, et je te saigne, je te ronge les os et je te suce la moelle ! Franchis cette ligne, et tu regretteras d'être né !*

Nous étions sauvés. Lizzie l'Osseuse et l'horrible Tusk devaient être en train de dévaler la colline à toutes jambes. Eux-mêmes n'étaient pas assez fous pour affronter le gobelin de l'Épouvanteur ! Rien d'étonnant qu'ils m'aient chargé d'apporter les gâteaux sanglants à Mère Malkin !

Nous fûmes accueillis à la cuisine par une soupe fumante et un feu crépitant. J'enveloppai le petit Tommy dans une bonne couverture et lui fis manger un peu de potage. Puis j'allai chercher quelques oreillers et lui improvisai un lit près de la cheminée. Il dormit comme une souche, tandis que je restais à écouter le vent qui hurlait au-dehors et la pluie qui battait les carreaux.

La nuit me parut longue, mais j'étais au chaud et je me sentais en paix, dans la demeure de mon maître, le seul endroit au monde où j'étais à l'abri du danger. Je savais que rien de malveillant n'oserait pénétrer dans le jardin, et encore moins franchir le seuil de la maison. Le lieu était mieux gardé qu'un château fort derrière ses douves et ses remparts. Je commençais à considérer le gobelin comme un ami, et, de surcroît, un ami puissant.

À la fin de la matinée, j'amenai Tommy au village. Les hommes étaient de retour. Lorsque nous passâmes devant l'échoppe du boucher, je vis l'expression abattue de celui-ci se changer en un large sourire. Je lui contai brièvement les derniers évènements, sans donner plus de détails qu'il n'était nécessaire. Lorsque j'eus terminé, il retrouva sa mine soucieuse.

– Il va falloir se débarrasser d'eux une fois pour toutes, grommela-t-il.

Après que Tommy eut été rendu à sa mère et qu'elle m'eut remercié pour la quinzième fois, une trentaine d'hommes armés de gourdins et de solides bâtons se rassemblèrent sur la place du village. Une rumeur de colère montait de leur groupe, où il était question de « tuer à coups de pierres » et de « tout brûler ».

Je savais qu'ils avaient raison d'agir, mais je ne voulais pas participer aux représailles ; aussi ne m'attardai-je pas. Malgré tout ce qui était arrivé, je ne supportais pas l'idée qu'on puisse faire du mal à Alice.

J'allai marcher une heure ou deux dans les collines pour m'éclaircir les idées. Puis je revins lentement vers la maison de l'Épouvanteur. J'avais l'intention de m'asseoir sur le banc un moment pour profiter du soleil ; or, quelqu'un l'occupait déjà.

C'était mon maître ! Il s'en était sorti, finalement... Jusque-là, j'avais évité de trop m'interroger sur ce que j'avais à faire. Combien de temps m'aurait-il fallu rester dans cette maison avant d'être sûr qu'il ne reviendrait pas ? La question ne se posait plus, car il était là, les yeux fixés sur des volutes de fumée noire, au loin. La ferme de Lizzie brûlait.

En m'approchant, je remarquai un large hématome violacé meurtrissant sa tempe gauche. Il surprit mon regard et me sourit d'un air las.

– On se fait pas mal d'ennemis, dans ce métier ! Il faudrait parfois avoir un œil derrière la tête. Enfin, les choses ne vont pas si mal, puisque nous avons un adversaire de moins du côté de Pendle !

Il tapota le banc à son côté et m'invita :

– Assieds-toi ! Qu'as-tu fait en mon absence ? Je veux un récit complet de ce qui s'est passé ici ! Commence par le commencement et finis par la fin, sans rien omettre !

C'est ce que je fis. Je lui racontai tout. Quand j'eus terminé, il plongea ses yeux verts dans les miens.

– Je regrette de ne pas avoir appris le retour de Lizzie. Lorsque j'ai enfermé Mère Malkin dans le puits, Lizzie est partie en hâte, et je ne pensais pas qu'elle aurait le front de se montrer de nouveau dans le coin. Tu aurais dû me parler de ta rencontre avec la fille. Ça aurait évité bien des ennuis.

Je baissai la tête, incapable de soutenir son regard.

– Quelle est la pire chose qui te soit arrivée ? me demanda-t-il.

Je me rappelai l'image de la sorcière cramponnée à ma cheville pour se sortir de l'eau. Je me rappelai son cri quand elle avait saisi l'extrémité du bâton.

Je lui rapportai la scène. Il soupira profondément.

– Tu es sûr qu'elle est morte ?

Je haussai les épaules.

– Elle ne bougeait plus. Et son corps a été emporté par le courant.

– Tu as vécu une rude épreuve, petit. Tu devras vivre avec ce souvenir jusqu'à ton dernier jour. Tu as été bien inspiré de choisir le plus court de mes bâtons. C'est ce qui t'a sauvé. Il est taillé dans une branche de sorbier, un bois particulièrement efficace contre les sorcières. En temps ordinaire, il n'aurait pas fait grand mal à une pernicieuse aussi ancienne et aussi redoutable. Mais elle avait été affaiblie par le contact de l'eau courante. Tu as donc eu beaucoup de chance ; cela dit, tu t'es remarquablement comporté, pour un nouvel apprenti. Tu as montré un vrai courage, et tu as sauvé un enfant. Malheureusement, tu as commis deux graves erreurs.

Je pensai à part moi que j'en avais sûrement commis davantage ; toutefois je n'avais pas l'intention de le contrarier sur ce point.

– La plus grave est d'avoir tué Mère Malkin, reprit l'Épouvanteur. Il aurait fallu la ramener ici. Mère Malkin est si puissante qu'elle pourrait se libérer un jour de sa propre carcasse. C'est un fait rare, qui se produit parfois. Son esprit renaîtrait alors dans ce monde, avec toute sa mémoire, en s'emparant d'un autre corps. Et elle se mettrait à ta recherche afin de se venger.

– Ça lui prendrait des années, non ? objectai-je.

– Ça arriverait plus vite que tu le penses. Ce phénomène est appelé possession, et c'est une sale affaire pour qui en est victime, crois-moi. Après cela, tu ne saurais jamais quand et où surgira le danger. La sorcière pourrait très bien posséder le corps d'une fille au sourire éblouissant, qui te ravirait le cœur avant de prendre ta vie. Elle pourrait aussi se servir de sa beauté pour plier un homme fort à sa volonté, un chevalier ou un juge, qui te jetterait dans un cul de basse fosse où tu serais à sa merci. Le temps joue en sa faveur. Elle risque de t'attaquer quand je ne serai plus là pour t'aider, quand ta jeunesse sera révolue, que ta vue baissera et que tes articulations se mettront à craquer.

Après un silence, il poursuivit :

– Il existe un autre type de possession, le plus probable, dans ce cas. Vois-tu, petit, garder ainsi une sorcière en vie au fond d'un puits n'est pas sans poser quelques problèmes, surtout quand il s'agit d'une pernicieuse, qui a passé sa vie à pratiquer la magie du sang. Elle s'est certainement nourrie de vers et autres choses rampantes, dans l'humidité où sa chair trempait constamment. Et son corps a dû lentement se transformer. Or, elle a tant de pouvoir qu'elle serait bien capable de faire mouvoir ce corps mort pour devenir ce qu'on appelle une *verme*. C'est une vieille expression du Comté que tu connais sans doute. Comme une chevelure parasitée par la vermine, son cadavre est maintenant parasité par son esprit répugnant. Tel un asticot, elle va chercher à ramper vers une victime choisie et à se faufiler par le plus petit orifice, une oreille, une narine, pour s'emparer d'un corps vivant. Il n'y a que deux façons d'empêcher à tout jamais une sorcière de cet acabit de revenir. La première est de la brûler vive. Mais on ne peut infliger pareil supplice à personne. La deuxième est trop horrible pour qu'on puisse seulement y songer. Peu de gens la connaissent ; elle était pratiquée il y a des siècles, dans un pays au-delà des mers. D'après de très anciens livres, si tu manges le cœur d'une sorcière, elle ne revient jamais. À condition de le manger cru.

Il s'interrompit de nouveau, puis reprit :

– Si nous utilisions l'une ou l'autre de ces méthodes, nous ne vaudrions pas mieux que les créatures que nous voulons détruire, car l'une et l'autre sont barbares. Il ne reste donc que le puits. C'est cruel, certes ; cependant, nous devons protéger des innocents, qui seraient les prochaines victimes. Quoi qu'il en soit, mon garçon, la sorcière est maintenant en liberté. Cela nous promet bien du tracas, et nous n'y pouvons pas grand-chose pour l'instant. Aussi, tenons-nous sur nos gardes !

– Ça ira, dis-je. Je m'en débrouillerai.

Mon maître secoua tristement la tête.

– Apprends d'abord à te débrouiller avec un gobelin ! Voilà ta deuxième erreur. Tout un dimanche chaque semaine ! C'est beaucoup trop généreux. Mais bon... Et que proposes-tu pour ça ? ajouta-t-il en désignant une mince colonne de fumée, encore visible vers le sud-est.

Je haussai les épaules.

– Tout doit être terminé, à l'heure qu'il est ! Les hommes du village étaient fous furieux, et je les ai entendus parler de lapidation.

– Terminé ? Ne crois pas cela, petit ! Une sorcière comme Lizzie a plus de flair que le meilleur limier. Elle était sûrement loin bien avant leur arrivée. Non, elle sera retournée à Pendle, où vivent beaucoup de ses semblables. On pourrait courir derrière elle, mais je suis en chemin depuis des jours ; je suis fatigué, j'ai mal partout. J'ai besoin de repos. Évidemment, il ne faut pas laisser Lizzie trop longtemps la bride sur le cou, ou elle recommencera ses méfaits. Je m'occuperai d'elle avant la fin de la semaine, et tu viendras avec moi. Ce ne sera pas une partie de plaisir, autant te le dire tout de suite ! Enfin, chaque chose en son temps ! Suis-moi.

Je le suivis, remarquant qu'il boitait légèrement et marchait moins vite que d'habitude. Quoi qu'il se soit passé à Pendle, il en avait payé le prix. Nous entrâmes dans la maison, et il me conduisit dans la bibliothèque, jusqu'aux derniers rayonnages, près de la fenêtre.

– J'aime conserver mes livres dans ma bibliothèque, dit-il. Je préfère y ajouter des ouvrages plutôt qu'en retirer. Cependant, en raison des derniers évènements, je vais faire une exception.

Il prit un volume sur la plus haute étagère et me le tendit.

– Tiens ! Tu en auras plus besoin que moi.

Il n'était pas très gros. Plus petit même que mon cahier de notes, il avait, comme la plupart des livres de l'Épouvanteur, une reliure de cuir. Le titre était imprimé sur la couverture et sur le dos. *Possession : les Damnés, les Déséquilibrés, les Désespérés*.

– Qu'est-ce que ça veut dire ? demandai-je.

– Lis-le, tu comprendras !

Lorsque je l'ouvris, je fus déçu. Il était rédigé en latin, une langue que je ne connaissais pas.

– Étudie-le bien et garde-le sur toi constamment, me recommanda mon maître. C'est une somme définitive sur le sujet.

Il dut me voir froncer les sourcils, parce qu'il sourit et pointa son doigt sur l'ouvrage.

– « Définitif » signifie que c'est le meilleur livre écrit jusqu'à ce jour sur la possession. Mais le sujet est compliqué, et ce texte a été composé par un jeune homme qui n'avait pas tout appris, loin de là. Ce n'est donc pas le dernier mot sur la question, il y a encore beaucoup à découvrir. Regarde à la fin !

J'obtempérai, et vis que les dix dernières pages étaient blanches.

– Si tu découvres quelque chose de nouveau, note-le là. Chaque détail compte. Et ne t'inquiète pas que ce soit écrit en latin, je vais te donner ta première leçon après le déjeuner.

Notre repas était préparé à la perfection. Comme j'avalais ma dernière bouchée, je sentis quelque chose bouger sous la table et se frotter à mes jambes. Puis j'entendis de nouveau le ronronnement. Il résonna de plus en plus fort, jusqu'à faire vibrer la vaisselle dans le buffet.

– Pas besoin de demander s'il est content ! grommela l'Épouvanteur. Un jour de congé par an aurait été suffisant. Enfin... Le travail nous attend, et la vie continue. Va chercher ton calepin, petit. Nous avons un programme chargé, aujourd'hui.

J'accompagnai donc mon maître au banc, débouchai l'encrier, y plongeai ma plume et me préparai à prendre des notes.

– Après l'épreuve de la maison hantée, dit l'Épouvanteur en faisant les cent pas, j'introduis d'ordinaire mes apprentis dans le métier le plus doucement possible. Toi qui as affronté une sorcière, tu sais déjà combien notre tâche est difficile et dangereuse, et tu es prêt à entendre ce qui est arrivé à mon dernier apprenti. C'est en relation avec les gobelins. Ouvre ton cahier à une page neuve et écris ceci, pour commencer...

J'écrivis sous sa dictée : *Comment entraver un gobelin*.

Puis, tandis qu'il entamait son récit, je notai au fur et à mesure, en tâchant de ne pas perdre le rythme.

L'Épouvanteur appelait l'ensemble des étapes l'« arrangement ». Il fallait d'abord creuser une fosse, le plus près possible des racines d'un arbre en plein épanouissement. Après avoir subi tous les exercices imposés par mon maître, je ne fus pas étonné d'apprendre qu'un épouvanteur creuse rarement la fosse lui-même. Il ne le fait qu'en cas d'extrême urgence. Habituellement, il engage un terrassier et un maçon, qui découpent une dalle épaisse pour recouvrir la fosse comme une pierre tombale. C'est un travail de précision, car il est essentiel que la dalle scelle parfaitement la fosse. Une fois la face interne de la dalle et les parois de la fosse badigeonnées avec une mixture de sel, de limaille de fer et de colle, il faut attirer le gobelin à l'intérieur.

Ce n'est pas très compliqué ; du sang, du lait ou un mélange des deux font l'affaire. Le plus délicat est de placer la dalle dans la bonne position pendant qu'il mange. Le succès dépend de la qualité de vos aides. Le mieux est d'avoir à ses côtés le maçon et deux terrassiers équipés de chaînes, qu'ils font coulisser sur un portique de bois. Les chaînes permettent d'abaisser la dalle de pierre rapidement et avec précision.

C'est là que Billy avait commis une grave erreur. La chose était arrivée au cours du dernier hiver, en l'absence de l'Épouvanteur. Le temps était exécrable, et Billy avait hâte de regagner son lit bien chaud. Alors, il avait fait au plus vite. Il avait embauché des paysans du coin, qui n'avaient aucune expérience de ce genre de travail. Quant au maçon, il était parti souper en promettant de revenir une heure plus tard. Billy n'eut pas la patience de l'attendre. Il attira le gobelin dans la fosse sans trop de mal ; abaisser la dalle fut plus ardu. Il pleuvait à verse, la pierre était glissante. La main gauche de Billy se trouva coincée sous le rebord. Les chaînes s'emmêlèrent, et les deux hommes ne purent soulever la dalle. Pendant que l'un d'eux courait chercher le maçon, le gobelin, furieux de se voir enfermé, s'attaqua aux doigts de Billy. Or, c'était un gobelin d'une espèce particulièrement dangereuse. On les appelle les éventreurs. Ils trouvent habituellement leur nourriture parmi les troupeaux ; par malchance, celui-là avait un goût affirmé pour le sang humain.

Le temps qu'on réussisse à soulever la dalle, une demi-heure s'était écoulée, et il était trop tard. Le gobelin avait dévoré les doigts de Billy jusqu'à la troisième phalange et aspiré son sang. Ses cris de douleur s'étaient mués en faibles plaintes ; et, quand on avait enfin libéré sa main, il n'en restait que le pouce. Il mourut peu de temps après, tant des suites du traumatisme que de la perte de sang.

Après m'avoir raconté tout cela, l'Épouvanteur soupira :

– Ce furent de bien tristes moments. Il a été enterré sous une haie, à l'extérieur du cimetière de Layton. Les gens de notre profession n'ont pas le droit de reposer en terre bénie. Cela s'est passé il y a un an, et, si Billy avait survécu, tu ne serais pas là à m'écouter, car il serait toujours mon apprenti. Pauvre Billy ! C'était un bon garçon ; il ne méritait pas pareil châtiment. Ce travail est dangereux, vois-tu, et, quand on ne le fait pas comme il faut...

Il me regarda d'un air sombre, puis haussa les épaules.

– Que cela te serve de leçon, petit ! Nos qualités premières sont le courage et la persévérance ; et, surtout, nous ne nous hâtons jamais. Nous utilisons notre cervelle, nous sommes calmes et méthodiques, et nous faisons ce qui doit être fait. Habituellement, je ne laisse jamais un apprenti se débrouiller seul avant la fin de sa première année d'entraînement. À moins, bien sûr – il eut un léger sourire – qu'il ne prenne les choses en main de sa propre initiative... Voilà ! Maintenant, je vais te donner ta première leçon de latin.

11
Le puits

Je vécus la pire de mes mésaventures trois jours plus tard.

L'Épouvanteur m'avait envoyé chercher les provisions de la semaine au village. L'après-midi était bien avancé, et, au moment où je quittai la maison, le sac vide à la main, les ombres commençaient déjà à s'allonger.

Comme j'approchais de la lisière du bois, je vis une silhouette sombre debout au bord du sentier. Je reconnus Alice, et mon cœur battit plus vite. Que faisait-elle là ? Pourquoi n'était-elle pas partie à Pendle ? Et, si elle était restée, qu'en était-il de Lizzie ?

Je ralentis le pas, mais il me fallait passer devant elle : il n'y avait pas d'autre chemin pour descendre au village. Je ne voulais pas faire demi-tour pour prendre une route plus longue, elle en aurait déduit que j'avais peur. Je franchis donc l'échalier, et me tins sur le côté gauche du sentier, le plus près possible des hauts buissons d'aubépines ; à droite une profonde rigole suivait la pente.

Alice restait sous le couvert des arbres, seul le bout de ses souliers pointus était frappé par les derniers rayons du soleil. Elle me fit signe d'approcher ; je restai prudemment à trois pas de distance. Après les récents évènements, je ne lui accordais plus une miette de confiance. J'étais cependant soulagé de constater qu'elle n'avait été ni brûlée ni lapidée.

– Je suis venue te dire au revoir, fit-elle, et te recommander de ne jamais t'approcher de Pendle. C'est là que nous nous rendons. Lizzie a de la famille, là-bas.

– Je suis content que tu sois saine et sauve, affirmai-je. J'ai vu la fumée quand ils ont incendié votre ferme.

– Lizzie savait qu'ils viendraient. Nous avons eu largement le temps de nous échapper. Elle t'a suivi à la trace, l'autre soir, hein ? Mais elle a découvert trop tard ce que tu avais fait à Mère Malkin et n'a pas réussi à t'attraper. Ça l'a beaucoup contrariée. Et elle prétend que ton ombre a une odeur bizarre.

Je m'esclaffai. L'odeur d'une ombre ? C'était complètement idiot !

– Il n'y a pas de quoi rire ! me rabroua-t-elle. Elle a senti l'odeur de ton ombre là où elle a touché la grange, le soir où tu es venu chercher le gamin. Et, moi qui l'ai vue, je comprends que Lizzie s'inquiète : la lune a révélé ta véritable nature.

Soudain, elle avança de deux pas, en pleine lumière. Puis elle se pencha et renifla.

– C'est vrai que tu sens drôle, fit-elle en plissant le nez.

Elle recula vivement, l'air effrayé.

Prenant ma voix la plus douce, je tentai de la convaincre :

– Ne va pas à Pendle ! Ne reste pas avec ces gens ! Tu es en mauvaise compagnie.

– Qu'est-ce que ça peut faire ? Je suis déjà mauvaise, mauvaise de l'intérieur. On ne me changera pas. Si je te racontais ce que je suis, ce que j'ai fait, tu ne me croirais pas. Et je continue de mal agir, je suis désolée. Je n'ai pas la force de leur dire non.

À cet instant – trop tard ! – je compris pourquoi elle affichait ce visage effrayé. Ce n'était pas de moi qu'elle avait peur, mais de ce qui se tenait derrière moi.

Je n'avais rien vu, rien entendu. Aucun signe ne m'avait alerté. Le sac vide me fut brusquement arraché des mains. On me l'enfonça sur la tête et les épaules, et tout devint noir. Des mains puissantes me saisirent, me maintenant les bras le long du corps. Je me débattis ; en vain. Je me sentis soulevé, balancé sur une épaule comme un sac de pommes de terre. Tandis qu'on m'emportait, je perçus des voix – celle d'Alice et celle d'une femme, sans doute Lizzie l'Osseuse. L'individu qui me trimbalait se contentait de grogner. Ce ne pouvait être que Tusk.

Alice m'avait attiré dans un piège ! Tout avait été soigneusement conçu. Ils avaient dû me guetter, cachés dans le fossé, dès mon départ de la maison.

J'avais peur. De toute ma vie je n'avais eu aussi peur. J'avais tué Mère Malkin, la grand-mère de Lizzie. Ils allaient me le faire payer.

Environ une heure plus tard, on me laissa tomber brutalement sur le sol ; le choc vida tout l'air de mes poumons.

Dès que je pus reprendre mon souffle, je tentai de me libérer du sac. Mais on m'assena dans le dos deux coups si violents que je me calmai aussitôt. Je restai allongé par terre, osant à peine respirer, attendant que la douleur s'atténue.

On me ligota avec une corde, par-dessus le sac, et on serra fortement les nœuds. Puis Lizzie fit une réflexion qui me glaça jusqu'aux os :

– C'est bon, il ne bougera plus. Tu peux commencer à creuser.

Elle dut approcher son visage du mien, car je

respirai son haleine puante à travers la toile, une haleine de bête.

– Eh bien, mon garçon ! souffla-t-elle. Quel effet ça fait de savoir qu'on ne reverra plus jamais la lumière du jour ?

J'entendis alors un bruit de pioche attaquant la terre, et mon sang se figea. Je me rappelai l'histoire de la femme du mineur, gisant sur le carrelage, paralysée, incapable d'appeler au secours, tandis que son mari creusait sa tombe dans la cave de la maison de Horshaw. Là, c'était mon tour. J'allais être enterré vivant. J'aurais donné n'importe quoi pour ne pas connaître pareille angoisse.

Aussi, lorsqu'ils coupèrent les liens et ôtèrent le sac, je fus d'abord soulagé. Le soleil avait disparu, mais j'apercevais les étoiles, et la lune décroissante, bas au-dessus des arbres. Le vent effleurait ma peau, et, même si ce répit devait être éphémère, jamais caresse ne m'avait paru aussi douce.

Pour être tout à fait franc, quand je vis Tusk de près pour la première fois, je ne le trouvai pas si abominable. Il m'avait semblé bien pire, la nuit où il m'avait poursuivi. Malgré son visage ridé et buriné, ses cheveux gris et hirsutes, il était plus jeune que l'Épouvanteur. Ses dents jaunes, trop grosses pour sa mâchoire, l'empêchaient de fermer complètement la bouche, et deux canines protubérantes pointaient comme des défenses de chaque côté. Il était grand, velu, doté de bras musculeux. J'avais mesuré leur force quand il m'avait immobilisé, et je savais qu'il aurait pu me serrer à m'en briser les côtes.

Tusk portait à la ceinture un coutelas dont la lame recourbée semblait effroyablement tranchante. Mais le plus effrayant était ses yeux, des yeux vides, dépourvus d'expression, comme s'il n'y avait rien de vivant dans la tête de ce monstre. Il n'était qu'un instrument obéissant entre les mains de Lizzie, un être dépourvu de pensées propres. Il exécuterait n'importe lequel de ses ordres, aussi affreux fût-il, sans se poser de questions.

Quant à Lizzie l'Osseuse, elle n'était nullement décharnée. À en croire les lectures que j'avais faites dans la bibliothèque de l'Épouvanteur, ce surnom lui venait de ce qu'elle utilisait la magie des ossements. J'avais respiré son souffle infect ; cependant, au contraire de Mère Malkin, plus desséchée qu'une momie, elle ne ressemblait pas à une sorcière.

Âgée d'environ trente-cinq ans, elle avait de beaux yeux bruns et des cheveux aussi noirs que ceux de sa nièce. Elle portait un châle vert sur une robe noire, serrée autour de sa taille mince par un lien de cuir. L'air de famille était frappant, à l'exception de la bouche. Lizzie avait une façon particulière de tordre les lèvres et de grimacer en parlant. Je remarquai également qu'elle ne me regardait jamais en face.

Alice, elle, avait une jolie bouche, faite pour le sourire. Pourtant, il était évident qu'elle finirait par ressembler à sa tante.

Alice m'avait trompé. Si j'étais là, au lieu de dîner tranquillement, assis à la table de la cuisine en compagnie de l'Épouvanteur, c'était par sa faute.

Sur un signe de Lizzie l'Osseuse, Tusk m'attacha les mains dans le dos. Puis il me saisit par le bras et m'entraîna sous les arbres. La première chose que je vis fut le tas de terre noire, et le puits profond juste à côté. Je sentis l'odeur humide de la terre fraîchement remuée, une odeur de vie et de mort mêlées, à laquelle s'ajoutait des relents indéfinissables remontés à la surface, et qui auraient dû rester enfouis.

Le puits devait bien mesurer sept pieds de profondeur ; mais, à la différence de celui où l'Épouvanteur avait gardé Mère Malkin, ce n'était qu'un grand trou creusé n'importe comment. Je me souviens d'avoir pensé qu'avec mon entraînement j'aurais fait beaucoup mieux.

À cet instant, la lumière de la lune éclaira quelque chose que je regrettai d'avoir aperçu : environ trois pas plus loin, à gauche du puits, il y avait un monticule oblong de terre retournée qui ressemblait fort à une tombe récente.

Je n'eus cependant pas le temps de m'en inquiéter, car Tusk me bascula la tête en arrière. J'aperçus le visage de Lizzie tout près du mien. Un objet dur s'introduisit dans ma bouche et un liquide froid, amer, infect, envahit ma bouche, coula dans mon gosier, m'obstrua le nez, si bien que je me mis à tousser, à m'étrangler, à suffoquer. Je voulus recracher, mais Lizzie me pinça rudement les narines entre le pouce et l'index, et je fus forcé d'avaler pour pouvoir respirer.

Cela fait, Tusk lâcha ma tête et raffermit son étreinte sur mon bras gauche. Je vis alors que Lizzie l'Osseuse tenait un flacon de verre à long col. Son contenu était dans mon estomac.

Qu'avais-je ingurgité ? M'avait-elle empoisonné ?

– Cela t'aidera à garder les yeux grands ouverts, mon garçon, ricana-t-elle. Tu ne voudrais tout de même pas t'endormir et manquer le plus intéressant !

Sans avertissement, Tusk me précipita dans le puits. Je tombai, et mon cœur se souleva. Je heurtai lourdement le sol. Par chance, le fond de la fosse était meuble ; bien qu'étourdi par la chute, je n'étais pas blessé. Je tordis le cou pour apercevoir une dernière fois les étoiles, persuadé que j'allais être enterré vivant, m'attendant à sentir une pelletée de terre s'abattre sur moi. Une silhouette se découpa au-dessus de moi, sur le ciel nocturne : la tête et les épaules de Lizzie. Elle se mit à psalmodier d'une bizarre voix de gorge une sorte d'incantation dont je ne saisissais pas les paroles.

Puis elle étendit les bras au-dessus de la fosse, et je vis qu'elle tenait un petit objet dans chaque main. Poussant un cri étrange, elle ouvrit les doigts. Deux bâtonnets tombèrent et atterrirent dans la boue. La lumière de la lune me révéla ce que c'était : deux os si blancs qu'ils semblaient luire. Des os de pouces – je distinguai nettement leurs articulations.

– Profite bien de ta dernière nuit ici-bas, mon garçon ! me lança-t-elle. Mais ne t'inquiète pas, tu ne resteras pas seul très longtemps. Je te laisse en bonne compagnie. Ce pauvre Billy va venir te réclamer ses os. Il habite la porte à côté, il n'a donc pas beaucoup de chemin à faire. Vous avez tant de choses en commun ! Il a été le dernier apprenti du vieux Gregory, et il n'apprécie sûrement pas que tu aies pris sa place. Juste avant l'aube, nous te rendrons une ultime visite. Nous ramasserons tes os à toi. Tu as des os très particuliers, bien supérieurs à ceux de Billy. Fraîchement récoltés, ils seront les plus efficaces que j'aurai possédés depuis longtemps !

Son visage se retira, et j'entendis décroître le bruit de ses pas.

Voilà donc ce qui m'attendait. Si Lizzie voulait mes os, elle allait me tuer. Je me rappelai la longue lame courbe de Tusk, et je fus pris de tremblements.

Avant cela, j'aurais à affronter Billy. « Il habite la porte à côté » signifiait sans doute qu'il reposait dans la tombe près du puits. Pourtant, l'Épouvanteur m'avait dit que Billy était enterré à l'extérieur du cimetière de Layton. Lizzie avait probablement déterré son corps pour lui couper les pouces, puis avait enfoui ses restes ici, entre les arbres. Maintenant, il allait venir me réclamer ses os.

Billy Bradley voudrait-il me faire du mal ? Je ne lui avais causé aucun tort. Mais il était sans doute heureux d'être l'apprenti de l'Épouvanteur. Il avait sans doute rêvé de terminer sa formation et de devenir épouvanteur un jour. Et j'avais pris sa place. De plus, par son incantation, Lizzie l'avait peut-être convaincu que c'était moi le responsable de sa mutilation, moi qui lui avais volé ses os...

Je réussis à me mettre à genoux et tentai désespérément de libérer mes mains. Peine perdue. Plus je me débattais, plus mes liens se resserraient.

Je me sentais bizarre, la bouche sèche et l'esprit nébuleux. Quand je regardai les étoiles, elles m'apparurent dédoublées et plus brillantes qu'à l'ordinaire.

Si je me concentrais fortement, les deux étoiles n'en formaient plus qu'une ; dès que je relâchais mon attention, elles redevenaient deux. La gorge me brûlait, et mon cœur battait trois fois trop vite.

Je m'efforçai de réfléchir aux paroles de Lizzie. Billy allait venir récupérer ses os. Ils gisaient dans la boue à deux pas de moi. Si j'avais eu les mains libres, je les aurais lancés à l'extérieur du puits.

Soudain, je perçus un frémissement sur ma gauche, au-dessus de moi. Je levai les yeux et vis émerger une tête oblongue, grasse et blanche. La face aveugle de la créature décrivit de lents cercles tandis qu'elle tirait le reste de son corps hors de sa gangue de terre. Elle était beaucoup plus grosse que le plus gros des vers que j'aie jamais vu. Qu'est-ce que ça pouvait bien être ? Était-ce venimeux ? Est-ce que ça mordait ?

Cette bête avait dû naître et grandir dans le cercueil de Billy, y enflant, se boursouflant ; sa chair blême n'avait jamais connu la lumière du jour.

J'eus un mouvement de recul lorsque le ver s'extirpa de la paroi en se tortillant. Il s'écrasa devant moi avec un bruit mou et s'enfouit rapidement dans le sol humide.

Étant donné sa taille, il avait entraîné avec lui une motte de terre, ouvrant dans la paroi du puits l'entrée d'un étroit tunnel. Je la fixai avec un mélange d'horreur et de fascination, car quelque chose d'autre remuait à l'intérieur. Quelque chose repoussait l'humus, dont les débris dégringolaient, formant un monticule dans le fond du puits.

Le pire était de ne pas savoir à quoi j'avais affaire. Il fallait que je voie ! Je m'efforçai de me remettre sur mes pieds. Pris de vertige, je titubai.

Les étoiles se mirent à tanguer au-dessus de ma tête. Je faillis tomber, réussis tout de même à avancer d'un pas, et me retrouvai le nez à hauteur du tunnel.

Je regardai à l'intérieur, et regrettai aussitôt ma témérité.

Des ossements humains rampaient dans la boue, deux longs bras terminés par des mains sans pouce. À l'une, tous les doigts manquaient.

Bientôt apparut un crâne édenté et grimaçant. Le squelette de Billy me fixait de ses orbites vides, semblables à deux trous noirs. Quand une main sans chair se tendit vers moi, ses os blanchis luisant à la lumière de la lune, je bondis en arrière avec un hoquet de terreur.

À l'instant où je crus devenir fou d'épouvante, l'air autour de moi se refroidit brusquement. Je sentis quelque chose à ma droite. Quelqu'un m'avait rejoint au fond du puits. Seule la moitié droite de son corps émergeait, l'autre moitié étant encore emprisonnée dans le mur de terre.

C'était un garçon à peine plus âgé que moi. Avec autant d'aisance que s'il franchissait une porte, il donna un coup d'épaule et entra tout entier dans le puits. M'adressant un sourire amical, il dit :

– Reconnaître si on rêve ou si on est éveillé, voilà l'une des choses les plus difficiles à apprendre ! Apprends cela maintenant, Tom ! Apprends vite, avant qu'il soit trop tard...!

Je remarquai alors ses bottes. Il portait de belles bottes souples, taillées dans le meilleur cuir ; les mêmes bottes que l'Épouvanteur. Il leva les mains, les plaçant de chaque côté de son visage, paumes ouvertes. Des mains sans pouces. À celle de gauche, tous les doigts manquaient...

Devant moi se tenait le fantôme de Billy Bradley.

Il croisa les bras sur la poitrine, sourit une dernière fois, le visage serein. Puis il s'effaça ; et je sus qu'il était en paix.

J'avais compris son message. Je n'avais pas dormi, cependant, en un sens, j'avais rêvé. La potion que Lizzie m'avait forcé à avaler était à l'origine de ce cauchemar.

Je me retournai vers le tunnel ; il n'existait plus. Il n'y avait eu ni ver monstrueux, ni squelette rampant vers moi. Lizzie m'avait administré une drogue qui brouille la réalité, fait palpiter le cœur et empêche de dormir. J'avais bien gardé les yeux ouverts, mais ce que j'avais vu n'était qu'illusion.

Peu après, les étoiles disparurent et une forte pluie se mit à tomber. Ce fut une nuit longue, pénible et froide. Je pensais et repensais à ce qui m'arriverait à l'aube. Plus le moment approchait, plus j'étais mal.

Environ une heure avant le lever du jour, la pluie se changea en bruine, puis cessa tout à fait. Je vis réapparaître les étoiles, et elles ne se dédoublaient plus. Quoique trempé et glacé, je ne ressentais plus de brûlure dans la gorge.

Lorsqu'un visage se pencha vers moi, du haut du puits, mon cœur s'emballa. Puis, à mon grand soulagement, je reconnus Alice.

– Lizzie m'envoie constater dans quel état tu es, dit-elle. Billy est-il venu ?

– Il est venu et reparti, répondis-je avec colère.

– Je n'ai jamais voulu cela, Tom. Si tu ne t'étais pas mêlé de nos affaires, il n'y aurait pas eu de problème.

– Si je ne m'étais pas mêlé de vos affaires, comme tu dis, répliquai-je, un autre enfant serait mort, et l'Épouvanteur sans doute aussi. Et ces gâteaux pétris avec du sang de bébé, tu n'appelles pas ça « un problème » ? Tu appartiens à une famille de meurtriers, et tu es une meurtrière, toi aussi !

– Ce n'est pas vrai ! protesta-t-elle. Ce n'est pas vrai ! Je t'ai juste donné les gâteaux !

– Admettons ! Cependant, insistai-je, tu connaissais leurs projets, et tu les as laissés faire.

– Je ne suis pas assez forte, Tom ! Comment aurais-je pu empêcher Lizzie d'agir ?

– Moi, j'ai décidé de mes choix ! Mais toi, Alice, que choisis-tu ? La magie des ossements ou la magie du sang ? Laquelle ? Tu peux me le dire ?

– Ni l'une ni l'autre ! Je ne veux pas être comme

eux, Tom ! Je vais m'enfuir. À la première occasion, je les quitterai.

– Si tu le penses vraiment, alors aide-moi ! Aide-moi à sortir de ce trou ! Et nous fuirons tous les deux.

– Pas maintenant ! C'est trop dangereux. Je fuirai plus tard, quand ils ne s'y attendront pas.

– D'ici là, je serai mort. Et tu auras encore davantage de sang sur les mains.

Alice ne répliqua pas ; elle pleurait. Puis, au moment où je la sentais sur le point de changer d'avis et de m'aider, elle s'éloigna.

Je m'assis par terre, anéanti. Je me rappelai le jeune soldat pendu. Je savais exactement, à présent, ce qu'il avait ressenti avant de mourir, cette détresse à l'idée de ne jamais revoir sa famille.

J'avais abandonné toute espérance quand j'entendis des pas. D'épouvante, je bondis sur mes pieds. C'était de nouveau Alice.

– Oh, Tom, gémit-elle, je suis si désolée ! Ils sont en train d'aiguiser leurs couteaux.

Ma fin était proche, et, je le savais, il ne me restait qu'une seule chance. Cette chance reposait sur une fille aux souliers pointus...

– Puisque tu es si désolée, dis-je doucement, alors aide-moi !

– Mais je ne peux rien faire ! Lizzie se retournera contre moi. Elle se méfie de moi. Elle pense que je n'ai pas de cran.

– Alors, va chercher M. Gregory ! Amène-le ici !

– Il est trop tard, sanglota Alice en secouant la tête. Lizzie veut tes os. La meilleure heure pour les récolter, celle qui leur donne le plus grand pouvoir, c'est juste avant le lever du soleil. Ils seront là d'une minute à l'autre.

– Apporte-moi au moins un couteau !

– Ça ne te servira à rien. Ils sont bien trop forts. Tu ne pourras pas te battre avec eux.

– Ce n'est pas pour me battre, c'est pour couper mes liens. Vite !

Soudain, Alice disparut. Était-elle partie chercher un couteau, ou avait-elle trop peur de Lizzie ? J'attendis. Ne la voyant pas revenir, je retombai dans le désespoir. Je me débattis, tirant sur mes poignets, essayant de briser la corde. En vain.

Mon cœur bondit de nouveau quand un visage se pencha au-dessus de la fosse. Alice ! Elle me jeta quelque chose, qui brilla d'un éclat métallique. C'était un couteau. Si j'arrivais à trancher mes liens, je serais libre...

Même avec les mains liées derrière le dos, je ne doutais pas de la réussite. Au pire, je risquais de me blesser, mais quelle importance, en comparaison de ce qui m'attendait ? Je saisis l'instrument sans trop de peine. Le placer contre la corde fut nettement plus difficile, et le remuer davantage encore. Quand il m'échappa pour la troisième fois, je paniquai. Je n'avais plus que quelques minutes de grâce. J'appelai Alice :

– Je n'y arrive pas ! Viens m'aider ! Saute !

Je ne pensais pas vraiment qu'elle le ferait, pourtant elle le fit. Elle se laissa glisser le long de la paroi, et atterrit au fond du puits.

D'un geste, elle trancha mes liens. J'avais enfin les mains libres. À présent, il fallait sortir de là.

– Laisse-moi grimper sur tes épaules, dis-je. Ensuite, je te hisserai.

Elle ne discuta pas, et, à ma deuxième tentative, je réussis à émerger du trou. Je roulai sur l'herbe humide.

Le plus difficile restait à faire : remonter Alice.

Je lui tendis ma main gauche. Elle s'y accrocha, refermant son autre main sur mon poignet pour avoir une meilleure prise. Puis je tirai.

Seulement, l'herbe était glissante ; le poids d'Alice m'entraînait vers la fosse. Je compris que je n'étais pas assez fort. J'avais commis une erreur impardonnable : je l'avais estimée plus faible que moi parce que c'était une fille. Je me rappelai – trop tard ! – avec quelle aisance elle avait fait danser la lourde cloche de l'Épouvanteur. C'était elle qui aurait dû monter sur mes épaules pour s'extraire du puits la première. Elle m'aurait ensuite sorti de là sans peine.

J'entendis alors des voix. Lizzie l'Osseuse et Tusk se dirigeaient vers nous.

Alice s'acharnait, ses pieds cherchant désespérément un appui dans la terre meuble de la paroi. La peur décupla mon énergie. Dans un ultime effort, je l'extirpai hors de la fosse, et elle s'écroula à mon côté.

Il était temps ! Nous fonçâmes, tandis qu'un bruit de course résonnait déjà derrière nous. Nos poursuivants étaient encore loin, mais ils gagnaient peu à peu du terrain.

Je ne sais pas combien de temps dura notre cavalcade, mais cela me parut une éternité. Mes jambes étaient lourdes, les poumons me brûlaient. Nous courions en direction de Chipenden ; nous fuyions vers l'aube, là où le ciel pâlissait, s'éclaircissant minute après minute. Enfin, à l'instant où je me croyais incapable de faire un pas de plus, une lueur orangée alluma le sommet des collines. Le soleil se levait, et je me souviens d'avoir pensé que, même si nous étions pris maintenant, mes os ne seraient plus d'aucune utilité à Lizzie.

Sortant du couvert des arbres, nous grimpâmes une pente herbeuse, et je sentis mes jambes se dérober, aussi molles que de la guimauve. Alice courait toujours. Elle se retourna pour jeter un coup d'œil, une expression d'effroi sur le visage. J'entendis tout près les feuilles craquer sous les pas de Tusk et de Lizzie.

Alors, je m'arrêtai ; je n'avais plus de raisons de continuer à fuir.

En haut de la pente se dressait une haute silhouette vêtue de noir, un long bâton à la main. Je n'avais jamais vu l'Épouvanteur ainsi. Son capuchon était rejeté en arrière, et ses cheveux, éclairés par le soleil levant, semblaient jaillir de son crâne, telles des langues de feu.

Tusk gronda et s'élança vers lui, Lizzie l'Osseuse sur ses talons. Nous ne les intéressions plus, ils avaient reconnu leur véritable adversaire. Ils s'occuperaient de nous plus tard.

Alice s'était arrêtée, elle aussi. Je la rejoignis en quelques pas chancelants, et nous regardâmes, côte à côte, Tusk brandir sa lame courbe et charger avec un rugissement de rage.

L'Épouvanteur, qui s'était tenu jusque-là aussi immobile qu'une statue, fit deux grandes enjambées et leva son bâton. S'en servant comme d'une lance, il le jeta à la tête de son agresseur. À l'instant où le projectile atteignait sa cible, une flamme s'alluma à son extrémité. Elle frappa le front du monstre avec un bruit sourd. Le coutelas vola dans les airs tandis que Tusk s'effondrait lourdement. Avant même qu'il ait touché le sol, je sus qu'il était mort.

Laissant son bâton dans l'herbe, l'Épouvanteur fouilla dans les plis de son manteau. Lorsque sa main gauche réapparut, elle tenait quelque chose qui claqua dans l'air comme la lanière d'un fouet.

Le soleil s'y accrocha, et je compris que c'était une chaîne d'argent.

Lizzie l'Osseuse fit volte-face ; elle n'eut pas le temps de s'échapper. La chaîne claqua de nouveau. Émettant un son aigu, métallique, elle dessina une spirale de feu qui vint s'enrouler serré autour de la sorcière. Celle-ci poussa un cri déchirant, un seul ; puis elle tomba.

Suivi d'Alice, je montai vers le haut de la côte. Nous vîmes que le lien d'argent emprisonnait étroitement la sorcière de la tête aux pieds, lui retroussant même les lèvres sur les dents. Elle roulait des prunelles terrifiées, et tout son corps s'arc-boutait violemment ; mais elle ne pouvait plus émettre un son.

Non loin d'elle, Tusk gisait sur le dos, les yeux grands ouverts, une plaie rouge au milieu du front. Je regardai le bâton, me demandant d'où était venue la flamme qui avait jailli à son extrémité.

Mon maître semblait vidé, exténué. Il me parut soudain très vieux ; ses épaules s'affaissèrent comme s'il était las de la vie elle-même. Dans l'ombre de la colline, ses cheveux avaient retrouvé leur habituelle couleur grise. J'avais cru les voir se dresser sur son crâne parce qu'ils étaient trempés de sueur et qu'il les avait balayés d'un geste de la main. Je le vis refaire ce geste ; de grosses gouttes de transpiration tombaient de ses sourcils, il haletait. Je compris qu'il avait couru.

– Comment nous avez-vous trouvés ? soufflai-je.

Il lui fallut un moment avant de pouvoir parler. Quand sa respiration reprit un rythme normal, il répondit :

– Il y a des indices, petit. Des traces qu'on peut suivre quand on sait les déchiffrer. Voilà encore une chose que tu devras apprendre.

Il se tourna vers Alice.

– J'en ai fini avec ces deux-là. Mais qu'allons-nous faire de toi ? questionna-t-il, le regard dur.

– Elle m'a aidé à m'échapper, plaidai-je.

– Vraiment ? Et qu'a-t-elle fait d'autre ?

Il me dévisagea tout aussi durement, et je fus contraint de baisser les yeux. Je ne pouvais pas lui mentir, et il se doutait forcément qu'Alice avait sa part de responsabilité dans ce qui m'était arrivé. Il fit claquer sa langue et ordonna à Alice, d'une voix pleine de colère :

– Ouvre la bouche, petite ! Je veux vérifier quelque chose.

Alice obéit. S'avançant brusquement, l'Épouvanteur lui saisit la mâchoire, approcha le visage de sa bouche ouverte et renifla avec bruit.

Quand il revint vers moi, son expression s'était adoucie. Il soupira profondément.

– Son haleine est saine. As-tu senti celle de l'autre ? me demanda-t-il en désignant Lizzie.

J'acquiesçai.

– C'est un signe qui ne trompe pas. Ceux qui pratiquent la magie des ossements ou celle du sang ont un goût prononcé pour la viande crue. Mais la fille paraît normale.

Il se pencha vers Alice et dit :

– Regarde-moi dans les yeux ! Soutiens mon regard aussi longtemps que tu le peux !

Elle s'exécuta, mais, bien qu'elle crispât les lèvres tant elle s'appliquait, elle détourna rapidement les yeux et se mit à pleurer.

L'Épouvanteur fixa ses souliers pointus et secoua tristement la tête.

– Je ne sais pas, soupira-t-il, s'adressant de nouveau à moi. Je ne sais pas quel parti prendre. Elle n'est pas seule en cause. Nous devons penser aux autres, aux innocents qu'elle pourra tourmenter plus tard. Elle en a trop vu, et elle en a trop fait. J'ignore comment elle va tourner, et je me demande si on peut la lâcher dans la nature sans courir un grand risque. Si elle rejoint la bande, à Pendle, elle tombera sous la coupe des forces obscures et sera définitivement perdue.

Je l'interrogeai doucement :

– N'as-tu aucun autre endroit où aller ? Aucune parenté ?

– Il y a un village, près de la côte. Il s'appelle Staumin. J'ai une tante là-bas. Elle acceptera peut-être de m'héberger.

– Est-elle comme les autres ? intervint l'Épouvanteur.

– Rien en elle ne vous inquiéterait. Mais c'est loin, et je ne me suis jamais rendue là-bas. Cela me prendrait au moins trois jours.

– Le garçon pourrait t'accompagner, reprit mon maître d'un ton plus affable. Je le crois capable de s'orienter, il a bien étudié mes cartes. Et, quand il sera de retour, il apprendra à les replier correctement ! Allons, c'est décidé ! Je vais te donner une chance, ma fille. À toi de la saisir. Dans le cas contraire, tu me retrouveras sur ton chemin et, ce jour-là, tu ne t'en tireras pas comme ça.

L'Épouvanteur sortit alors de sa poche le torchon enveloppant un morceau de fromage.

– Pour que vous ne mouriez pas de faim ! dit-il. Mais ne mangez pas tout d'un coup !

Je grommelai un remerciement, en espérant que nous trouverions mieux en cours de route.

– N'allez pas directement à Staumin, m'intima mon maître en me regardant avec insistance. Je veux que tu ailles d'abord chez toi. Amène cette fille à ta mère pour qu'elle parle avec elle. J'ai le sentiment qu'elle pourra nous aider. Sois de retour dans deux semaines !

À ces mots, un sourire s'épanouit sur mon visage. Passer quelques jours à la maison après ce que je venais de vivre, c'était un rêve devenant réalité !

Une chose m'étonnait, cependant. Je me rappelai la lettre que maman avait envoyée à l'Épouvanteur. Certains termes de cette missive semblaient lui avoir déplu. Quelle sorte d'aide attendait-il de ma mère ? Je ne posai toutefois aucune question, redoutant qu'il revienne sur sa décision. J'étais trop content de m'en aller !

Avant de partir, je lui parlai de Billy, de sa tombe dans la forêt. Il hocha la tête et me dit de ne pas m'inquiéter, qu'il ferait le nécessaire.

Nous nous mîmes en route. Jetant un coup d'œil en arrière, je vis que l'Épouvanteur avait balancé Lizzie sur son épaule et se dirigeait à grands pas vers Chipenden. Il avait retrouvé toute son énergie. De dos, on aurait dit un homme de trente ans.

12

Les Damnés, les Déséquilibrés et les Désespérés

Nous descendîmes la colline vers la ferme de mes parents sous une fine pluie tiède qui nous mouillait le visage. Un chien aboya au loin, mais en bas tout était tranquille.

C'était la fin de l'après-midi, mon père et Jack devaient être aux champs ; cela me donnait une chance de parler seul à seule avec maman. J'avais eu le temps de réfléchir pendant notre périple, et je me demandais comment maman prendrait les choses. Je n'étais pas sûr qu'elle soit ravie d'avoir cette fille à la maison lorsque je lui aurais raconté à quoi elle avait été mêlée ! Quant à Jack, je connaissais d'avance sa réaction. Je me souvenais des paroles d'Ellie lors de mon dernier séjour. Déjà qu'il n'appréciait guère mon nouveau métier, devoir cohabiter avec la nièce d'une sorcière ne serait sûrement pas pour lui plaire !

Nous entrâmes dans la cour, et je désignai la grange.

– Va t'abriter là-dedans, dis-je. Je vais prévenir maman.

Le cri d'un bébé affamé monta alors de la maison. Alice me lança un bref regard, puis baissa les yeux, et je me rappelai la nuit où nous avions entendu tous deux des pleurs d'enfant.

Elle se détourna et marcha vers la grange, plus muette que jamais. Vous imaginez peut-être qu'après tout ce que nous avions vécu ensemble, nous avions eu de multiples sujets de discussion, le temps du voyage. En réalité, nous avions à peine échangé trois mots. Alice avait dû être troublée par la façon dont l'Épouvanteur lui avait saisi la mâchoire pour respirer son haleine. Elle avait dû réfléchir à sa vie d'avant, car, tout le long du chemin, elle m'avait semblé perdue dans de sombres pensées.

De mon côté, j'étais fatigué, soucieux, et je n'avais pas envie de parler. Si j'avais fait un effort, si j'en avais profité pour tenter de mieux connaître Alice, cela m'aurait épargné bien des ennuis par la suite.

Lorsque je poussai le battant de la porte, les pleurs cessèrent et j'entendis un autre bruit, le rassurant grincement du rocking-chair.

Maman était assise près de la fenêtre. Les rideaux n'étaient pas complètement tirés, et je compris, à l'expression de son visage, qu'elle nous avait observés par l'étroite fente entre les pans de tissu. Lorsque je pénétrai dans la pièce, elle se balança plus fort, me fixant sans ciller, une moitié du visage dans l'ombre, l'autre éclairée par la haute flamme d'une chandelle, plantée dans le chandelier de cuivre, au centre de la table.

– Quand on amène une invitée, les bonnes manières exigent qu'on la fasse entrer dans la maison, dit-elle d'une voix où se mêlaient la surprise et la désapprobation. Je pensais t'avoir donné une meilleure éducation.

– M. Gregory m'a demandé de te l'amener, expliquai-je. Elle s'appelle Alice, et elle a vécu en mauvaise compagnie. Il désire que tu lui parles, mais je pensais qu'il valait mieux te raconter d'abord ce qui s'est passé, pour que tu décides si tu souhaites ou non l'accueillir ici.

Tirant une chaise, je racontai tout à maman dans les moindres détails. Lorsque j'eus fini, elle poussa un long soupir, puis son visage s'éclaira d'un sourire.

– Tu as agi pour le mieux, mon fils. Tu es jeune, et tu débutes dans ce travail ; tes faux pas sont donc pardonnables. Va chercher cette pauvre fille, puis laisse-nous seules, que nous puissions parler. Tu monteras dire bonjour à ta nièce ; Ellie sera contente de te voir.

J'allai donc chercher Alice, la confiai à maman, et grimpai au second étage.

Je trouvai Ellie dans la grande chambre, qui était auparavant celle de mes parents. Jack et Ellie s'y étaient installés, car il y avait encore de la place pour d'autres lits, ce qui leur serait utile quand leur famille s'agrandirait.

Je frappai légèrement à la porte, qui était entrouverte, et ne la poussai que lorsque Ellie me pria d'entrer. Elle était assise au bord du lit et allaitait son bébé, dont la petite tête était à moitié cachée dans son châle rose. Dès qu'elle me vit, elle m'adressa un sourire de bienvenue ; cependant elle me parut fatiguée. Ses cheveux étaient gras et ternes. Je baissai rapidement le regard, mais Ellie était fine, et je compris qu'elle avait lu dans mes yeux. Elle repoussa vivement les mèches qui lui tombaient sur le front.

– Oh, Tom ! dit-elle. Je dois avoir une tête à faire peur ! J'ai été debout toute la nuit. À peine si j'ai pu dormir une heure ! C'est difficile d'avoir un peu de sommeil, avec un bébé aussi affamé. Elle pleure beaucoup, surtout la nuit.

– Quel âge a-t-elle ? demandai-je.

– Elle aura six jours ce soir. Elle est née samedi dernier, peu après minuit.

La nuit où j'avais tué Mère Malkin ! Ce souvenir

me revint brusquement, faisant courir un frisson glacé dans mon dos.

– Là ! Elle est repue, maintenant, fit Ellie en souriant. Tu veux la tenir ?

C'était la dernière chose que je désirais ! Ce nouveau-né me semblait si petit, si fragile, que je craignais de le serrer trop fort ou de le laisser tomber. Et je n'aimais pas la façon dont sa tête ballottait. Je ne pouvais pourtant pas refuser, cela aurait blessé Ellie. De toute façon, je n'eus pas à le tenir bien longtemps, car, à peine était-il dans mes bras que son petit visage devint tout rouge, et qu'il se remit à hurler.

– Je crois qu'il ne m'aime pas, dis-je.

– *Elle*, pas *il* ! me reprit Ellie presque sévèrement. Elle s'appelle Mary.

Puis elle sourit de nouveau.

– Ne t'inquiète pas ! Ce n'est pas à cause de toi. Elle a encore faim, voilà tout !

Je la reposai dans les bras de sa mère et ne m'attardai pas davantage. Comme je descendais l'escalier, j'entendis monter de la cuisine un bruit parfaitement inattendu.

C'était un rire, le rire éclatant et joyeux de deux personnes qui se trouvent bien ensemble. Lorsque j'entrai, Alice reprit son sérieux, mais maman continua de rire, et, quand elle se tut, sa bouche souriait encore. Elles avaient dû se raconter une bonne blague. Je n'eus pas envie de les questionner, et elles ne me donnèrent aucune explication. Une certaine lueur dans leurs yeux laissait entendre qu'il s'agissait d'une affaire privée.

Mon père m'avait dit un jour que les femmes savent des choses que les hommes ignorent. Elles ont parfois un drôle d'éclat dans le regard, et il vaut mieux ne pas leur demander alors à quoi elles pensent. Sinon elles pourraient faire une réponse que vous n'aimeriez pas entendre. Quelle qu'ait été la raison de cette hilarité, elle les avait visiblement rapprochées, car à partir de ce moment on aurait cru qu'elles se connaissaient depuis toujours. L'Épouvanteur avait raison : si quelqu'un était capable de tirer quelque chose de cette fille, c'était maman.

Je notai cependant qu'elle lui donnait la chambre contiguë à celle où elle dormait avec papa, juste en haut de l'escalier. Maman avait l'oreille fine. Si Alice remuait dans son sommeil, elle l'entendrait.

Malgré leur complicité toute neuve, maman gardait donc un œil sur notre invitée.

En rentrant des champs, Jack grommela et me lança un regard noir. Il semblait furieux. Papa, lui, fut heureux de me voir et me serra la main, ce qui me surprit. Il serrait toujours la main de mes autres frères, quand ils revenaient à la maison, mais c'était la première fois qu'il le faisait avec moi. Il me traitait comme un adulte responsable de ses actes. J'en ressentis autant de fierté que de tristesse.

Jack n'était pas dans la cuisine depuis cinq minutes qu'il s'approcha de moi et dit en baissant la voix de sorte que personne n'entende :

– Allons dehors, j'ai à te parler.

Je le suivis dans la cour, et il me conduisit derrière la grange, près de la porcherie, là où on ne pouvait pas nous voir de la maison.

– Qui est cette fille qui t'accompagne ?

– Elle s'appelle Alice. Elle a besoin d'aide. L'Épouvanteur m'a demandé de l'amener chez nous pour que maman puisse lui parler.

– Qu'entends-tu par « besoin d'aide » ?

– Elle a vécu en mauvaise compagnie, c'est tout.

– Quel genre de compagnie ?

Je savais que ma réponse lui déplairait ; seulement, si je ne lui disais pas la vérité, il demanderait à maman.

– Sa tante est sorcière. Mais ne t'inquiète pas. L'Épouvanteur a fait ce qu'il fallait, et nous ne resterons que quelques jours.

Jack explosa de rage. Je ne l'avais jamais vu dans un état pareil.

– Tu es tombé sur la tête ? hurla-t-il. Ça t'arrive de réfléchir ? As-tu pensé au bébé ? Un nouveau-né innocent vit dans cette maison, et tu nous ramènes de la graine d'ensorceleuse ! Je n'y crois pas !

Il leva le poing, et je crus qu'il allait m'assommer. Au lieu de ça, il l'abattit violemment contre le mur de la grange, semant la panique chez les cochons.

– Maman est d'accord, protestai-je.

– Forcément, maman est d'accord ! Maman ne peut rien refuser à son fils préféré, reprit-il un ton plus bas, mais d'une voix toujours vibrante de colère. Elle a trop bon cœur, tu le sais, et tu t'es empressé d'en profiter. Alors, écoute-moi bien : s'il arrive quoi que ce soit, c'est à moi que tu auras affaire ! Je n'aime pas l'allure de cette fille, elle a quelque chose de fourbe. Je vais la surveiller de près et, au premier faux pas, je vous flanque tous les deux à la porte avant que vous ayez eu le temps de dire ouf ! Et vous ferez en sorte de gagner votre pitance tant que vous resterez ici. La gamine déchargera maman du ménage, et toi, tu nous donneras un coup de main.

Il me planta là, puis se retourna pour me lancer, sarcastique :

– Pris par tes importantes responsabilités, tu n'as probablement pas remarqué combien papa a l'air fatigué. Le travail de la ferme lui est de plus en plus pénible.

– Je vous aiderai ! promis-je. Et Alice aussi !

À part maman, chacun resta silencieux le temps du souper, sans doute à cause de la présence d'une étrangère à notre table. Jack, qui avait trop d'éducation pour protester ouvertement, lançait à Alice des regards lourds de sous-entendus. Heureusement, maman se montrait aimable et animée pour toute la tablée.

Ellie dut se lever deux fois pour monter s'occuper de Mary, qui hurlait à faire trembler les murs. La seconde fois, elle la ramena avec elle.

– Je n'ai jamais vu une brailleuse pareille, dit maman en souriant. Au moins, elle a des poumons vigoureux !

Je n'aurais jamais osé en faire la remarque à Ellie, mais, avec son visage rouge et chiffonné, ce bébé n'était pas des plus jolis. On aurait dit une petite vieille en colère.

Elle cessa soudain de hurler, ses yeux bleus grands ouverts fixant le centre de la table, là où était assise Alice, juste devant le chandelier de cuivre. Je la crus simplement fascinée par la flamme de la chandelle. Or, plus tard, tandis qu'Alice allait et venait pour débarrasser la table, la petite ne la quitta pas des yeux. Alors, malgré la chaleur qui régnait dans la cuisine, je frissonnai.

L'heure du coucher venue, je montai à mon ancienne chambre, m'assis dans le fauteuil d'osier, près de la fenêtre, pour regarder dehors, et il me sembla que je n'avais jamais quitté la maison.

Tout en contemplant la colline du Pendu, je m'interrogeais sur l'étrange intérêt de Mary pour Alice. En me rappelant les paroles d'Ellie, je frissonnai de nouveau. La petite était née la nuit de la pleine lune, peu après minuit. Ce ne pouvait être une simple coïncidence. À l'heure où elle venait au monde, la rivière avait emporté Mère Malkin. L'Épouvanteur m'avait averti du possible retour de la sorcière. Et si elle était revenue plus tôt qu'il ne le pensait ? Si elle était devenue une *verme ?* Si elle s'était échappée de sa carcasse et que son esprit avait pris possession du bébé d'Ellie à l'instant même de sa naissance ?

Je ne fermai pas l'œil de la nuit. Je ne pouvais faire part de mes craintes qu'à une seule personne. C'était maman. Mais comment lui parler seul à seule sans attirer l'attention ?

Maman passait des heures à cuisiner et à s'occuper du ménage. En temps ordinaire, j'aurais donc pu aisément la retrouver, car je ne travaillais pas loin, Jack m'ayant donné pour tâche de réparer la façade de la grange. Le problème, c'était Alice. Maman la garda près d'elle toute la journée, la faisant trimer dur. Malgré son visage en sueur et les plis d'effort sillonnant son front, Alice ne se plaignit jamais.

Après le souper, une fois les bruits de vaisselle apaisés, je saisis enfin ma chance. Papa était parti le matin même à Topley pour le grand marché de printemps. Tout en y vendant ses produits, il retrouverait quelques vieux amis. Il serait absent deux ou trois jours. Ce bref congé lui ferait du bien, car, Jack avait raison, il paraissait bien fatigué.

Maman venait d'envoyer Alice se coucher ; Jack se reposait dans la pièce de devant ; Ellie était en haut, essayant de prendre une heure de sommeil avant que le bébé réclame à téter. J'en profitai pour confier mes inquiétudes à maman. Elle se balançait dans son rocking-chair, mais, dès que je prononçai ma première phrase, le siège s'immobilisa. Elle m'écouta avec attention, son visage restant si lisse et si paisible qu'il me fut impossible de deviner ses pensées. À peine avais-je terminé qu'elle sautait sur ses pieds.

– Attends-moi ici ! m'ordonna-t-elle. Il nous faut tirer cela au clair une fois pour toutes.

Elle quitta la cuisine et monta dans les étages. Elle redescendit portant le bébé enveloppé dans un châle d'Ellie.

– Prends la chandelle ! dit-elle en se dirigeant vers la porte.

Nous sortîmes dans la cour. Maman marchait vite, du pas de celle qui sait exactement où elle va et ce qu'elle a à faire. Elle m'entraîna de l'autre côté de l'étable, sur la berge boueuse de notre étang, assez grand et assez profond pour que nos vaches s'y abreuvent même par l'été le plus sec.

– Lève la chandelle et éclaire-moi ! Je ne veux pas avoir le moindre doute.

Je la regardai avec horreur étendre les bras et tenir le bébé au-dessus de l'eau noire.

– Si elle flotte, reprit-elle, la sorcière est en elle. Si elle coule, elle est innocente. Voyons cela...

Les mots furent plus rapides que ma pensée.

– Non ! criai-je. Ne fais pas cela, je t'en prie ! C'est le bébé d'Ellie !

Un instant, je crus qu'elle allait lâcher le nourrisson. Puis elle serra la petite contre elle et lui embrassa doucement le front.

– Oui, mon fils, c'est le bébé d'Ellie. Ne suffit-il pas de la regarder pour en être sûrs ? De toute façon, l'épreuve de l'eau a été inventée par des imbéciles et ne signifie rien. On lie habituellement les mains et les pieds de la malheureuse victime avant de la jeter en eau profonde. Qu'elle coule ou qu'elle flotte est une question de chance. Ça dépend de la densité de son corps, et ça n'a rien à voir avec la sorcellerie.

Maman secoua la tête en souriant et m'expliqua :

– Un nouveau-né ne voit pas encore les choses clairement. C'est probablement la flamme de la chandelle qui attirait son attention. Alice était assise juste devant, souviens-toi. Ensuite, chaque fois qu'elle se déplaçait, les yeux de Mary percevaient les changements de lumière. Il n'y a rien d'inquiétant là-dedans.

– Mais si elle est possédée, malgré tout ? insistai-je. S'il y a en elle un esprit mauvais invisible ?

– Écoute, mon fils ! J'ai souvent été confrontée au bien et au mal dans ce monde, et je reconnais le mal au premier coup d'œil. Il n'y a rien de malfaisant dans cette enfant, rien dont il faille s'inquiéter. Rien du tout.

– C'est tout de même étrange que le bébé d'Ellie soit né au moment où Mère Malkin mourait !

– Pas vraiment. C'est le cours normal de la vie. Parfois, quand une chose mauvaise quitte cette terre, une bonne y entre à la place. Je l'ai constaté à maintes occasions.

Je compris alors que maman n'avait jamais eu l'intention de jeter le bébé à l'eau. Elle avait seulement voulu réveiller mon bon sens. Mais, tandis que nous traversions la cour dans l'autre sens, mes genoux en tremblaient encore de frayeur. C'est en arrivant devant la porte de la cuisine qu'une autre question me revint en mémoire :

– M. Gregory m'a donné un petit livre sur la possession. Il m'a recommandé de le lire attentivement. Le problème, c'est qu'il est écrit en latin, et je n'ai eu que trois leçons !

– Ce n'est pas la langue que je parle le mieux, dit maman en s'arrêtant sur le seuil. Je verrai ce que je peux faire, seulement tu devras patienter jusqu'à mon retour. Je m'attends à être appelée, cette nuit.

Pourquoi ne demandes-tu pas à Alice ? Elle pourrait peut-être t'aider.

Maman avait raison. Une carriole tirée par des chevaux écumants vint la chercher juste après minuit. La femme d'un fermier était en train d'accoucher, et le travail durait déjà depuis plus de vingt-quatre heures. C'était loin, à environ trente milles au sud. Maman serait donc absente deux ou trois jours.

Je n'avais guère envie de solliciter l'aide d'Alice. Je savais que l'Épouvanteur n'aurait pas été d'accord. Ce livre provenait de sa bibliothèque, et la seule idée qu'Alice puisse le toucher lui aurait déplu. Il le fallait, pourtant. Depuis mon retour, je ne cessais de penser à Mère Malkin. Je n'arrivais pas à me l'enlever de la tête ! C'était une impression, un pressentiment ; je la sentais rôder là, quelque part dans le noir, se rapprochant nuit après nuit.

Le lendemain soir, après que Jack et Ellie furent allés se coucher, je frappai doucement à la porte d'Alice. Je n'avais pas pu m'adresser à elle de toute la journée, car elle était sans cesse occupée. De plus, si mon frère ou Ellie avaient entendu, ils n'auraient pas aimé ça, surtout Jack, qui avait tant de préventions contre le métier d'épouvanteur.

Je dus frapper une seconde fois avant qu'Alice ouvre sa porte. J'avais craint qu'elle soit déjà endormie, or elle ne s'était même pas déshabillée, et je ne pus m'empêcher de fixer ses souliers pointus. Une chandelle était posée sur la table de toilette, face au miroir. Elle venait juste d'être soufflée, la mèche fumait encore.

– Puis-je entrer ? demandai-je, levant mon propre chandelier de manière à éclairer le visage d'Alice. J'ai un service à te demander.

Elle acquiesça, s'écarta pour me laisser passer et referma la porte.

– J'ai besoin de lire un livre en latin. Maman m'a dit que tu pourrais m'aider.

– Où est-il ?

– Dans ma poche. C'est un petit livre. Pour quelqu'un qui sait cette langue, il ne doit pas être long à déchiffrer.

Alice lâcha un profond soupir et protesta d'un ton las :

– Tu trouves que je n'ai pas assez de travail ? C'est un livre sur quoi ?

– La possession. M. Gregory pense que Mère Malkin pourrait revenir se venger de moi, et qu'elle utiliserait la possession.

– Montre-moi, dit-elle en tendant la main.

Je posai mon chandelier près du sien et lui tendis le mince ouvrage. Elle le feuilleta sans un mot.

– Tu peux le lire ?

– Pourquoi pas ? Lizzie connaît parfaitement le latin et elle me l'a enseigné.

– Alors, tu peux m'aider ?

Au lieu de répondre, elle approcha le livre de son visage et le renifla bruyamment.

– Tu crois que c'est intéressant ? C'est écrit par un prêtre. Ils n'y connaissent généralement pas grand-chose.

– M. Gregory en parle comme d'un « ouvrage définitif ». Autrement dit, c'est le meilleur livre sur le sujet.

Elle releva les yeux, et je fus surpris de lui voir un regard plein de colère.

– Je sais ce que signifie « définitif ». Tu me prends pour une idiote, ou quoi ? J'ai étudié pendant des années, tandis que, toi, tu viens à peine de commencer. Lizzie avait des quantités de livres. Ils ont brûlé. Ils sont réduits en cendres, maintenant.

Je marmonnai une vague excuse, et elle me sourit.

– Le problème, poursuivit-elle d'une voix adoucie, c'est que cette lecture va prendre du temps, et je suis trop fatiguée pour m'y mettre tout de suite. Demain, ta mère sera encore absente, et j'aurai plus de travail que jamais. Ta belle-sœur a promis de me donner un coup de main, mais le bébé l'accapare. Le ménage et la cuisine m'occuperont toute la journée. Sauf si tu es prêt à m'aider...

Je ne savais pas quoi répondre. Jack comptait sur moi, je n'avais donc guère de liberté. Et les hommes ne se mêlaient jamais des tâches ménagères, ni chez nous, ni dans le reste du Comté. Les hommes travaillaient à la ferme, dehors, qu'il pleuve ou qu'il vente, et, quand ils rentraient, un repas chaud les attendait sur la table. Le seul jour de l'année où nous faisions la vaisselle, c'était Noël, pour offrir un petit plaisir à maman.

On aurait pu croire qu'Alice lisait dans mes pensées, car son sourire s'élargit.

– Ce ne devrait pas être trop difficile. Les femmes aident bien à la moisson. Pourquoi les hommes n'aideraient-ils pas à la cuisine ? Tu n'auras qu'à laver la vaisselle et récurer quelques casseroles avant que je prépare le repas, c'est tout.

J'acceptai ses conditions, c'était ça ou rien. J'espérais seulement que Jack ne me surprendrait pas les mains dans l'eau de vaisselle. Il ne comprendrait pas.

Je me levai encore plus tôt que d'ordinaire, et réussis à venir à bout des casseroles avant que Jack descende. Je fis durer ensuite le petit déjeuner aussi longtemps que possible, mangeant très lentement, ce qui n'était pas dans mes habitudes et me valut un regard soupçonneux de mon frère. Après qu'il fut parti aux champs, je lavai rapidement les bols et les assiettes et les essuyai.

J'aurais dû prévoir ce qui arriverait, car Jack n'était guère patient.

Il retourna dans la cour, jurant et tempêtant, et me vit par la fenêtre. Son visage se tordit d'incrédulité. Il cracha par terre, s'avança et ouvrit à la volée la porte de la cuisine.

– Quand tu auras fini, fit-il, sarcastique, il y a du travail d'homme, dehors. Tu commenceras par vérifier l'enclos des cochons et faire les réparations. Groin-Groin vient demain. On en a cinq à tuer, et je n'ai pas l'intention de perdre du temps à courir après des bêtes en fuite !

Groin-Groin était le surnom que nous donnions au charcutier. Jack avait raison, les cochons étaient parfois pris de panique quand Groin-Groin se mettait au travail, et, si la palissade de l'enclos avait la moindre fragilité, ils en profiteraient à coup sûr.

Jack s'éloigna à grands pas. Soudain, il poussa un nouveau juron. Je courus à la porte pour voir ce qui s'était passé. Il avait marché sur un gros crapaud, le réduisant en bouillie. Tuer une grenouille ou un crapaud est supposé porter malheur, et mon frère lâcha un chapelet d'injures, ses noirs sourcils froncés formant une ligne broussailleuse sur son front. D'un coup de pied, il fit valser le crapaud mort sous la gouttière et repartit en secouant la tête. Je me demandai ce qu'il avait. Il n'était pas aussi irritable, d'habitude.

Je finis d'essuyer la vaisselle. Puisqu'il m'avait surpris, autant en finir avec cette tâche. De plus, les cochons puaient, et je n'étais pas pressé d'aller m'occuper de leur enclos.

– N'oublie pas le livre ! rappelai-je à Alice au moment où je sortais.

Elle m'adressa en réponse un sourire indéchiffrable.

Je ne pus parler avec Alice en tête à tête que tard dans la nuit, une fois Jack et Ellie couchés. Je pensais lui rendre visite dans sa chambre, mais c'est elle qui vint me rejoindre à la cuisine, apportant le livre. Elle s'assit dans le rocking-chair de maman, près de l'âtre où rougeoyaient des braises.

– Tu as fait du bon travail, avec ces casseroles. Tu dois avoir une envie folle de savoir ce qui est écrit là-dedans, dit-elle en tapotant le dos du livre.

– Si *elle* réapparaît, je veux être prêt. L'Épouvanteur dit qu'elle deviendra probablement une *verme*. Tu as entendu parler de ça ?

Les yeux d'Alice s'agrandirent, et elle hocha la tête.

– Alors, si quoi que ce soit dans ce livre peut m'aider, il faut que je le sache.

– Ce prêtre n'est pas comme les autres, dit Alice en me tendant le volume. Il connaît son affaire, c'est sûr. Ça intéresserait beaucoup Lizzie. On y trouve mieux que les gâteaux de minuit !

J'empochai le livre et tirai un tabouret devant l'âtre, fixant ce qui restait du feu. Puis je questionnai

Alice. D'abord, ce fut difficile, car elle était plutôt réticente. Et ce que je réussis à tirer d'elle ne fit que m'angoisser davantage.

Je commençai par l'étrange titre : *Les Damnés, les Déséquilibrés, les Désespérés*. Qu'est-ce que ça signifiait ?

– Le premier mot est du langage de prêtre, dit Alice avec une moue désapprobatrice. On l'emploie pour désigner les gens qui pensent autrement ; les gens comme ta mère, qui ne vont pas à l'église et ne disent pas les bonnes prières ; les gens différents, les gauchers.

Elle me lança un sourire de connivence et continua :

– Le deuxième mot est plus simple : celui qui vient d'être possédé est en rupture d'équilibre. Il n'arrête pas de trébucher. Il faut du temps, vois-tu, pour que l'être qui le possède s'installe confortablement. C'est comme s'il enfilait une paire de chaussures neuves. Alors, il s'agite, et ça met le possédé de mauvaise humeur. Quelqu'un d'habituellement calme et mesuré peut se mettre soudain à frapper sans raison. Le troisième mot est facile à comprendre. Une sorcière qui a eu un corps en bonne santé tente désespérément d'en trouver un autre. Et, quand elle y réussit, elle tente désespérément d'y rester. Elle ne lâche pas prise sans livrer un dur combat. Elle est prête à tout ! À n'importe quoi ! C'est pourquoi ces possédés-là sont si dangereux.

– Si elle vient ici sous forme de *verme*, demandai-je, qui tentera-t-elle de posséder ? Moi ? Est-ce à moi qu'elle voudra nuire ?

– Si elle peut ! Toutefois, elle aura du mal, étant donné ce que tu es. Elle aimerait aussi se servir de moi, mais je ne lui accorderais pas cette chance. Non, elle s'attaquera au moins résistant. C'est plus facile.

– Le bébé d'Ellie ?

– Non, elle ne pourrait pas se servir de lui. Elle devrait attendre qu'il grandisse. Mère Malkin n'a jamais été patiente, et son emprisonnement dans le puits du vieux Gregory ne l'a pas améliorée. Si c'est à toi qu'elle veut s'attaquer, elle va se trouver d'abord un corps robuste et en bonne santé.

– Ellie ? Elle va choisir Ellie !

Alice secoua la tête d'un air incrédule.

– Tu ne comprends donc rien ? Ellie est forte. Elle ne se laissera pas faire. Non, il est plus facile de s'attaquer à un homme, particulièrement à celui qui laisse ses émotions diriger sa tête, à celui qui pique une colère avant de réfléchir.

– Jack ?

– Jack, bien sûr ! Imagine ce que ça serait d'avoir Jack, ce costaud, à tes trousses ! Mais le livre a raison sur un point : il est plus aisé de lutter contre un possédé de fraîche date, tant qu'il est encore un Déséquilibré.

Je pris mon cahier et notai tout ce qui me paraissait utile. Alice ne parlait pas aussi vite que l'Épouvanteur, mais, au bout d'un moment, elle se laissa emporter par son sujet, et je ne tardai pas à avoir des crampes dans le poignet. Elle en vint au point le plus important : comment s'y prendre avec un possédé ? Il faut savoir que l'âme originelle de la victime reste enfermée dans son corps. Donc, si l'on blesse ce corps, on blesse une âme innocente. Tuer le possédé pour se débarrasser de ce qui le possède, c'est commettre un meurtre.

En fait, ce chapitre du livre était décevant : il ne proposait guère de solution. L'auteur, en tant que prêtre, pensait qu'un exorcisme, avec bougies et eau bénite, était le moyen le plus efficace d'extirper l'esprit mauvais de sa victime ; il reconnaissait cependant que tous les prêtres n'en étaient pas capables, et que bien peu savaient le pratiquer. Il me sembla comprendre que ceux qui y réussissaient étaient les septièmes fils d'un septième fils, et que cela seul comptait.

Ensuite, Alice déclara qu'elle était fatiguée et elle monta se coucher. J'avais sommeil, moi aussi. J'avais oublié combien le travail de la ferme était harassant, j'avais mal partout. Une fois dans ma chambre, je m'écroulai sur mon lit avec soulagement. Je ne désirais qu'une chose : dormir.

Soudain, dans la cour, les chiens se mirent à aboyer.

Me demandant ce qui pouvait les alarmer ainsi, j'ouvris la fenêtre et regardai du côté de la colline du Pendu. Je ne remarquai rien de particulier. J'inspirai profondément l'air frais de la nuit pour m'éclaircir les idées. Les chiens se calmèrent peu à peu et finirent par se taire.

À l'instant où je fermais la fenêtre, les nuages s'écartèrent, et la lumière de la lune me révéla la vérité. Ce n'était pourtant pas la pleine lune, rien qu'un maigre croissant rétréci, mais il me montra quelque chose que je n'aurais pas pu voir autrement. À sa clarté, je distinguai une traînée argentée qui serpentait depuis le sommet de la colline du Pendu. Elle passait sous la clôture, traversait la pâture, au nord, et virait vers l'est par les prairies avant de disparaître derrière la grange.

J'avais vu une trace argentée la nuit où j'avais rejeté Mère Malkin dans la rivière. Celle-ci lui ressemblait exactement, et elle venait vers moi !

Le cœur battant à grands coups, je descendis l'escalier sur la pointe des pieds et me glissai dehors par la porte de la cour, la refermant soigneusement derrière moi.

Un nuage cachait de nouveau la lune ; aussi, quand je dépassai la grange, la traînée argentée n'était plus visible. Il était cependant évident que quelque chose était descendu de la colline, se dirigeant vers notre ferme. L'herbe était couchée comme si un énorme escargot avait rampé dessus.

J'attendis que la lune réapparaisse pour examiner les alentours de la grange. Un instant plus tard, le nuage s'écartait, et ce que je vis me terrifia. La traînée se remit à luire, et la direction qu'elle avait prise ne laissait aucun doute : elle évitait la porcherie, contournait la grange en décrivant un large arc de cercle pour atteindre le fond de la cour. Puis elle remontait vers la maison, droit sous la fenêtre d'Alice, là où une vieille trappe de bois recouvrait des marches menant à la cave.

Quelques générations plus tôt, le fermier qui vivait là brassait la bière, dont il fournissait les fermes des environs et même quelques auberges. C'est pourquoi les gens du pays appelait encore notre domaine la Brasserie. Cet escalier extérieur permettait de sortir les tonneaux sans avoir à traverser la cuisine.

La trappe était toujours en place, ses panneaux fermés par un gros cadenas rouillé. Mais il y avait un interstice entre les deux planches, un espace pas plus large que mon pouce, et la traînée argentée s'arrêtait devant.

Mère Malkin était de retour, elle était devenue une *verme*, un être assez lisse et assez souple pour se glisser par la fente la plus étroite.

Elle était déjà dans la cave.

Nous ne l'utilisions plus, à présent, mais je m'en souvenais assez bien. Le sol était en terre battue, et de vieux tonneaux s'y entassaient. La maison était bâtie en briques creuses, ce qui signifiait que la sorcière se trouverait bientôt n'importe où dans l'épaisseur des murs, n'importe où dans la maison.

En levant les yeux, je vis vaciller la flamme d'une chandelle derrière la fenêtre d'Alice. Elle n'était pas couchée. Je rentrai, et, une minute après, j'étais devant sa porte. Il me fallait maintenant la prévenir de ma présence sans éveiller personne. Mais, au moment où, les doigts repliés, je m'apprêtai à frapper, un murmure s'éleva dans la chambre.

C'était la voix d'Alice. Elle semblait converser avec quelqu'un.

Cela ne me plut pas, néanmoins je toquai à la porte. J'attendis quelques instants, et, comme elle ne venait pas ouvrir, j'appuyai mon oreille contre le battant. À qui pouvait-elle bien parler ? Je savais qu'Ellie et Jack étaient déjà au lit. De plus, je ne distinguais qu'une seule voix, celle d'Alice ; sauf qu'elle me paraissait différente et me rappelait quelque chose que j'avais déjà entendu. Lorsque le souvenir me revint, je bondis en arrière comme si le bois m'avait brûlé.

La voix d'Alice montait et descendait, exactement comme celle de Lizzie l'Osseuse quand elle se penchait au-dessus de ma fosse, tenant un os blanchi dans chaque main.

Sans réfléchir, je saisis la poignée, la tournai et ouvrai la porte en grand.

Alice, assise au bord d'une chaise à haut dossier, se regardait dans le miroir de la table de toilette, par-dessus la flamme d'une chandelle. Prenant une grande inspiration, je m'avançai subrepticement pour mieux voir.

On était encore au printemps, et après la tombée du jour il faisait frais dans les chambres. Or de grosses gouttes de sueur perlaient au front d'Alice. Je vis deux d'entre elles se rejoindre, couler le long de son œil gauche, puis sur sa joue, comme une larme. Elle fixait le miroir, les yeux écarquillés. Quand je prononçai son nom, elle ne cilla même pas.

Je vins me placer derrière la chaise et vis le reflet du chandelier de cuivre. Je découvris alors avec horreur que le visage réfléchi par le miroir n'était pas celui d'Alice !

C'était une vieille face émaciée, ravinée, un rideau de cheveux gris et rêches retombant de chaque côté des joues creuses, la face d'un être longtemps resté emprisonné dans la terre humide...

Les yeux bougèrent, se tournant de côté pour rencontrer les miens ; deux braises rougeoyantes. Malgré le sourire qui s'étirait sur ce visage, les yeux brûlaient de haine et de colère. Il n'y avait pas le moindre doute : ce visage était celui de Mère Malkin.

Que se passait-il ? Alice était-elle déjà possédée ? Ou bien utilisait-elle le miroir pour parler à la sorcière ?

D'un geste instinctif, j'attrapai le chandelier et frappai de sa lourde base le miroir, qui explosa avec fracas. Les morceaux de verre dégringolèrent en pluie scintillante sur le plancher. Au moment où le miroir se brisa, Alice hurla.

Ce fut le cri le plus effroyable qu'on puisse imaginer, un cri déchirant. Les cochons crient ainsi quand on les égorge. Mais je n'avais pas le moindre remords, bien qu'Alice se soit mise à sangloter en s'arrachant les cheveux et en roulant des yeux pleins de terreur.

La maison retentit aussitôt de bruits divers. D'abord, la petite Mary commença à pleurer. J'entendis ensuite une voix d'homme jurant et rageant, puis un martèlement de bottes descendant les escaliers.

Jack fit irruption dans la chambre. Il avisa le miroir brisé et fonça sur moi, le poing levé. Il devait penser que tout était ma faute, étant donné qu'Alice ne cessait pas de sangloter, que je tenais toujours le chandelier et que ma main saignait à cause des petites coupures dues aux débris de verre.

Ellie arriva juste à temps, portant le bébé, qui braillait à pleins poumons. De sa main libre, elle agrippa Jack et ne le lâcha que lorsqu'il eut baissé le bras et desserré le poing.

– Non, Jack ! suppliait-elle. Ça n'arrangera rien !

– Je ne peux pas croire que tu aies fait une chose pareille, gronda mon frère en me foudroyant du regard. Un miroir aussi ancien ! Que va dire papa quand il va voir ça ?

Jack avait des raisons d'être en colère. Non seulement tout le monde avait été réveillé, mais cette table de toilette avait appartenu à la mère de papa. Maintenant qu'il m'avait fait cadeau de son briquet à amadou, c'était le dernier objet qui lui restait de sa famille.

Mon frère avança d'un pas. La chandelle ne s'était pas éteinte quand j'avais brisé le miroir, et la flamme vacilla quand il vociféra :

– Pourquoi as-tu brisé ce miroir ? Qu'est-ce qui t'est passé par la tête ?

Qu'aurais-je pu dire ? Je haussai les épaules en fixant le bout de mes bottes.

– Que fais-tu dans cette chambre, d'ailleurs ? insista-t-il.

Je ne répondis pas. Des explications n'auraient servi qu'à envenimer les choses.

– Retourne dans ta chambre, et n'en sors plus !

rugit-il. J'ai bien envie de vous prier tous les deux de faire votre baluchon !

Je jetais un coup d'œil à Alice. Elle était toujours assise sur la chaise, la tête dans les mains. Elle avait cessé de pleurer, mais elle tremblait de la tête aux pieds. Lorsque j'osai relever les yeux, je vis que la colère de Jack s'était muée en inquiétude : Ellie s'était mise à tituber. Avant que mon frère ait pu la rattraper, elle perdit l'équilibre et dut s'appuyer contre le mur. Jack oublia le miroir pour s'occuper de sa femme.

– Je ne sais pas ce qui m'est arrivé, fit-elle, complètement chamboulée. J'ai été prise de vertige, d'un coup. Oh, Jack ! Jack ! J'ai failli lâcher la petite !

– Mais tu ne l'as pas lâchée, tout va bien ! Tiens, donne-la-moi...!

Dès qu'il eut le bébé dans les bras, Jack se calma.

– On en reparlera demain matin, me lança-t-il. Pour l'instant, contente-toi de balayer ce bazar !

Ellie s'approcha et posa la main sur l'épaule d'Alice.

– Allons en bas pendant que Tom nettoie. Je vais nous préparer une boisson chaude.

Ils descendirent tous à la cuisine, me laissant ramasser les débris de verre. Dix minutes plus tard, je descendis à mon tour chercher une pelle et une balayette. Ils étaient assis autour de la table, à siroter une tisane. Mary s'était rendormie dans les bras de sa mère. Ils parlaient entre eux, et personne ne m'offrit une tasse. On ne m'accorda pas même un regard.

Je remontai à l'étage et balayai de mon mieux. Après quoi, je retournai dans ma chambre. Je m'assis au bord du lit et regardai par la fenêtre. J'avais peur, et je me sentais très seul. Alice était-elle déjà possédée ? En ce cas, nous étions tous en danger. Elle attendrait que chacun soit endormi. Elle s'attaquerait d'abord à moi. Ou au bébé. Oui, le sang d'un bébé décuplerait ses forces.

Mais peut-être avais-je brisé le miroir à temps ? Peut-être avais-je détruit le sort à l'instant où Mère Malkin s'apprêtait à posséder Alice ? À moins que celle-ci ne se soit servie du miroir que pour parler avec la sorcière. Ce qui ne vaudrait guère mieux : j'aurais en ce cas deux ennemies au lieu d'une.

Tandis que je restais là, fébrile, tâchant de mettre un peu d'ordre dans mes idées, on frappa à ma porte. Je crus que c'était Alice et je ne bougeai pas. Puis on m'appela à voix basse. C'était Ellie. J'allai lui ouvrir.

– Pouvons-nous parler ici ? demanda-t-elle. J'ai réussi à rendormir la petite, je ne veux pas risquer de la réveiller encore.

J'acquiesçai, et elle entra, refermant doucement la porte derrière elle.

– Ça va ? s'enquit-elle avec sollicitude.

Je hochai piteusement la tête, incapable de croiser son regard.

– Veux-tu me raconter ce qui s'est passé ? Tu es un garçon sensé, Tom, et tu as sûrement eu une bonne raison d'agir ainsi. En parler te fera du bien.

Comment aurais-je pu lui dire la vérité ? Pouvais-je révéler à une jeune mère qu'une sorcière ayant un goût prononcé pour le sang des nouveau-nés se promenait en liberté dans la maison ? Puis je réalisai que, pour la sécurité de son enfant, je lui devais une partie de la vérité, aussi angoissante fût-elle. Il fallait éloigner Ellie et Mary d'ici.

– Je le voudrais bien, Ellie. Mais je ne sais pas par quoi commencer.

– Par le commencement ! Ce serait le plus simple, non ? fit-elle en souriant.

– Quelque chose m'a suivi jusqu'ici, dis-je en la fixant dans les yeux, une créature malfaisante qui veut s'en prendre à moi. Alice était en train de lui parler par l'intermédiaire du miroir, c'est pourquoi je l'ai brisé, et...

Un éclair de colère s'alluma dans le regard d'Ellie.

– Raconte ça à Jack, et tu peux être sûr de prendre son poing dans la figure ! Tu prétends avoir ramené je ne sais quoi d'immonde dans une maison où un bébé vient de naître ? Comment as-tu osé ?

– J'ignorais ce qui arriverait ! protestai-je. Je ne l'ai découvert que cette nuit. C'est pourquoi je t'avertis. Il faut que tu quittes cette maison et que tu mettes la petite en sûreté. Partez tout de suite, avant qu'il soit trop tard !

– Quoi ? Maintenant ?

J'approuvai d'un signe de la main.

Ellie secoua la tête.

– Jack ne le voudra pas. Il n'acceptera jamais d'être chassé de sa propre maison au beau milieu de la nuit. Par aucune créature. Non, j'attendrai. Je vais rester ici, et je vais dire des prières. Ma mère m'a appris cela. Elle m'a enseigné que, si tu pries de toute ton âme, aucune puissance des ténèbres ne pourra te faire du mal. Et je le crois. De plus, tu peux te tromper, Tom. Tu es jeune, et tu débutes dans ce métier. La situation n'est peut-être pas aussi dramatique que tu le penses. Et ta mère sera bientôt de retour. Si ce n'est pas cette nuit, ce sera la prochaine. Elle saura prendre la bonne décision. En attendant, évite cette fille. Elle me paraît fourbe.

J'ouvrais la bouche pour la persuader de s'éloigner de là quand je la vis pâlir. Elle vacilla et s'appuya d'une main contre le mur pour ne pas tomber.

– Oh, Tom ! gémit-elle. Tout ceci me rend malade.

Elle s'assit sur mon lit, le visage dans les mains. Je baissai le nez, contrit, ne sachant que faire ni que dire.

Au bout d'un moment, elle se releva.

– Nous parlerons à ta mère dès qu'elle sera là. Mais souviens-toi : ne t'approche pas d'Alice jusqu'à son retour ! Tu me le promets ?

Je promis. Ellie m'adressa un sourire plein de tristesse et retourna dans sa chambre.

Ce n'est qu'après son départ que la chose me frappa.

À deux reprises, Ellie avait eu un étourdissement. Une fois, cela pouvait être dû à la fatigue ; mais deux ? Elle perdait l'équilibre. Ellie était *déséquilibrée*, et c'était le premier signe de possession !

J'arpentai nerveusement la pièce, essayant de me convaincre que je me trompais. Non, pas Ellie ! Ellie ne pouvait pas être possédée ! Elle était fatiguée, voilà tout. Elle manquait de sommeil à cause du bébé. Elle aussi avait grandi dans une ferme ; elle était robuste, pleine de santé. Et elle avait parlé de réciter des prières.

Oui, mais... si elle avait dit ça pour détourner mes soupçons ?

Cependant, Alice avait prétendu qu'Ellie serait difficile à posséder. Elle pensait que la victime serait plutôt Jack. Et lui, il n'avait donné aucun signe de déséquilibre. Quoique... Il ne s'était jamais montré aussi hargneux, aussi agressif. Cette nuit, si Ellie ne l'avait pas retenu, il m'aurait fait sauter la tête d'un coup de poing !

Seulement, si Alice était complice de Mère Malkin, toutes ses déclarations étaient destinées à m'abuser. Je ne pouvais même pas m'appuyer sur son compte rendu du livre de l'Épouvanteur ; elle avait pu me mentir tout du long. Ne comprenant pas le latin, j'étais incapable de vérifier ses dires. L'attaque pouvait se produire n'importe quand, et je n'avais aucun moyen de prévoir de qui elle viendrait.

Avec un peu de chance, maman serait de retour avant l'aube ; elle saurait quoi faire. Mais l'aube était encore loin, je n'avais pas le droit de dormir. Je devais rester éveillé. Si Jack ou Ellie étaient possédés, ça dépassait mes compétences. Il ne me restait donc qu'à garder un œil sur Alice.

Je sortis et m'assis sur une marche, en haut de l'escalier, entre ma porte et celle de la chambre de Jack et d'Ellie. De là, je surveillais la porte d'Alice, à l'étage en dessous. Si elle quittait sa chambre, j'aurais au moins la possibilité de donner l'alerte.

Je décidai de partir dès les premières lueurs du jour au cas où maman ne rentrerait pas. En dehors d'elle, une seule personne était en mesure de sauver la situation...

Ce fut une bien longue nuit. Je sursautais au moindre bruit – craquement dans l'escalier, grincement de plancher dans une chambre. Peu à peu, je réussis à me calmer. La maison était vieille, et j'étais habitué à entendre ses manifestations nocturnes, dues aux changements de température. Cependant, à l'approche de l'aube, un malaise insidieux m'envahit.

Je perçus d'abord d'infimes grattements dans l'épaisseur des murs. On aurait dit des ongles minuscules griffant la brique. Et ça se déplaçait. Ça venait parfois d'en haut, à gauche des escaliers, parfois d'en bas, du côté de la chambre d'Alice. C'était si léger que je me demandai si ce n'était pas simplement le fruit de mon imagination. Puis je sentis le froid ; le genre de froid annonçant que le danger est proche.

Les chiens commencèrent à aboyer, et, en quelques minutes, tous les animaux de la ferme furent en émoi. Nos cochons couinaient comme si on allait les égorger. Et, pour couronner le tout, le vacarme réveilla le bébé, qui se remit à brailler.

J'avais maintenant si froid que tout mon corps grelottait.

Au bord de la rivière, lorsque je m'étais trouvé face à la sorcière, mes mains avaient su quel geste faire. Cette fois, ce furent mes jambes qui se montrèrent plus rapides que ma pensée. Pris de panique, le cœur battant à se rompre, je dégringolai les escaliers, et tant pis pour le bruit ! Je n'avais qu'une idée en tête : fuir, échapper à la sorcière. Plus rien d'autre ne comptait. Tout mon courage m'avait abandonné.

13
Les cochons

Je quittai la maison en courant et fonçai vers la colline du Pendu, la peur au ventre. Je ne ralentis qu'en traversant la dernière pâture. J'avais besoin d'aide, et vite ! Je retournais à Chipenden. À présent, seul l'Épouvanteur pouvait me secourir.

Lorsque j'atteignis la clôture, les animaux cessèrent leur tapage. Je me retournai. Je ne vis que la route poussiéreuse, de l'autre côté de la ferme, longue traînée sombre sur le damier grisâtre des champs.

J'aperçus alors une lumière, sur la route. Une carriole approchait. Était-ce maman ? Un instant, je fus rempli d'espoir. Mais, tandis que le véhicule passait le portail, j'entendis une toux grasse et un bruit de crachat. C'était Groin-Groin, qui venait s'occuper de nos cochons. Après avoir égorgé les bêtes, il devait les écorcher et découper la viande. C'était un long travail, voilà pourquoi il arrivait de bonne heure.

Bien que cet homme ne m'eût jamais fait aucun mal, j'étais toujours soulagé de le voir partir, sa tâche achevée. Maman ne l'aimait pas beaucoup, elle non plus. Elle détestait sa façon répugnante de se racler la gorge et de cracher dans notre cour.

C'était un homme de haute taille, encore plus grand que Jack, aux avant-bras musculeux. Dans ce métier, mieux valait être musclé ! Les cochons pesaient leur poids, et ils se débattaient comme des fous pour éviter le couteau. Groin-Groin était toujours débraillé. Ses chemises trop courtes, à demi déboutonnées, découvraient un ventre blanc, gras et velu, retombant sur le tablier de cuir qui protégeait son pantalon des taches de sang. Malgré ses cheveux clairsemés, il n'avait probablement pas plus de trente ans.

Déçu que ce ne soit pas maman, je le regardai décrocher la lanterne de la carriole et déballer son matériel, qu'il installa devant la grange, à côté de la porcherie.

Je me secouai : j'avais perdu assez de temps. J'escaladais la clôture pour entrer dans le bois quand, du coin de l'œil, je perçus un mouvement sur la pente, au-dessous de moi. Une ombre était sur mes traces.

C'était Alice. Je ne voulais pas qu'elle me suive, mais c'était l'occasion de mettre les choses au clair avec elle. Je m'assis donc sur la barrière pour l'attendre. Je n'eus pas à patienter longtemps, car elle courut tout le long du chemin.

Elle s'arrêta à une dizaine de pas de moi, les poings sur les hanches, tâchant de reprendre haleine. J'examinai d'un air réprobateur sa robe noire et ses souliers pointus. J'avais fait tant de bruit en dévalant les escaliers que j'avais dû la réveiller. Elle avait eu rudement vite fait de s'habiller, pour m'avoir déjà rattrapé !

– Je n'ai rien à te dire ! lui lançai-je, d'une voix chevrotante et plus aiguë qu'à l'ordinaire, qui trahissait ma nervosité. Et arrête de me suivre, ça ne sert à rien ! On t'a laissé ta chance, tu ne l'as pas saisie ; alors, à partir de maintenant, tu as intérêt à ne plus te montrer à Chipenden !

– Et toi, tu as intérêt à m'écouter ! Mère Malkin est là !

– Je sais ! Je l'ai vue !

– Elle n'est pas seulement apparue dans le miroir ! Elle est là, quelque part dans la maison ! s'écria Alice en désignant notre ferme.

– Je le sais, je te dis ! répliquai-je avec colère. J'ai vu sa trace, à la lumière de la lune. Et, quand je suis monté te prévenir, qu'est-ce que j'ai découvert ? Que tu étais déjà en grande conversation avec elle, et sans doute pas pour la première fois !

Je me souvenais que, la nuit précédente, lorsque j'avais apporté le livre à Alice, la chandelle fumait devant le miroir, comme si elle avait été soufflée à la hâte.

– C'est toi qui l'as amenée ici, l'accusai-je. C'est toi qui lui as dit où j'étais.

– Ce n'est pas vrai, me rétorqua-t-elle avec la même colère.

Elle fit trois pas vers moi.

– J'ai senti son approche, et je me suis servie du miroir pour voir où elle était. Je ne me doutais pas qu'elle était si près, figure-toi ! Par chance, tu es entré ; et tu as brisé ce miroir !

J'aurais bien voulu la croire, mais pouvais-je lui faire confiance ? Elle s'avança encore d'un pas, et je passai une jambe de l'autre côté de la barrière, prêt à sauter.

– Je retourne à Chipenden, dis-je. Je vais chercher M. Gregory. Il saura quoi faire.

– On n'a plus le temps ! Pense au bébé ! Mère Malkin est venue s'en prendre à toi, mais elle est assoiffée de sang. Il lui faut le meilleur, le plus jeune, celui qui lui donnera le plus de forces.

J'avais eu si peur que j'en avais oublié la petite Mary ! Alice avait raison. La sorcière voulait son sang. Quand je reviendrais avec l'Épouvanteur, il serait trop tard.

– Qu'est-ce que je peux faire ? demandai-je. Je n'ai aucune chance contre Mère Malkin.

Alice haussa les épaules.

– Ça te regarde, fit-elle en pinçant les lèvres. Le vieux Gregory ne t'a-t-il rien appris d'utile ? Si tu ne l'as pas noté dans ton cahier, c'est peut-être dans un coin de ta tête ? Tâche de te rappeler !

– Il ne m'a pas beaucoup parlé des sorcières, dis-je, soudain déçu de l'enseignement de mon maître. J'ai surtout travaillé les gobelins, un peu les fantômes et les ombres ; alors que tous mes problèmes sont dus aux sorcières.

Je me défiais encore d'Alice, mais, après ce qu'elle venait de me dire, je ne pouvais plus me rendre à Chipenden. Je ne ramènerais jamais l'Épouvanteur à temps. En m'avertissant du danger qui menaçait le bébé, elle paraissait sincère. Cela dit, si elle était possédée, ou complice de Mère Malkin, elle utilisait là le meilleur argument pour me convaincre de retourner à la ferme, le meilleur argument pour me tenir éloigné de l'Épouvanteur, et me garder à portée de main de la sorcière. À l'heure qu'elle choisirait, je serais sa proie.

En redescendant de la colline avec Alice, je restai à distance. Comme nous entrions dans la cour de la ferme, je la rattrapai et nous longeâmes la grange côte à côte.

Groin-Groin aiguisait ses couteaux. Il leva les yeux et me salua d'un signe de la main. Je le saluai de même. Il examina Alice de la tête aux pieds sans dire un mot. Puis, juste avant que nous pénétrions dans la maison, il lâcha un sifflement moqueur.

Alice fit celle qui n'avait pas entendu. Avant de préparer le petit déjeuner, elle alla décrocher le poulet qui pendait à un crochet près de la porte et qu'elle avait vidé et plumé la veille au soir en prévision du repas de midi. Elle commença à frotter la volaille avec du sel, concentrée sur ses gestes.

En la regardant faire, cela me revint soudain : le sel et le fer ! Le mélange que l'Épouvanteur utilisait pour garder un gobelin au fond d'un puits ! Je n'étais pas sûr qu'on puisse l'utiliser contre une sorcière, mais ça valait la peine d'essayer. Si je jetais cette mixture à la tête d'un possédé, Mère Malkin sortirait peut-être de son corps.

Préférant qu'Alice ne me voie pas puiser dans le pot à sel, j'attendis qu'elle en ait terminé avec ses tâches culinaires et qu'elle ait quitté la cuisine. Puis, avant de m'attaquer aux travaux de la ferme, je fis un détour par l'atelier de papa.

J'eus vite fait de trouver ce que je cherchais. Avisant la collection de limes alignées au-dessus de l'établi, je m'emparai de la plus grosse. J'entamai avec mon outil le rebord d'un vieux seau. Le crissement du métal contre le métal me fit mal aux dents ; par chance, un autre bruit le couvrit presque aussitôt : le cri d'un cochon qu'on égorge, le premier des cinq sacrifiés.

Je savais que Mère Malkin pouvait se trouver n'importe où ; et, si elle n'avait encore possédé personne, elle pouvait choisir sa victime à tout instant. Je devais rester sur mes gardes. Au moins avais-je peut-être un moyen de la combattre.

Jack voulait toujours que j'aille aider Groin-Groin ; j'inventais chaque fois une excuse, prétendant avoir ci ou ça à terminer. Ce jour-là, plus que jamais, pas question de rester coincé avec le charcutier ! Il me fallait avoir un œil sur tout le monde. Je n'étais que de passage à la ferme, j'espérais donc que mon frère n'insisterait pas ; mais ce n'était pas gagné d'avance.

Après le déjeuner, tirant une tête de trois pieds de long, il alla prêter main-forte à Groin-Groin. C'était exactement ce que j'attendais. S'il travaillait devant la grange, je l'observerais de loin. Je m'arrangeai également pour surveiller Alice et Ellie, l'une ou l'autre pouvant être possédée. Certes, si c'était Ellie, je n'aurais guère de chances de sauver le bébé : la petite était la plupart du temps dans les bras de sa mère, ou dormait dans son berceau tout près d'elle.

J'avais du sel et de la limaille de fer ; j'ignorais si la quantité serait suffisante. Le mieux aurait été de disposer d'une chaîne d'argent, même courte. Je me souvenais d'avoir entendu maman, quand j'étais petit, parler à papa d'une chaîne d'argent lui appartenant. Je ne la lui avais jamais vue au cou ; elle se trouvait peut-être dans la chambre, ou dans le cagibi que maman tenait verrouillé.

La chambre de mes parents, elle, n'était pas fermée à clé. Habituellement, pour rien au monde je n'y serais entré sans permission. Là, j'étais en pleine détresse. Je fouillai dans la boîte à bijoux de maman. Elle contenait des broches et des bagues, mais pas de chaîne d'argent. Espérant mettre la main sur la clé du cagibi, je furetai dans toute la pièce, ouvrant chaque tiroir, honteux d'agir ainsi, et le faisant quand même.

Pendant que je fourrageais, j'entendis les grosses bottes de Jack résonner dans l'escalier. Je me figeai, osant à peine respirer. Heureusement, il monta dans sa propre chambre, y resta un moment, puis redescendit. Je terminai mon exploration sans avoir rien trouvé, aussi retournai-je à ma surveillance des uns et des autres.

Toute la journée, l'air avait été immobile. Or, alors que je marchais vers la grange, une brise se leva. Le soleil descendait, dispensant une chaude lumière orangée annonciatrice de beau temps pour le lendemain. Trois cochons fraîchement égorgés étaient suspendus tête en bas à d'énormes crochets, devant la grange.

Le sang du dernier s'écoulait dans un seau. Groin-Groin s'occupait du quatrième, qui lui donnait du fil à retordre. C'était à se demander lequel des deux grognait le plus fort. Jack, la chemise trempée de sang, me jeta un regard noir. Je passai en souriant et en lui adressant un petit geste de la main. Tous deux étaient en plein travail, et ils étaient loin d'avoir terminé. Ils seraient à l'ouvrage bien après le coucher du soleil. Pour le moment, je ne décelais en eux aucun signe de déséquilibre, pas le moindre indice de possession.

Une heure plus tard, il faisait nuit. Jack et Groin-Groin travaillaient toujours à la lumière du feu qui projetait leurs ombres dansantes dans la cour.

L'horreur commença alors que j'allais chercher un sac de pommes de terre dans le cabanon, à l'arrière de la grange.

Un cri s'éleva, un cri de pure terreur, le cri d'une femme face à la pire chose qui puisse lui arriver.

Laissant tomber mon sac, je retournai en courant devant la grange. Là, je stoppai brusquement devant un spectacle incroyable.

Ellie était là, les deux bras levés, hurlant comme une torturée. Jack était étendu à ses pieds, le visage couvert de sang. Je crus d'abord qu'Ellie criait parce que Jack était mort. Puis je compris que c'était à cause de Groin-Groin.

Celui-ci me fit face, comme s'il m'attendait. Il tenait dans la main gauche son couteau favori, dont la longue lame lui servait à égorger les cochons. Je me pétrifiai, horrifié : dans son bras droit replié, le charcutier tenait le bébé.

Les bottes de Groin-Groin étaient rouges de sang, et des gouttes épaisses continuaient de tomber de son tablier. Il approcha le couteau de l'enfant.

– Viens, petit ! me lança-t-il. Allez, viens !

Et il rit.

Sa bouche s'était ouverte, pourtant la voix n'était pas la sienne. C'était celle de Mère Malkin. Ce n'était pas non plus son rire tonitruant, mais le ricanement de la sorcière.

J'avançai lentement vers lui ; un pas, un autre pas. Je voulais venir le plus près possible, je voulais sauver la petite Mary. J'essayai d'aller plus vite, j'en fus incapable. Mes pieds pesaient une tonne, mes jambes refusaient de m'obéir, comme dans ces cauchemars où on n'arrive plus à courir.

Soudain, une sueur glacée me coula dans le dos : je venais de comprendre que je ne marchais pas vers Groin-Groin parce que je l'avais décidé, mais parce que Mère Malkin m'y obligeait. Elle m'attirait vers elle, au rythme qu'elle avait choisi. J'étais condamné à mourir, victime d'un envoûtement.

J'avais ressenti la même chose au bord de la rivière. Par chance, au dernier moment, mon bras et ma main, agissant à mon insu, avaient repoussé Mère Malkin dans l'eau. À présent, mes membres étaient aussi gourds que mon esprit.

J'approchais de Groin-Groin, de son couteau qui m'attendait. Son visage se boursouflait, comme si la sorcière, au-dedans de lui, déformait son front, distendait ses joues et poussait ses yeux hors de leurs orbites. Et ses yeux étaient ceux de Mère Malkin. Leurs prunelles rougeoyaient, projetant sur cette face hideuse une lueur sinistre.

Je fis encore un pas, et sentis mon cœur cogner. Un autre pas, et il palpita de nouveau. J'étais tout près, maintenant. *Poum*, un pas, *poum*, un battement de cœur.

Je n'étais plus qu'à cinq pas du couteau quand j'entendis un bruit de course précipitée, et la voix d'Alice criant mon nom. Du coin de l'œil, je la vis surgir de l'ombre et bondir dans la lumière du feu. Elle fonçait vers Groin-Groin, ses longs cheveux noirs flottant derrière elle. Sans ralentir, elle décocha au charcutier un coup de pied, qui l'atteignit juste au-dessus de son tablier de cuir. La pointe du soulier s'enfonça si profondément dans le gras de son ventre que seul le talon resta visible.

Groin-Groin suffoqua, se plia en deux et lâcha le bébé. Agile comme un jeune chat, Alice se laissa tomber à genoux et rattrapa le nourrisson juste avant qu'il ne touche le sol. Puis elle s'élança vers Ellie.

À l'instant où le bout du soulier pointu avait touché le ventre du charcutier, l'envoûtement avait été brisé. J'étais de nouveau libre, libre de mes mouvements, libre de passer à l'attaque.

Groin-Groin s'était redressé et, s'il avait lâché le bébé, il tenait toujours son couteau. Je le regardai venir vers moi. Il titubait légèrement. Peut-être était-il un *déséquilibré*, peut-être était-ce seulement dû au coup reçu.

Je sentis monter en moi un tourbillon de sentiments : de la peine, à cause de la mort de Jack, de l'effroi, à cause du danger couru par le bébé, de la colère pour ce qu'on avait fait subir à ma famille. Et je sus alors que j'étais né pour devenir épouvanteur, le meilleur que le pays ait connu. Oui, je le serais, et maman serait fière de moi.

Toute peur m'avait quitté, je n'étais plus que feu et glace. La colère qui bouillonnait au fond de moi comme une lave brûlante menaçait d'exploser, tandis que je demeurais impassible, l'esprit clair et froid, le souffle paisible.

J'enfonçai les mains dans mes poches, les refermai sur leur contenu. Puis je lançai à la tête de Groin-Groin une poignée de poudre blanche avec ma main droite, une poignée de poudre noire avec ma main gauche. Elles se mélangèrent, formant un nuage noir et blanc qui se répandit sur son visage et sur ses épaules.

Le sel et le fer, si efficaces contre les gobelins ! Le fer qui absorbe leur force, le sel qui les brûle. Le fer limé sur le rebord d'un vieux seau, le sel pris dans la cuisine de maman... Je n'avais plus qu'à espérer que cela agirait de la même façon contre la sorcière.

Prendre cette poudre dans les yeux devait au moins faire tousser et cracher n'importe qui. L'effet sur Groin-Groin fut foudroyant. Il lâcha son couteau, ses yeux se révulsèrent, et il tomba à genoux. Son front heurta violemment le sol et une moitié de son visage se déforma.

Quelque chose d'épais et de gluant suinta de sa narine gauche. J'observai le phénomène, incapable de bouger. Mère Malkin sortit en se tortillant, sous l'aspect que je lui connaissais, sauf qu'elle était quatre fois plus petite qu'auparavant. Ses épaules m'arrivaient à peine aux genoux, et ses cheveux gris emmêlés retombaient toujours sur son dos bossu comme des rideaux moisis. Elle portait son long manteau qui traînait à terre. Seule sa peau était différente. Elle luisait et semblait se tordre et s'étirer bizarrement. Les yeux rougeoyants, eux, n'avaient pas changé. Ils me lancèrent un regard plein de rage. Puis la sorcière se dirigea vers le côté de la grange en continuant de rétrécir. Ne sachant que faire de plus, je la regardai s'éloigner, trop épuisé pour réagir.

Alice, elle, ne l'entendait pas ainsi. Ayant rendu Mary à sa mère, elle courut vers le feu, en sortit un tison, et s'élança à la poursuite de Mère Malkin.

Je compris son intention : au contact de la branche incandescente, la sorcière prendrait feu. Quelque chose en moi refusait cette solution ; c'était trop horrible. Alors qu'Alice passait près de moi, je l'agrippai donc par la manche, et elle laissa tomber la torche improvisée.

Elle me fit face avec une telle expression de fureur que je m'attendis à goûter à mon tour de la pointe de son soulier. Au lieu de ça, elle emprisonna mes avant-bras entre ses mains, et ses ongles pénétrèrent profondément dans ma chair.

– Endurcis-toi, si tu veux survivre ! me siffla-t-elle au visage. Si tu te contentes de suivre les conseils du vieux Gregory, tu mourras, comme les autres.

Elle me lâcha, et je vis des gouttes de sang perler sur ma peau là où ses ongles s'étaient enfoncés.

– Une sorcière doit être brûlée, reprit-elle d'une voix moins acerbe, si on veut être sûr qu'elle ne reviendra pas. L'enfermer au fond d'une fosse ne suffit pas ; ça ne fait que retarder les choses. Le vieux Gregory le sait, mais il est trop timoré pour avoir recours au feu. Maintenant, c'est trop tard...

Mère Malkin disparaissait dans l'ombre, à l'angle de la grange, rétrécissant à chaque pas, son manteau noir traînant derrière elle.

Je m'aperçus alors que la sorcière avait fait une erreur fatale. Elle avait pris la mauvaise direction et s'apprêtait à traverser la porcherie. Elle était à présent si petite qu'elle pouvait passer sous la planche la plus basse.

Or, les cochons avaient eu une sale journée. Cinq d'entre eux avaient été massacrés, le bruit et l'agitation avaient dû grandement perturber les autres. Ils étaient donc de fort mauvaise humeur, c'était le moins qu'on puisse dire, et ce n'était certainement pas le moment d'entrer dans leur domaine. De gros cochons comme ceux-là sont capables de dévorer n'importe quoi... Bientôt, ce fut au tour de Mère Malkin de hurler. Et elle hurla longtemps.

– C'est aussi efficace que le feu, commenta Alice quand les cris cessèrent enfin.

Elle paraissait soulagée. Je l'étais également. Nous étions heureux, l'un et l'autre, que ce soit fini. Je me contentai de hausser les épaules, trop fatigué pour réfléchir davantage. Mais, lorsque je me tournai vers Ellie, son expression ne me plut pas.

Ellie était aussi terrifiée qu'horrifiée. Elle nous dévisageait comme si elle n'arrivait pas à croire que nous avions fait cela, comme si, pour la première fois, elle découvrait qui j'étais.

Et moi, pour la première fois, je comprenais ce que signifiait d'être l'apprenti de l'Épouvanteur. J'avais vu des gens traverser la rue pour nous éviter. Je les avais vus trembler ou se signer à notre passage, sans ressentir cela comme un outrage personnel. Dans mon esprit, c'était leur réaction face à l'Épouvanteur, elle ne me concernait pas.

Maintenant, je ne pouvais plus l'ignorer, le repousser dans un coin de ma tête. Cela m'arrivait, à moi, dans ma propre maison.

Je me sentis soudain plus seul que jamais.

14
Les conseils de l'Épouvanteur

Heureusement, Jack n'était pas mort. Je n'osai pas poser trop de questions, car tout le monde était encore bouleversé. Je crus comprendre qu'à l'instant où Groin-Groin s'apprêtait à trancher la gorge du cinquième cochon, il était devenu fou furieux. Il s'était jeté sur mon frère, qui s'était assommé en heurtant une pièce de bois dans sa chute. Le sang qui lui couvrait le visage était du sang de cochon.

C'est alors que Groin-Groin s'était précipité dans la maison pour s'emparer du bébé. Il voulait sans doute l'utiliser comme appât pour m'attirer à lui et utiliser son couteau contre moi.

Évidemment, ce récit n'est pas tout à fait exact, car ce n'était pas Groin-Groin qui agissait ainsi. Il était possédé ; Mère Malkin se servait de son corps. Quelques heures plus tard, notre charcutier revint à lui, et il repartit en frictionnant son ventre douloureux. Il ne se souvenait plus de rien, et aucun de nous ne souhaitait l'éclairer sur ce qui s'était passé.

Personne ne dormit beaucoup, cette nuit-là. Après avoir allumé le feu dans la cheminée, Ellie resta dans la cuisine et garda la petite Mary près d'elle ; elle ne voulait plus la quitter des yeux un seul instant. Jack alla se coucher avec un violent mal de tête ; il dut se relever plusieurs fois pour aller vomir dans la cour. Alice était montée dans sa chambre.

Maman revint une heure avant l'aube. Elle semblait contrariée, comme si quelque chose la tourmentait.

Je pris son sac pour le porter dans la maison.

– Tu vas bien, maman ? demandai-je. Tu as l'air fatiguée.

– Ce n'est rien, mon fils. Mais que s'est-il passé, ici ? À ta mine, je devine que vous avez eu des problèmes.

– C'est une longue histoire. Rentrons d'abord !

Quand nous pénétrâmes dans la cuisine, Ellie fut si soulagée qu'elle fondit en larmes. Jack descendit alors, et nous voulûmes tous trois faire à maman le récit des derniers évènements. Jack se mit à vociférer, comme à son habitude. Maman le fit taire aussitôt :

– Baisse la voix, Jack ! C'est encore ma maison, ici, et je ne supporte pas les cris.

Il fut vexé d'être réprimandé ainsi devant Ellie, mais il n'osa protester.

Maman exigea de chacun un compte rendu détaillé, en commençant par Jack. Quand vint mon tour, elle envoya Ellie et Jack au lit, de sorte que nous puissions parler seul à seule. En fait, elle se contenta de m'écouter calmement en me tenant la main.

Enfin, elle monta à la chambre d'Alice et passa un long moment avec elle.

Le soleil venait de se lever quand l'Épouvanteur se présenta. Je m'attendais, je ne sais pourquoi, à sa venue. Il resta devant le portail, et je le rejoignis pour raconter une fois de plus tout ce qui s'était passé. Il m'écouta, appuyé sur son bâton. Quand j'eus fini, il hocha la tête.

– Je pressentais que quelque chose n'allait pas. J'arrive trop tard, mais tu as bien agi, petit. Tu as fait preuve d'initiative, et tu as su te souvenir de mes enseignements. Lorsque rien d'autre ne marche, tu peux toujours compter sur le sel et le fer.

– Aurais-je dû laisser Alice brûler Mère Malkin ? demandai-je.

Il soupira et se gratta la barbe :

– Je te l'ai dit, c'est un acte cruel de brûler une sorcière. Personnellement, je n'utilise jamais ce moyen.

– Je suppose que j'aurai de nouveau à affronter Mère Malkin un jour ou l'autre ?

Mon maître sourit :

– Non, petit ! Tu peux être tranquille, elle ne reviendra pas dans ce monde. Pas après avoir connu pareille fin ! Rappelle-toi ce que je t'ai appris : on peut se débarrasser d'une sorcière en mangeant son cœur tout cru. Tes cochons s'en sont chargés.

– Ils n'ont pas seulement mangé son cœur, ils l'ont dévorée tout entière ! Alors, c'est sûr ? Je n'ai plus rien à craindre d'elle ?

– Non, tu n'as plus rien à craindre de Mère Malkin. D'autres dangers se préparent, aussi sérieux. Mais, pour l'instant, tu es en sûreté.

Il me sembla qu'on ôtait de mes épaules un pesant fardeau. J'avais vécu un cauchemar, et, cette menace écartée, le monde m'apparaissait plus éclatant, l'avenir plus radieux.

– Enfin, tu es en sûreté tant que tu ne commets pas une autre grosse erreur ! reprit l'Épouvanteur. Et ne prétends pas que ça ne t'arrivera plus ! Celui qui n'en fait pas est celui qui ne fait rien. Pas d'apprentissage sans risque d'erreur ! Bien, quelle tâche nous attend, maintenant ?

Il regarda au loin, plissant les yeux dans la lumière du soleil levant.

– De quoi parlez-vous ? demandai-je, surpris.

– Je parle de la fille. Je crains qu'elle soit bonne pour le puits. Je ne vois pas d'autre moyen.

– Elle a sauvé le bébé ! protestai-je. Et elle m'a sauvé la vie !

– Elle s'est servie du miroir, petit ! C'est mauvais signe. Lizzie lui a appris beaucoup de choses, beaucoup trop. Et Alice a prouvé qu'elle savait en user. Que tentera-t-elle la prochaine fois ?

– C'était dans une bonne intention ! Elle voulait savoir où était Mère Malkin.

– Peut-être, mais elle en sait trop, et elle est intelligente. Ce n'est encore qu'une jeune fille. Un jour, elle sera une femme, et rien n'est plus dangereux qu'une femme intelligente.

– Maman est intelligente, répliquai-je, froissé. Et elle est bonne. Elle agit toujours pour le mieux. Elle utilise ses dons pour aider les gens. Une année, alors que j'étais encore tout gamin, les ombres de la colline du Pendu m'effrayaient tant que je ne pouvais plus dormir. Maman s'est rendue là-bas après la tombée du jour, et elle les a fait taire. Elles sont restées silencieuses pendant des mois.

Lors de notre première matinée passée ensemble, il avait prétendu qu'on ne pouvait rien contre les ombres. Je n'avais pas osé le contredire, bien que maman m'eût prouvé que c'était faux. Là, ça m'avait échappé, et j'aurais peut-être été plus avisé de me taire.

L'Épouvanteur ne fit aucun commentaire. Il fixait la maison.

Je suggérai :

– Demandez à maman ce qu'elle pense d'Alice. Elle semble avoir une bonne opinion d'elle.

– C'est mon intention, en effet. Il est temps que nous ayons une petite conversation. Attends-moi ici !

Je le regardai traverser la cour. Avant qu'il ait atteint la maison, la porte s'ouvrit et maman sortit pour l'accueillir.

Leur entretien dura presque une demi-heure, et je ne pus savoir s'ils avaient évoqué le problème des ombres. Lorsque l'Épouvanteur réapparut enfin sous le grand soleil, maman resta sur le seuil. Mon maître eut alors un geste inhabituel. Du moins, je ne l'avais jamais vu le faire. Je crus d'abord qu'il saluait simplement maman de la tête ; or c'était plus que ça. Il y avait ajouté un mouvement des épaules, léger mais très net. Pas de doute, l'Épouvanteur s'était incliné devant elle !

Il vint vers moi, traversant la cour dans l'autre sens et souriant à lui-même.

– Je retourne à Chipenden, à présent. Toi, ta mère souhaite te garder cette nuit. De toute façon, soit tu ramènes la fille à Chipenden, et on l'enferme dans un puits, soit tu la conduis chez sa tante, à Staumin. À toi de choisir ! Suis ton instinct et agis pour le mieux !

Il s'en alla, me laissant avec des questions plein la tête. Mon choix était déjà fait, mais comment savoir si c'était le bon ?

Je profitai donc encore une fois d'un bon repas préparé par maman.

Entre-temps, papa était rentré. Bien que maman se soit montrée heureuse de le revoir, une atmosphère inhabituelle planait au-dessus de la tablée, tel un nuage invisible. Ce ne fut pas un souper très joyeux, personne n'ayant grand-chose à dire.

Cependant, maman nous avait préparé un de ses délicieux ragoûts, et l'absence de conversation ne me dérangea guère, tant j'étais occupé à me remplir l'estomac et à me resservir avant que Jack n'eût nettoyé le plat.

Si mon frère avait retrouvé son appétit, il était quelque peu traumatisé, comme nous tous. Il s'était cogné violemment, la bosse sur son crâne en témoignait. Quant à Alice, je ne lui avais pas rapporté les paroles de l'Épouvanteur. Bien qu'elle ne dise pas un mot, je devinais qu'elle savait tout. La plus éteinte était Ellie. Malgré sa joie d'avoir retrouvé son bébé, elle avait été gravement choquée ; il lui faudrait du temps pour se remettre.

Bientôt, tout le monde monta se coucher, et maman me demanda de rester. Je m'assis près du feu, comme je l'avais fait la veille de mon départ en apprentissage. À l'expression de son visage, je compris que notre conversation aurait un ton différent. Elle s'était montrée, ce soir-là, aussi ferme que confiante, persuadée que les choses iraient pour le mieux. À présent, elle paraissait triste et indécise.

– Depuis près de vingt-cinq ans que j'aide les bébés de ce Comté à venir au monde, dit-elle en s'installant dans le rocking-chair, j'en ai perdu fort peu. Certes, c'est très triste pour le père et la mère, mais ce sont des choses qui arrivent. Cela arrive aussi aux bêtes qui mettent bas, tu l'as constaté toi-même, Tom.

Je hochai la tête. Chaque année, nous nous attendions à avoir quelques agneaux mort-nés.

– Cette fois, poursuivit maman, ce fut pire. Cette fois, la mère et l'enfant sont morts. Cela ne s'était jamais produit. Je connais les herbes et je sais les mélanger. Je sais enrayer une hémorragie. Cette femme était jeune et vigoureuse. Elle n'aurait pas dû mourir, et je n'ai pas pu la sauver. J'ai fait tout ce qui était en mon pouvoir, et je n'ai pas pu la sauver. J'en suis navrée, blessée au cœur.

Maman serra les poings contre sa poitrine en émettant une sorte de sanglot. Je crus qu'elle allait se mettre à pleurer ; ce fut un instant affreux.

– Maman, dis-je, des brebis meurent, et parfois même des vaches, lorsqu'elles mettent bas. Pourquoi pas une femme ? C'est un miracle que cela ne te soit encore jamais arrivé !

J'eus beaucoup de mal à la consoler. Elle était profondément affectée par ce malheur, et ne voyait plus que le côté obscur des choses.

– Nous entrons dans une époque bien sombre, mon fils, me dit-elle. Cela survient plus tôt que je le pensais. J'espérais que tu aurais le temps de devenir un homme, avec des années d'expérience derrière toi. Tu vas donc devoir écouter attentivement les enseignements de ton maître. Le plus petit détail peut avoir son importance. Il te faudra être prêt aussi vite que possible. Surtout, travaille bien ton latin !

Elle tendit la main.

– Montre-moi ce livre !

Elle le feuilleta, s'arrêtant fréquemment pour lire quelques lignes.

– Cela t'a-t-il aidé ?

– Pas beaucoup.

– C'est ton maître qui l'a écrit. Te l'a-t-il dit ?

Je secouai la tête.

– Alice prétend qu'il a été écrit par un prêtre.

Maman sourit.

– L'Épouvanteur a été prêtre, autrefois. Il te le dira certainement un jour, mais ne pose pas de questions. Laisse-le décider du moment.

– Est-ce de cela que vous avez parlé ?

– De ça, et de bien d'autres choses, principalement d'Alice. Il voulait savoir ce que j'envisageais pour elle. Je lui ai répondu que c'était à toi de trancher. As-tu déjà pris ta décision ?

Je haussai les épaules.

– Je ne suis pas sûr de moi, mais M. Gregory me conseille de faire confiance à mon instinct.

– C'est un bon conseil, mon fils.

– Mais toi, maman, qu'en penses-tu ? Que penses-tu d'Alice ? Est-elle sorcière ? Dis-moi au moins ça !

– Non, répondit-elle lentement, pesant chaque mot. Elle n'est pas sorcière, mais elle le deviendra un jour. Elle est née avec un cœur de sorcière, et elle n'a guère le choix, elle suivra cette voie.

– Dans ce cas, on devrait la fourrer au fond d'un trou à Chipenden, murmurai-je tristement.

– Rappelle-toi ce que ton maître t'a enseigné, reprit maman avec fermeté. Il existe plusieurs sortes de sorcières.

– Il y a les *bénévolentes* ! m'écriai-je. Tu penses qu'Alice deviendra une bonne sorcière, de celles qui viennent en aide aux gens ?

– Peut-être. Et peut-être pas. Veux-tu savoir le fond de ma pensée ? Je te préviens, ma réponse risque de te déplaire !

– Je le veux.

– Alice peut devenir ni bonne ni mauvaise, rester quelque chose entre les deux. Cela rendrait sa compagnie fort dangereuse. Elle pourrait t'empoisonner l'existence, être pour toi une plaie, un fardeau. À moins qu'elle ne se révèle, au contraire, la meilleure et la plus solide des amies. Cependant, malgré tous mes efforts, je n'arrive pas à prévoir comment elle tournera.

– Comment pourrais-tu le prévoir, maman ? M. Gregory ne croit pas aux prophéties. Il dit que l'avenir n'est pas fixé.

Maman posa une main sur mon épaule et la pressa doucement dans un geste rassurant.

– L'avenir reste toujours ouvert, dit-elle. Sache que l'une des plus importantes décisions que tu auras à prendre concernera Alice. Va te coucher, maintenant ! Offre-toi une bonne nuit de sommeil, si tu peux ! Tu repenseras à tout ça demain, à la lumière du jour.

Je n'interrogeai pas maman sur la façon dont elle avait réduit au silence les ombres de la colline du Pendu. Mon instinct me soufflait qu'elle ne souhaitait pas en parler. Il y a des questions qu'on ne pose pas. Les réponses viennent d'elles-mêmes, au moment propice.

Nous partîmes peu après l'aube, et mon moral était au plus bas. Ellie nous accompagna jusqu'au portail. Je m'arrêtai là et fis signe à Alice de continuer. Elle s'éloigna vers la colline d'un pas dansant, sans un regard en arrière.

– Il faut que je te parle de quelque chose, Tom, bien que cela me navre, me dit Ellie.

Je compris, au son de sa voix, que le sujet était grave. Je hochai la tête, mal à l'aise, tâchant de ne pas détourner les yeux. Les siens s'étaient emplis de larmes, et j'en fus troublé.

– Tu seras toujours le bienvenu ici, Tom, fit-elle en chassant de la main les mèches qui lui tombaient sur le front. Rien n'a changé.

Elle s'efforça de sourire avant de poursuivre :

– Mais nous devons penser à notre enfant. Aussi, tu ne devras jamais rester chez nous après la tombée de la nuit, car tu pourrais attirer on ne sait quoi. C'est ce qui a tant contrarié Jack, ces derniers temps. Je suis désolée d'avoir à te le dire, le métier que tu fais ne lui plaît pas du tout. Ça le terrifie, tout simplement. Et il a peur pour notre petite Mary. Nous avons peur, Tom, tu comprends ? Nous craignons que tu n'amènes avec toi des êtres malfaisants, et nous ne voulons en aucun cas mettre notre famille en danger. Viens nous rendre visite dans la journée, Tom, tant que le soleil brille et que les oiseaux chantent.

Ellie m'étreignit, ce qui me rendit encore plus malheureux. Je savais que quelque chose s'était dressé entre nous, et que rien ne serait jamais plus comme avant. J'avais la gorge si serrée que je fus incapable de parler.

Je regardai Ellie retourner vers la maison en réfléchissant de nouveau à la décision que j'avais à prendre.

Que devais-je faire d'Alice ?

Je m'étais réveillé avec la certitude que mon devoir consistait à la ramener à Chipenden. Cela m'apparaissait comme le seul choix raisonnable, la seule option juste et sûre. Lorsque j'avais accepté d'apporter les gâteaux à Mère Malkin, je m'étais laissé entraîner par mon bon cœur. Et voilà où ça m'avait conduit ! Mieux valait donc prendre dès à présent les mesures qui s'imposaient ; après, il serait trop tard. Comme disait mon maître, il fallait penser aux innocents auxquels elle pourrait nuire plus tard.

La première journée de notre voyage, nous n'échangeâmes pas trois mots. Je lui fis seulement savoir que je la ramenais à Chipenden, auprès de l'Épouvanteur. Si Alice se douta du sort qui l'attendait, elle n'émit aucune protestation. Le deuxième jour, alors que nous approchions du village et que nous commencions à gravir la pente des premières collines, à une mille à peine de la maison de l'Épouvanteur, je décidai de confier à Alice ce que j'avais gardé scellé au fond de moi depuis le moment où j'avais compris de quels ingrédients les gâteaux étaient faits.

Nous nous assîmes sur un talus herbeux, au bord de la route. Le soleil se couchait et la lumière baissait peu à peu. Je demandai :

– Alice, t'arrive-t-il de mentir ?

– Tout le monde ment une fois ou l'autre. Ne jamais mentir, ce n'est pas humain. Mais, la plupart du temps, je dis la vérité.

– Et la nuit où j'étais au fond de la fosse, quand je t'ai interrogée sur les gâteaux ? Tu as affirmé qu'il n'y avait pas eu d'autre enfant dans la maison de Lizzie. Était-ce vrai ?

– Je n'en avais pas vu.

– Tu es sûre ? Le premier enfant disparu n'était qu'un bébé. Il ne se serait pas déplacé seul.

Elle hocha la tête, puis fixa l'herbe devant elle.

– Il a pu être emporté par un loup, repris-je. C'est ce que pensaient les garçons du village.

– C'est possible, approuva Alice. Lizzie disait avoir vu des loups rôder dans les parages.

– Alors, les gâteaux ? Qu'y avait-il dedans, Alice ?

– Du rognon de porc et de la mie de pain.

– Et le sang ? Celui d'un animal n'aurait pas suffi à donner à Mère Malkin la force de tordre les barres de fer qui fermaient le puits. D'où venait ce sang, Alice ? De quel sang étaient faits les gâteaux ?

Alice se mit à pleurer. J'attendis patiemment qu'elle se calme avant d'insister :

– Alors ? D'où venait ce sang ?

– Lizzie disait que j'étais encore une enfant. Elle a utilisé mon sang bien des fois. Alors, une de plus ou de moins... Cela ne fait pas très mal, quand on a l'habitude. Comment aurais-je pu résister à Lizzie, de toute façon ?

Elle releva sa manche et tendit son bras. Il faisait assez clair pour que je voie les cicatrices. Certaines étaient anciennes, d'autres plus récentes. La plus fraîche suintait encore.

– J'en ai d'autres, beaucoup d'autres, murmura Alice. Je ne peux pas te les montrer toutes.

Je restai muet, ne sachant plus quoi dire. Mais ma décision était prise. Quelques instants plus tard, nous marchions dans le noir, tournant le dos à Chipenden.

J'étais résolu à conduire Alice directement à Staumin, où vivait sa tante. Je ne pouvais supporter l'idée qu'elle finisse ses jours au fond d'un puits dans le jardin de l'Épouvanteur. C'était trop affreux.

Je me souvenais d'un autre puits ; je me souvenais comment Alice m'avait sorti de la fosse creusée par Tusk juste avant que Lizzie l'Osseuse vienne s'emparer de ma carcasse. Et, surtout, Alice venait de prononcer les mots qui m'avaient fait changer d'avis. Elle avait été l'un de ces enfants innocents. Elle était une victime, elle aussi.

Nous fîmes bon voyage, et j'étais heureux de marcher en sa compagnie. Nous eûmes pour la première fois de vraies conversations. Elle m'enseigna quantité de choses. Elle savait bien mieux que moi les noms des étoiles, et capturait les lapins avec beaucoup d'adresse. Elle m'apprit à reconnaître la belladone et la mandragore, dont l'Épouvanteur ne m'avait jamais parlé. Je ne gobais pas tout ce qu'elle disait, mais je notais quand même, car elle avait été instruite par Lizzie l'Osseuse, et j'estimais important de connaître les croyances d'une sorcière. Alice distinguait au premier coup d'œil les champignons comestibles des vénéneux, ceux dont une seule bouchée peut vous paralyser le cœur ou vous rendre fou. Dans la rubrique « botanique » de mon cahier, j'ajoutai trois pages d'informations fort intéressantes.

Une nuit, alors que nous n'étions plus qu'à une journée de marche de Staumin, nous fîmes halte dans une clairière. Nous cuisîmes deux lapins dans les braises de sorte que leur chair fonde dans la bouche. Après le repas, Alice fit un geste très étrange. S'étant assise face à moi, elle me prit la main. Nous restâmes ainsi un long moment. Elle fixait les tisons ; moi, je regardais les étoiles. Je ne voulais pas briser la magie de cet instant, mais j'étais troublé. Ma main gauche tenait sa main gauche, et je me sentais coupable. Il me semblait être complice de forces obscures, et je savais que l'Épouvanteur n'aurait pas aimé cela.

Je ne pouvais me dissimuler la vérité : Alice serait sorcière, un jour. C'est alors que je compris combien maman avait raison. Ça n'avait rien à voir avec une quelconque prophétie. On le lisait dans les yeux d'Alice. Elle serait toujours entre les deux, ni tout à fait bonne, ni tout à fait mauvaise. Cependant, n'était-ce pas le cas pour chacun d'entre nous ?

Je lui laissai donc ma main, heureux de ce contact, bien réconfortant après tout ce que j'avais vécu, et en même temps empêtré de culpabilité.

Ce fut Alice qui retira sa main la première. Puis elle la passa sur mon bras, là où ses ongles m'avaient blessé, la nuit où j'avais détruit Mère Malkin. On voyait les petites cicatrices luire à la lueur des braises.

– Je t'ai imposé ma marque, dit-elle en souriant. Elle ne s'effacera jamais.

Je songeai que c'était une étrange parole, et je n'étais pas sûr de la comprendre. À la ferme, nous marquions notre bétail pour montrer qu'il nous appartenait et pour que les bêtes ne se mélangent pas avec celles des voisins. Comment pouvais-je appartenir à Alice ?

Le lendemain, nous traversâmes une vaste lande marécageuse, couverte de mousse. Nous finîmes par trouver la direction de Staumin.

Je ne vis pas la tante, car elle refusa de sortir pour me parler. Mais elle accepta de prendre Alice sous son toit, et je n'eus pas à insister.

Il y avait près de là une large rivière. Avant que je reprenne la route de Chipenden, nous longeâmes l'une de ses rives jusqu'à la mer. Je fus un peu déçu. La journée était grise et venteuse, l'eau reflétait la couleur du ciel et les vagues battaient la côte avec violence.

– Tu seras bien, ici, déclarai-je, d'un ton aussi enjoué que possible. Ça doit être beau, au soleil.

– Je m'en arrangerai, dit Alice. Ça ne pourra pas être pire qu'à Pendle.

Je me sentis soudain plein de compassion pour elle. Moi, si je souffrais parfois de la solitude, j'avais au moins mon maître avec qui parler. Alice ne connaissait même pas sa tante, et cette mer sauvage me paraissait lugubre.

– Écoute, Alice, déclarai-je. Je suppose que nous ne nous reverrons pas, mais, si tu as besoin d'aide, fais-le-moi savoir.

Sans doute ai-je dit cela parce qu'elle était presque une amie, la seule que j'aie jamais eue. Et ce n'était pas une promesse aussi folle que la première. Cette fois, je ne m'engageais à rien de précis. Si elle me demandait quoi que ce soit un jour, j'en parlerais d'abord à l'Épouvanteur.

À ma grande surprise, Alice sourit, une curieuse étincelle dans le regard. Cela me rappela ce que disait papa, que les femmes savaient des choses que les hommes ignoraient, et qu'à de tels moments il ne fallait pas leur demander à quoi elles pensaient.

– Oh, nous nous reverrons ! murmura Alice. Je n'en doute pas.

– Je dois y aller, maintenant, dis-je en me détournant pour partir.

– Tu me manqueras, Tom. Ce ne sera pas pareil, sans toi.

– Tu me manqueras aussi, Alice, lui assurai-je en souriant.

Je crus avoir prononcé ces mots par simple politesse. À peine avais-je marché dix minutes que je compris mon erreur : chacun d'eux était vrai, et je me sentais déjà bien seul.

Épilogue

J'ai écrit ce récit de mémoire, en me servant également de mon cahier et de mon journal. Je suis de retour à Chipenden, désormais, et l'Épouvanteur est content de moi. Il trouve que je fais de gros progrès.

Lizzie l'Osseuse marine au fond du puits où mon maître avait gardé Mère Malkin. Les barres de fer ont été renforcées, et elle n'obtiendra jamais de moi le moindre gâteau de minuit. Quant à Tusk, il est enterré dans la fosse qu'il avait creusée pour moi.

Le pauvre Billy Bradley a retrouvé sa tombe, à l'extérieur du cimetière de Layton, et il a récupéré ses pouces. Ce ne fut pas facile de tout mener à bien, mais c'est notre travail. « Il faut s'y faire », dirait papa.

Je voudrais préciser un dernier point.

L'Épouvanteur est d'accord avec maman : les hivers deviennent plus longs, et l'obscurité gagne du terrain. Il pense que notre travail va devenir de plus en plus difficile.

Je garde donc cela à l'esprit, et je continue d'étudier. Comme maman me l'a dit une fois, on ne sait jamais de quoi on est capable tant qu'on n'a pas essayé. Alors, je vais essayer. Je vais essayer de mon mieux, pour qu'elle soit fière de moi.

Je ne suis encore qu'un apprenti, mais un jour je serai l'Épouvanteur.

Thomas J. Ward

Ouvrage publié originellement par The Bodley Head,
un département de Random House Children's Books
sous le titre *The Spook's Curse*

18, rue Barbès, 92128 Montrouge Cedex
Treizième édition

Loi n° 49-956 du 16 juillet 1949 sur les publications destinées à la jeunesse

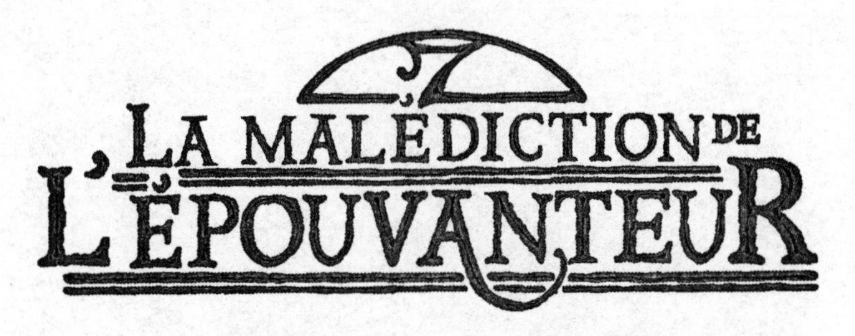

Traduit de l'anglais (Grande-Bretagne)
par Marie-Hélène Delval

JOSEPH
DELANEY

bayard jeunesse

1
L'Éventreur de Horshaw

Lorsque les cris s'élevèrent, je me détournai et pressai les mains contre mes oreilles à m'en briser les tempes. Dans l'immédiat, il n'y avait rien que je puisse faire. Mais cet appel au secours d'un homme torturé retentit longtemps, avant de s'éteindre, au loin.

Je restai donc dans l'obscurité de la grange, parcouru de frissons, à écouter la pluie tambouriner sur le toit en m'efforçant de reprendre courage. C'était une sale nuit, et le pire restait à venir.

Dix minutes plus tard, le terrassier et son aide se présentèrent, et je me précipitai à la porte pour les accueillir. Je leur arrivais à peine à l'épaule tant ils étaient grands.

– Eh bien, mon gars ! Où est M. Gregory ? demanda le patron, une note d'impatience dans la voix.

Il leva sa lanterne et promena autour de lui un regard inquisiteur. Ni lui ni son compagnon ne paraissaient du genre à s'en laisser conter.

– Il est bien malade, dis-je, tâchant de dominer la nervosité qui me faisait chevroter. Une mauvaise fièvre le cloue au lit depuis une semaine ; il m'a envoyé à sa place. Je suis Tom Ward, son apprenti.

L'homme me jaugea d'un regard, levant si haut les sourcils qu'ils disparurent sous la visière de sa casquette dégoulinante.

– Eh bien, monsieur Ward, reprit-il, non sans un brin de sarcasme, nous attendons vos instructions !

Je tirai de ma poche le plan dessiné par le maçon. Le terrassier s'en empara, déposa sa lanterne sur le sol de terre battue, puis, après avoir jeté un coup d'œil à son aide, hocha la tête d'un air entendu et s'agenouilla pour étudier le papier à la lumière. Le maçon y avait inscrit les dimensions de la fosse à creuser, ainsi que les mesures de la dalle de pierre qu'il faudrait mettre en place.

Au bout d'un moment, le terrassier hocha de nouveau la tête et se remit debout. Un pli soucieux lui barrait le front.

– La fosse devrait avoir neuf pieds de profondeur. Ce plan en indique seulement six.

Il connaissait son travail. Lorsqu'il s'agit d'un gobelin ordinaire, six pieds suffisent ; mais, pour un éventreur, l'espèce la plus dangereuse, la norme est de neuf pieds. Malheureusement, le temps manquait pour creuser aussi profond.

– Ça ira, dis-je. Mais tout doit être prêt au matin, sinon il sera trop tard, le prêtre sera mort.

Jusqu'alors, j'avais eu devant moi deux costauds chaussés de grosses bottes et emplis d'assurance. Ils semblaient soudain nerveux.

Je leur avais envoyé un billet leur expliquant la situation et leur donnant rendez-vous à la grange. Je l'avais signé du nom de l'Épouvanteur, pour être sûr qu'ils se déplaceraient.

– Tu sais t'y prendre, petit ? demanda le patron. Tu as déjà fait ce genre de boulot ?

Je le fixai dans les yeux en m'efforçant de ne pas ciller.

– Ma foi, j'ai embauché les deux meilleurs terrassiers du Comté, c'est un bon début.

J'avais prononcé les mots qu'il fallait. Il eut un large sourire.

– Quand la pierre arrive-t-elle ?

– Avant l'aube. Le maçon l'apportera lui-même.

Le terrassier acquiesça d'un signe de tête.

– Alors, on vous suit, monsieur Ward. Montreznous où il faut creuser !

Cette fois, nulle raillerie dans sa voix ; le ton était purement pratique. Il avait hâte de se mettre au travail et d'en avoir fini. C'était ce qu'on voulait tous les trois, et on n'avait pas beaucoup de temps. Je tirai donc mon capuchon sur ma tête et, le bâton de l'Épouvanteur dans la main gauche, les entraînai sous le crachin glacial.

Une charrette à deux roues, qui les attendait dehors, contenait leur matériel recouvert d'une bâche imperméable. Le cheval patientait entre les brancards, ses flancs fumant sous la pluie.

Nous coupâmes par le champ boueux, puis longeâmes la haie d'épineux jusqu'à l'endroit où elle s'éclaircissait, sous un très vieux chêne, à la lisière du cimetière. La fosse ne devait être ni trop loin, ni trop près d'une terre bénie. Les premières tombes n'étaient qu'à vingt pas.

– Voilà le meilleur emplacement, dis-je en désignant le pied de l'arbre.

Attentivement surveillé par l'Épouvanteur, je m'étais exercé à creuser des quantités de fosses. En cas d'urgence, j'aurais pu faire le travail moi-même ; mais ces hommes étaient des spécialistes, ils seraient plus efficaces que moi.

Pendant qu'ils retournaient chercher leurs outils, je me frayai un passage à travers la haie et louvoyai entre les tombes jusqu'à la vieille église. Elle était en fort mauvais état : des tuiles manquaient sur le toit, et les murs n'avaient pas vu un pinceau depuis des années.

Je poussai une petite porte donnant sur le bas-côté. Elle s'ouvrit avec un grincement de protestation.

Le vieux prêtre était étendu sur le dos, devant l'autel. Une femme le veillait en pleurant, agenouillée près de sa tête. L'église était inondée de lumière. La femme avait dû dévaliser la réserve de cierges de la sacristie et en avait allumé au moins une centaine, qu'elle avait fixés sur les bancs, le sol, le rebord des fenêtres, et surtout sur l'autel.

Comme je refermai la porte, un courant d'air fit vaciller les flammes. La femme se redressa, tournant vers moi un visage ravagé de larmes, et sa voix résonna sous les voûtes, pleine d'angoisse :

– Il est en train de mourir. Pourquoi as-tu été si long à venir ?

Il m'avait fallu deux jours pour arriver là, Horshaw étant à plus de dix lieues de Chipenden. Et je n'avais pu me mettre en route sitôt le message reçu : mon maître, trop malade pour quitter le lit, s'était d'abord opposé à mon départ.

D'ordinaire, l'Épouvanteur n'envoyait jamais ses apprentis travailler seuls tant qu'ils n'avaient pas suivi au moins une année de formation. Je venais d'avoir treize ans et n'étais en apprentissage que depuis six mois. Cette affaire difficile avait de quoi effrayer, car on y affronterait ce que nous appelions « l'obscur ». J'avais appris à me mesurer aux sorcières, spectres et autres créatures de la nuit. Mais étais-je prêt à *ça* ?

Il s'agissait d'entraver un gobelin, chose assez simple lorsqu'on s'y prend correctement. J'avais vu à deux reprises l'Épouvanteur à l'œuvre. Chaque fois, il avait embauché des gens de métier pour l'aider, et tout s'était passé en douceur. Ici, la situation était quelque peu différente. Il y avait des complications.

Ce prêtre, figurez-vous, était le père Gregory, le propre frère de l'Épouvanteur. Je ne l'avais aperçu qu'à une seule occasion, lors de notre bref séjour à Horshaw, au printemps précédent. Il avait dessiné de la main un grand signe de croix en nous voyant, le visage déformé par un rictus de colère. Mon maître l'avait à peine regardé, car ils n'éprouvaient plus d'affection l'un pour l'autre et ne s'étaient pas adressé la parole depuis quarante ans. Mais la famille reste la famille... C'est pourquoi, en définitive, il m'avait envoyé à Horshaw.

« Les prêtres ! avait-il craché avec rage. Pourquoi se mêlent-ils toujours de ce qui ne les concerne pas ? S'attaquer à un gobelin ! Qu'est-ce qu'il s'imaginait ? Qu'il me laisse donc faire mon travail ! »

Une fois calmé, il m'avait longuement donné ses instructions, sans omettre le moindre détail, puis m'avait fourni les adresses du maçon et du terrassier que je devrais embaucher. Il m'avait aussi indiqué un médecin, insistant sur le fait que lui seul serait compétent. C'était une difficulté de plus, car ce docteur habitait assez loin. Je lui avais envoyé un mot. Il me restait à espérer qu'il avait pu partir aussitôt.

Je regardai la femme qui épongeait le front du prêtre avec un linge, repoussant ses cheveux blancs, gras et ternes. Les yeux du vieil homme roulaient furieusement dans ses orbites. Il ignorait qu'elle avait envoyé chercher l'Épouvanteur. S'il l'avait su, il s'y serait opposé ; aussi était-ce une bonne chose qu'il n'ait pas encore remarqué ma présence.

Les cierges faisaient danser des étincelles de lumière dans les yeux de cette femme en larmes. Il s'agissait de sa gouvernante, elle n'était même pas de la famille, et je me souviens d'avoir pensé qu'il était sûrement très bon avec elle pour qu'elle se montre si bouleversée.

– Le docteur va arriver, lui dis-je. Il lui administrera une potion pour calmer la douleur.

– Il a souffert toute sa vie, me répondit-elle. Et je ne fais qu'ajouter à sa peine. Par ma faute, il a une peur terrible de la mort. Il est dans le péché, il sait ce qui l'attend.

Quelles que soient les fautes qu'il avait commises, le vieux prêtre ne méritait pas une telle épreuve.

Personne ne la mériterait. C'était certainement un homme courageux. Courageux ou stupide. Quand le gobelin s'était manifesté, il avait tenté de le combattre avec ses armes de prêtre : sonneries de cloches, saintes lectures et cierges. Ce n'est pas ainsi que l'on vient à bout de l'obscur ! Un gobelin ordinaire se serait contenté, dans la plupart des cas, d'ignorer le bonhomme et ses exorcismes. Il aurait peut-être fini par s'en aller, et, comme bien souvent, on aurait attribué cette réussite au prêtre.

Mais celui-là appartenait à l'espèce la plus redoutable, celle des « éventreurs de troupeaux », ainsi appelés parce qu'ils se nourrissent de sang frais. Or, avec ses conjurations, le prêtre avait attiré sur lui l'attention de la créature, et il serait bien chanceux s'il s'en sortait vivant. Quant à l'éventreur, il était au faîte de sa puissance et avait pris goût à la chair humaine.

Le dallage se fissura soudain, de l'autel jusqu'à l'homme étendu, s'ouvrant sur la largeur d'une main. Du fond du trou, le gobelin attrapa le pied du vieux prêtre et tira sa jambe dans le sol jusqu'au genou. À présent, tapi dans les ténèbres souterraines, il lui suçait le sang, aspirant lentement ses forces vitales, telle une énorme sangsue, gardant sa victime en vie le plus longtemps possible pour prolonger son propre plaisir.

Quoi que j'entreprenne, l'existence du père Gregory ne tiendrait qu'à un fil. Mais il me fallait à tout prix entraver le gobelin. Maintenant qu'il avait bu du sang humain, celui du bétail ne le satisferait plus.

« Sauve mon frère si tu peux, m'avait dit l'Épouvanteur, alors que je m'apprêtais à partir. Assure-toi cependant avant tout que tu es venu à bout de la créature. C'est ton premier devoir. »

Je commençai mes préparatifs.

Je retournai à la grange avec le terrassier, laissant son aide creuser la fosse. L'homme savait ce qu'il avait à faire : puisant dans une citerne, il remplit d'eau, à mi-hauteur, un grand seau qu'il avait apporté, un récipient solide en bois, cerclé de métal. C'était l'un des avantages de travailler avec des gens d'expérience : ils fournissaient le matériel lourd.

Il alla ensuite prendre un gros sac dans sa charrette et versa dans l'eau son contenu, une poudre brune, par petites quantités, sans cesser de touiller avec un bâton.

Peu à peu, la mixture s'épaissit, devenant de plus en plus difficile à remuer, et puant pis qu'une charogne, ce qui n'était guère surprenant, vu que la poudre était essentiellement composée d'ossements broyés. On obtiendrait ainsi une colle très puissante. Mon maître fabriquait toujours la sienne, et il m'avait enseigné le procédé. Mais il y avait urgence, et le terrassier, même s'il suait et soufflait, avait les muscles qu'il fallait pour ce travail. Je n'avais même pas eu besoin de le lui demander.

Lorsque le mélange fut lisse, j'y ajoutai ma provision de limaille de fer et de sel, répartissant soigneusement les ingrédients. Le fer est redoutable pour les gobelins, parce qu'il leur ôte leurs forces ; quant au sel, il les brûle. Une fois dans sa fosse, le gobelin n'en sort plus, car les parois, ainsi que la face interne de la dalle qui la ferme, sont engluées de colle. La créature est obligée de se ratatiner dans le peu d'espace qui lui reste. Le problème, bien sûr, est d'obliger le gobelin à entrer dans la fosse... Cela, je m'en inquiéterais le moment venu.

Finalement, le terrassier et moi fûmes satisfaits de notre ouvrage. La colle était prête.

En attendant que la fosse soit terminée, je guettai l'arrivée du médecin devant l'église, au bout de la rue pavée et tortueuse venant du centre de Horshaw.

Il avait cessé de pleuvoir ; l'air semblait immobile. Nous étions à la fin de septembre, et le temps n'allait pas en s'améliorant. Bientôt, les orages remplaceraient la pluie ; les roulements assourdis du tonnerre avaient le don de me rendre nerveux.

Au bout de vingt minutes, j'entendis au loin un claquement de sabots. Galopant comme s'il avait tous les chiens de l'enfer à ses trousses, le docteur surgit au tournant de la route, son manteau voltigeant derrière lui.

J'avais à la main le bâton de l'Épouvanteur, aussi n'eus-je pas besoin de me présenter. Après sa course folle, le brave homme était hors d'haleine. Je le saluai d'un signe de tête. Laissant sa monture écumante brouter l'herbe du talus, il me suivit jusqu'à la petite porte. Je la maintins ouverte et m'effaçai pour qu'il entre.

Mon père m'a appris à traiter les gens avec respect ; ainsi, ils vous respectent en retour. Je ne connaissais pas ce médecin, mais, l'Épouvanteur ayant insisté pour que je l'appelle, je supposais qu'il ferait du bon travail. Il s'appelait Sherdley. Sa grande sacoche de cuir paraissait aussi lourde que celle de mon maître, que j'avais emportée avec moi et mise dans la grange.

Sherdley posa son sac à six pieds de son patient et, sans s'occuper de la femme, toujours secouée de sanglots, il commença à l'examiner.

Je me plaçai derrière lui, un peu sur le côté, de façon à voir le mieux possible. Avec précaution, il souleva la soutane noire du prêtre pour découvrir ses jambes. La droite était maigre, blanche et presque dépourvue de poils. Mais la gauche, celle dont le gobelin s'était emparé, était rouge et enflée, boursouflée de grosses veines violettes, qui se teintaient de noir là où le membre disparaissait dans la fente du sol.

Le médecin secoua la tête et relâcha très lentement son souffle. Puis il s'adressa à la femme, à voix si basse que j'eus du mal à entendre :

– Il va falloir la couper, c'est sa seule chance.

À ces mots, les pleurs de la malheureuse reprirent de plus belle. Le praticien me regarda et me fit signe de l'accompagner.

Quand nous fûmes dehors, il s'adossa au mur et soupira.

– Dans combien de temps serez-vous prêts ?

– Nous, dans moins d'une heure, docteur. Le reste dépend du maçon. C'est lui qui fournira la pierre.

– Si on attend davantage, il est perdu. Pour dire la vérité, il n'a guère de chances de s'en tirer. Je ne peux même pas lui administrer un anesthésiant, car son corps ne supporterait pas deux doses de suite, or il lui en faudra une au moment de l'amputation. De toute façon, le choc risque de le tuer. S'il tient le coup, il devra être transporté tout de suite après, ce qui n'arrangera pas son état.

Je haussai les épaules. Je ne voulais même pas y penser.

– Tu as l'habitude de ce travail ? me demanda le docteur en me dévisageant avec attention.

– M. Gregory m'a tout expliqué, dis-je en tâchant de prendre un ton assuré.

En vérité, il ne me l'avait pas expliqué une fois, mais des douzaines ! Et, à chaque fois, il avait exigé que je répète le processus, encore et encore, jusqu'à ce qu'il se déclare satisfait.

– Nous avons eu un cas semblable il y a quinze ans, reprit le médecin. Malgré tous nos efforts, l'homme est mort. C'était pourtant un jeune fermier, bâti comme un colosse. Croisons les doigts ! Les vieux sont parfois plus résistants qu'on imagine.

Il y eut un long silence, que je finis par briser en signalant un détail qui me tourmentait :

– Docteur, vous savez que j'aurai besoin d'un peu de son sang...

– On n'apprend pas à un grand-père à gober des œufs, grommela-t-il.

Avec un sourire fatigué, il désigna la rue pavée qui menait à Horshaw.

– Tiens, voilà le maçon. Va faire ton boulot et laisse-moi m'occuper du mien !

Je perçus en effet le roulement d'une charrette qui approchait. Je retraversai donc le cimetière pour voir où en étaient les terrassiers.

La fosse était prête, et ils avaient déjà assemblé la plate-forme de bois sous le chêne. L'aide, grimpé dans l'arbre, fixait le système de levage à une branche solide. C'était un appareil en fer, de la taille d'une tête, suspendu à des chaînes et muni d'un gros crochet. Il devrait supporter le poids de la pierre et permettre de la positionner avec la plus extrême précision.

– Le maçon est arrivé, leur annonçai-je.

Les deux hommes me suivirent aussitôt jusqu'à l'église.

Un autre cheval attendait au bord de la route, attelé à une charrette sur laquelle était couchée la pierre. Le maçon sauta à terre en évitant mon regard. Il ne semblait pas particulièrement heureux d'être là. Sans perdre de temps, nous conduisîmes l'attelage vers le champ, à l'arrière du cimetière.

Arrivé près du chêne, le maçon glissa le crochet dans l'anneau fixé au centre de la dalle pour la hisser hors de la charrette. Les dimensions étaient-elles justes ? On le saurait bientôt. En tout cas, le maçon avait placé correctement l'anneau, car la dalle pendait au bout de la chaîne dans un équilibre parfait.

On la mit en position, à deux pas du bord de la fosse. Le maçon m'apprit alors une mauvaise nouvelle : sa plus jeune fille était très malade, atteinte de cette même fièvre qui se répandait dans tout le Comté et retenait l'Épouvanteur au lit. Sa femme était au chevet de la fillette, et il repartirait sans tarder.

– Je suis désolé de ne pouvoir vous aider à mettre la dalle en place, dit-il, croisant mon regard pour la première fois. Mais vous n'aurez pas de problème, c'est une bonne pierre, je vous le garantis.

Je le crus. Il avait agi de son mieux et préparé la dalle au plus vite. Aussi le payai-je et le renvoyai-je avec les remerciements de l'Épouvanteur, les miens, et mes vœux de meilleure santé pour sa fille.

Les maçons ne savent pas que tailler les pierres, ils sont également experts pour les mettre en place. J'aurais préféré qu'il soit là, au cas où quelque chose clocherait. Cependant, les terrassiers étaient de bons ouvriers. Il me fallait juste garder mon calme pour ne pas commettre quelque erreur stupide.

Je devais d'abord enduire entièrement de colle les parois de la fosse ; puis la face interne de la pierre, avant qu'elle soit abaissée.

Je sautai donc au fond du trou et, armé d'une brosse, je me mis à la tâche à la lumière de la lanterne tenue par l'aide-terrassier. Je ne pouvais me permettre d'oublier la plus minuscule surface, car cela suffirait au gobelin pour s'échapper. Cette fosse ne mesurant que six pieds de profondeur au lieu de neuf, je devais me montrer d'autant plus scrupuleux.

La mixture imprégnait bien la terre, ce qui était une bonne chose : elle ne risquerait pas de se craqueler et de tomber par plaques lorsque le sol se dessécherait en été. Le plus difficile était de juger de la quantité à appliquer pour que la couche soit d'une épaisseur suffisante. Mon maître m'avait dit que le coup de main venait avec l'expérience. Jusqu'alors, il avait toujours été là pour superviser mon travail et ajouter la touche finale. Pour la première fois, je devais me débrouiller seul.

Mon ouvrage achevé, je m'extirpai de la fosse et examinai ses rebords. Une rainure de treize pouces – correspondant à l'épaisseur de la pierre – en faisait le tour, pour que la dalle s'y emboîte sans laisser le plus petit interstice par où le gobelin pourrait se glisser.

Je terminais mon inspection quand un éclair illumina le ciel. Quelques secondes plus tard, le tonnerre gronda. L'orage se dirigeait vers nous.

Je retournai à la grange pour y prendre un outil fort utile que l'Épouvanteur appelait « l'assiette-appât ». Il s'agissait d'un plat creux en métal, avec trois trous sur les bords, à égale distance les uns des autres. Je le sortis de mon sac ainsi qu'un rouleau de fines chaînes, que je fourrai dans ma poche. Puis je courus à l'église prévenir le docteur que j'étais prêt.

Dès que j'ouvris la porte, je fus saisi par une forte odeur de goudron. À gauche de l'autel brûlait un petit feu. Au-dessus, accroché à un trépied, le contenu d'un pot bouillonnait en crachotant. Le docteur Sherdley utiliserait le goudron pour stopper l'hémorragie. La plaie ainsi cautérisée, l'infection ne gagnerait pas le haut de la jambe.

Je souris en découvrant où le médecin avait trouvé du bois pour son feu. Dehors, tout était trempé. Il avait donc utilisé les seuls matériaux secs disponibles : il avait taillé un banc en pièces. Le père Gregory n'apprécierait guère, mais si ça devait lui sauver la vie... De toute façon, il était à présent inconscient, la respiration ralentie. Cet état persisterait plusieurs heures, jusqu'à ce que les effets de l'anesthésiant se soient dissipés.

De la fente du sol montait l'affreux bruit de succion produit par le gobelin, qui continuait d'aspirer le sang du prêtre. La créature, trop absorbée par son effroyable repas, ne se doutait pas que nous étions sur le point d'y mettre un terme.

Le docteur et moi n'échangeâmes pas un mot, juste un signe de tête. Je lui tendis le plat pour qu'il y recueille le sang dont j'avais besoin. Il prit une scie dans son sac et posa les dents de métal, froides et pointues, contre l'os de la jambe, juste au-dessous du genou.

La femme était toujours là. Les yeux fermés, elle marmonnait des mots indistincts. Je supposai qu'elle priait, et il me parut évident qu'elle ne nous serait d'aucun secours. Aussi, frissonnant, je m'agenouillai à côté du docteur.

– Inutile que tu voies ça, me dit-il. Tu seras sûrement témoin de choses bien pires, un jour ou l'autre ; mais, aujourd'hui, ce n'est pas nécessaire. Va, petit ! Occupe-toi de ton travail, je me charge du mien. Envoie-moi seulement les deux autres pour qu'ils m'aident à transporter cet homme sur la charrette quand j'en aurai terminé.

Moi qui serrais déjà les dents pour me préparer au spectacle, je ne me le fis pas répéter. Je retournai vers la fosse, soulagé. Avant que j'y sois parvenu, un cri aigu s'éleva, suivi de pleurs déchirants. Ce n'était pas le prêtre qui hurlait, il était sans connaissance. C'était la femme.

Les terrassiers avaient remonté la dalle, après s'être assurés qu'elle fermait hermétiquement la fosse, et en ôtaient la boue. Je les envoyai à l'église pour qu'ils prêtent main-forte au médecin, puis je plongeai la brosse dans le reste de colle et enduisit méticuleusement le dessous de la pierre.

À peine avais-je eu le temps d'apprécier mon ouvrage que l'aide-terrassier revenait avec le plat rempli de sang, prenant grand soin de ne pas en renverser une goutte. L'assiette-appât était une pièce capitale du dispositif. L'Épouvanteur en possédait une collection à Chipenden, et toutes avaient été conçues selon ses indications.

Je tirai les chaînes de ma poche. Il y en avait une longue, munie d'un anneau, d'où partaient trois autres, plus courtes, chacune garnie à son extrémité d'un crochet de métal. Je glissai les trois crochets dans les trous percés sur le rebord du plat. Lorsque je soulevai la chaîne principale, l'assiette-appât se trouva suspendue à l'horizontale ; il ne me fut pas difficile de la faire descendre au fond de la fosse et de la déposer doucement sur le sol.

En revanche, libérer les trois crochets exigeait une réelle habileté. Il fallait relâcher les chaînes de sorte que les crochets tombent d'eux-mêmes sans remuer le plat, pour ne pas perdre de sang.

J'avais passé des heures à m'entraîner et, malgré ma nervosité, je réussis à déloger les crochets du premier coup.

Je n'avais plus qu'à attendre.

Comme je le disais, les éventreurs sont les plus dangereux des gobelins, parce qu'ils se repaissent de sang. Ils sont vifs et très rusés, sauf quand ils sont occupés à se nourrir. Leur esprit s'engourdit alors, et ils mettent un certain temps à réagir.

Le mollet du prêtre était toujours coincé dans la fissure du carrelage de l'église, et le gobelin continuait d'absorber le sang, lentement, pour faire durer son plaisir. C'est le comportement habituel d'un éventreur. Il ne pense à rien d'autre qu'à aspirer. Puis il s'aperçoit que le chaud liquide se tarit. Et il en veut encore ! Mais tous les sangs n'ont pas la même saveur, et l'éventreur aime le goût de celui qu'il vient de déguster. Il l'aime énormément...

Lorsque la créature découvrirait que le corps n'était plus attaché à la jambe, il partirait à sa recherche. Le médecin avait donc réclamé l'aide des terrassiers pour transporter rapidement le prêtre sur la charrette. Il était maintenant sorti de la ville, et chaque claquement de sabots l'éloignait un peu plus du gobelin assoiffé.

Un éventreur possède autant de flair qu'un chien de chasse. Il saurait vite dans quelle direction on emportait sa proie et comprendrait qu'elle lui échappait. Il sentirait alors qu'il y avait encore, tout près, un peu de ce sang délicieux...

Voilà pourquoi j'avais mis le plat dans la fosse. Voilà pourquoi on l'appelait l'assiette-appât. C'était la ruse pour attirer le gobelin dans le piège. Dès qu'il serait dedans, à s'abreuver, il ne faudrait pas traîner. On ne pouvait commettre la moindre erreur.

Je levai les yeux. L'aide-terrassier était debout sur la plate-forme, la main sur le levier qui abaisserait la pierre. Le patron se tenait face à moi, prêt à fixer la dalle dès qu'elle serait emboîtée. Ni l'un ni l'autre ne semblait effrayé, pas même nerveux, et je trouvai réconfortant de travailler avec des gens de cette trempe, des gens qui connaissaient leur métier. Nous tiendrions chacun notre rôle, nous ferions ce qu'il y avait à faire, avec efficacité. Je me sentais bien ; j'étais à ma place.

Tranquillement, nous attendîmes l'éventreur.

Au bout de quelques minutes, je perçus son approche. On aurait cru le vent sifflant entre les arbres.

Mais ce n'était pas le vent. Il n'y avait pas le moindre mouvement d'air, et, dans une étroite bande de ciel piquetée d'étoiles, entre un nuage et l'horizon, un croissant de lune ajoutait sa pâle clarté à la lumière de la lanterne.

Les terrassiers, eux, n'avaient rien entendu. Ils n'étaient pas des septièmes fils d'un septième fils, comme moi ! Je les avertis :

– Il arrive ! Guettez mon signal !

Le bruit était devenu strident, presque un cri, accompagné d'un autre son : une sorte de grognement sourd. La créature traversait le cimetière ; elle avançait à vive allure, fonçant droit vers le plat rempli de sang, au fond de la fosse.

Contrairement aux gobelins ordinaires, un éventreur est plus qu'un simple ectoplasme, surtout quand il est repu. Pourtant, la plupart des gens ne le voient pas ; en revanche, ils le sentent fort bien, si par malheur il s'attaque à leur chair !

Moi-même, je ne distinguais pas grand-chose – sinon une forme vague teintée de rouge. Puis un souffle me frôla le visage, et l'éventreur sauta dans la fosse. Je lâchai :

– Maintenant !

Le terrassier fit signe à son aide, qui resserra sa prise sur la chaîne du levier. À cet instant, un bruit monta du fond de la fosse, et, cette fois, nous l'entendîmes tous les trois. Jetant un bref regard à mes compagnons, je vis leurs yeux écarquillés, leur bouche ouverte. L'éventreur lapait le sang du plat. C'étaient les claquements d'une langue monstrueuse, mêlés aux reniflements féroces d'un gros carnivore. Dans une minute, il aurait fini. Il flairerait alors un autre sang, le nôtre...

L'aide relâcha la chaîne, et la dalle descendit à une vitesse régulière. Je la guidais d'un côté, le terrassier de l'autre. Si la fosse avait été creusée avec précision, si la pierre était exactement aux dimensions prévues, il n'y aurait pas de problème. C'est ce que je me répétais. Mais je ne cessais de penser au pauvre Billy Bradley, le dernier apprenti de l'Épouvanteur, qui avait tenté de piéger ainsi un éventreur. La pierre avait dérapé, coinçant la main du garçon. Avant qu'on ait pu la relever, le gobelin avait mangé ses doigts et aspiré son sang. Il était mort peu après. Malgré tous mes efforts, je n'arrivais pas à m'ôter cette histoire de la tête.

L'essentiel était de fermer hermétiquement la

fosse avec la dalle, sans laisser ses doigts dessous, bien sûr !

Le terrassier contrôlait le mouvement. À son signal, la chaîne s'arrêta, laissant la pierre en suspension à moins d'un pouce au-dessus du trou. Il se tourna vers moi, le visage grave, et leva un sourcil. Je donnai encore une poussée imperceptible, de sorte que la dalle me paraisse en parfaite position. Je vérifiai une dernière fois, puis acquiesçai d'un hochement de tête.

Un tour de chaîne, et la pierre s'incrusta dans la rainure, enfermant le gobelin.

Un hurlement de rage s'éleva de la fosse. Mais ça n'avait plus d'importance, parce que la créature était emprisonnée. Désormais, elle ne nous effrayait plus.

– Du beau boulot ! s'exclama l'aide-terrassier en sautant de la plate-forme, un sourire jusqu'aux oreilles. Ça s'est ajusté au poil !

– À croire que c'était fait exprès ! fit le terrassier, pince-sans-rire.

Je me sentais infiniment soulagé, content que tout soit achevé.

Un coup de tonnerre éclata soudain, tandis qu'un éclair déchirait le ciel, illuminant la pierre. Je découvris alors l'inscription que le maçon y avait gravée et qui me remplit de fierté :

La grande lettre grecque *bêta*, barrée d'une ligne diagonale, signifiait qu'un gobelin était enfermé là. À droite, le I en chiffre romain prévenait qu'il s'agissait d'une créature dangereuse de première catégorie. Il existait dix catégories, et les gobelins classés de un à quatre étaient des tueurs. En dessous était écrit mon nom, Ward, attestant que j'avais accompli ce travail.

Je venais d'entraver mon premier gobelin. Un éventreur !

2
Le passé de l'Épouvanteur

Deux jours plus tard, j'étais de retour à Chipenden. Mon maître voulut aussitôt entendre le récit de mon aventure. Lorsque j'eus terminé, il me pria de le répéter. Puis il se gratta la barbe et poussa un profond soupir.

– Qu'a dit le docteur à propos de mon imbécile de frère ? voulut-il savoir. Va-t-il s'en tirer ?

– Il a déclaré que le pire était passé, mais qu'il était encore trop tôt pour se prononcer.

L'Épouvanteur opina du chef, l'air pensif.

– Ma foi, petit, tu t'es bien débrouillé ! déclara-t-il. On ne pouvait pas mieux faire. Va te promener, je te donne ta journée. Mais que ça ne te monte pas à la tête ! Après une bonne nuit de sommeil, on reprendra nos exercices habituels. La routine quotidienne te remettra de tes émotions.

Le lendemain, il me fit travailler deux fois plus dur que d'ordinaire. Les leçons recommencèrent dès l'aube, agrémentées de ce qu'il appelait la « pratique ». Car, même si j'avais déjà entravé un véritable éventreur, il exigea que je continue de m'exercer à creuser des fosses.

– Il le faut vraiment ? demandai-je d'un ton las.

L'Épouvanteur me fixa d'un regard si méprisant que je baissai les yeux, mal à l'aise.

– Tu te crois désormais au-dessus de ça, petit ? Sache que tu ne l'es pas, et ne sois pas si suffisant ! Tu as encore beaucoup à apprendre. Tu es peut-être venu à bout de ton premier gobelin, mais tu avais de bons artisans à tes côtés. Un jour, tu seras seul, et tu devras être assez rapide pour sauver ta vie !

Après avoir creusé une fosse et l'avoir enduite du mélange de colle, de sel et de limaille de fer, je dus de nouveau descendre l'assiette-appât au fond sans renverser une seule goutte de son contenu. Comme il s'agissait d'un exercice, c'était de l'eau, pas du sang. Mais l'Épouvanteur, qui faisait toujours preuve du plus grand sérieux, se montrait contrarié si je ne réussissais pas à chaque tentative. Ce jour-là, il put être satisfait. Je fus habile à l'entraînement, accomplissant la manœuvre avec succès dix fois de suite. Malgré cela, mon maître ne m'accorda pas un mot de félicitations, ce qui me dépita quelque peu.

Vint ensuite un exercice pratique qui me plaisait particulièrement : le maniement de la chaîne d'argent. Un poteau de six pieds de haut, planté dans le jardin ouest, servait de cible. Je me plaçai à des distances variables et répétai le geste pendant plus d'une heure, gardant à l'esprit que, un jour ou l'autre, j'aurais une véritable sorcière en face de moi et que, si je la manquais, elle ne me laisserait pas une seconde chance. C'était un coup à prendre : on enroulait la chaîne autour de sa main gauche, puis, d'un vif mouvement de poignet, on la lançait de sorte qu'elle vienne s'enrouler serré autour du poteau. J'arrivai ce jour-là, à une distance de huit pieds, à atteindre ma cible neuf fois sur dix. M. Gregory ne me complimenta cependant qu'à contrecœur :

– Pas trop mal, je dois l'admettre. Mais quitte cet air béat, petit ! Une sorcière en chair et en os ne te fera pas la faveur de rester immobile en attendant que tu lances ta chaîne. À la fin de l'année, je veux du dix sur dix, pas moins !

Cela me froissa plus que je ne saurais le dire. J'avais travaillé dur et nettement progressé. De plus, j'avais entravé un gobelin sans l'aide de l'Épouvanteur. Je me demandais s'il avait été meilleur que moi, au temps où il était lui-même apprenti.

L'après-midi, mon maître me laissa travailler seul dans sa bibliothèque. Je lus, notai des informations dans mon cahier. Toutefois, il ne m'autorisait que certains livres. Il était très strict à ce sujet. C'était ma première année d'apprentissage, et mon principal sujet d'étude restait les gobelins. Pourtant, quand il était occupé ailleurs, je ne pouvais m'empêcher de jeter un coup d'œil sur d'autres ouvrages.

Ce jour-là, après avoir suffisamment étudié les gobelins, je m'approchai de trois longs rayonnages, près de la fenêtre, et m'emparai d'un des gros volumes à reliure de cuir rangés tout en haut de la dernière étagère. C'étaient des journaux tenus par les épouvanteurs précédents, certains datant de plusieurs centaines d'années. Chacun d'eux couvrait une période de cinq ans.

Je savais exactement ce que je cherchais. Je choisis l'un des premiers cahiers de notes de mon maître, curieux d'apprendre comment il travaillait quand il était encore un jeune homme, et s'il s'en tirait mieux que moi. Il avait été prêtre avant de commencer sa formation d'épouvanteur, il était donc plutôt âgé, pour un apprenti.

Je sélectionnai quelques pages au hasard et me mis à lire. Bien sûr, je reconnaissais son écriture, mais quelqu'un d'autre découvrant cet extrait n'aurait pu deviner qu'il était de sa main. L'Épouvanteur parle avec l'accent typique du Comté, sur un ton direct et dépourvu de ce que mon père appelle « des mines et des airs ». C'était fort différent quand il écrivait. Les nombreux ouvrages qu'il avait étudiés semblaient avoir modifié sa façon de s'exprimer. Moi, j'écris comme je parle. Si mon père avait l'occasion de lire mes notes, il serait fier et se dirait que je suis toujours son fils.

Ce que je lus d'abord était proche des écrits récents de l'Épouvanteur, sauf qu'il y avait beaucoup de fautes. Selon son habitude, il était très franc, expliquant chacune de ses erreurs. Il me répétait souvent combien il était important de noter les moindres détails, car on apprenait beaucoup de ses expériences.

Il racontait par exemple que, une semaine durant, il avait passé des heures et des heures à s'entraîner avec l'assiette-appât, et que son maître avait piqué une colère parce qu'il ne réussissait que huit fois sur dix. Cela me réconforta. Puis je tombai sur un passage qui me revigora tout à fait : l'Épouvanteur n'avait entravé son premier gobelin qu'après dix-huit mois d'apprentissage. Qui plus est, ce n'était qu'un gobelin velu, pas un dangereux éventreur !

Ce fut ce que je trouvai de mieux pour me remonter le moral. Malgré tout, il était clair que l'Épouvanteur avait été un bon apprenti, sérieux et travailleur. Je feuilletai ensuite rapidement des pages ne décrivant que la routine quotidienne, jusqu'à ce que j'arrive au moment où mon maître était devenu épouvanteur et avait commencé à travailler seul.

J'en savais assez et m'apprêtais à fermer le livre lorsqu'une ligne attira mon regard. Je revins au début du chapitre, pour être sûr, et voici ce que je découvris. Je ne le retranscris sans doute pas mot à mot, mais je possède une excellente mémoire ; c'est donc assez fidèle. Et, après avoir lu ce que mon maître avait écrit, je n'étais pas près de l'oublier !

À la fin de l'automne, je me suis rendu au nord du Comté. On m'appelait là-bas pour m'occuper d'un non-humain, une créature qui répandait la terreur dans le pays depuis trop longtemps. Bien des familles avaient eu à souffrir de sa cruauté, il y avait eu des morts, des gens mutilés.

J'arrivai dans la forêt au crépuscule. Toutes les feuilles étaient tombées et pourrissaient sur le sol. J'aperçus une tour évoquant le bras noir d'un démon levé vers le ciel. On avait vu une jeune fille faire des signes depuis l'unique fenêtre, appelant désespérément à l'aide. La créature s'était emparée d'elle et l'avait emprisonnée derrière ces murs de pierres humides, usant d'elle comme d'un jouet.

Je commençai par allumer un feu et restai un moment assis à contempler les flammes, tâchant de rassembler mon courage. Je sortis de mon sac ma pierre à aiguiser et affûtai ma lame jusqu'à ce que mon doigt saignât rien qu'en touchant le fil. Enfin, à minuit, j'allai jusqu'à la tour et frappai à la porte avec mon bâton en manière de défi.

La créature sortit, rugissant de rage et brandissant un gros gourdin. C'était un être immonde, vêtu de peaux de bêtes, puant le sang et la graisse animale. Il m'attaqua avec furie.

Je reculai d'abord, attendant le moment propice ; mais il se jeta sur moi. Je tirai alors ma lame et l'abattis de toutes mes forces sur sa tête. Il tomba à mes pieds comme une pierre, mort. Je n'avais nul regret de lui avoir ôté la vie, car il aurait continué à tuer et tuer encore, sans se rassasier de meurtres.

C'est alors que la fille m'appela. Sa douce voix de sirène m'attira vers l'escalier de pierre. Je la trouvai dans la plus haute pièce, étendue sur une paillasse et entravée par une chaîne d'argent. Une peau de lait, de longs cheveux blonds ; jamais mes yeux ne s'étaient posés sur une femme aussi belle. Elle me dit s'appeler Meg et me supplia de la délivrer. Elle était si persuasive que ma raison vacilla et que le monde se mit à tanguer autour de moi.

À peine l'avais-je libérée de la chaîne qu'elle appuya avec fougue ses lèvres sur les miennes. Et son baiser était d'une telle douceur que je crus défaillir dans ses bras.

Les rayons du soleil qui passaient par la fenêtre me ranimèrent, et je la vis clairement pour la première fois. C'était une sorcière lamia, qui portait la marque du serpent. Si son visage était d'une grande beauté, son dos était recouvert d'écailles vertes et jaunes.

Rendu fou de colère par sa fourberie, je la ligotai de nouveau avec la chaîne et l'emmenai à Chipenden pour la mettre dans une fosse. Lorsque je la détachai, elle se débattit avec rage, et je ne la maîtrisai qu'à grand-peine. Je dus la traîner par les cheveux entre les arbres, tandis qu'elle fulminait et hurlait à en réveiller les morts. Il pleuvait fort, et elle glissait sur l'herbe mouillée, mais je continuais de la traîner, bien que ses bras et ses jambes nus fussent griffés par les ronces. C'était cruel ; pourtant, il le fallait.

Cependant, quand je voulus la faire basculer dans la fosse, elle s'accrocha à mes genoux et se mit à sangloter pitoyablement. Je restai indécis un long moment, plein d'angoisse, près de tomber moi-même dans la fosse, jusqu'à ce que je prenne une décision, conscient que j'aurais sans doute à la regretter.

Je l'aidai à se redresser, l'enveloppai de mes bras et, tous deux, nous sanglotâmes. Comment aurais-je pu l'enfermer dans ce trou, alors que, je le comprenais à présent, je l'aimais plus que mon âme ?

Je lui demandai pardon, et nous partîmes ensemble, main dans la main, loin de la fosse.

De cette rencontre, il me reste une chaîne d'argent, un instrument de grand prix que je n'aurais pu acquérir qu'après de longs mois de dur labeur. Ce que j'ai perdu, ou perdrai peut-être, je n'ose l'imaginer.

La beauté est une chose redoutable ; elle lie un homme plus sûrement qu'une chaîne d'argent n'entrave une sorcière.

J'avais peine à croire ce que je venais de lire ! L'Épouvanteur m'avait répété à maintes reprises de me méfier des jolies filles, et il avait transgressé sa propre règle ! Meg était une sorcière ; pourtant, il ne l'avait pas enfermée dans la fosse !

Je feuilletai rapidement la fin du cahier, dans l'espoir de relever une autre allusion à cette femme, mais je ne trouvai rien, rien du tout ! On aurait dit qu'elle avait cessé d'exister.

Si je savais pas mal de choses au sujet des sorcières, je n'avais encore jamais entendu parler de sorcière lamia.

Je remis le volume en place et cherchai sur le rayon en dessous, où les livres étaient classés par ordre alphabétique. J'ouvris un exemplaire portant l'étiquette *Sorcière* ; je n'y lus aucune référence à Meg. Pourquoi l'Épouvanteur n'avait-il rien écrit d'autre sur elle ? Que lui était-il arrivé ? Était-elle toujours en vie ? Quelque part par ici, dans le Comté ?

Poussé par la curiosité, je tirai un gros volume de l'étagère du bas. Il s'intitulait *Le bestiaire* et répertoriait toutes les espèces de créatures, sorcières comprises. Je tombai enfin sur le chapitre qui m'intéressait : « Les sorcières lamia ».

J'appris que ces sorcières particulières n'étaient pas natives du Comté ; elles venaient d'un pays au-delà de la mer. Elles redoutaient la lumière du soleil et, la nuit, elles pourchassaient les hommes pour se nourrir de leur sang. Elles avaient la capacité de se métamorphoser et se partageaient en deux catégories : les sauvages et les domestiques.

Les sauvages étaient des sorcières lamia à l'état naturel, dangereuses, imprévisibles, et ne ressemblant que fort peu aux humains. Leur peau était écailleuse, et elles avaient des griffes en guise d'ongles. Certaines se déplaçaient à quatre pattes, d'autres possédaient des ailes, un corps recouvert de plumes, et volaient sur de courtes distances.

Au contact des humains, une lamia sauvage pouvait se changer en lamia domestique. Elle prenait peu à peu l'aspect d'une femme, tout en conservant généralement une étroite ligne d'écailles jaunes et vertes le long de la colonne vertébrale. Des lamias domestiques avaient parfois été amenées à adopter les croyances des humains. Elles cessaient alors d'être des pernicieuses et devenaient des bénévolentes, s'appliquant à faire le bien.

Peut-être Meg était-elle une bénévolente ? Peut-être l'Épouvanteur avait-il eu raison de ne pas l'enfermer dans la fosse ?

Je m'aperçus soudain qu'il était tard et je quittai

la bibliothèque en courant pour prendre ma leçon, encore tout étourdi par ces révélations.

Quelques minutes plus tard, M. Gregory et moi étions dans le jardin ouest, sous les arbres, à l'endroit où la vue sur les collines était dégagée, tandis que le soleil d'automne descendait à l'horizon. Je m'assis sur notre banc habituel et notai ce que l'Épouvanteur me dictait tout en marchant de long en large. Mais je n'arrivais pas à me concentrer.

Nous avions commencé une leçon de latin. J'avais un cahier réservé à la grammaire et au vocabulaire nouveau que mon maître m'enseignait. J'y avais écrit des listes et des listes de mots, et il était presque plein.

J'aurais aimé interroger l'Épouvanteur sur ce que je venais de lire et ne savais comment m'y prendre. J'avais enfreint la règle en consultant des livres interdits. Je n'étais pas censé prendre connaissance de son journal, et je regrettais de l'avoir fait. Si je lui en parlais, il serait furieux.

Ces pensées tournaient dans ma tête, et j'avais de plus en plus de mal à rester attentif à la leçon. Par ailleurs, j'avais faim et j'attendais avec impatience l'heure du dîner. Généralement, mon maître me laissait libre en fin de journée ; or, ce jour-là, il ne me ménageait pas. Cependant, le soleil se coucherait dans moins d'une heure, et l'essentiel de la leçon était terminé.

J'entendis alors un son qui me fit grommeler intérieurement. Une cloche sonnait. Pas la cloche de l'église. Non, c'était le timbre très particulier de celle qui annonçait nos visiteurs. Personne n'avait le droit de monter jusqu'à la maison de l'Épouvanteur ; les gens qui avaient besoin de lui devaient se rendre à un croisement, à la sortie du village, et tirer la cloche pour l'avertir.

– Va voir ce que c'est, petit ! me dit-il avec un mouvement du menton.

En temps normal, nous y serions allés tous les deux, mais il se sentait encore faible.

Je partis sans précipitation et, dès que je fus hors de vue, je marchai à une allure de promenade. Le crépuscule approchait, on ne pourrait rien entreprendre le soir même, d'autant que l'Épouvanteur n'était pas complètement remis. Ça attendrait le matin, de toute façon. Je m'informerais du problème et ferais un rapport détaillé à mon maître pendant le souper. Plus tard je rentrerais, moins j'aurais de leçon à noter. Le poignet me faisait mal d'avoir tant écrit.

Le croisement, entouré de saules – qu'on appelle dans le Comté les « arbres à osier » –, était un lieu lugubre, même en plein jour, qui me mettait mal à l'aise. D'une part, on ne savait jamais qui on allait y rencontrer ; d'autre part, on ne nous appelait que pour nous annoncer de mauvaises nouvelles, nécessitant l'intervention de l'Épouvanteur.

Un jeune homme m'attendait là, un garçon aux ongles sales, chaussé de grosses bottes de mineur. Il paraissait encore plus nerveux que moi, et il me débita son histoire à une telle vitesse que je n'y compris rien et le priai de répéter. Puis il s'en alla, et je retournai à la maison. Au pas de course, cette fois.

L'Épouvanteur était toujours près du banc, la tête baissée. À mon arrivée, il leva les yeux et me regarda, le visage triste. Je supposai que, d'une manière ou d'une autre, il savait déjà ce que j'avais à lui apprendre. Je le lui transmis, malgré tout :

– J'ai de mauvaises nouvelles de Horshaw, annonçai-je, hors d'haleine. Je suis désolé, c'est à propos de votre frère. Le docteur n'a pas pu le sauver. Il est mort hier, juste avant l'aube. L'enterrement aura lieu vendredi matin.

Mon maître poussa un profond soupir et resta muet plusieurs minutes. Embarrassé, je me taisais aussi. Que pouvait-il éprouver ? Ils ne s'étaient pas parlé depuis quarante ans, mais le prêtre était son frère, et il avait sûrement de bons souvenirs de lui, du temps où ils étaient enfants, avant leurs querelles.

Au bout d'un moment, il soupira de nouveau, puis il déclara :

– Viens, petit ! Autant dîner de bonne heure.

Nous mangeâmes en silence. L'Épouvanteur touchait à peine à la nourriture. Était-ce à cause de la mort de son frère, ou parce qu'il n'avait pas retrouvé l'appétit depuis sa maladie ? D'habitude, il lâchait au moins quelques mots, ne serait-ce que pour me demander comment je trouvais le repas. C'était une sorte de rituel, car nous devions féliciter le gobelin domestique qui s'occupait de la cuisine ; sinon il boudait. Ne pas s'exclamer que le dîner était délicieux, c'était s'assurer d'avoir du bacon brûlé au petit déjeuner.

– C'est vraiment un excellent ragoût, dis-je enfin. Voilà longtemps que je n'en ai pas mangé d'aussi bon.

La plupart du temps, le gobelin était invisible, mais il prenait parfois l'apparence d'un gros chat roux. Lorsqu'il était content, il se frottait contre mes jambes, sous la table. Ce soir-là, je perçus à peine un léger ronronnement. Soit je n'avais pas paru assez convaincant, soit il se faisait discret à cause de la mauvaise nouvelle.

L'Épouvanteur repoussa soudain son assiette et se gratta la barbe.

– Nous allons à Priestown, lâcha-t-il brusquement. Nous partirons demain à la première heure.

Priestown ? Je n'en croyais pas mes oreilles. Mon maître évitait cette ville comme la peste ; il m'avait confié un jour qu'il n'y mettrait plus les pieds. Il ne m'avait pas dit pourquoi, et je ne l'avais pas interrogé, car, lorsqu'il ne voulait pas donner d'explication, on le devinait fort bien. Ce jour-là, alors que nous étions à un jet de pierre de la côte et nous apprêtions à franchir la rivière Ribble, la haine de l'Épouvanteur pour la cité ne nous avait pas facilité la tâche. Au lieu de traverser le pont de Priestown, nous avions fait un détour de plusieurs lieues pour emprunter un autre pont.

– Pourquoi ? chuchotai-je, tant je craignais que cette question le mette en colère. Je croyais que nous irions à Horshaw, pour l'enterrement.

– Nous allons à l'enterrement, petit, me répondit-il d'un ton patient. Mon idiot de frère était en poste à Horshaw, mais il était prêtre. Quand un prêtre du Comté meurt, on transporte son corps à Priestown, et le service funèbre est célébré à la cathédrale. Puis la dépouille mortelle est enterrée dans le cimetière attenant. Aussi irons-nous là-bas lui rendre les derniers hommages. Ce n'est pas la seule raison. J'ai un travail à terminer dans cette ville maudite. Prends ton cahier, petit. Ouvre-le à une nouvelle page et inscris ce titre...

Je n'avais pas fini mon ragoût, j'obéis cependant sur-le-champ. Quand il avait prononcé les mots « un travail à terminer », j'avais deviné qu'il s'agissait d'une tâche d'épouvanteur. Je tirai donc ma bouteille d'encre de ma poche et la posai sur la table, à côté de mon assiette.

Une angoisse me prit soudain :

– Est-ce cet éventreur que j'ai entravé ? Il s'est échappé ? Nous n'avions pas le temps de creuser jusqu'à neuf pieds. Est-ce lui qui est à Priestown ?

– Non, mon garçon. Tu as fait ce qu'il fallait. C'est une créature bien plus dangereuse. Je l'ai affrontée il y a vingt ans. J'y ai mis le meilleur de moi-même. J'ai dû ensuite garder le lit pendant près de six mois. J'ai manqué d'en mourir. Je ne suis pas retourné là-bas depuis cette époque. Puisque nous somme obligés de nous y rendre, autant terminer le travail. Ce n'est pas un quelconque éventreur qui hante cette cité maudite. C'est un esprit ancien et particulièrement maléfique, appelé le Fléau. Il est le seul de son espèce. Sa puissance ne cesse d'augmenter, il faut donc mettre un terme à ses agissements. Je ne peux me dérober plus longtemps.

Je notai « Le Fléau » en tête de chapitre sur une page vierge. Or, à ma grande déception, mon maître secoua la tête et bâilla largement.

– À la réflexion, cela peut attendre, déclara-t-il. Finis de manger, petit ! Nous nous lèverons très tôt demain matin, nous ferions mieux d'aller nous coucher.

3
Le Fléau

Nous partîmes juste après l'aube. Comme à l'accoutumée, je portais la lourde sacoche de l'Épouvanteur. Au bout d'une heure, je compris que le voyage nous prendrait au moins deux jours. D'ordinaire, mon maître marchait à grands pas, m'obligeant presque à courir pour ne pas me laisser distancer. Mais il n'avait pas tout à fait récupéré, il s'essoufflait vite et devait s'arrêter régulièrement.

C'était une belle journée d'automne ensoleillée, quoique déjà fraîche. Le ciel était bleu, les oiseaux chantaient. Malgré cela, je ne cessais de penser au Fléau.

Ce qui m'inquiétait le plus, c'était que l'Épouvanteur avait manqué de perdre la vie en tentant de l'entraver. Or, il était bien plus jeune à l'époque. Comment réussirait-il à le vaincre aujourd'hui ?

Aussi, à midi, quand nous fîmes une longue halte, décidai-je de l'interroger sur cette terrible créature. Je ne posai pas la question tout de suite, parce que, à ma grande surprise, il tira de son sac une miche de pain et un morceau de jambon ; il en coupa une large tranche pour lui et une pour moi. D'habitude, lorsque nous étions en chemin pour accomplir un travail, nous nous contentions d'un maigre bout de fromage, car il fallait rester le ventre vide pour affronter l'obscur.

Comme j'avais faim, je me gardai bien de protester. Je supposais que nous jeûnerions après les funérailles, et que mon maître avait besoin de reprendre des forces.

Quand j'eus fini de manger, je respirai profondément et m'enquis du Fléau en ouvrant mon cahier. Il me surprit de nouveau en me faisant signe de le ranger.

– Tu écriras ceci plus tard, sur le chemin du retour, dit-il. D'ailleurs, j'ai moi-même encore beaucoup à apprendre sur cette créature. Inutile de noter quelque chose que tu devrais corriger ensuite.

J'en restai bouche bée. J'avais toujours cru que l'Épouvanteur maîtrisait parfaitement ce qui concernait l'obscur.

– Ne prends pas cet air effaré, petit ! Comme tu le sais, je continue de tenir mon journal. Tu feras de même, si tu vis aussi vieux que moi. Dans ce travail, on ne cesse d'apprendre, et le début de la connaissance est d'accepter son ignorance. Comme je te l'ai dit hier, le Fléau est un esprit très ancien et particulièrement maléfique, qui a failli venir à bout de moi, j'ai honte de l'admettre. J'espère que, cette fois, il n'en sera pas ainsi. La difficulté, c'est d'abord de le dénicher. Il vit sous la cathédrale de Priestown, dans des catacombes, qui abritent un immense réseau de galeries.

– À quoi servent les catacombes ? demandai-je, étonné.

– Elles sont remplies de cryptes, des chambres funéraires souterraines qui contiennent de vieux ossements. Ces galeries existaient bien avant la construction de la cathédrale. La colline était déjà une terre sacrée quand les premiers prêtres arrivèrent de l'ouest sur leurs bateaux.

– Alors, qui les a creusées, ces catacombes ?

– Des gens que certains appellent « le Petit Peuple », en raison de leur taille. Leur véritable nom est les Segantii. On ne sait pas grand-chose d'eux, sinon qu'à l'origine le Fléau était leur dieu.

– Le Fléau est un dieu ?

– C'est du moins un être puissant. Très tôt, le Petit Peuple a reconnu son pouvoir et lui a dédié un culte. Il semble que le Fléau veuille redevenir un dieu. Jadis, il vagabondait dans le Comté en toute liberté. Au cours des siècles, il s'est corrompu. Il est devenu mauvais et s'est mis à terroriser le Petit Peuple, le harcelant jour et nuit, dressant les gens les uns contre les autres, détruisant les récoltes, brûlant les maisons, massacrant des innocents. Il trouvait son plaisir à les voir vivre dans la peur et la pauvreté. Il les tourmenta au point de leur ôter le goût de vivre. Ce fut une sombre et terrible époque pour les Segantii.

« Mais le Fléau ne s'attaquait pas uniquement aux pauvres gens. Le roi des Segantii était un homme juste et bon. Il s'appelait Heys. Il avait vaincu tous ses ennemis et s'efforçait de rendre son pays fort et prospère. Or, un ennemi lui résistait : le Fléau. Celui-ci exigea du roi Heys un terrible tribut : lui sacrifier ses sept fils, en commençant par l'aîné. Un fils chaque année, jusqu'à ce qu'il n'en reste plus un seul. Aucun père ne peut supporter une chose pareille ! Heureusement, Maze, le plus jeune fils, réussit à enfermer le Fléau dans les catacombes. Si je découvrais comment il s'y est pris, il me serait plus facile de vaincre cette créature. Tout ce que j'ai pu apprendre, c'est qu'il a condamné la sortie avec une grille en argent fermée à clé. Comme beaucoup de créatures de l'ombre, le Fléau est vulnérable à l'argent.

– Il est toujours enfermé dans les galeries ?

– Oui. Il sera coincé là tant que personne n'ouvrira la grille pour le libérer. Tous les prêtres sont au courant. Cette information se transmet de génération en génération.

– Ne peut-il pas s'échapper par un autre moyen ? Comment une grille d'argent suffit-elle à le retenir ?

– Je l'ignore, petit. Je sais seulement que le Fléau est enfermé dans les catacombes et ne peut en sortir que par cette porte.

J'aurais voulu demander pourquoi on ne se contentait pas de l'oublier là, puisqu'il était incapable de s'évader, mais mon maître répondit à la question avant que je l'aie posée. Il me connaissait assez bien, à présent, pour deviner mes pensées.

– Malheureusement, reprit-il, on ne peut laisser les choses en l'état, j'en ai peur. Vois-tu, mon garçon, il devient chaque jour plus fort. Il n'a pas toujours été un esprit. Il en est devenu un après avoir été entravé. Quand il était au faîte de sa puissance, il avait un corps de chair.

– À quoi ressemblait-il ?

– Tu le sauras demain. Avant d'entrer dans la cathédrale pour le service funèbre, regarde la pierre sculptée juste au-dessus du grand portail. C'est une représentation fort intéressante du personnage, tu verras.

– L'avez-vous vu en vrai ?

– Non, petit. Il y a vingt ans, quand j'ai tenté de le détruire, il n'était encore qu'un esprit. Toutefois, la rumeur prétend qu'il est redevenu si puissant qu'il peut prendre l'apparence d'autres créatures.

– Que voulez-vous dire ?

– Qu'il est en pleine mutation et que d'ici peu il aura retrouvé sa forme originelle. Il sera alors capable de forcer n'importe qui à agir selon sa volonté. Et le pire serait qu'il oblige quelqu'un à déverrouiller la Grille d'Argent. Voilà le plus terrifiant.

– Mais d'où tire-t-il sa force ?

– Du sang, pour l'essentiel. Celui des animaux – et des humains. Il est assoiffé de sang. Par chance, contrairement aux éventreurs, il ne prend le sang d'un humain que lorsque celui-ci y consent.

– Qui voudrait lui offrir son propre sang ? soufflai-je, abasourdi.

– Il pénètre l'esprit des gens et les séduit en leur offrant de l'argent, des honneurs, du pouvoir, n'importe quoi. Si la persuasion ne suffit pas, il use de terreur. Parfois, il attire ses proies jusqu'aux catacombes et les menace de ce que nous appelons « le pressoir ».

– Le pressoir ?

– Oui, petit. Il a la faculté d'augmenter son poids, et l'on retrouve ses victimes écrasées, les os broyés et le corps incrusté dans le sol. Il faut les racler pour pouvoir ensuite les enterrer. Ils ont été

« pressés », et ce n'est pas beau à voir. Si le Fléau ne peut aspirer le sang de quelqu'un contre son gré, souviens-toi que personne ne résiste au pressoir.

– Je n'arrive pas à comprendre comment il s'y prend, tout en étant piégé au fond des catacombes !

– Il lit dans les pensées, s'introduit dans les rêves, affaiblit et corrompt les esprits de ceux qui vivent à la surface. Parfois, il regarde même par leurs yeux. Son emprise s'étend sur la cathédrale et le presbytère, il terrorise les prêtres. Sa malignité empoisonne ainsi la ville depuis des années.

– Et il s'attaque aux prêtres ?

– Oui, surtout aux esprits faibles, dont il se sert pour commettre ses méfaits. Mon autre frère, Andrew, est serrurier à Priestown. Il m'a envoyé plus d'une fois des informations sur ce qui s'y passe. Le Fléau vide les esprits de toute volonté. Il manipule les gens à sa guise, étouffant en eux la voix de la bonté et de la raison : ils deviennent avides et cruels, ils abusent de leur autorité, dépouillent les pauvres et les malades. Dans Priestown, la dîme est perçue deux fois par an.

Je savais ce qu'était la dîme : une taxe que chacun devait verser chaque année à l'église locale, représentant le dixième de son revenu. Telle était la loi.

– Payer la dîme une fois représente déjà une lourde charge, continua l'Épouvanteur. Alors, deux fois ! Autant ouvrir la porte au loup ! Le Fléau fait régner la peur sur la cité et plonge peu à peu ses habitants dans la misère ; ainsi agissait-il avec les Segantii. Il est l'une des manifestations de l'obscur les plus puissantes et les plus maléfiques que j'aie jamais connues. Cette situation ne peut durer. Je dois y mettre un terme avant qu'il soit trop tard.

– Comment comptez-vous vous y prendre ?

– À vrai dire, je ne le sais pas encore. Le Fléau est retors, capable de lire dans nos pensées et même de les deviner avant que nous les ayons formulées. Mais sa vulnérabilité face à l'argent n'est pas son seul point faible. Les femmes le rendent nerveux, il évite leur compagnie. Il ne supporte pas leur présence – ce que je comprends. Comment utiliser cette singularité à notre avantage ? C'est ce à quoi il nous faut réfléchir.

L'Épouvanteur m'avait souvent conseillé de me méfier des filles – et avec raison ! – en particulier celles qui portaient des souliers pointus. J'étais donc habitué à ce genre de raisonnement. Mais, maintenant que j'avais découvert l'histoire de Meg, je supposais que cela influait sur son jugement.

En tout cas, mon maître venait de me donner matière à penser ! Il y avait beaucoup d'églises à Priestown, de nombreux prêtres et des congrégations. Tous ces gens avaient foi en Dieu. Se pourrait-il qu'ils soient dans l'erreur ? Si Dieu était aussi puissant qu'ils l'assuraient, pourquoi ne les délivraitil pas du Fléau ? Pourquoi le laissait-il corrompre ses ministres et répandre le mal dans la ville ?

Mon père était croyant, même s'il ne mettait jamais les pieds à l'église. Personne n'y allait, dans la famille, parce que le travail de la ferme ne s'interrompt pas le dimanche : il y a toujours les vaches à traire et beaucoup d'autres tâches. Je m'interrogeais soudain sur l'opinion de l'Épouvanteur, d'autant qu'il avait été prêtre, maman me l'avait dit.

– Croyez-vous en Dieu ? demandai-je.

– J'y ai cru, répondit-il, songeur. Enfant, je n'ai jamais douté un seul instant de son existence. Mais j'ai changé. Vois-tu, petit, quand on atteint un certain âge, on remet bien des idées en question. À présent, je n'ai plus de certitudes, je me contente de garder l'esprit ouvert.

Après une pause, il poursuivit :

– Je peux néanmoins te révéler ceci : deux ou trois fois dans ma vie, je me suis trouvé dans une situation si critique que j'ai cru ne pas m'en sortir. J'ai affronté l'obscur et je me suis – presque ! – résigné à la mort. Puis, alors que tout semblait perdu, j'ai senti en moi une force nouvelle. D'où provenait-elle ? Je ne peux que faire des suppositions. Avec cette force me venait également un étrange sentiment : quelqu'un ou quelque chose était à mes côtés. Je n'étais plus seul.

Il soupira profondément et reprit :

– Je ne crois pas au Dieu qu'on prie dans les églises, ni à un bon vieillard à barbe blanche, mais à Quelqu'un qui veille sur nous. Si nous vivons avec droiture, il sera auprès de nous aux heures difficiles, pour nous soutenir. Voilà ce que je crois. Allons, viens, petit ! Nous avons assez traîné, il est temps de se remettre en route.

Je ramassai son sac et le suivis. Nous quittâmes bientôt la route pour emprunter un raccourci à travers bois et prairies. C'était une marche agréable, pourtant nous fîmes une longue halte avant le coucher du soleil. L'Épouvanteur était trop épuisé pour continuer.

Quant à moi, j'avais un mauvais pressentiment, une angoissante impression de danger.

4
Priestown

Priestown était bâtie sur les rives du Ribble. Ce serait la première fois que je visiterais une cité de cette importance. Tandis que nous descendions la colline, la rivière nous apparut, tel un énorme serpent orangé dans la lumière du couchant.

C'était la ville des églises, dont les flèches et les tours dominaient des rangées de maisons basses, serrées les unes contre les autres. Au centre, sur une butte, s'élevait la cathédrale. Trois des plus grandes églises que j'avais vues dans ma vie auraient tenu facilement à l'intérieur. Quant à son clocher, c'était quelque chose ! Taillé dans le calcaire, il était si blanc, si élevé que, les jours de pluie, la croix plantée à son sommet devait disparaître dans les nuages.

– Est-ce le plus haut clocher du monde ? demandai-je, ébahi.

Mon maître m'adressa un de ses rares sourires.

– Non, petit ! Mais c'est le plus haut du Comté, comme il se doit pour une ville qui abrite un tel nombre de prêtres. Je souhaiterais qu'il y en ait moins ! Hélas, nous devrons nous en arranger.

Son sourire s'effaça soudain.

– Quand on parle du loup..., grommela-t-il entre ses dents.

Par un trou de la haie longeant le sentier, il m'entraîna dans un champ attenant. Un doigt sur ses lèvres, il me fit signe de garder le silence et de m'accroupir près de lui. Un marcheur approchait.

Entre les branches d'aubépine, j'aperçus le bas d'une soutane. Un prêtre !

Nous restâmes cachés bien après que le bruit de ses pas se fut éloigné. Alors seulement, l'Épouvanteur me ramena sur le sentier. Je ne comprenais pas pourquoi il faisait toutes ces histoires. En chemin, nous avions croisé plusieurs membres du clergé ; nous ne nous étions pas cachés pour autant.

– Nous devons nous tenir sur nos gardes, petit, m'expliqua mon maître. Les prêtres représentent un réel danger dans cette ville. L'archevêque, vois-tu, est l'oncle du Grand Inquisiteur. Je suppose que tu as entendu parler de lui.

Je hochai la tête.

– Il pourchasse les sorcières, n'est-ce pas ?

– En effet. Lorsqu'il capture une personne qu'il considère comme sorcière ou sorcier, il met sa toque noire et préside le tribunal lors du jugement – un jugement généralement vite expédié. Le lendemain, il coiffe un autre chapeau. Il devient l'exécuteur, et on dresse le bûcher. Il a la réputation d'exceller dans ce rôle, et il y a toujours foule pour assister au supplice. On dit qu'il a un talent pour placer le poteau de manière que les malheureuses victimes mettent longtemps à mourir. La souffrance est censée faire naître le remords chez la sorcière et l'inciter à implorer le pardon de Dieu pour ses fautes. Ainsi, lorsqu'elle meurt, elle a sauvé son âme. Mais ce n'est qu'un prétexte. L'Inquisiteur ne possède pas les connaissances d'un épouvanteur ; il ne reconnaîtrait pas une véritable sorcière, sortirait-elle de la tombe en lui agrippant la cheville ! Non, ce n'est qu'un homme cruel, qui prend plaisir à voir souffrir et s'enrichit en revendant les biens des gens qu'il a condamnés.

« Voilà qui me ramène à ce qui nous concerne. Vois-tu, l'Inquisiteur considère les épouvanteurs comme des sorciers. L'Église n'a guère de sympathie pour ceux qui ont affaire à l'obscur, même s'ils le combattent. D'après elle, seuls les prêtres devraient remplir cette tâche. L'Inquisiteur a le pouvoir d'arrêter qui bon lui semble ; il a des gardes armés à son service. Mais rassure-toi, petit ! Ça, c'est la mauvaise nouvelle. La bonne, c'est que l'Inquisiteur habite une grande ville à l'extrême sud du pays, loin des frontières du Comté. Donc, si nous sommes dénoncés, il lui faudra une bonne semaine pour arriver jusqu'ici. De plus, ma venue sera une surprise. Personne ne s'attend à ce que j'assiste aux funérailles d'un frère à qui je n'ai pas parlé depuis quarante ans !

Ces paroles n'étaient cependant pas pour me rassurer. Quand nous parvînmes au bas de la colline, j'en frissonnais encore. Entrer dans la ville était risqué. Avec son bâton et son grand manteau, mon maître serait aussitôt identifié pour ce qu'il était : un épouvanteur.

J'étais sur le point de lui en faire la remarque quand il quitta la route pour pénétrer dans un bosquet. Je le suivis. Au bout d'une trentaine de pas, il s'arrêta.

– Bien ! fit-il. Enlève ton manteau et donne-le-moi !

Je ne protestai pas. Au ton qu'il avait employé, je me doutais que c'était important, bien que je ne devine pas en quoi. Il ôta son propre manteau à capuchon et posa son bâton sur le sol.

– Maintenant, dit-il, trouve-moi des branches fines et du petit bois ! Rien de lourd, surtout !

J'obéis et, quelques minutes plus tard, je le regardai placer son bâton parmi les branches et envelopper le tout avec nos manteaux. À cet instant, bien sûr, j'avais compris : en voyant dépasser les branches à chaque bout du baluchon, on penserait que nous avions ramassé des fagots pour le feu. C'était une sorte de déguisement.

– Il y a plusieurs auberges modestes dans le quartier de la cathédrale, m'expliqua-t-il en me tendant une pièce d'argent. Mieux vaut pour toi que nous ne logions pas dans la même, car, si j'étais dénoncé, tu serais arrêté aussi. Il est également préférable que tu ignores où je loge ! L'Inquisiteur use de la torture. Qu'il tienne l'un de nous, et il tiendra bientôt l'autre. J'entrerai en ville le premier. Laisse-moi dix minutes d'avance, puis vas-y.

« Tu choisiras une auberge dont le nom n'évoquera rien de religieux, ainsi, nous serons sûrs de ne pas nous retrouver ensemble. Et ne mange rien ce soir, car dès demain nous nous mettrons au travail. L'enterrement est à neuf heures du matin. Tâche d'arriver de bonne heure et assieds-toi au fond de la cathédrale. Si j'y suis déjà, reste à distance.

« Se mettre au travail », dans la bouche de mon maître signifiait faire notre métier d'épouvanteur. Descendrions-nous dans les catacombes pour y affronter le Fléau ? Cette perspective ne me réjouissait guère.

– Ah ! Encore une chose, s'exclama mon maître au moment de partir. Tu te chargeras de mon sac. Que dois-tu te rappeler, quand tu traverses un endroit comme Priestown ?

– De le porter dans la main droite, dis-je.

Il hocha la tête d'un air satisfait, chargea le fagot sur son épaule droite et s'éloigna.

Nous étions gauchers l'un et l'autre, une particularité que certains prêtres réprouvaient. Selon eux, nous étions des « gauchis », facilement tentés par le démon, voire prêts à faire alliance avec lui.

Je lui accordai dix grosses minutes, pour être certain de laisser assez de distance entre nous. Puis, empoignant son sac pesant, je repris la route. Une fois arrivé en ville, je grimpai vers la cathédrale et, lorsque j'en fus tout proche, me mis en quête d'une auberge.

Chaque rue pavée possédait la sienne. La plupart semblaient correctes, malheureusement toutes portaient un nom ayant rapport à l'Église. *La Crosse de l'Évêque* côtoyait *L'Auberge du Clocher*. On trouvait *Le Joyeux Moine*, *La Mitre*, *Le Livre et le Cierge*, pour n'en nommer que quelques-unes. Cette dernière me rappela la raison qui nous amenait à Priestown : le père Gregory, le frère de l'Épouvanteur, avait appris à ses dépens que le Livre saint et les cierges étaient insuffisants pour combattre l'obscur. Y ajouter des sonneries de cloches n'avait servi à rien.

Je me rendis compte que mon maître s'était facilité la tâche et avait rendu la mienne fort malaisée. J'arpentai longtemps les rues étroites de Priestown et celles, plus importantes, qu'elles reliaient. Je parcourus l'avenue Fylde de haut en bas, puis une autre, plus large, appelée l'Arc-de-Friar, sans y découvrir d'ailleurs le moindre arc. Les artères fourmillaient de gens pressés. Le grand marché, situé en haut de l'Arc-de-Friar, allait fermer, mais quelques clients négociaient encore avec les boutiquiers. Ça empestait le poisson, et les mouettes affamées criaillaient au-dessus de la foule.

Chaque fois qu'une silhouette en soutane noire surgissait, j'obliquais ou je changeais de trottoir. Le nombre de prêtres dans cette ville me stupéfiait.

Je descendis ensuite la rue des Pêcheurs, jusqu'à ce que j'aperçoive la rivière en contrebas. Je refis le chemin en sens inverse. Je décrivis un cercle complet en empruntant chaque ruelle, sans succès. Je ne pouvais tout de même pas demander aux passants s'ils connaissaient une auberge dont le nom n'avait aucune connotation religieuse ; on m'aurait pris pour un fou. Et je ne devais surtout pas attirer l'attention. Même si je prenais soin de porter le gros sac de l'Épouvanteur dans la main droite, il attirait trop de regards curieux à mon goût.

Finalement, alors que le soir tombait, je dénichai un gîte assez près de la cathédrale, là où j'avais commencé ma recherche. C'était une petite auberge à l'enseigne du *Taureau Noir*.

Avant de devenir apprenti de l'Épouvanteur, je n'avais jamais logé à l'auberge, n'ayant pas eu l'occasion de séjourner loin de la ferme de mon père. Depuis, j'y avais passé peut-être une demi-douzaine de nuits, pas davantage. Nous étions pourtant souvent par monts et par vaux, parfois plusieurs jours d'affilée ; mais l'Épouvanteur préférait économiser et, à moins que le temps soit vraiment mauvais, il estimait que l'abri d'un arbre ou d'une vieille grange nous suffisait. Ce serait cependant la première fois que j'y dormirais seul, et, quand je poussai la porte, j'étais un peu nerveux.

L'étroite entrée donnait dans une vaste salle, mal éclairée par une unique lanterne. Elle était encombrée de tables et de chaises, toutes vides. Un comptoir en occupait le fond. Il s'en dégageait une odeur de vinaigre, dont je compris vite que c'était en fait celle de la bière qui avait imprégné le bois. Une petite cloche munie d'une ficelle pendait à droite du comptoir. Je l'agitai.

Une porte s'ouvrit, et un homme chauve apparut, essuyant ses grosses mains sur un tablier d'une propreté plus que douteuse.

– Je voudrais une chambre pour la nuit, dis-je.

Rapidement, j'ajoutai :

– Je resterai peut-être plus longtemps.

Il me regarda comme s'il venait de me trouver collé à la semelle de sa chaussure ; toutefois, quand je posai la pièce d'argent sur le comptoir, son visage prit une expression plus avenante.

– Désirez-vous souper, monsieur ? me demanda-t-il.

Je refusai d'un signe de tête : je devais jeûner. De toute façon, l'aspect de son tablier m'avait coupé l'appétit.

Cinq minutes plus tard, j'étais dans ma chambre et j'avais tourné la clé dans la serrure. Le lit n'avait pas été fait, les draps étaient sales. L'Épouvanteur, lui, se serait plaint, mais j'avais trop besoin de dormir, et c'était mieux qu'une grange ouverte à tous les vents. La vue que j'avais depuis la fenêtre me fit néanmoins regretter ma chambre de Chipenden. Au lieu d'un sentier de graviers blancs traversant une verte pelouse et un paysage de collines, je n'avais sous les yeux qu'une sinistre rangée de maisons, dont les cheminées crachaient une fumée noire qui retombait en tourbillons dans la ruelle.

Épuisé, je m'étendis sur le lit et, sans lâcher la poignée du sac de l'Épouvanteur, je m'endormis presque aussitôt.

Huit heures venaient à peine de sonner, le lendemain matin, que je marchais déjà vers la cathédrale. Le sac était resté dans la chambre, car il aurait paru bizarre que je m'en encombre à des funérailles. J'étais un peu inquiet de le laisser à l'auberge ; cependant, il était muni d'une serrure, de même que la porte de la chambre, et les deux clés étaient en sécurité au fond de ma poche.

J'avais également une troisième clé. L'Épouvanteur me l'avait donnée quand j'étais allé à Horshaw pour m'occuper de l'éventreur. Elle avait été fabriquée par son autre frère, Andrew le serrurier, et elle ouvrait la plupart des fermetures, cadenas et verrous pourvu que leur mécanisme ne soit pas trop complexe. J'aurais pu la rendre à mon maître, mais, sachant qu'il en possédait plusieurs, et puisqu'il ne me l'avait pas réclamée, je l'avais conservée. Elle pouvait m'être utile, comme l'était le briquet à amadou que mon père m'avait offert quand j'étais parti en apprentissage. Il avait appartenu à son père, c'était un objet de famille. Je ne m'en séparais jamais.

Je suivis une rue pentue ; je voyais le clocher de la cathédrale à ma gauche. Le temps était humide, une bruine serrée me mouillait le visage. J'avais eu raison à propos du clocher : son sommet disparaissait dans les nuages, d'un gris sombre, venus du sud-ouest. Une odeur de suie emplissait l'air, car le vent rabattait la fumée crachée par les cheminées.

Des gens se pressaient dans la même direction. Une femme me dépassa, qui tirait par la main deux bambins, les obligeant à courir plus vite que leurs petites jambes le leur permettaient.

– Allez ! Dépêchez-vous ! les harcelait-elle. On va tout manquer !

Un instant, je me demandai s'ils se rendaient eux aussi aux funérailles, mais cela me parut peu probable, tant ils paraissaient excités.

J'arrivai sur un terre-plein et pris à gauche. Une foule agitée, massée des deux côtés de la rue, bloquait le passage. Je me faufilai de mon mieux, sans cesser de m'excuser, tâchant de ne pas écraser trop de pieds. L'affluence était telle que je fus contraint de m'arrêter et d'attendre avec tout le monde.

Je n'eus pas à patienter longtemps. Des applaudissements et des cris s'élevèrent soudain à ma droite, ainsi qu'un martèlement de sabots sur les pavés. Une procession montait vers la cathédrale. En tête, deux soldats vêtus de noir, une épée leur battant la hanche, caracolaient sur leurs chevaux. D'autres cavaliers les suivaient, ceux-là armés de dagues et de matraques. J'en comptai dix, vingt, cinquante. Enfin, un homme apparut, seul, chevauchant un immense étalon blanc.

Il portait un manteau noir par-dessus une cotte de mailles de grand prix. Le pommeau de son épée était incrusté de rubis. Ses bottes étaient en cuir le plus fin, et coûtaient sans doute largement ce que gagnait un fermier en une année de labeur.

Les vêtements de ce cavalier le désignaient comme un personnage important. Mais aurait-il été habillé de haillons qu'on ne se serait pas trompé sur son rang. Ses cheveux d'un blond très clair s'échappaient d'un chapeau rouge à larges bords, et ses yeux étaient d'un bleu à faire pâlir de honte un ciel d'été. Son visage me fascinait, presque trop beau pour être celui d'un homme, et pourtant plein de force, avec un menton saillant et un front impérieux. Puis j'observai de nouveau ses yeux, et j'y perçus la flamme brûlante de la cruauté.

Il me rappelait un chevalier qui était passé un jour près de notre ferme, quand j'étais enfant. Il avait à peine daigné nous jeter un regard. Pour lui, nous n'existions pas. C'est ce que mon père avait dit. Il avait précisé que c'était un noble, qu'on devinait rien qu'à son apparence que sa famille descendait d'ancêtres tout aussi nobles, riches et puissants.

En prononçant le mot « noble », mon père avait craché dans la boue, ajoutant que j'avais de la chance d'être fils de fermier, avec une honnête journée de travail devant moi.

L'homme chevauchant dans Priestown était un noble, cela ne faisait aucun doute. L'arrogance et l'autorité étaient inscrites sur son visage. Consterné, je compris qu'il s'agissait de l'Inquisiteur, car derrière lui venait une charrette tirée par deux chevaux de trait, transportant des gens debout, chargés de chaînes.

La plupart étaient des femmes, mais il y avait également deux hommes. Il était clair qu'ils n'avaient pas mangé à leur faim depuis longtemps. Leurs vêtements étaient en loques, et tous portaient des traces de coups. Ils étaient couverts d'hématomes ; l'œil gauche d'une des femmes avait l'aspect d'une tomate écrasée. Certaines pleuraient, l'une d'elles ne cessait de crier d'une voix suraiguë qu'elle était innocente. Mais c'était sans espoir, ces captifs seraient bientôt jugés et condamnés au bûcher.

Une jeune demoiselle se précipita soudain vers la charrette, tendant fébrilement une pomme à l'un des hommes. Sans doute une parente ; sa fille, peut-être.

À mon grand effroi, l'Inquisiteur fit virer sa monture et renversa l'imprudente, qui tomba sous les sabots du cheval. Une seconde avant, elle était là, avec sa pomme. À présent, elle était couchée sur les pavés, hurlant de douleur. Une cruelle expression de plaisir apparut sur la face du cavalier. La charrette continua son chemin en brinquebalant, escortée par d'autres cavaliers en armes, et les hourras de la foule se changèrent en injures et en cris de haine :

– Qu'on les brûle tous !

Je distinguai alors dans le groupe des prisonniers une fille blême de terreur. Elle était à peine plus âgée que moi. Ses longs cheveux noirs collaient à son visage, trempés par la pluie qui lui dégoulinait le long du nez et gouttait de son menton comme des larmes. J'observai sa robe noire, ses souliers pointus ; je ne pouvais en croire mes yeux.

C'était Alice ! Elle était aux mains du Grand Inquisiteur.

5
Les funérailles

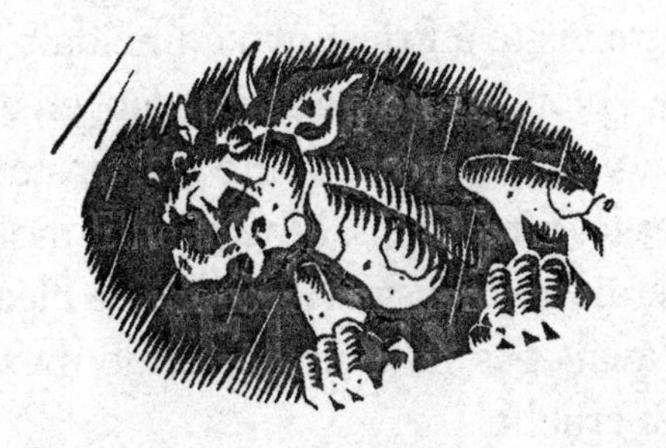

La tête me tourna, et je titubai. Alice !

Je ne l'avais pas revue depuis plusieurs mois. Sa tante, Lizzie l'Osseuse, était une sorcière qui nous avait causé bien des ennuis. Mais Alice, à la différence des autres membres de sa famille, n'était pas malfaisante. En vérité, nous avions été bien près de devenir amis, tous les deux, et c'était grâce à elle si, quelques mois auparavant, j'avais pu détruire Mère Malkin, la sorcière la plus pernicieuse qui eût jamais sévi dans le Comté.

Non, le seul tort d'Alice était d'avoir grandi en mauvaise compagnie. Elle ne méritait pas d'être brûlée comme sorcière. Je devais trouver un moyen de la tirer de là ! Lequel ?

À cet instant, je n'aurais su le dire. Dès la fin de l'enterrement, je tâcherais de persuader mon maître de m'aider.

Et l'Inquisiteur était là ! Par quel terrible coup du sort notre visite à Priestown coïncidait-elle avec son arrivée ? Nous étions en grand danger, et l'Épouvanteur ne voudrait sans doute pas prolonger son séjour après les funérailles. Une part de moi espérait qu'il quitterait la ville sans affronter le Fléau. Pourtant, je n'avais pas le droit d'abandonner Alice à une mort si cruelle.

Quand la charrette et son escorte furent passées, la populace se rua à leur suite. Pressé comme je l'étais dans cette cohue, je fus bien obligé de me laisser emporter par le flot.

Ayant longé la cathédrale, la charrette s'arrêta devant une grande bâtisse à deux étages ornée de fenêtres à meneaux. Je supposai qu'il s'agissait du presbytère, où demeuraient les prêtres, et que les prisonniers y seraient jugés. On les fit descendre de la charrette pour les traîner à l'intérieur. J'étais trop loin pour distinguer Alice parmi eux et, dans l'immédiat, je ne pouvais rien entreprendre. Il me faudrait pourtant trouver une idée avant qu'on les conduise au bûcher.

Je me détournai, le cœur lourd, et me frayai un chemin dans la foule pour atteindre la cathédrale et assister à l'enterrement du père Gregory.

Le monument possédait de puissants arcs-boutants et de hauts vitraux en ogive. Me souvenant des paroles de l'Épouvanteur, je levai les yeux vers la gargouille qui surplombait le grand portail.

Elle représentait le Fléau tel qu'il était à l'origine, et c'était cette apparence qu'il s'efforçait de reprendre en restaurant ses forces dans les profondeurs des catacombes. Son corps écailleux était accroupi, ses serres griffues cramponnées au linteau de pierre, tous ses muscles saillant comme si la créature s'apprêtait à bondir.

J'avais déjà vu des choses terrifiantes ces derniers temps, mais aucune n'était aussi laide que l'énorme tête du monstre. Son menton pointu s'incurvait comme s'il cherchait à rejoindre son long nez crochu, et ses petits yeux vicieux semblaient me suivre du regard tandis que j'approchais. Ses oreilles rappelaient celles d'un gros chien ou d'un loup. Rien qui donne envie de le rencontrer au détour d'une sombre galerie !

Je jetai un dernier regard vers le presbytère, me demandant s'il restait un espoir de sauver Alice. Puis j'entrai dans la cathédrale.

Elle était encore presque vide ; je n'eus donc aucun mal à choisir une place dans le fond. Non loin de moi, deux vieilles femmes priaient, à genoux, la tête baissée, et un enfant de chœur allumait des cierges.

J'avais tout le loisir d'examiner les lieux. Le bâtiment paraissait encore plus vaste vu de l'intérieur, avec ses hautes voûtes et ses arceaux de pierre. Les échos de la plus petite toux y résonnaient longuement. La nef centrale, qui menait aux marches de l'autel, était assez large pour laisser passer un attelage. L'ensemble donnait une impression de magnificence : chaque statue était dorée à la feuille d'or, les murs étaient recouverts de marbre. Quel contraste avec la misérable église de Horshaw, dont le frère de l'Épouvanteur avait eu la charge !

En haut de la travée centrale, le cercueil du père Gregory attendait, ouvert, un cierge brûlant à chaque coin. Jamais je n'avais vu de pareils cierges. Plantés dans de gigantesques chandeliers, ils avaient la taille d'un homme.

Les fidèles commençaient à arriver et, comme moi, s'installaient sur les bancs du fond. Je guettais mon maître, qui ne se montrait pas.

Je ne pouvais m'empêcher de jeter des coups d'œil à droite et à gauche, à l'affût d'un signe du Fléau. Je ne sentais pas sa présence, mais une créature aussi puissante était sûrement capable de percevoir la mienne. Et si les rumeurs étaient vraies ? S'il avait la capacité de prendre une apparence humaine et se tenait là, assis quelque part dans l'assistance ? Je regardai nerveusement autour de moi, puis me détendis en me souvenant des explications de l'Épouvanteur : le Fléau étant enfermé dans les catacombes, j'étais en sécurité pour le moment.

Quoique... Son esprit – mon maître l'avait dit également – ne pénétrait-il pas dans le presbytère ou la cathédrale pour corrompre les prêtres ? À cet instant même, il tentait peut-être de s'introduire dans ma tête !

Je levai les yeux, horrifié, et croisai le regard d'une femme qui allait s'asseoir après s'être recueillie devant la dépouille du père Gregory. Je la reconnus : c'était sa gouvernante. Elle me reconnut elle aussi et s'approcha de mon banc.

– Pourquoi étais-tu tellement en retard ? me reprocha-t-elle dans un chuchotement. Si tu étais venu dès que je t'avais envoyé chercher, il serait vivant, aujourd'hui.

– J'ai fait de mon mieux, répondis-je, tâchant de ne pas attirer l'attention sur nous.

– Alors, c'est que ton mieux n'était pas assez bon. L'Inquisiteur a raison : les gens de votre espèce n'apportent que le désordre ! Vous méritez le châtiment qu'il vous réserve !

À la mention de l'Inquisiteur, je tressaillis. Nous fûmes alors interrompus par l'apparition d'une file d'hommes vêtus de soutanes et de manteaux noirs. Des prêtres ! Des dizaines de prêtres ! Je n'aurais pu imaginer en voir un jour autant à la fois. À croire que tout le clergé du pays s'était rassemblé pour célébrer les funérailles du vieux père Gregory.

La femme n'ajouta rien et rejoignit son banc.

À présent, j'avais vraiment peur. J'étais assis là, dans la cathédrale, juste au-dessus des catacombes qui abritaient la plus effroyable créature du Comté, tandis que l'Inquisiteur paradait en ville. Et quelqu'un m'avait reconnu ! J'aurais voulu être à mille lieues de cet endroit maudit, et j'attendais anxieusement mon maître, qui n'arrivait toujours pas.

J'étais sur le point de m'en aller quand les battants du grand portail s'ouvrirent avec fracas, laissant entrer une longue procession. Il était trop tard pour m'éclipser.

Je crus d'abord que l'homme qui marchait en tête était l'Inquisiteur, car il avait la même allure. Puis, m'apercevant qu'il était plus vieux, je devinai qu'il s'agissait de l'archevêque de Priestown, son oncle.

La cérémonie commença. Il y avait beaucoup de chants ; nous étions obligés de nous lever, de nous asseoir, de nous agenouiller à tout bout de champ. Si au moins la liturgie avait été en grec, j'aurais pu la suivre, puisque ma mère m'avait enseigné cette langue dès mon plus jeune âge. Or, l'office était en latin. Je n'en saisissais que des bribes, et je pris conscience que je devrais travailler dur pour progresser.

L'archevêque prononça un sermon, affirmant que le père Gregory était au ciel, qu'il avait mérité cette récompense après le bon travail qu'il avait accompli ici-bas. Je fus surpris que le prélat ne fasse aucune allusion à la façon dont il était mort, mais supposai que les prêtres préféraient garder la chose secrète. Il leur était probablement difficile d'admettre que les exorcismes avaient échoué.

Au bout d'une heure, le service funèbre s'acheva, et la procession quitta l'église. Six prêtres portaient le cercueil. Derrière eux venaient quatre autres prêtres, chancelant sous le poids des cierges. Lorsque le dernier passa, je remarquai que la base des lourds chandeliers de cuivre était triangulaire. Sur chacune des trois faces du triangle était gravée une image de la gargouille, identique à celle dominant le portail. Il me sembla de nouveau que la créature ne me lâchait pas des yeux : sans doute était-ce un effet d'optique, dû à la lumière mouvante du cierge.

Une double file de prêtres s'avança, suivie par le reste de l'assistance. Je ne bougeai pas de ma place, craignant de croiser de nouveau la gouvernante du père Gregory.

Je ne savais quel parti prendre. Je n'avais pas vu l'Épouvanteur ; je n'avais pas la moindre idée de l'endroit où il pouvait être, ni de la façon de le retrouver. J'ignorais comment le prévenir de la présence de l'Inquisiteur et de celle de la femme de Horshaw.

Lorsque je me décidai à sortir, la pluie avait cessé, et la place était déserte. La queue de la procession disparaissait à l'arrière de la cathédrale, où se situait probablement le cimetière.

Je choisis de partir dans le sens opposé et franchis le portail. Une fois dans la rue, j'eus un choc : plantées au milieu de la chaussée, je vis deux personnes en pleine altercation. Plus exactement, l'une d'elles, un prêtre au visage rougeaud, qui avait une main bandée, fulminait contre son interlocuteur, lequel était l'Épouvanteur.

Tous deux remarquèrent ma présence. D'un signe du pouce, mon maître m'ordonna de m'éloigner. J'obéis, et il prit la même direction que moi, en restant de l'autre côté de la rue. Le prêtre lui lança :

– Réfléchis bien, John, avant qu'il soit trop tard !

Je risquai un coup d'œil par-dessus mon épaule et constatai qu'il ne nous suivait pas, mais il me sembla qu'il me fixait. N'était-ce qu'une impression ? Il me paraissait soudain plus intéressé par moi que par l'Épouvanteur.

Nous marchâmes pendant quelques minutes sans rencontrer grand monde. En bas de la butte, les rues devenaient plus étroites et plus animées. Après avoir obliqué à plusieurs reprises, nous arrivâmes au marché. Il était installé sur une place où s'alignaient des échoppes de bois protégées par des auvents de toile. Je ne quittai pas mon maître des yeux, de crainte de me perdre dans la cohue.

À l'extrémité nord du marché, l'Épouvanteur s'avança vers une grande taverne. Je crus qu'il allait entrer dans la salle pour commander un repas. S'il avait l'intention de quitter la ville à cause de l'Inquisiteur, il n'était plus nécessaire de jeûner. Au lieu de cela, il tourna dans une étroite impasse pavée, me conduisit jusqu'à un muret de pierre et en essuya le rebord mouillé avec sa manche. Il s'assit et me fit signe d'en faire autant.

L'impasse était déserte ; de hauts murs d'entrepôt nous surplombaient sur trois côtés. Les rares fenêtres donnant sur la ruelle étaient tout encrassées ; nous ne risquions pas d'être épiés par des regards trop curieux.

Notre marche rapide avait essoufflé l'Épouvanteur, ce qui me donna l'occasion de parler le premier :

– L'Inquisiteur est là !

Il hocha la tête.

– Oui, petit. J'étais sur le trottoir d'en face quand il est passé, mais tu étais trop occupé à observer cette charrette pour me remarquer.

– Alors, vous l'avez vue ? Alice était dans la charrette, et...

– Alice ? Quelle Alice ?

– La nièce de Lizzie l'Osseuse. Il faut la secourir !

L'Épouvanteur connaissait Lizzie l'Osseuse : il l'avait emprisonnée au fond d'une fosse, dans son jardin de Chipenden, au printemps dernier.

– Oh, cette fille ! Je te conseille de l'oublier, petit, car il n'y a rien que nous puissions faire pour elle. L'Inquisiteur est accompagné d'une cinquantaine d'hommes en armes.

– Ce n'est pas juste ! protestai-je, indigné qu'il puisse en parler aussi sereinement. Alice n'est pas une sorcière !

– Peu de choses sont justes en cette vie, me répliqua-t-il. La vérité, c'est qu'aucune de ces captives n'est coupable de sorcellerie. Tu te doutes bien qu'une sorcière authentique aurait détecté la présence de l'Inquisiteur à des lieues à la ronde et ne se serait pas fait prendre.

– Mais Alice est mon amie. Je ne veux pas qu'elle meure ! m'écriai-je, sentant monter ma colère.

– Il n'y a pas de place pour les sentiments dans notre travail. Nous sommes censés protéger les gens de l'obscur, sans nous laisser distraire par les jolies filles.

J'étais d'autant plus furieux que – je le savais pertinemment – mon maître s'était laissé séduire par une jolie fille qui, de surcroît, était sorcière !

– Alice m'a aidé à sauver ma famille des maléfices de Mère Malkin. Rappelez-vous !

– Et pourquoi Mère Malkin avait-elle été libérée, tu peux me le dire ?

Je baissai la tête, honteux.

– Parce que cette demoiselle t'avait embobiné ! continua-t-il. Pas question qu'une telle chose se reproduise, surtout ici, à Priestown, avec l'Inquisiteur sur nos talons ! Tu mettrais ta vie en danger, ainsi que la mienne. Et ne parle pas si fort, s'il te plaît ! Inutile d'attirer l'attention !

Je jetai un coup d'œil alentour : à part nous, il n'y avait personne. Au-delà du marché, j'apercevais des toits et, très haut au-dessus des cheminées, la flèche de la cathédrale. Pourtant je baissai la voix :

– Quoi qu'il en soit, que fait ici l'Inquisiteur ? Vous disiez qu'il sévissait dans le sud du pays et ne venait que lorsqu'on l'envoyait chercher.

– C'est habituellement le cas. Il lui arrive cependant de mener une expédition vers le nord du Comté, et même plus loin. Ces dernières semaines, il a, paraît-il, écumé la côte, ramassant ces malheureux débris d'humanité que tu as vus enchaînés dans la charrette.

L'entendre traiter Alice de « débris d'humanité » me mit hors de moi. Toutefois, le moment étant malvenu d'entamer une dispute, je me contins.

– À Chipenden, nous serons en sécurité, poursuivit-il. Il ne s'est encore jamais aventuré dans les collines.

– Nous retournons à la maison, alors ?

– Non, petit. Pas tout de suite. Je te l'ai déjà expliqué, j'ai un travail à terminer.

Mon cœur flancha, et je lançai vers l'entrée de l'impasse un regard soupçonneux. Des passants allaient à leurs affaires ; on entendait les cris des marchands vantant leurs produits. Dieu merci, en dépit de toute cette agitation, nous étions hors de vue. Cependant, j'étais fort mal à l'aise. Nous étions supposés garder nos distances. Or, le prêtre, dans la rue, avait parlé à l'Épouvanteur. La femme de Horshaw m'avait repéré. Qu'arriverait-il si quelqu'un d'autre nous remarquait et que nous soyons arrêtés ? Bien des curés de paroisses voisines pouvaient être en ville, et ils connaissaient mon maître de vue. La seule chose qui me rassurait un peu, c'était de savoir qu'à cet instant ils devaient être rassemblés au cimetière.

– Ce prêtre avec qui vous discutiez, demandai-je, qui était-ce ? Ne dira-t-il pas à l'Inquisiteur que vous êtes ici ?

J'en étais à penser que nous ne serions plus à l'abri nulle part. Qu'est-ce qui empêcherait ce rougeaud énervé d'envoyer l'Inquisiteur à Chipenden ?

– De plus, ajoutai-je, la gouvernante de votre frère m'a parlé, avant l'enterrement. Elle était furieuse. Elle aussi peut très bien nous dénoncer !

J'étais de plus en plus persuadé que nous prenions un sérieux risque en restant à Priestown pendant que l'Inquisiteur s'y trouvait.

– Calme-toi, mon garçon ! La gouvernante ne dira rien à personne. Mon frère et elle n'étaient pas sans péché. Quant à ce prêtre...

Mon maître esquissa un sourire.

– Il s'appelle le père Cairns. Il est de ma famille. C'est un cousin, et un brave homme, même s'il se mêle parfois de ce qui ne le regarde pas et s'excite facilement. Il désire depuis toujours me « sauver » malgré moi et me ramener dans le « droit chemin ». Mais il perd sa salive. J'ai choisi ma voie et, à tort ou à raison, je continuerai de la suivre.

J'entendis alors des pas et je crus que le cœur me remontait dans la gorge. Quelqu'un était entré dans l'impasse et venait vers nous !

– Quand on parle de famille..., constata l'Épouvanteur le plus tranquillement du monde. Petit, je te présente mon frère, Andrew.

Un homme grand, maigre, avec un long visage osseux, s'approchait, ses pas sonnant sur les pavés. Il paraissait âgé et ressemblait à un épouvantail endimanché, car, s'il portait un costume propre et des bottes de bonne qualité, les pans de son vêtement mal ajusté flottaient au vent. Je songeai qu'il avait encore plus besoin que moi d'un copieux petit déjeuner.

Sans même prendre le soin d'essuyer le muret mouillé, il s'assit à côté de mon maître.

– J'étais sûr de te trouver ici, lui dit-il d'un air sombre. Quelle triste affaire !

– Oui, nous ne sommes plus que deux, à présent. Cinq frères morts !

– John, il faut que tu le saches : l'Inqui...

– Je sais, le coupa l'Épouvanteur, un brin d'impatience dans la voix.

– Alors, va-t'en ! Vous êtes en danger tous les deux, reprit-il en me saluant d'un signe de tête.

– Non, Andrew. Nous ne partirons pas tant que je n'aurai pas achevé ce que j'ai commencé. À ce propos, je voudrais que tu me fabriques une nouvelle clé. Pour le portail...

Andrew se raidit.

– Non, John ! Ne commets pas cette folie ! Je ne serais pas venu si j'avais su que tu me demanderais ça. Aurais-tu oublié la malédiction ?

– Tais-toi ! lui intima son frère. Pas devant le garçon ! Ne parle pas de ces stupides superstitions !

– Quelle malédiction ? m'exclamai-je, piqué par la curiosité.

– Tu vois ce que tu as fait ? siffla mon maître avec colère.

Se tournant vers moi, il déclara :

– Ce n'est rien. Je ne crois pas à ces bêtises, et toi non plus.

Andrew soupira :

– Je viens d'enterrer un frère aujourd'hui. Retourne chez toi, John, avant que je sois obligé d'enterrer le dernier ! L'Inquisiteur aimerait beaucoup mettre la main sur l'Épouvanteur du Comté. Regagne Chipenden tant qu'il en est encore temps !

– Je reste, Andrew. Un point, c'est tout ! déclara mon maître avec fermeté. Un travail m'attend, Inquisiteur ou pas. Alors, vas-tu m'aider ?

– Là n'est pas le problème, et tu le sais. Ne t'ai-je pas toujours aidé ? T'ai-je une seule fois manqué de parole ? Mais c'est de la folie ! Tu risques de finir sur le bûcher si tu t'attardes en ville. Ce n'est pas le moment de t'attaquer à cette tâche.

D'un grand geste du bras, il désigna le clocher au loin.

– Et pense au garçon ! Tu n'as pas le droit de l'entraîner là-dedans. Pas maintenant ! Reviens au printemps, lorsque l'Inquisiteur sera parti, et nous en reparlerons. Vu les circonstances, tenter quoi que ce soit serait insensé. Tu ne peux pas affronter à la fois le Fléau *et* l'Inquisiteur ! Tu n'es plus un jeune homme et, à en juger par ta mine, tu n'es pas au mieux de ta forme.

Je regardai à mon tour vers le clocher. On devait le voir de n'importe quel quartier et, d'en haut, découvrir la ville entière. Il y avait quatre petites fenêtres au sommet, juste sous la croix. De là, on pouvait sûrement compter tous les toits de Priestow, surveiller les rues et les gens, nous compris.

Je frissonnai à l'idée qu'un prêtre était peut-être là-haut et que le Fléau, ayant pénétré son esprit, nous observait par ses yeux, dissimulé dans l'ombre.

Pourtant, mon maître n'avait pas l'intention de changer ses plans.

– Allons, Andrew, réfléchis ! Combien de fois m'as-tu dit que l'obscur prenait possession de cette ville, que la corruption touchait de nombreux prêtres, et que la population vivait dans la peur ? Et la dîme qui a été doublée ? Et l'Inquisiteur qui brûle des femmes sans défense et spolie ses victimes ? Quelle force démoniaque pousse des hommes qui furent bons à infliger de telles souffrances à leurs semblables et convainc de braves gens à accepter ces atrocités, voire à les encourager ? Aujourd'hui, Tom a reconnu une amie à lui dans la charrette qui la conduisait à une mort certaine. Oui, tout cela est la faute du Fléau, et il faut mettre un terme à ses agissements. Crois-tu vraiment que je pourrais laisser la situation empirer ne serait-ce que six mois de plus ? Combien d'innocents auront été brûlés d'ici là, combien de pauvres auront péri de faim et de froid si je n'agis pas ? Une rumeur court en ville : on entendrait des soupirs monter des catacombes. Si c'est vrai, cela signifie que le Fléau gagne en force et en pouvoir, et qu'il va redevenir une créature de chair. Bientôt, il aura retrouvé son apparence originelle, manifestation physique de l'esprit pervers qui tyrannisait autrefois le Petit Peuple. Comme il lui sera facile, alors, de manipuler n'importe qui et de se faire ouvrir le portail ! Et nous, où serons-nous ? Non, je le vois comme le nez au milieu de la figure : je dois débarrasser Priestown de l'obscur, avant que la puissance du Fléau ne soit trop grande. Aussi, je te le demande encore une fois : me fabriqueras-tu une clé ?

Le frère de l'Épouvanteur enfouit son visage dans ses mains, comme les vieilles femmes qui priaient à l'église. Enfin il se redressa et hocha la tête.

– J'ai gardé le moule. La clé sera prête demain matin à la première heure. Je dois être encore plus stupide que toi...

– C'est bien, dit l'Épouvanteur. Je savais que je pouvais compter sur toi. Je l'enverrai chercher à l'aube.

– J'espère que tu sais ce que tu fais en descendant là-dessous !

Une brusque colère empourpra le visage de mon maître.

– Occupe-toi de ton travail, frère, et laisse-moi accomplir le mien !

En entendant ces mots, Andrew se leva, poussa un soupir lourd de toute la misère du monde et s'éloigna sans un regard en arrière.

– Bon ! conclut l'Épouvanteur. Petit, tu pars le premier. Retourne à ton auberge et ne bouge pas de ta chambre jusqu'à demain. La boutique d'Andrew est dans l'Arc-de-Friar. J'irai y prendre la clé et je te retrouverai juste après l'aube. Il n'y aura pas grand monde dans les rues à cette heure. Te souviens-tu à quel endroit tu te tenais quand tu as vu passer l'Inquisiteur ?

Je fis signe que oui.

– Tu m'attendras au coin de la rue. Ne sois pas en retard ! Souviens-toi : nous devons continuer notre jeûne. Ah, surtout, n'oublie pas mon sac ! Nous en aurons besoin.

Sur le chemin de l'auberge, j'avais la tête en ébullition. Qu'est-ce qui me terrifiait le plus ? Un homme au pouvoir absolu qui m'enverrait griller sur un bûcher, ou une créature infernale qui avait vaincu mon maître autrefois et m'épiait peut-être à l'instant même du haut du clocher, à travers les yeux d'un prêtre ?

Mon attention fut soudain attirée par une soutane noire, non loin de moi. Je me détournai vivement : j'avais reconnu le père Cairns. Par chance, le trottoir était encombré ; il regardait devant lui et ne me remarqua pas. J'en fus soulagé, car, s'il m'avait vu ici, tout près de mon auberge, il ne lui aurait pas été difficile de découvrir où j'étais installé. Même si l'Épouvanteur m'avait rassuré à son sujet, je songeai que moins il y aurait de gens sachant qui et où nous étions, mieux cela vaudrait.

Mon soulagement fut de courte durée. Lorsque je montai à ma chambre, je trouvai un billet épinglé contre la porte :

Thomas,
Si tu veux sauver la vie de ton maître,
viens à mon confessionnal ce soir à sept heures.
Sinon ce sera trop tard.
Père Cairns.

Un affreux sentiment de malaise m'envahit. Comment avait-il su où je logeais ? Quelqu'un m'avait-il suivi ? La gouvernante du père Gregory ? L'aubergiste ? Le bonhomme ne m'avait pas plu. Avait-il envoyé un message à la cathédrale ? Était-ce le Fléau ? La créature surveillait-elle chacun de mes faits et gestes ? Avait-elle guidé le père Cairns jusqu'à moi ? Quelle que soit l'explication, un prêtre m'avait localisé, et, s'il parlait à l'Inquisiteur, je risquais d'être arrêté d'une minute à l'autre.

J'entrai en hâte dans ma chambre et verrouillai la porte derrière moi. Après quoi, je fermai les volets, espérant me dérober aux mille yeux fouineurs de Priestown. Je vérifiai si le sac de l'Épouvanteur était bien là où je l'avais laissé et m'assis sur mon lit, ne sachant que faire. Mon maître m'avait ordonné de ne pas bouger d'ici jusqu'au matin. Il n'apprécierait sûrement pas que je sorte pour rencontrer son cousin, « qui se mêlait toujours de ce qui ne le regardait pas ». Était-ce le cas ? Il avait déclaré aussi que c'était un brave homme. Et si ce prêtre savait vraiment quelle menace pesait sur M. Gregory ? Il finirait peut-être entre les mains de l'Inquisiteur, si je ne prenais pas d'initiative. D'un autre côté, si je me rendais à la cathédrale, j'allais droit au repaire de l'Inquisiteur et du Fléau ! Assister aux funérailles avait été déjà assez dangereux. Pouvais-je réellement m'aventurer là-bas encore une fois ?

La meilleure solution aurait été de porter ce message à l'Épouvanteur. Or, c'était impossible, pour une raison bien simple : j'ignorais où il était.

« Fie-toi à ton intuition ! », m'avait-il souvent recommandé. Je finis donc par me décider : j'irais parler au père Cairns.

6
Un pacte avec l'Enfer

Prenant tout mon temps, je remontai lentement la rue pavée qui menait à la cathédrale. J'avais les mains moites, et mes pieds ne semblaient se soulever qu'à regret, à croire qu'ils étaient plus sages que moi ! Je devais les forcer à avancer, un pas après l'autre. Par chance, la soirée était glaciale, il n'y avait presque personne dehors, et je ne croisai pas un seul prêtre.

J'arrivai à la cathédrale avec une dizaine de minutes d'avance. En traversant le vaste parvis, je ne pus m'empêcher de jeter un coup d'œil sur la gargouille. Sa tête hideuse me parut encore plus grosse que la première fois, et ses prunelles de pierre, animées d'une lueur mauvaise, me suivirent tandis que je montais vers le portail. Je remarquai la longue langue qui sortait de sa gueule et les deux courtes cornes pointant sur son crâne, un peu comme celles d'une chèvre. La créature ne ressemblait à rien de ce que j'avais pu voir jusque-là, et cette totale étrangeté me donnait le frisson.

Détournant le regard, j'entrai dans la cathédrale.

Lorsque mes yeux se furent accoutumés à la pénombre, je constatai à mon grand soulagement que l'endroit était pratiquement désert.

La peur ne me quitta pas pour autant. Je n'aimais pas être là, sachant que des prêtres pouvaient surgir n'importe quand. Si le père Cairns m'avait tendu un piège, j'y fonçais tête baissée. De plus, j'avais pénétré sur le territoire du Fléau, qui, dès le coucher du soleil, serait au sommet de sa malignité, comme toute créature de l'obscur. Son esprit, émergeant des catacombes, serait peut-être bientôt à mes trousses.

Je devais régler cette affaire au plus vite !

Où se trouvaient les confessionnaux ? Quelques vieilles femmes étaient dispersées dans la nef. Puis j'aperçus dans un bas-côté un homme agenouillé non loin d'une sorte de placard de bois. D'autres placards semblables étaient alignés le long du mur : c'était là ! Au-dessus de chacun d'eux, il y avait une chandelle, protégée par un globe de verre. Une seule était allumée.

Je m'approchai et m'assis sur un banc. Au bout d'un moment, la porte de bois du confessionnal s'ouvrit, et une femme voilée de noir en sortit. Elle traversa l'allée et s'agenouilla un peu plus loin, tandis que l'homme prenait sa place. D'où j'étais, je l'entendais marmonner.

Je ne m'étais jamais confessé de ma vie. J'avais cependant une vague idée de la façon dont ça se passait. Un de mes oncles était devenu très religieux, peu avant sa mort. Papa le surnommait « saint Joe ». Il se confessait deux fois par semaine. Après avoir entendu ses péchés, le prêtre lui donnait une pénitence : une liste de prières à réciter.

L'homme resta dans le confessionnal un temps qui me parut durer un siècle. Je m'impatientais. Une pensée se mit à me tourmenter : et si le prêtre enfermé là n'était pas le père Cairns ? Je devrais alors improviser une véritable confession pour ne pas éveiller ses soupçons. J'essayai de me rappeler quelques fautes à peu près convaincantes. La gourmandise était-elle un péché ? À moins que ça s'appelle la gloutonnerie ? Non, ce n'était pas crédible. Certes, j'aimais bien manger, mais je n'avais rien avalé depuis le matin, et mon ventre ne cessait de gargouiller. La folie de mon entreprise me frappa soudain. Dans quelques instants, je me retrouverais peut-être prisonnier !

Pris de panique, je me levai et m'apprêtai à partir. C'est alors que je remarquai une petite carte glissée dans une encoche, au-dessus de la porte. Un nom y était écrit : *Père Cairns*.

L'homme sortait, justement. Je pris donc sa place et tirai le battant de bois.

L'intérieur du confessionnal était étroit et sombre, et, lorsque je m'agenouillai, mon visage se trouva face à une grille métallique. De l'autre côté de la grille pendait un rideau brun. Je devinai la lumière d'une chandelle, au-delà. À travers la grille, je ne distinguai qu'un profil noir.

Une voix au fort accent du Comté demanda :

– Voulez-vous que j'entende votre confession ?

Je répondis d'un haussement d'épaules. Puis, réalisant que le prêtre ne pouvait me voir clairement, je chuchotai :

– Non, mon Père. Je suis Tom, l'apprenti de M. Gregory. Vous vouliez me parler ?

Il y eut un bref silence, puis le père Cairns souffla :

– Ah, Thomas ! Je suis content que tu sois venu. Ce que j'ai à te dire est extrêmement important, et je te demande de m'écouter jusqu'au bout. Peux-tu me promettre de ne pas t'en aller avant que j'aie fini ?

– Je vous écouterai, fis-je, circonspect.

Je me méfiais des promesses, depuis quelque temps. Au printemps, celle que j'avais faite à Alice m'avait entraîné dans une sale histoire.

– Tu es un brave garçon, reprit le prêtre. Nous entreprenons ensemble une tâche décisive. Sais-tu de quoi il s'agit ?

Était-ce une allusion au Fléau ? Supposant qu'il valait mieux ne pas prononcer le nom de la créature si près des catacombes, je répondis :

– Non, mon Père.

– Eh bien, Thomas, il nous faut établir un plan et trouver le moyen de sauver ton âme immortelle. Tu devines déjà par quoi commencer, n'est-ce pas ? Tu dois t'éloigner de John Gregory ; tu dois cesser de pratiquer ces viles activités.

Agacé, je répliquai :

– Je pensais que vous vouliez me voir pour aider M. Gregory. Je l'ai cru en danger.

– Il *est* en danger. Nous sommes ici, toi et moi, pour lui venir en aide. Mais il faut d'abord t'aider, toi ! Feras-tu ce que je te demande ?

– Je ne peux pas. Mon père paie cher pour mon apprentissage ; quant à ma mère, elle serait extrêmement déçue. Elle dit que j'ai un don et que je dois le mettre au service des gens. C'est aussi ce que dit l'Épouvanteur. Nous circulons dans ce Comté pour protéger ses habitants des êtres malfaisants qui surgissent de l'obscur.

Il y eut un long silence. Derrière le rideau, je n'entendais plus qu'un bruit de respiration. Puis je donnai un autre argument :

– J'ai aidé le père Gregory, vous savez ! Je n'ai pas sauvé sa vie, c'est vrai. Je lui ai tout de même évité une mort autrement plus affreuse. Au moins s'est-il éteint en paix, dans son lit.

Haussant un peu la voix, je continuai :

– Il a tenté de se débarrasser d'un gobelin et s'est mis dans une fâcheuse posture. Mon maître aurait pu le tirer de là. Il a des pouvoirs que les prêtres ne possèdent pas. Eux ne peuvent venir à bout des gobelins parce qu'ils ignorent comment s'y prendre. Quelques prières n'y suffisent pas.

Je savais que je n'aurais pas dû parler ainsi de la prière ; je m'attendais à une explosion de colère. Or, le père Cairns ne s'emporta pas, et la situation me parut pire encore.

– Oh non, cela ne suffit pas ! acquiesça-t-il d'une voix si basse que j'eus peine à l'entendre. Mais connais-tu le secret de John Gregory, petit ? Connais-tu l'origine de son pouvoir ?

– Oui, dis-je, retrouvant un peu de calme. Il a étudié pendant des années, il a consacré sa vie au travail. Il possède une bibliothèque pleine de livres, il a été un apprenti, comme je le suis à présent ; il a écouté avec attention l'enseignement de son maître et tout noté dans son journal ; c'est aussi ce que je fais.

– Et c'est ce que nous faisons également, l'ignores-tu ? On ne devient prêtre qu'après de longues années d'études. Les prêtres sont des hommes intelligents, formés par des hommes encore plus intelligents. Comment donc as-tu réussi là où le père Gregory a échoué, alors qu'il s'appuyait sur la sainte Bible, qui contient la Parole de Dieu ? Comment expliques-tu que ton maître accomplit de façon naturelle ce que son frère n'a jamais su faire ?

– Parce que les prêtres ne reçoivent pas la formation adéquate. Et parce que mon maître et moi sommes des septièmes fils de septième fils.

J'entendis un curieux bruit derrière la grille. Je crus d'abord que le père Cairns s'étranglait. Puis je compris qu'il riait. Il se moquait de moi !

Je trouvai cette réaction grossière. Mon père m'a appris à respecter les opinions des autres, même lorsqu'elles me paraissaient stupides.

– Ce n'est qu'une superstition, Thomas, dit le prêtre. Être le septième fils d'un septième fils ne signifie rien. C'est un conte de bonne femme. La véritable explication est si terrible que je frissonne à cette seule idée. Sache, petit, que John Gregory a fait un pacte avec l'Enfer. Il a vendu son âme au Diable.

Je n'en crus pas mes oreilles. J'ouvris la bouche, mais aucun mot n'en sortit, et je me contentai de secouer la tête.

– C'est la vérité, Thomas. Tous ses pouvoirs lui viennent du Diable. Ce que toi et les gens du pays appelez des gobelins sont des démons mineurs, qui ne sévissent que parce que leur Maître infernal le leur permet. Le Diable a donné à John Gregory autorité sur eux ; en retour, il prendra un jour possession de son âme. Or, une âme est précieuse pour Dieu, faite de lumière et de splendeur ; et le Diable n'a de cesse de la salir avec ses œuvres de péché, pour la tirer dans les flammes éternelles de l'Enfer.

La colère m'envahit.

– Et moi ? dis-je. Je n'ai vendu mon âme à personne. Pourtant, j'ai arraché le père Gregory à un gobelin.

– C'est simple, Thomas. Tu es un serviteur de l'Épouvanteur – comme tu le nommes –, qui, lui, est un serviteur du Diable. Tu bénéficies donc des appuis de l'Enfer lorsque tu travailles pour lui. Bien sûr, si tu termines ton apprentissage et que tu te prépares à poursuivre cette vile pratique en tant que maître, et non plus en tant qu'apprenti, alors, ce sera ton tour. Tu devras signer le pacte diabolique. John Gregory ne t'en a pas encore parlé à cause de ton jeune âge, mais il le fera. Et, quand ce moment sera venu, tu ne seras pas étonné, parce que tu te souviendras de mes paroles. John Gregory a commis de grandes fautes dans sa vie, il s'est écarté du chemin de la grâce. Sais-tu qu'il a été prêtre, autrefois ?

– Oui.

– Et sais-tu comment, à peine ordonné, il a trahi sa vocation ? Connais-tu son infamie ?

Je ne répondis rien. Le père Cairns allait me le dire, de toute façon.

– Selon certains théologiens, les femmes n'ont pas d'âme. Ce débat n'est pas clos, mais ce qui est sûr, c'est qu'un prêtre ne doit pas prendre femme. Cela le détournerait de sa dévotion envers Dieu. La faute de John Gregory est double : non seulement il s'est laissé attirer par une femme, mais celle-ci, une certaine Emily Burns, était fiancée à l'un de ses frères. Ce scandale a déchiré la famille, dressant un frère contre un autre.

À cette minute, je pris le père Cairns en grippe. J'imaginais la réaction de ma mère si elle l'avait entendu suggérer que les femmes n'avaient pas d'âme ! Elle l'aurait écorché vif ! Malgré tout, ce qu'il avait dit de l'Épouvanteur excitait ma curiosité. J'étais déjà au courant de ses aventures avec Meg. Et voilà qu'auparavant il avait été lié à une Emily Burns ! J'étais stupéfait et fort désireux d'en apprendre davantage.

– M. Gregory a-t-il épousé Emily Burns ? demandai-je.

– Au regard de Dieu, jamais ! Elle était de Blackrod, d'où notre famille est originaire, et elle y vit encore aujourd'hui, seule. On prétend qu'ils se sont disputés. Quoi qu'il en soit, John Gregory épousa finalement une autre femme, qu'il avait rencontrée à l'extrême nord du Comté et ramenée dans le sud. Elle s'appelait Margery Skelton, et c'était une sorcière notoire. On la connaissait sous le nom de Meg, et, à l'époque, elle était crainte et détestée sur toutes les landes d'Anglezarke, ainsi que dans les villes et villages du sud du Comté.

Je ne fis aucun commentaire. Il s'attendait à ce que je me montre choqué. Je l'étais, en vérité, mais ce que j'avais lu dans le journal de l'Épouvanteur, à Chipenden, m'avait préparé au pire.

J'entendis le père Cairns renifler, tousser. Puis il poursuivit :

– Sais-tu auquel de ses six frères John Gregory a fait du tort ?

Je l'avais deviné.

– Au père Gregory, dis-je.

– Dans une famille pieuse comme l'était la famille Gregory, il est de tradition que l'un des fils reçoive les saints ordres. Lorsque John trahit sa vocation, un autre frère prit sa place et commença ses études pour devenir prêtre. Oui, Thomas, c'était le père Gregory, celui qui a été enterré aujourd'hui. Il avait perdu sa fiancée, et il avait perdu un frère. Que pouvait-il faire d'autre que se tourner vers Dieu ?

Quand j'étais arrivé à la cathédrale, elle était presque vide. Pourtant, tandis que nous parlions, je percevais une rumeur, à l'extérieur du confessionnal, des bruits de pas, des murmures de voix. Soudain, un chant s'éleva. Sept heures avaient dû sonner depuis un bon moment. Je décidai qu'il était temps de trouver un prétexte pour m'esquiver.

Or, avant que j'aie ouvert la bouche, le père Cairns s'agita.

– Viens avec moi, Thomas, dit-il. Je veux te montrer quelque chose.

Il ouvrit sa porte et sortit du confessionnal. Je me levai donc et le suivis.

Il me conduisit vers l'autel, de chaque côté duquel un chœur de jeunes garçons, vêtus de soutanes noires et de surplis blancs, était soigneusement aligné sur trois rangs.

Le père Cairns s'arrêta et, posant sa main bandée sur mon épaule, il murmura :

– Écoute-les, Thomas ! Ne croirait-on pas entendre des anges ?

N'ayant jamais entendu chanter un ange, je ne pouvais en juger, mais leurs voix étaient plus agréables que celle de mon père qui fredonne toujours quand la traite s'achève. Papa a une voix à faire tourner le lait !

– Tu aurais pu être un membre de ce chœur, Thomas. Malheureusement, il est trop tard, tu as commencé à muer.

Sur ce point, il avait raison. La plupart des garçons étaient plus jeunes que moi et avaient des timbres aigus de filles. De toute façon, je chantais aussi faux que mon père.

– Il y a cependant d'autres choses que tu peux encore faire. Viens... !

Il me mena derrière l'autel, me fit franchir une porte, longer un corridor et sortir dans le jardin attenant à la cathédrale. En vérité, ses dimensions étaient plutôt celles d'un champ, et des légumes y poussaient, en lieu et place de fleurs et de rosiers.

Il commençait à faire sombre ; on y voyait cependant assez pour que je distingue une haie d'aubépines, au fond, et au-delà les pierres tombales du cimetière. Non loin de nous, un prêtre était agenouillé, un semoir à la main. C'était un bien petit semoir pour un aussi grand potager !

– Tu viens d'une lignée de fermiers, Thomas. C'est un bon et honnête métier. Tu te sentiras chez toi en travaillant ici, déclara-t-il en désignant le jardinier du doigt.

Je secouai la tête.

– Je ne désire pas devenir prêtre, dis-je d'un ton ferme.

– Oh, jamais tu ne pourras l'être ! se récria le père Cairns, indigné. Tu as été trop proche du Diable pour cela, et on devra te surveiller de près jusqu'à la fin de tes jours, de peur que tu retombes sous sa coupe. Non, cet homme est un frère.

– Un frère ? répétai-je, étonné, me demandant si c'était quelqu'un de sa famille.

Le prêtre poursuivit en souriant :

– Dans une grande cathédrale comme celle-ci, les prêtres ont des assistants. Nous les appelons des frères, car, bien qu'ils administrent certains sacrements, ils se chargent d'autres besognes, plus matérielles, et font partie de la grande famille de l'Église. Frère Peter est notre jardinier, et il excelle à cette tâche. Qu'en dis-tu, Thomas ? Aimerais-tu devenir un frère ?

Étant le plus jeune d'une fratrie de sept, j'avais assuré tous les sales boulots dont personne ne voulait. Ça avait l'air d'être la même chose ici. De plus, j'avais déjà un métier, et je ne croyais pas un mot de ce que le père Cairns m'avait raconté sur les relations de l'Épouvanteur avec le Diable. Son histoire m'avait bien un peu ébranlé, mais, au fond de moi, je savais que ce ne n'était pas vrai. Mon maître était un homme bon.

Il faisait de plus en plus sombre et de plus en plus froid ; je décidai donc que le moment était venu de prendre congé.

– Merci pour cette conversation, mon Père, fis-je. Pourriez-vous me dire à présent, s'il vous plaît, quel danger menace M. Gregory ?

– Chaque chose en son temps, Thomas, répondit-il avec un petit sourire.

Remarquant son air matois, j'eus le sentiment d'avoir été berné. Le père Cairns n'avait eu aucune intention de venir en aide à l'Épouvanteur.

– Je vais réfléchir à votre proposition, repris-je. Pour l'heure, il faut que je m'en aille, sinon je vais rater le souper.

Je pensais avoir trouvé une bonne excuse. Il n'était pas censé savoir que je jeûnais afin de me préparer à affronter le Fléau.

– Tu souperas avec nous, Thomas. En fait, nous souhaitons que tu passes la nuit ici.

Deux autres prêtres venaient de surgir par la petite porte de côté et s'avançaient vers nous. C'étaient des costauds, et je n'aimais pas l'expression de leur visage.

Pendant une seconde, j'aurais sans doute eu la possibilité de partir en courant. Mais il me parut stupide de m'enfuir avant d'apprendre ce qui allait se passer. L'instant d'après, il était trop tard. Les deux prêtres m'avaient encadré, chacun m'ayant empoigné fermement par un bras et par une épaule. Je ne résistai pas, parce que ça n'aurait servi à rien. Ils avaient de grosses mains si lourdes que, s'ils m'avaient maintenu trop longtemps à la même place, j'aurais commencé, me semblait-il, à m'enfoncer dans le sol. Ils m'emmenèrent dans la sacristie.

– C'est pour ton bien, Thomas, m'assura le père Cairns en entrant derrière nous. L'Inquisiteur va arrêter John Gregory ce soir. Il aura droit à un procès, évidemment. Cela dit, l'issue en est certaine. Il sera reconnu coupable de commerce avec le Diable et condamné au bûcher. C'est pourquoi je t'empêcherai de le rejoindre. Toi, il te reste une chance. Tu n'es qu'un enfant, dont l'âme peut être sauvée sans qu'il soit nécessaire de te brûler. Si on te prenait avec lui au moment de son arrestation, tu subirais le même sort. Je te le répète, j'agis pour ton bien.

– Mais c'est votre cousin ! explosai-je. Un membre de votre famille ! Comment pouvez-vous accepter une chose pareille ? Laissez-moi l'avertir !

– L'avertir ? Crois-tu que je ne l'aie pas fait ? Depuis des années je ne cesse de le mettre en garde. Maintenant, je dois songer à son âme avant de m'inquiéter de son corps. Les flammes le purifieront. L'épreuve de la douleur le sauvera. Ne vois-tu pas, Thomas, que c'est pour moi la seule façon de l'aider ? Notre salut éternel n'est-il pas plus important que ce bref passage en ce monde ?

– Vous l'avez trahi ! Lui, quelqu'un de votre propre sang ! Vous avez révélé notre présence ici à l'Inquisiteur !

– Seulement celle de John. Rejoins-nous, Thomas ! Ton âme sera lavée par la prière, et ta vie ne sera plus en danger. Qu'en dis-tu ?

Il n'y avait pas de discussion possible avec un

homme à ce point assuré de détenir la vérité, aussi ne gaspillai-je pas ma salive. Je me tus.

On n'entendit plus que l'écho de nos pas et un cliquetis de clés, tandis que les prêtres m'entraînaient dans les profondeurs obscures de la cathédrale.

7

Fuite et capture

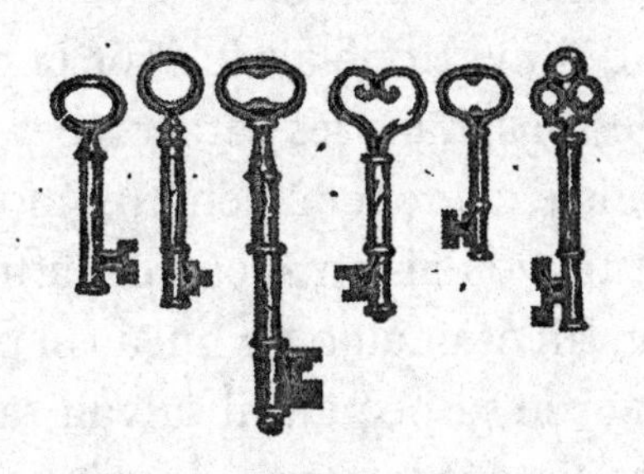

On m'enferma dans un réduit humide et dépourvu de fenêtres sans qu'il soit question du souper annoncé. Un tas de paille servait de lit. Lorsque la porte se referma derrière moi, je restai debout dans le noir ; la clé tourna dans la serrure, et les pas s'éloignèrent dans le corridor.

Il faisait si sombre que je ne voyais pas mes mains levées devant mon visage. Cela ne me tourmentait guère : après six mois d'apprentissage aux côtés de l'Épouvanteur, j'étais moins froussard. Étant le septième fils d'un septième fils, j'avais toujours été réceptif à des phénomènes que les autres ne percevaient pas ; mais mon maître m'avait appris que la plupart ne recelaient aucun danger. La cathédrale était très ancienne, et le cimetière jouxtait le jardin, ce qui signifiait que des âmes en peine, spectres ou fantômes, devaient y errer ; cela non plus ne m'effrayait pas.

Non, ce qui me troublait, c'était la présence du Fléau, en dessous, dans les catacombes ! La simple idée qu'il puisse chercher à pénétrer mon esprit me terrifiait. Je ne voulais en aucun cas affronter cette créature. Or, s'il était aujourd'hui aussi puissant que l'Épouvanteur le suspectait, il suivait sans doute le déroulement des évènements. Il avait probablement corrompu le père Cairns pour le dresser contre son cousin. Il savait qui j'étais et où je me trouvais, et n'avait aucune raison de se montrer amical.

Bien sûr, je n'avais pas l'intention de rester coincé là toute la nuit. Je comptais utiliser l'une des trois clés enfouies au fond de ma poche, le passe-partout fabriqué par Andrew. Le père Cairns n'était pas le seul à garder une carte dans sa manche.

Cette clé me ramènerait dans le corridor et m'ouvrirait n'importe quelle serrure dans la cathédrale. Il me suffisait d'attendre que tout le monde soit endormi ; ensuite, je me risquerais hors de ma cellule. Je n'avais cependant pas droit à l'erreur quant au moment de mon évasion : trop tôt, je me ferais prendre ; trop tard, je n'avertirais pas mon maître à temps et, qui sait, recevrais en prime une visite du Fléau.

Aucun son ne me parvenant plus du dehors, je me décidai. La serrure n'opposa pas de résistance, mais, juste avant de pousser le battant, j'entendis des pas. Je me figeai, retenant mon souffle. Peu à peu, le bruit s'éloigna et le silence revint.

Je patientai une longue minute, l'oreille tendue. Enfin, j'expirai lentement et ouvris la porte. Par chance, elle pivota sur ses gonds en silence. J'avançai dans le corridor, m'arrêtant régulièrement pour écouter.

Y avait-il encore quelqu'un dans la cathédrale ou dans les bâtiments attenants ? Même si, à cette heure, les prêtres avaient regagné le grand presbytère, je doutais que l'endroit soit ainsi laissé sans surveillance. Je marchai donc sur la pointe des pieds, craignant que le plus petit bruit révèle ma présence.

Lorsque j'arrivai devant la porte donnant sur l'extérieur, j'eus un choc : je n'avais pas besoin de ma clé, le battant était ouvert.

Le ciel était clair, et la lune baignait les allées d'une lumière d'argent. Je sortis avec précaution. C'est alors que je sentis une présence dans mon dos. Quelqu'un se tenait sur le côté de la porte, caché dans l'ombre d'un des énormes arcs-boutants.

Un instant, je restai pétrifié. Puis, le cœur cognant à grands coups, je me retournai lentement. La silhouette sombre s'avança dans le clair de lune, et je la reconnus aussitôt. Ce n'était pas un prêtre, mais le frère que j'avais vu agenouillé, en train de s'occuper du jardin. Le frère Peter était chauve, seul un mince collier de barbe blanche ornait son visage émacié. Il parla soudain :

– Avertis ton maître, Thomas ! Vite ! Quittez cette ville avant qu'il soit trop tard !

Je ne répondis rien. Je tournai les talons et pris mes jambes à mon cou. Je ne ralentis qu'en arrivant dans la rue. Là, je me remis à marcher, afin de ne pas trop attirer l'attention, me demandant pourquoi le frère Peter ne m'avait pas arrêté. N'était-ce pas son rôle ? N'avait-il pas été placé là pour monter la garde ?

Quoi qu'il en soit, je devais prévenir l'Épouvanteur de la trahison de son cousin. J'ignorais dans quelle auberge il était descendu ; toutefois, je supposai que son frère le saurait. Je connaissais l'Arc-de-Friar pour l'avoir parcouru lorsque je cherchais un logement. Je n'aurais pas de mal à trouver la boutique d'Andrew. Je me hâtai le long des rues pavées. Je n'avais guère de temps devant moi ; l'Inquisiteur et ses sbires étaient peut-être déjà en route.

L'Arc-de-Friar était une large artère pentue bordée de boutiques, et je repérai facilement l'échoppe du serrurier : au-dessus de l'entrée, une pancarte indiquait : *ANDREW GREGORY*. L'endroit était plongé dans la pénombre. Je dus frapper à plusieurs reprises avant qu'une lumière vacillante s'allume à l'étage.

Andrew ouvrit la porte, en chemise de nuit. Il m'examina à la lueur d'une chandelle, son visage trahissant un mélange d'étonnement, de colère et d'inquiétude.

– Votre frère est en danger, dis-je d'une voix aussi basse que possible. Je dois l'en avertir, mais j'ignore où il loge.

Sans un mot, Andrew me fit signe d'entrer et me conduisit dans son atelier. Les murs étaient couverts de clés et de serrures de toutes tailles et de toutes formes. L'une des clés était aussi longue que mon avant-bras ; je me demandai à quoi ressemblait la serrure qu'elle ouvrait.

J'expliquai rapidement ce qui m'était arrivé.

– Je lui avais bien dit que c'était de la folie, de rester ici ! s'exclama-t-il en abattant son poing sur son établi. Maudit soit ce traître de cousin, ce foutu hypocrite ! J'ai toujours su qu'il fallait se méfier de lui. Le Fléau a dû réussir à l'avoir, il le manipule pour mettre John hors d'état de nuire. Dans tout le Comté, mon frère est la seule personne qui représente une menace pour lui.

Il monta à l'étage et eut vite fait de s'habiller. L'instant d'après, nous filions par les rues désertes en direction de la cathédrale.

– Il est descendu à l'auberge *Le Livre et le Cierge*, haleta Andrew en secouant la tête. Pourquoi diable ne te l'a-t-il pas dit ? Tu n'aurais pas perdu tout ce temps. Pourvu qu'il ne soit pas trop tard !

Mais il *était* trop tard. Nous étions encore à bonne distance lorsque nous entendîmes des voix rudes et des coups frappés contre une porte, avec une violence à réveiller un mort.

Nous courûmes regarder, dissimulés dans l'angle d'une maison. Que faire d'autre ? L'Inquisiteur était là, sur son grand étalon blanc, accompagné d'une trentaine d'hommes. Ils étaient munis de matraques ; certains avaient tiré leur épée, comme s'ils s'attendaient à une résistance. L'un d'eux heurta de nouveau le battant du pommeau de son arme :

– Ouvrez ! Ouvrez, ou nous enfonçons la porte !

Les verrous grincèrent, et l'aubergiste apparut, en chemise de nuit, levant une lanterne, avec la mine ahurie d'un homme qu'on vient de tirer d'un profond sommeil. Sans doute ne vit-il pas l'Inquisiteur, mais seulement les deux soldats qui lui faisaient face, car il commit une grave erreur : il protesta avec véhémence :

– Qu'est-ce que ça signifie ? Un homme n'a-t-il pas le droit de dormir, après une rude journée de travail ? On n'a pas idée de faire pareil raffut à cette heure de la nuit ! Il y a des lois, figurez-vous, et je connais mes droits !

– Imbécile ! rugit l'Inquisiteur, en poussant sa monture vers l'entrée. La loi, c'est *moi* ! Dans tes murs dort un sorcier, un serviteur du Diable ! Abriter un ennemi avéré de l'Église mérite les plus sévères châtiments. Écarte-toi, ou tu le paieras de ta vie !

– Pardon, Monseigneur ! Pitié ! gémit l'aubergiste, portant une main à sa poitrine dans un geste de supplication, une expression de pure terreur sur le visage.

En guise de réponse, l'Inquisiteur fit signe à ses hommes, qui se saisirent de lui sans ménagement. Il fut traîné dans la rue et jeté à terre.

Alors, délibérément, un sourire cruel étirant ses lèvres, l'Inquisiteur guida son cheval vers le malheureux. Un sabot s'abattit sur sa jambe, et j'entendis l'os se briser. Mon sang se figea. Tandis que l'aubergiste gisait sur les pavés, hurlant de douleur, quatre soldats s'étaient rués dans l'auberge. L'escalier de bois résonna sous le martèlement de leurs bottes.

Lorsqu'ils poussèrent l'Épouvanteur dehors, il me parut vieux et fragile ; peut-être un peu effrayé aussi, mais j'étais trop loin pour en être sûr.

– John Gregory ! lança l'Inquisiteur d'une voix arrogante. Te voilà entre mes mains ! Ta vieille carcasse desséchée devrait faire un beau feu de joie !

L'Épouvanteur ne répondit pas. Impuissant, je regardai les soldats lui lier les mains derrière le dos avant de l'emmener.

– Toutes ces années pour en arriver là ! murmura Andrew. Jour après jour, il s'est conduit avec droiture. Il ne mérite pas d'être brûlé.

Je n'arrivais pas à y croire. Une boule enflait dans ma gorge, à tel point que je ne pus prononcer un mot jusqu'à ce que mon maître disparaisse au tournant de la rue. Enfin je lâchai :

– Il faut qu'on fasse quelque chose...

Andrew secoua la tête d'un air abattu.

– Eh bien, petit, réfléchis, et dis-moi comment on va s'y prendre. Parce que, moi, je n'en ai pas la moindre idée ! Pour l'heure, tu ferais mieux de revenir chez moi, et, à la première lueur du jour, tu fileras le plus loin possible d'ici !

8
Le récit de Frère Peter

L'aube commençait à poindre quand nous arrivâmes chez Andrew. Nous entrâmes dans sa cuisine, qui donnait sur une cour pavée. Il m'offrit de partager son petit déjeuner. Ce n'était pas grand-chose, juste un œuf et une tranche de pain grillé. Je le remerciai, mais je devais refuser, car je poursuivais mon jeûne. Manger, c'était accepter de ne plus revoir l'Épouvanteur et de ne pas affronter le Fléau avec lui. De toute façon, je n'avais pas faim.

Depuis l'arrestation de mon maître, j'avais passé chaque minute à réfléchir à un moyen de le tirer de là et de sauver aussi Alice. Si je n'en trouvais pas, ils finiraient tous deux sur le bûcher.

Une pensée me frappa soudain. Je me tournai vers le serrurier.

– Le sac de M. Gregory est toujours dans ma chambre, à l'auberge du *Taureau Noir*. Et il a dû laisser son bâton et ses affaires dans la sienne. Comment les récupérer ?

– Voilà au moins une chose que je peux régler, dit Andrew. Ce serait trop dangereux pour toi ou moi d'y aller ; je connais quelqu'un qui s'en chargera. Je m'en occuperai tout à l'heure.

Tandis que je regardais Andrew manger, un son lugubre retentit, au loin.

– C'est une cloche de la cathédrale ?

Andrew confirma d'un hochement de tête et continua de mâcher sans entrain. Il ne semblait pas avoir plus d'appétit que moi.

Je me demandai si cette triste sonnerie appelait les fidèles à un office matinal, mais, avant que j'aie pu l'interroger, le serrurier déglutit et soupira :

– Ça annonce encore une mort, à la cathédrale ou dans l'une des églises de la ville. À moins qu'un autre prêtre soit décédé dans le Comté et que la nouvelle vienne juste de parvenir au presbytère. Je crains que ce soit le sort réservé à tous ceux qui s'en prennent à l'obscur et à la corruption au cœur de notre cité. On entend souvent le glas, ces temps-ci.

Cette idée me fit frissonner. Je repris :

– Les habitants de Priestown savent-ils que le Fléau est le responsable de cette période de malheurs, ou les prêtres sont-ils les seuls à être au courant ?

– La présence du Fléau est connue de tous. Dans le quartier de la cathédrale, la plupart des gens ont muré la porte de leur cave. La peur est partout, mêlée de superstition. Qui pourrait blâmer ces malheureux, puisqu'ils ne peuvent même plus compter sur leurs prêtres pour les protéger ? Pas étonnant que les congrégations voient leurs effectifs décroître !

– Avez-vous terminé la clé ?

Les épaules d'Andrew s'affaissèrent.

– Oui. Hélas, mon pauvre John n'en aura plus l'usage.

Je me mis à parler très vite pour qu'il ne puisse m'interrompre et que j'aie le temps d'expliquer mon plan :

– C'est nous qui nous en servirons. Les catacombes s'étendent sous la cathédrale et sous le presbytère ; il y a sûrement un moyen d'y accéder par là. Nous attendrons la nuit. Et, quand tout le monde dormira, nous pénétrerons dans le bâtiment.

– Ce serait de la folie, fit Andrew en secouant la tête. Le presbytère est immense, il compte une infinité de pièces, dans les étages et au sous-sol. Nous ignorons où sont enfermés les prisonniers. De plus, ils sont gardés par des soldats en armes. Veux-tu brûler, toi aussi ? Moi pas !

– Ça vaut le coup d'essayer, insistai-je. Personne ne s'attend à voir quelqu'un surgir par en bas, depuis le territoire même du Fléau. Nous jouirons de l'effet de surprise ; sans compter que les gardes seront peut-être endormis.

– Non ! refusa fermement le serrurier. Inutile de sacrifier deux vies de plus.

– Alors, donnez-moi la clé, j'irai seul.

– Tu te perdras sans moi. Les galeries sont un vrai labyrinthe.

– Donc, vous connaissez le chemin ? Vous êtes déjà descendu là-dessous ?

– Oui, je sais comment arriver à la Grille d'Argent. Je ne me suis jamais aventuré plus loin, et n'en ai nulle envie. La dernière fois que j'y suis allé avec John, c'était il y a vingt ans. Cette créature a manqué de le tuer. Et tu as entendu ce que disait mon frère : elle n'est plus un simple esprit, elle se transforme en Dieu sait quoi ! Nous ignorons ce que nous aurions à affronter. On parle d'un chien noir, féroce, aux crocs énormes, d'un serpent venimeux. Le Fléau peut lire tes pensées, rappelle-toi, et prendre l'aspect de tes pires terreurs. Non, c'est trop dangereux. Quel sort est le pire : brûler vif sur le bûcher de l'Inquisiteur, ou être mis à mort par le Fléau ?

Je ne saurais trancher. Un gamin comme toi ne devrait pas être confronté à un tel choix.

– Ne vous inquiétez pas de ça, dis-je. Occupez-vous des serrures, la suite me regarde.

– Comment espères-tu réussir là où mon frère a échoué ? Il était dans la force de l'âge, à l'époque, et tu n'es qu'un enfant.

– Je ne suis pas idiot ! Je ne compte pas venir à bout du Fléau. Je veux simplement mettre l'Épouvanteur en sécurité.

Andrew continuait de secouer la tête.

– Depuis combien de temps es-tu avec lui ?

– Bientôt six mois.

– Eh bien, voilà qui résout la question ! Tu as beau être plein de bonnes intentions, ton intervention ne ferait qu'empirer les choses.

– L'Épouvanteur prétend que la mort par le feu est terrible, la pire agonie qui soit. C'est pourquoi il s'est toujours refusé à brûler les sorcières. Et vous le laisseriez endurer ça ? S'il vous plaît, aidez-le ! Nous sommes son unique chance.

Cette fois, Andrew ne répliqua rien. Il resta assis un long moment, songeur. Quand il se leva, il me recommanda seulement de ne pas me montrer.

Cela me parut de bon augure. Au moins, il ne m'avait pas envoyé faire mes bagages.

Je demeurai assis au fond de la cuisine, tapant des talons contre le sol, tandis que le jour se levait lentement. Malgré ma fatigue, je n'avais pas dormi. Après les évènements de la nuit, j'en aurais été incapable.

Andrew était au travail. Je l'entendais s'activer dans son atelier. De temps en temps, la sonnette de la porte tintait, annonçant l'arrivée ou le départ d'un client.

Lorsque le serrurier revint dans la cuisine, il était presque midi. Son expression avait changé, il me sembla solennel. Et quelqu'un le suivait.

Je sautai sur mes pieds, prêt à m'enfuir. Mais la porte de derrière était verrouillée, et les deux hommes se tenaient devant l'autre issue. Puis je reconnus l'étranger et me détendis. C'était le frère Peter, chargé du sac de l'Épouvanteur, de son bâton et de nos manteaux.

– Tout va bien, petit ! fit Andrew en s'approchant pour mettre les mains sur mes épaules d'un geste rassurant. Quitte cette mine effarée ! Frère Peter est un ami. Tu vois, il t'apporte les affaires de John.

Le frère sourit. Je le remerciai d'un signe de tête et déposai le tout près de ma chaise avant de me rasseoir. Les deux hommes prirent un siège et s'installèrent en face de moi.

Frère Peter avait la peau tannée de ceux qui ont travaillé toute leur vie en plein air, sous le soleil et dans le vent. Il était grand et voûté, peut-être à force de se courber vers la terre, avec un plantoir ou un sarcloir, depuis trop d'années. Une lueur amicale dansait dans ses yeux écartés, et, en dépit de son nez, aussi crochu qu'un bec de corbeau, mon instinct me souffla que c'était un brave homme.

– Eh bien, me dit-il, tu as eu de la chance de tomber sur moi, la nuit dernière ! Si un autre avait été de ronde, tu aurais aussitôt réintégré ta cellule ! Le père Cairns m'a convoqué peu après l'aube, et j'ai dû répondre à pas mal de questions embarrassantes. Il n'était pas content du tout !

– Je suis désolé, murmurai-je.

Frère Peter sourit de nouveau.

– Ne t'inquiète pas, petit ! Je ne suis qu'un jardinier, et j'ai la réputation d'être dur d'oreille. Il aura vite mieux à faire qu'à se soucier de moi, et l'Inquisiteur a bien assez de victimes à brûler !

– Vous vous êtes mis en grand danger en me permettant de fuir !

Frère Peter haussa les épaules, puis il s'adressa à Andrew :

– Bien que le père Cairns soit votre parent, je ne lui fais pas confiance. J'ai dans l'idée que le Fléau le manipule.

– C'est également ce que je crois, dit Andrew. John a été dénoncé, et je suis sûr que le Fléau tire les ficelles. Il s'est servi du falot personnage qu'est notre cousin pour se débarrasser de mon frère, sachant que John est une menace.

– Oui, tu as raison. As-tu remarqué sa main bandée ? Il prétend s'être brûlé avec une chandelle ; or le père Hendle souffrait de la même blessure après que le Fléau s'est emparé de lui. À mon avis, le père Cairns a donné son sang à cette créature.

Je dus paraître horrifié, car Frère Peter se leva et passa un bras autour de mes épaules.

– N'aie pas peur, petit ! Il reste des hommes honnêtes dans cette cathédrale. Je ne suis qu'un humble frère, mais j'estime être l'un d'eux. J'accomplis la volonté du Seigneur chaque fois que je le peux. Je ferai tout ce qui est en mon pouvoir pour vous aider, toi et ton maître. L'obscur n'a pas encore gagné. Alors, mettons-nous à l'ouvrage ! Andrew m'a appris que tu étais assez courageux pour envisager de descendre dans les catacombes. Est-ce vrai ?

Il me fixait, frottant le bout de son long nez d'un air pensif.

– Puisqu'il faut que quelqu'un le fasse, dis-je, je vais essayer.

– Et si tu te trouves devant...

Il laissa sa phrase en suspens, comme s'il n'avait pu se résoudre à prononcer le nom terrible.

– T'a-t-on parlé de ce que tu risquais d'affronter ?

reprit-il. Un être qui change d'apparence, qui lit dans les esprits, qui...

Il hésita et regarda autour de lui avant de chuchoter :

– ... qui peut te *presser* !

– Oui, on m'a prévenu, répondis-je, affichant une assurance que j'étais loin de ressentir. Mais j'ai certains atouts. Par exemple, il n'aime pas l'argent...

Je déverrouillai le sac de l'Épouvanteur, y plongeai la main et en sortis la chaîne d'argent.

– Je suis capable de l'entraver avec ça, déclarai-je, soutenant le regard de Frère Peter et tâchant de ne pas ciller.

Les deux hommes échangèrent un regard, et Andrew sourit :

– Tu t'es beaucoup entraîné, n'est-ce pas ?

– Des heures et des heures ! Il y a un piquet, dans le jardin de M. Gregory. En lançant ma chaîne à une distance de huit pieds, je l'enroule autour de la cible neuf fois sur dix.

– Si tu parviens d'une façon ou d'une autre à éviter cette créature et à atteindre le presbytère, déclara Frère Peter, un élément jouera en ta faveur : l'endroit sera plus tranquille que d'ordinaire. Le décès d'hier s'est produit à la cathédrale. Le corps y est encore, et, cette nuit, presque tous les prêtres y seront rassemblés pour une veillée funèbre.

– Sais-tu qui est mort, Peter ? s'enquit Andrew.

– Le pauvre père Roberts. Il s'est lui-même ôté la vie en se jetant du haut d'un toit. C'est le cinquième suicide depuis le début de l'année.

Le frère Peter se tourna de nouveau vers moi.

– Il pénètre dans leurs têtes, vois-tu. Il les oblige à des actes contraires à leur conscience et à la loi divine. C'est terrible pour des hommes qui ont reçu les saints ordres et se sont consacrés à Dieu ! Certains préfèrent mourir que de supporter cela plus longtemps. Or, le suicide est un péché mortel. Ceux qui le commettent se ferment la porte du Paradis. Imagine quelle souffrance a dû être la leur pour les mener à cette extrémité ! Si seulement nous pouvions être débarrassés de cette malédiction avant que la cité tout entière ne soit corrompue !

Nous restâmes pensifs, le temps d'un court silence, et je vis remuer les lèvres du frère Peter ; je compris qu'il priait pour le défunt prêtre. Puis il fit un signe de croix et regarda Andrew. Les deux hommes hochèrent la tête. Sans prononcer un mot, ils avaient passé un accord.

– Je t'accompagnerai jusqu'à la Grille d'Argent, me déclara Andrew. Frère Peter va nous aider...

Le frère Peter viendrait-il avec nous ? Il dut lire la question sur mon visage, car il leva les mains et sourit :

– Oh non, Tom ! Je n'aurai jamais le courage d'approcher des catacombes. Non, ce qu'Andrew veut dire, c'est que je peux vous être utile d'une autre manière : en vous indiquant le chemin. Voilà : il existe une carte des galeries. Elle figure dans un cadre, près d'une des portes du presbytère, celle qui ouvre sur les jardins. J'ai perdu le compte des heures que j'ai passées là, à attendre qu'un des prêtres vienne me donner mon travail de la journée. Au fil des ans, j'en suis venu à connaître chaque pouce de cette carte. Veux-tu noter l'itinéraire, ou sauras-tu le retenir ?

– J'ai une bonne mémoire.

– Très bien. N'hésite pas à me demander de répéter au besoin. Donc, Andrew te conduira à la Grille d'Argent. Lorsque tu l'auras franchie, continue tout droit jusqu'à un embranchement. Là, prends le couloir de gauche. Tu atteindras des marches, qui mènent à une grande cave à vin. La porte en sera fermée à clé, mais cela ne représente pas un problème quand on a un ami tel qu'Andrew ! Tu n'auras plus qu'une autre porte à passer, au fond à droite, pour sortir du cellier et te retrouver dans les sous-sols du presbytère.

– Le Fléau ne risque-t-il pas de me suivre dans la cave et de s'échapper ? m'inquiétai-je.

– Non. Il ne peut quitter les catacombes que par la Grille d'Argent, à condition qu'on la lui ouvre, évidemment. Toute autre issue lui est interdite. Tu seras donc en sécurité dès que tu seras dans la cave.

Simplement, avant de la quitter, tu devras faire une chose : il y a une trappe dans le plafond, à gauche de la porte. Elle donne sur une venelle qui longe le mur nord de la cathédrale. Les livreurs l'utilisent pour descendre le vin et la bière dans le cellier. Déverrouille-la avant d'aller plus loin. Ce sera plus simple pour t'échapper ensuite que de retourner jusqu'à la grille. Tout est-il bien clair ?

– Ne serait-ce pas encore plus simple d'accéder directement à la cave par cette trappe ? demandai-je. De cette façon, j'éviterais à la fois la Grille d'Argent et le Fléau !

– J'aimerais que ce soit aussi facile ! Mais c'est trop risqué. La trappe est exposée aux regards. Quelqu'un pourrait te surprendre.

Je hochai la tête, pensif.

– Même si tu ne dois pas entrer par la trappe, intervint Andrew, il y a une bonne raison pour que tu l'utilises en revanche comme sortie. Il faut à tout prix éviter que John se trouve de nouveau face au Fléau. À mon avis, au fond de lui, il a peur, si peur qu'il n'est pas certain d'en revenir vainqueur.

– Peur ? m'exclamai-je, indigné. Rien de ce qui appartient à l'obscur n'effraie M. Gregory !

– Du moins ne l'a-t-il jamais admis, enchaîna Andrew. Cela, je te l'accorde. Malheureusement, une malédiction l'a touché il y a longtemps, et...

Je lui coupai la parole :

– Mon maître ne croit pas aux malédictions ! Il vous l'a dit.

– Si tu me permets d'ajouter un mot, insista Andrew, je t'expliquerai. C'est une malédiction d'une puissance redoutable. À cette époque, trois assemblées de sorcières de Pendle s'étaient alliées. John interférait trop dans leurs affaires ; aussi, mettant de côté leurs griefs et leurs querelles, le maudirent-elles ensemble. Elles célébrèrent un sacrifice, et des innocents furent massacrés. La célébration eut lieu pendant la nuit de Walpurgis, la veille du premier jour de mai, il y a vingt ans. Ensuite, elles lui envoyèrent les termes de la malédiction sur un parchemin éclaboussé de sang. Il m'a révélé un jour ce qui était écrit dessus :

Tu mourras en un lieu obscur, au plus profond des profondeurs, sans un ami à tes côtés.

– Les catacombes..., soufflai-je, la gorge serrée.

S'il affrontait le Fléau, seul, dans ces souterrains, les conditions de la malédiction seraient réunies.

– Oui, les catacombes, reprit Andrew. Comme je te le disais, tu devras utiliser la trappe. Peter, pardon de t'avoir interrompu !

Le frère eut un pâle sourire et continua :

– Après avoir déverrouillé la trappe, tu sortiras de la cave et tu tomberas dans un couloir, au bout duquel se trouve une cellule. C'est là que l'on enferme les prisonniers. Ton maître sera là. Mais, pour y parvenir, il te faudra passer devant le corps de garde. Ce sera le plus dangereux. Cela dit, les sous-sols étant humides et glacials, les gardes auront allumé un feu dans la cheminée. Si Dieu le veut, ils auront fermé la porte de la salle pour conserver la chaleur. En ce cas, tu n'auras plus qu'à délivrer M. Gregory et à l'entraîner loin de la ville. Il reviendra s'occuper de cette immonde créature une autre fois, lorsque l'Inquisiteur sera parti.

– Non ! s'écria Andrew. Après tout ce qui s'est produit, j'espère qu'il ne remettra jamais les pieds ici !

– S'il ne combat pas le Fléau, protesta Frère Peter, qui le fera ? Je ne crois pas aux malédictions, moi non plus. Avec l'aide de Dieu, John vaincra cet esprit diabolique. La situation empire, et je serai probablement la prochaine victime.

– Pas toi, Peter ! J'ai rencontré peu d'hommes ayant ta force de caractère.

Le frère haussa les épaules.

– Je lutte de mon mieux. Lorsque je l'entends chuchoter à mon oreille, je prie avec plus de ferveur. Dieu nous donne le courage dont nous avons besoin, si nous avons la sagesse de le lui demander. Quelque chose doit être fait, sinon j'ignore comment cette histoire va se terminer.

– Elle se terminera quand la population en aura assez, dit Andrew. Je m'étonne qu'elle supporte la perversité de l'Inquisiteur si longtemps. Certains des prisonniers qui vont être brûlés ont des parents et des amis, ici. Les gens seront bientôt à bout.

– Peut-être, et peut-être pas, grommela Frère Peter. Beaucoup aiment le spectacle des bûchers. Il ne nous reste qu'à prier.

9
Les catacombes

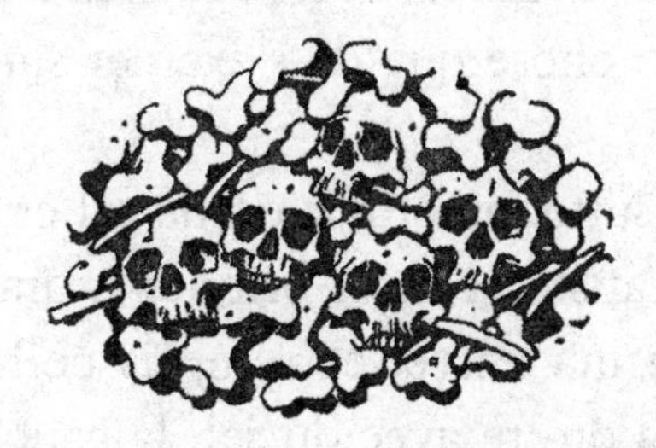

Frère Peter étant retourné à ses tâches quotidiennes, je demeurai jusqu'au lever du soleil en compagnie d'Andrew. Il m'apprit que l'entrée des catacombes la plus accessible se situait dans la cave d'une maison abandonnée jouxtant la cathédrale. Pour passer inaperçu, mieux valait s'y rendre au crépuscule.

À mesure que les heures s'écoulaient, je me sentais de plus en plus nerveux. En exposant mes intentions à Andrew et au frère Peter, j'avais su me montrer assuré ; néanmoins, le Fléau me terrifiait. Je trompai mon attente en farfouillant dans le sac de l'Épouvanteur.

J'en tirai d'abord la longue chaîne d'argent qu'il utilisait pour entraver les sorcières et l'enroulai à ma taille, sous ma chemise. J'étais cependant bien conscient que la lancer contre le Fléau, ce ne serait pas la même chose que de s'exercer sur un piquet de bois...

Je pris ensuite ma provision de sel et de limaille de fer. Je transférai mon briquet à amadou dans la poche de ma veste, et remplis celles de mon pantalon : la droite avec du sel, la gauche avec de la limaille. C'était grâce à ces ingrédients, efficaces contre la plupart des créatures hantant l'obscurité, que j'étais venu à bout de la vieille Mère Malkin.

Certes, ces armes n'étaient pas suffisantes pour vaincre un adversaire aussi puissant que le Fléau. Si tel avait été le cas, l'Épouvanteur l'aurait mis hors d'état de nuire une fois pour toutes vingt ans plus tôt. Mais, dans l'extrémité où je me trouvais, j'étais prêt à tenter n'importe quoi, et l'idée de posséder ces quelques atouts me réconfortait un peu. D'ailleurs, je n'espérais pas détruire le démon ; je comptais seulement le tenir éloigné le temps de délivrer mon maître.

Le bâton de l'Épouvanteur dans la main gauche et son sac contenant nos manteaux dans la droite, je sortis enfin, dans la nuit tombante, et marchai avec Andrew en direction de la cathédrale. Le ciel était lourd de nuages et l'air sentait la pluie. Je m'étais mis à haïr Priestown, ses rues pavées, ses cours enserrées entre de hauts murs. Les collines et les grands espaces me manquaient. Comme j'aurais aimé être à Chipenden, pris dans la routine de mes leçons avec l'Épouvanteur ! J'avais du mal à accepter l'idée que cette période puisse être révolue.

À proximité de la cathédrale, Andrew se faufila dans l'un des étroits passages courant à l'arrière des demeures mitoyennes. Il s'arrêta devant une porte, souleva doucement le loquet et me fit signe de le suivre dans une cour. Il referma le battant avec précaution et s'avança vers la maison, plongée dans l'ombre.

Il fourragea dans la serrure ; l'instant d'après, nous étions entrés, et il redonnait un tour de clé derrière nous. Puis il alluma deux chandelles et m'en tendit une.

– L'endroit est inhabité depuis plus de vingt ans, me dit-il. Un esprit particulièrement malveillant hante les lieux, si bien que plus personne n'ose s'en approcher ; les chiens mêmes se tiennent à l'écart.

Il avait raison quant à l'existence d'un esprit maléfique : j'aperçus l'inscription que l'Épouvanteur avait gravée au dos de la porte :

γ_1

Je reconnus la lettre grecque *gamma*, utilisée pour un spectre ou un fantôme. Le chiffre « un » signalait une créature de première catégorie, assez dangereuse pour pousser n'importe quel humain au bord de la folie.

– Il s'appelait Matty Barnes, m'apprit Andrew. Il a assassiné sept personnes dans la ville, peut-être davantage. Il avait des mains énormes, avec lesquelles il étranglait ses victimes, de préférence des jeunes femmes. On dit qu'il les attirait ici et les tuait dans cette pièce. L'une d'elles réussit à lui échapper : elle se débattit et lui creva un œil avec une épingle à chapeau. Il mourut lentement, d'un empoisonnement du sang. John était sur le point de chasser son fantôme, quand il lui parut préférable de n'en rien faire : il avait l'intention de revenir un jour pour en terminer avec le Fléau et voulait s'assurer que ce passage vers les catacombes lui serait accessible. Qui aurait envie d'acheter une maison hantée ?

Soudain, l'atmosphère se refroidit, et la flamme de nos chandelles vacilla. Quelque chose venait. Avant que j'aie eu le temps de respirer, ce fut là. Je ne voyais rien, mais je devinais une présence, tapie dans l'ombre, au fond de la cuisine. Et *ça* me fixait.

Ne rien distinguer rendait la situation pire encore. Les esprits les plus puissants peuvent choisir de se rendre visibles ou non. Le fantôme de Matty Barnes me prouvait sa force en restant caché, tout en me laissant savoir qu'il m'observait. De plus, sa méchanceté était perceptible : il nous voulait du mal. Plus vite nous serions sortis d'ici, mieux cela vaudrait.

– Est-ce un effet de mon imagination, ou fait-il très froid ? me demanda Andrew.

– Oui, il fait froid, répondis-je sans mentionner la présence du fantôme.

Inutile d'effrayer mon compagnon plus qu'il ne l'était déjà !

– Alors, bougeons-nous ! lança-t-il en se dirigeant vers l'escalier qui menait à la cave.

L'habitation était bâtie selon le modèle typique des demeures urbaines du Comté : deux pièces au rez-de-chaussée, deux pièces à l'étage et un grenier sous le toit. La porte du cellier était située au même endroit que dans la maison de Horshaw où l'Épouvanteur m'avait fait passer ma première nuit d'apprenti. Cette maison était hantée, elle aussi, et, afin de vérifier mes aptitudes à ce travail, mon maître m'avait ordonné de descendre à la cave à minuit. On n'oublie pas une telle nuit ! Rien que d'y penser, j'en frissonne encore aujourd'hui.

Andrew et moi rejoignîmes le sous-sol. À part un tas de vieux tapis qui puaient le moisi, le lieu était vide. Andrew me confia sa chandelle et déplaça les tapis, dégageant une trappe.

– Plusieurs entrées aboutissent aux catacombes, m'expliqua-t-il. Mais celle-ci est la plus simple d'accès et la moins dangereuse. Aucun curieux ne se risquera à fourrer son nez dans le coin !

Il souleva la trappe, et j'aperçus des marches qui s'enfonçaient dans un trou d'ombre, d'où s'exhalait une odeur de terre et de pourriture. Andrew reprit sa chandelle et passa le premier, me priant de patienter. Au bout d'un instant, il m'appela :

– C'est bon, tu peux venir. Laisse la trappe ouverte, au cas où on serait obligés de sortir de là en vitesse !

Je laissai le sac de l'Épouvanteur avec nos manteaux dans la cave et suivis mon guide, serrant toujours le bâton de mon maître. Arrivé en bas, je découvris avec étonnement un sol sec et dur, et non pas la boue à laquelle je m'attendais. La galerie était pavée comme les rues au-dessus. Ces travaux avaient-ils été effectués par les gens qui vivaient là avant la construction de la ville, ce peuple qui vouait un culte au Fléau ? Et, si c'était le cas, l'entrelacs des rues de Priestown correspondait-il au réseau des catacombes ?

Andrew se mit en route sans un mot, et je sentis qu'il avait hâte que toute cette affaire soit terminée.

Le tunnel était assez large pour qu'on puisse avancer de front, mais la voûte était basse, ce qui obligeait Andrew à marcher courbé. Je comprenais pourquoi on appelait les premiers habitants « le Petit Peuple ». Les bâtisseurs de cette cité souterraine n'avaient certainement pas la taille des gens de notre époque.

Puis le tunnel se rétrécit ; de place en place, il semblait affaissé, à croire que le poids de la cathédrale et des bâtiments construits en surface l'écrasait. Ici et là, les pierres des murs et du plafond étaient tombées, et une boue collante comme de la vase suintait des parois. De l'eau gouttait quelque part, et l'écho de nos bottes sonnant sur les pavés se répercutait dans les profondeurs des galeries.

Le passage devenant encore plus étroit, je dus me placer derrière Andrew. Puis il se divisa en deux tunnels plus petits. Nous prîmes celui de gauche et arrivâmes devant un renfoncement. Andrew fit halte et leva sa chandelle, qui éclaira en partie la cavité.

Je me figeai d'horreur.

Il y avait là des niches pleines d'ossements : des crânes aux orbites creuses, des fémurs, des humérus, des phalanges, d'autres os que je n'identifiais pas, entassés en désordre. Des ossements humains !

– Les catacombes sont truffées de cryptes comme celle-ci, commenta Andrew. Ça ne donne pas envie de se perdre dans le noir, hein !

Je remarquai que les os étaient de petite taille. Il s'agissait des restes des Segantii.

Nous continuâmes, et j'entendis un clapotis d'eau. Au tournant suivant, un ruisseau apparut.

– Il court sous la rue principale, devant la cathédrale, m'expliqua Andrew.

Désignant neuf larges pierres plates affleurant à la surface du flot noir, il ajouta :

– C'est ici que nous allons passer...

Une fois de plus, Andrew ouvrit la marche, sautant agilement de pierre en pierre. Parvenu de l'autre côté, il se retourna et me regarda accomplir ma traversée.

– C'est facile, ce soir, commenta-t-il. Après une forte pluie, l'eau recouvre parfois le gué. On risque alors d'être emporté.

Bientôt, le bruit du ruisseau s'éteignit derrière nous.

Soudain, Andrew s'arrêta, et je vis par-dessus son épaule que nous étions arrivés devant une grille. Et quelle grille ! Je n'en avais jamais vu de pareille. Du sol au plafond, d'une paroi à l'autre, un portail de métal fermait totalement la galerie. Ce métal luisait à la lumière des chandelles. C'était de toute évidence un alliage contenant une forte proportion d'argent, qui avait dû être forgé par un artisan de grand talent. Les barreaux, constitués de plusieurs barres fines enroulées en spirales, formaient un motif complexe ; plus je les observais, plus leur forme semblait changer.

Andrew me fit face et posa une main sur mon épaule.

– Voici la Grille d'Argent. Maintenant, écoute bien, c'est capital : y a-t-il quelque chose dans les parages ? Quelque chose qui appartient à l'obscur ?

– Je ne crois pas.

– C'est insuffisant, rétorqua Andrew d'un ton sec. Tu dois en être convaincu. Si cette créature s'échappait, elle terroriserait tout le Comté, et plus seulement les prêtres !

Aucune sensation de froid ne me signalait la proximité de l'obscur. Toutefois, je respirai profondément et me concentrai pour vérifier cette impression.

Rien. Je ne perçus rien.

– La voie est libre, lançai-je.

– Tu en es sûr ? Tout à fait sûr ?

– Oui, j'en suis sûr.

Andrew fouilla dans la poche de son pantalon et s'agenouilla : il y avait une petite porte insérée dans la grille, dont la minuscule serrure se trouvait au ras du sol. Il y introduisit avec précaution une clé tout aussi minuscule. Je me souvins de l'énorme clé que j'avais remarquée sur le mur de son atelier. On aurait pu imaginer que la plus grande était la plus importante ; or, c'était l'inverse. Quoi de plus formidable, en effet, que cet objet miniature dans la main du serrurier, qui protégeait le pays de la malignité du Fléau ?

Il batailla avec la serrure, ôtant et réintroduisant la clé à plusieurs reprises. Enfin, elle tourna, et la porte s'ouvrit.

Andrew se redressa.

– Tu es toujours décidé ?

Je hochai la tête et, m'agenouillant à mon tour, glissai le bâton par l'ouverture et m'y faufilai à quatre pattes. Andrew referma immédiatement la grille derrière moi et me passa la clé entre les barreaux. Je la mis dans ma poche gauche, bien enfoncée dans la limaille de fer.

– Bonne chance ! me souffla le serrurier. Je vais t'attendre une heure dans la cave de la maison, au cas où tu reviendrais par ce chemin pour une raison ou une autre. Si tu ne réapparais pas, je retournerai chez moi. Tu es un brave garçon, Tom. J'aurais vraiment souhaité en faire plus et avoir le courage de t'accompagner.

Je le remerciai. Puis, le bâton dans ma main gauche et la chandelle dans la droite, je m'enfonçai dans l'obscurité.

À peine avais-je fait trois pas que l'horreur de mon entreprise me submergea. Qu'est-ce qui m'avait pris ? Étais-je devenu fou ? J'étais descendu dans le repaire du Fléau, et il pouvait surgir à tout moment. Il avait sûrement conscience de mon intrusion !

J'inspirai profondément et me rassurai en pensant que, puisqu'il ne s'était pas rué par l'ouverture de la grille lorsque Andrew l'avait ouverte, c'est qu'il n'avait pas encore perçu ma présence. Et, si les catacombes étaient aussi immenses qu'on le prétendait, le Fléau se trouvait peut-être à des milles de là ! Quoi qu'il en soit, que faire, sinon avancer ? La vie de l'Épouvanteur et celle d'Alice dépendaient de ma réussite.

Au bout d'une minute de marche, j'arrivai à un embranchement. Me rappelant les indications du frère Peter, je m'engageai dans le tunnel de gauche. L'air autour de moi se refroidit : je n'étais plus seul ! Au-delà de l'espace éclairé par la chandelle, j'apercevais des formes imprécises, vaguement lumineuses, évoquant un vol de chauves-souris, entrant et sortant des cryptes creusées de chaque côté de la galerie. À mon approche, elles disparurent. Elles n'avaient pas osé venir trop près, mais j'étais sûr qu'il s'agissait de fantômes du Petit Peuple. Ils ne m'inquiétaient guère ; c'était le Fléau qui m'obsédait.

Plus loin, le tunnel faisait un coude. À l'instant où j'obliquai sur ma gauche, je dérapai. J'avais marché sur une substance molle et collante.

Je reculai et abaissai la chandelle pour mieux voir. Ce que je découvris me laissa les jambes flageolantes, et la bougie trembla dans ma main. Sur le sol, il y avait un chat mort. Ce qui m'effrayait n'était pas qu'il soit mort, mais la façon dont il avait péri. L'animal avait dû se faufiler dans les catacombes, à la poursuite d'un rat ou d'une souris, pour y connaître cette terrible fin : il gisait sur le ventre, et les yeux lui sortaient de la tête. La pauvre bête était aplatie au point que son corps formait une grosse tache sur les pavés. Sa langue encore luisante indiquait que cela s'était passé récemment. Je frémis d'horreur. Il avait été « pressé » ! Tel était le sort qui m'attendait peut-être si je rencontrais le Fléau.

Je m'éloignai en hâte de cet affreux spectacle et parvins au pied d'une volée de marches montant vers une porte. Si le frère Peter avait raison, la cave du presbytère était de l'autre côté.

Je grimpai l'escalier et introduisis le passe-partout de l'Épouvanteur dans la serrure. L'instant d'après, je poussai le battant de bois et le refermai aussitôt après avoir pénétré dans la cave, sans toutefois redonner un tour de clé. Mieux valait me réserver une issue, au cas où j'aurais un problème avec la trappe. Et, de toute façon, le Fléau ne pouvait s'enfuir par là.

J'étais dans un vaste cellier encombré d'énormes tonneaux de bière et garni de casiers poussiéreux chargés de bouteilles, dont beaucoup devaient être là depuis fort longtemps, à en juger par les toiles d'araignées qui les drapaient. Il régnait là un silence mortel, et, à moins que quelqu'un se soit dissimulé dans un coin pour m'épier, l'endroit était désert. La flamme de la chandelle n'éclairait cependant qu'un étroit espace autour de moi, et, derrière les tonneaux, l'obscurité pouvait receler n'importe quoi.

Avant que nous quittions la maison d'Andrew, le frère Peter m'avait appris que les prêtres ne descendaient à la cave qu'une fois par semaine pour en remonter leur provision de boissons, et que la plupart d'entre eux préféraient se tenir éloignés du sous-sol à cause du Fléau. En revanche, il n'avait pu m'assurer qu'il en serait de même pour les hommes de l'Inquisiteur : eux n'étaient pas d'ici et n'en savaient pas assez pour être effrayés. De plus, ils puiseraient sans vergogne dans les réserves de bière et ne se contenteraient pas de mettre en perce une seule barrique. Ils pouvaient donc surgir à l'improviste.

Je traversai prudemment la cave, m'arrêtant tous les dix pas pour tendre l'oreille. Je finis par distinguer la porte qui donnait sur le corridor et, en haut du mur de gauche, la trappe de bois. Nous en avions une semblable à la ferme. Notre domaine s'appelait autrefois la Brasserie, parce qu'un précédent propriétaire y brassait la bière, qu'il vendait aux tavernes des environs. Comme me l'avait expliqué le frère Peter, cette trappe permettait de descendre et remonter les tonneaux sans avoir à passer par le presbytère. Il avait raison, ce serait la voie la plus pratique pour s'échapper d'ici. En l'utilisant, je courrais le risque d'être repéré ; mais repasser par la Grille d'Argent signifierait une rencontre possible avec le Fléau ; or, après son emprisonnement, mon maître serait trop affaibli pour l'affronter. La malédiction qui pesait sur lui me confortait aussi dans ce choix. Qu'on y croie ou pas, autant ne pas tenter le Diable !

De grosses barriques étaient entassées juste audessous de la trappe. Je posai la chandelle sur l'une d'elles et y appuyai le bâton ; grimpé sur une autre, j'atteignis le verrou, que l'on pouvait manœuvrer de l'intérieur comme de l'extérieur. Son mécanisme était assez simple, et la clé de l'Épouvanteur se montra efficace. Je laissai cependant la trappe en place, pour que personne dans la venelle ne s'étonne de la trouver ouverte.

Je revins alors à la porte de la cave ; la clé tourna facilement dans la serrure. Mon maître avait de la chance d'avoir pour frère un artisan aussi habile !

Le bâton à la main, je m'aventurai dans un long couloir pavé. Il était vide, mais, à vingt pas, sur la droite, une torche flambait, fixée au chambranle d'une porte close. Ce devait être celle du corps de garde, dont Frère Peter m'avait parlé. Plus loin, je devinai une ouverture et les premières marches d'un escalier de pierre conduisant au rez-de-chaussée.

J'avançai sur la pointe des pieds. Arrivé à la hauteur de la salle des gardes, je perçus une rumeur, une toux, des rires.

Soudain, les battements de mon cœur s'accélérèrent : une voix profonde venait de retentir tout près, derrière la porte. Avant que j'aie eu le temps de courir me cacher, le battant s'ouvrit à la volée, et je faillis le prendre en pleine face. Je m'aplatis vivement contre le mur. De lourdes bottes sonnèrent contre les pavés.

– Je retourne à mon travail, reprit la voix, que je reconnus alors.

C'était celle de l'Inquisiteur, et elle s'adressait à quelqu'un qui se tenait sur le seuil de la salle.

– Qu'on envoie chercher Frère Peter ! ordonna-t-il. Et qu'on me l'amène dès que j'en aurai fini avec l'autre. Si le père Cairns a laissé échapper un prisonnier, au moins a-t-il eu le bon sens de me révéler qui était à blâmer. Qu'on attache étroitement les mains de notre bon frère, de sorte que la corde entaille bien les chairs ! Qu'il sache exactement ce qui l'attend ! On ne se contentera pas de rudes paroles, croyez-moi ! Les fers rouges lui délieront la langue.

En guise de réponse, un rire grossier et cruel monta du corps de garde. Puis l'Inquisiteur referma la porte et se dirigea à grands pas vers l'escalier, son long manteau noir flottant derrière lui.

Je me figeai. S'il se retournait, il me verrait ! Un instant, je craignis qu'il continue jusqu'à la cellule des prisonniers, au fond du corridor ; mais, à mon grand soulagement, il s'engagea dans l'escalier.

Pauvre Frère Peter ! Il allait être soumis à la question par ma faute, et je n'avais aucun moyen de l'avertir. Car j'étais le prisonnier échappé ! Et le père Cairns m'avait dénoncé. À présent que l'Inquisiteur tenait l'Épouvanteur, il voudrait mettre la main sur son apprenti. Je devais libérer mon maître avant qu'il soit trop tard, pour lui comme pour moi.

Je faillis alors commettre une grande erreur en m'apprêtant à gagner la cellule. Je réalisai juste à temps que les ordres de l'Inquisiteur seraient exécutés aussitôt. En effet, la porte de la salle s'ouvrit encore ; deux gardes armés de gourdins en sortirent et marchèrent vers l'escalier.

Lorsque le battant se referma, je me trouvai de nouveau à découvert et, de nouveau, j'eus de la chance : les gardes eux non plus ne se retournèrent pas. Après qu'ils eurent disparu, je restai immobile, le temps que le bruit de leurs pas s'éteigne et que les battements de mon cœur se calment. J'entendis alors des pleurs, une voix psalmodiant une prière. Cela venait de la cellule. Je m'élançai et m'arrêtai bientôt devant une lourde porte de fer, dont la partie haute était formée de barres verticales.

Je levai la chandelle et regardai à l'intérieur. Dans la lumière vacillante, la cellule offrait un spectacle affligeant, et l'odeur qui en montait était atroce. Il y avait là une vingtaine de personnes entassées dans un espace minuscule. Certaines semblaient dormir, allongées sur le sol. D'autres étaient assises, le dos contre le mur. Une femme se tenait debout près de la porte : c'était sa voix que j'avais entendue. Ce que j'avais pris pour une prière n'était en réalité qu'un marmonnement incompréhensible. Ses yeux roulaient dans leurs orbites ; les épreuves qu'elle avait endurées avaient dû la rendre folle.

Je ne voyais ni l'Épouvanteur ni Alice, ce qui ne signifiait pas qu'ils n'étaient pas dans la cellule. Ces gens étaient bien les prisonniers de l'Inquisiteur, destinés au bûcher.

Sans attendre davantage, je posai mon bâton et déverrouillai la serrure. J'avais l'intention d'entrer pour trouver ceux que je cherchais, mais, avant que la porte soit tout à fait ouverte, la femme qui chantonnait s'avança et me barra l'accès.

Elle se mit à crier, me crachant au visage des phrases incohérentes. Je lançai un regard inquiet vers la salle des gardes. Mais, déjà, les autres prisonniers l'avaient écartée et se bousculaient pour sortir. Je remarquai une jeune fille, à peine plus âgée qu'Alice, avec de grands yeux bruns et de jolis traits. Je me penchai vers elle et chuchotai :

– Je cherche quelqu'un...

Je n'eus pas le temps d'en dire davantage. Sa bouche s'ouvrit, révélant deux rangées de dents cassées et noircies, et un rire sauvage jaillit de sa gorge, ce qui déclencha un tollé autour d'elle. Ces gens avaient été torturés, ils avaient passé des jours, voire des semaines dans l'attente de la mort ; il était vain de faire appel à leur raison pour les inciter au calme. Des doigts s'accrochaient à moi ; un grand type dégingandé aux longs bras et au regard éperdu s'empara de ma main gauche. La serrant à m'en briser les os, il la secoua avec gratitude.

– Merci ! Merci ! coassait-il.

Je réussis à me libérer et récupérai mon bâton. J'étais affolé : ce tapage allait alerter les gardes. Que ferais-je si Alice et l'Épouvanteur n'étaient pas dans cette cellule ? S'ils étaient enfermés ailleurs ?

Je n'eus pas le temps de vérifier, car, rudement poussé en avant, j'étais déjà au-delà du corps de garde et, en quelques secondes, je me retrouvai devant la porte de la cave, entouré d'une troupe de prisonniers. Bien que les cris aient cessé, le brouhaha restait toujours trop fort. Je n'avais plus qu'à espérer que les gardes étaient en pleine beuverie. Ils devaient être habitués à entendre les appels des prisonniers et ne s'attendaient certainement pas à une évasion.

Une fois dans la cave, j'escaladai les tonneaux et, en équilibre sur la pointe des pieds, je relevai la trappe. J'aperçus par l'ouverture les contreforts de la cathédrale. Un souffle d'air froid et humide me balaya le visage. Dehors, la pluie tombait dru.

Des gens grimpèrent derrière moi. Le grand escogriffe qui m'avait remercié m'écarta d'un coup de coude et se hissa à l'extérieur. Puis il me tendit la main.

– Viens ! fit-il.

J'hésitai. Je voulais savoir si l'Épouvanteur et Alice étaient hors de la cellule. La seconde d'après, une femme avait grimpée à son tour et levait les bras vers l'homme, qui l'agrippa par les poignets et l'extirpa de la cave.

Je n'avais pas saisi ma chance. Les autres prisonniers se bousculaient, se battant presque dans leur hâte désespérée de se sauver de là. Un homme, toutefois, gardait son calme. Il fit basculer une barrique et la roula près des tonneaux entassés sous la trappe pour former une marche et faciliter l'escalade. Il aida une vieille femme à monter et lui soutint les jambes pendant que l'autre, dehors, la tirait vers le haut.

Beaucoup de ces malheureux avaient déjà pris la fuite, mais il en arrivait sans cesse. J'avais repris la chandelle et la tenais levée, mes yeux allant d'un prisonnier à l'autre, dans l'espoir de reconnaître mon maître et mon amie.

Une pensée me frappa tout à coup : et s'ils étaient trop malades ou trop faibles pour bouger, et qu'ils n'aient pas eu la force de quitter la cellule ?

Je n'avais pas le choix. Je devais retourner là-bas pour m'en assurer. Je sautai du tonneau. Trop tard ! Un cri retentit, des voix furieuses s'élevèrent, des bottes résonnèrent sur le pavé du corridor. Un grand costaud fit irruption dans la cave, brandissant un gourdin. Il balaya l'endroit du regard et, avec un rugissement de rage, se jeta sur moi.

10
Crachat de fille

Sans une seconde d'hésitation, j'empoignai mon bâton et soufflai la chandelle, plongeant la cave dans l'obscurité. Puis je courus vers la porte menant aux catacombes.

J'entendis dans mon dos un terrible tumulte : des hurlements, des pleurs, des bruits de lutte. Jetant un coup d'œil, j'aperçus un autre garde qui entrait dans la cave, une torche à la main ; je me glissai derrière des casiers à bouteilles et, à la faveur de l'ombre, gagnai le mur du fond.

J'étais consterné de devoir abandonner Alice et l'Épouvanteur. L'idée d'être venu jusqu'ici et de me montrer incapable de les sauver me rendait malade. J'espérais toutefois que, dans la confusion, ils réussiraient à s'échapper. L'un comme l'autre, ils voyaient dans le noir et, si j'arrivais à gagner l'issue vers les catacombes, ils y parviendraient aussi.

Je sentais la présence d'autres prisonniers, dissimulés près de moi dans les recoins obscurs de la cave. Alice et mon maître se trouvaient peut-être parmi eux ; mais je ne pouvais les appeler sans risquer d'alerter les gardes. Tout en me faufilant entre les casiers, j'eus l'impression que la porte des catacombes s'était entrouverte pour se refermer aussitôt. Il faisait cependant trop sombre pour que j'en sois certain.

Je franchis enfin cette porte. À l'instant où je la tirai derrière moi, une obscurité si dense m'environna que, d'abord, je fus comme un aveugle. Figé en haut de l'escalier, plein d'angoisse, j'attendis que mes yeux s'accoutument.

Dès que je pus distinguer les marches, je les descendis avec précaution et m'engouffrai dans le tunnel, craignant qu'un garde finisse par repérer l'issue : je ne l'avais pas verrouillée, pour laisser à Alice et à l'Épouvanteur – s'ils étaient là – une chance d'en profiter.

D'ordinaire, je me dirige aisément dans le noir, mais, ici, l'obscurité semblait s'épaissir à mesure que j'avançais. Je m'arrêtai et tirai mon briquet de la poche de ma veste. Je m'agenouillai, fis tomber un peu d'amadou sur le pavé et le frappai avec mon silex. Une étincelle jaillit. Quelques secondes plus tard, je rallumais ma chandelle.

Grâce à cette lumière, je marchais plus vite. L'air se refroidissait à chaque pas, et, ici et là, des ombres inquiétantes dansaient sur les murs. Les vagues formes lumineuses étaient bien plus nombreuses qu'à l'aller. Les morts, dérangés par mon premier passage, se rassemblaient.

Soudain, je m'immobilisai : au loin, un chien hurlait. J'écoutai, le cœur battant. Était-ce un vrai chien, ou... autre chose ? Andrew avait évoqué un molosse noir aux crocs impressionnants, une bête énorme : le Fléau lui-même. Je tâchai de me persuader qu'il s'agissait d'un animal réel. Après tout, si un chat était parvenu à s'introduire dans les catacombes, pourquoi pas un chien ?

Le hurlement monta de nouveau, et l'écho le répercuta longtemps à travers les galeries. Était-ce devant ou derrière moi ? Je n'aurais su le dire. Quoi qu'il en soit, avec l'Inquisiteur et ses sbires dans mon dos, je n'avais pas d'autre choix que de continuer vers la Grille d'Argent.

Je m'élançai donc, frissonnant de froid ; j'enjambai le chat mort et arrivai à l'embranchement. Enfin, au-delà du tournant, j'aperçus le scintillement de la Grille. Je m'arrêtai alors, les genoux flageolants, incapable d'avancer. Car, dans l'obscurité que ne chassait pas la lumière de ma chandelle, quelqu'un m'attendait. Une silhouette sombre était assise sur le sol, appuyée au mur, la tête baissée. Un prisonnier évadé ? Celui qui s'était faufilé par la porte lorsque j'avais cru la voir s'entrouvrir ?

Ne pouvant rebrousser chemin, je fis quelques pas en tenant bien haut ma chandelle. Un visage barbu se leva vers moi.

– Qu'est-ce qui t'a retenu ? me demanda une voix familière. Voilà déjà cinq minutes que je t'attends !

C'était mon maître ! Un vilain hématome noircissait son œil gauche, et sa lèvre était enflée. Il avait été battu.

– Vous allez bien ? lui demandai-je, anxieux.

– Ça va, petit. Accorde-moi un instant que je reprenne haleine, et je serai frais comme un gardon. Ouvre cette grille, et partons vite !

– Alice était-elle avec vous ? Étiez-vous dans la même cellule ?

– Non, mon garçon. Mieux vaut l'oublier. Cette fille ne t'apportera que des ennuis ! Il n'y a rien qu'on puisse faire pour elle, désormais.

D'un ton froid, presque cruel, il conclut :

– Elle mérite le sort qui lui est réservé.

Choqué, je m'exclamai :

– Le bûcher ? Mais… vous avez toujours refusé de brûler les sorcières ; alors, une jeune fille… Et vous avez assuré à Andrew qu'elle était innocente !

Je n'ignorais pas que l'Épouvanteur n'avait jamais accordé sa confiance à Alice ; pourtant, il me blessait en parlant d'elle sur ce ton, surtout après avoir lui-même échappé à ce destin terrible. Avait-il aussi oublié Meg ? Il ne faisait pas preuve d'une telle dureté de cœur, à l'époque !

– Pour l'amour du ciel, petit, tu dors, ou quoi ? s'impatienta-t-il. Allez, dépêche-toi ! Sors ta clé et ouvre cette porte !

Comme je demeurai perplexe, il eut un geste de la main.

– Et rends-moi mon bâton, que je m'appuie dessus ! Je suis resté trop longtemps dans cette geôle humide, mes vieux os me font mal.

Je m'approchai pour le lui donner. À l'instant où ses doigts allaient se refermer dessus, je reculai vivement, saisi d'horreur. Pas uniquement à cause de l'haleine putride qu'il me soufflait au visage, mais parce qu'il tendait vers moi son bras droit ! Le droit, pas le gauche !

Ce n'était pas l'Épouvanteur ! Ce n'était pas mon maître !

Pétrifié, je regardai ce bras retomber, s'étendre jusqu'à doubler de longueur et ramper vers moi en ondulant sur les pavés, tel un serpent. Avant que j'aie eu le temps de bouger, la main m'avait agrippé la cheville et la pressait à me faire mal. Ma première idée fut d'arracher ma jambe à l'horrible étreinte. Je compris aussitôt que ce n'était pas le bon moyen. Je gardai donc une parfaite immobilité et me concentrai.

Je serrai le bâton et forçai la peur à refluer en respirant profondément. J'étais terrifié. Mais, tandis que mon corps demeurait figé, mon esprit bouillonnait. Je n'avais qu'une explication, et elle était effroyable : j'étais devant le Fléau !

Je m'obligeai à examiner la créature avec attention, en quête du plus petit détail dont je pourrais tirer parti. Elle ressemblait à s'y méprendre à l'Épouvanteur, et le son de sa voix était identique. Hormis ce bras serpentin, il n'y avait aucune différence.

Au bout de quelques secondes, je me ressaisis un peu. C'était une astuce que mon maître m'avait enseignée : lorsqu'on affronte sa plus grande peur, c'est grâce à la concentration qu'on se détache de ses propres émotions.

« N'oublie jamais cela, petit ! m'avait-il dit un jour. L'obscur se nourrit de ta peur. Si tu luttes l'esprit tranquille et le ventre vide, la bataille est à moitié gagnée. »

Ce fut efficace. Mon corps cessa de trembler ; je me sentis plus calme, presque détendu.

Le Fléau lâcha ma cheville, et le bras reprit sa taille normale. La créature se redressa et fit un pas vers moi. J'entendis alors un curieux son : non pas un bruit de bottes, comme je m'y attendais, mais un raclement de griffes sur les pavés. Ce mouvement créa un déplacement d'air, et la flamme de ma chandelle vacilla, projetant contre la Grille d'Argent l'ombre déformée du faux Épouvanteur.

Je déposai prestement la chandelle et le bâton sur le sol, entre nous deux. La seconde suivante, j'étais debout, les deux mains dans les poches de mon pantalon, saisissant dans la droite une poignée de sel, une poignée de limaille de fer dans la gauche.

– Perte de temps, ça ! gronda le Fléau.

Sa voix n'était plus du tout celle de l'Épouvanteur. Rauque, profonde, elle rebondissait sur chaque pierre des catacombes, vibrait dans les semelles de mes bottes et remontait jusqu'à la racine de mes dents.

– Tu ne m'auras pas avec ces vieux trucs ! Ils ne me feront pas de mal, je suis là depuis trop longtemps ! La Vieille Carne, ton maître, l'a tenté une fois. Ça ne lui a rien valu, rien du tout !

Je n'hésitai qu'un bref instant. La créature mentait peut-être, et cela valait le coup d'essayer. Ma main gauche se referma alors sur quelque chose de dur : la petite clé qui ouvrait la Grille d'Argent. Je ne pouvais prendre le risque de la perdre.

– Aaaah ! fit le Fléau avec un sourire matois. Ce qu'il me faut, tu l'as !

Avait-il lu dans mes pensées ? Ou deviné d'après l'expression de mon visage ? De toute façon, il en savait trop.

– Réfléchis ! continua-t-il d'un ton cauteleux. Si la Vieille Carne n'a pu me vaincre, quelle chance as-tu ? Aucune ! Ils seront bientôt là pour te prendre. Les gardes. Tu ne les entends pas ? Tu vas brûler ! Brûler avec les autres ! Il n'y a pas de sortie, à part la Grille. Pas d'issue, tu comprends ? Alors, sers-toi de la clé, vite ! Avant qu'il soit trop tard !

Il se tenait de côté, le dos au mur. Je savais exactement ce qu'il désirait : passer la grille derrière moi et se retrouver libre de perpétrer ses forfaits à travers le pays. Et je savais ce que l'Épouvanteur aurait attendu de moi. Mon devoir était de tout faire pour que le Fléau demeure enfermé dans les catacombes, même au prix de ma propre vie.

– Ne sois pas stupide ! siffla le démon.

Il avait repris la voix de l'Épouvanteur, mais avec un accent discordant que je n'avais jamais perçu chez mon maître.

– Écoute-moi, et tu seras libre ! Et récompensé ! Tu recevras une grosse récompense ! La même que j'ai offerte à la Vieille Carne il y a bien des années. Il a refusé de m'écouter. Et où ça l'a mené ? Tu le sais ? Demain, il sera jugé, déclaré coupable, puis brûlé !

– Non ! criai-je. Je ne peux pas !

À ces mots, le visage du Fléau se crispa de rage. Il ressemblait toujours à l'Épouvanteur, mais les traits que je connaissais si bien étaient distordus par la malignité. Il avança d'un pas, le poing levé. Était-ce une illusion due à la flamme dansante de la chandelle ? Il grandissait. Et je sentis une masse invisible peser sur ma tête et mes épaules. Forcé de m'agenouiller, je me rappelai le chat aplati sur les pavés et je compris quel destin le Fléau me réservait. J'essayai d'aspirer un peu d'air ; en vain. La panique me saisit : je ne pouvais plus respirer ! J'étais perdu !

La lumière de la chandelle disparut dans l'obscurité qui tomba d'un coup devant mes yeux comme un voile. Je m'efforçai désespérément d'émettre un son, de crier grâce. Je savais pourtant que je n'obtiendrais aucune pitié, à moins d'accepter de déverrouiller la Grille d'Argent. Qu'est-ce que j'avais imaginé ? Quelle folie de me croire, après quelques mois d'apprentissage, capable d'affronter une créature aussi mauvaise et aussi puissante que le Fléau ! J'étais en train de mourir, de cela j'étais sûr. Seul dans les catacombes. Le pire était que j'avais échoué, lamentablement. Je n'avais réussi à secourir ni mon maître ni Alice.

Soudain, je perçus un bruit au loin : des pas traînants sur les pavés. Il paraît que, au moment de la mort, le dernier sens qui nous reste, c'est l'ouïe.

Et, pendant un instant, je songeai que ce serait mon ultime impression.

Le poids qui m'écrasait diminua peu à peu. La vue me revint, et je respirai de nouveau. Le Fléau tourna le regard vers le coude du tunnel. Il avait entendu, lui aussi.

Le bruit reprit. Pas de doute, il s'agissait bien de pas. On venait.

Je m'aperçus alors que le Fléau se transformait. Ce n'était pas une illusion : il grandissait vraiment. Sa tête touchait presque la voûte, son corps s'incurvait, son visage s'aplatissait, son nez et son menton s'arquaient comme pour se rejoindre. La créature était-elle en train de retrouver son apparence originelle, celle de la gargouille de pierre dominant le portail de la cathédrale ? Avait-elle récupéré toute sa puissance ?

J'écoutai. J'aurais volontiers soufflé la chandelle, mais je redoutais d'être dans le noir, à côté du démon. En tout cas, ce n'était pas une troupe de gardes envoyée à mes trousses par l'Inquisiteur, car une seule personne approchait. Peu importait qui ! Cette arrivée me sauvait provisoirement.

Quelqu'un pénétra dans le cercle de lumière de ma chandelle : je vis d'abord des pieds, chaussés de souliers pointus. Puis apparut une fille mince, vêtue de noir, qui marchait en balançant les hanches.

Alice !

Elle s'arrêta et me lança un bref coup d'œil. Ensuite, elle fixa le Fléau, avec plus de colère que d'effroi.

Un instant, les yeux de la créature rencontrèrent les miens. Quelque chose se mêlait à la rage qui flambait dans son regard. Je n'eus pas le temps de l'analyser, car Alice se ruait sur le Fléau en feulant, tel un chat furieux. À ma totale stupéfaction, elle lui cracha à la figure.

Il y eut un brusque coup de vent, et, avant que j'aie réalisé ce qui se passait, le démon avait disparu.

Nous restâmes tous deux immobiles un temps qui me parut une éternité. Puis Alice m'adressa un pâle sourire.

– Un crachat bien efficace, pour une fille, n'est-ce pas ? Je me débrouille pas mal quand je m'y mets !

Je ne répondis rien. Je n'arrivais pas à croire que le Fléau ait pu être si aisément mis en fuite. J'essayais déjà d'introduire dans la serrure de la Grille d'Argent ma minuscule clé. Mes mains tremblaient, et j'avais les mêmes difficultés qu'Andrew à faire jouer le mécanisme.

Je parvins enfin à trouver la bonne position. La petite porte s'ouvrit, je retirai la clé, fis passer de l'autre côté le bâton de l'Épouvanteur et sortis à quatre pattes.

– Prends la chandelle ! soufflai-je à Alice.

Dès qu'elle m'eut rejoint, je glissai la clé dans la serrure et recommençai la manœuvre. Cette fois, cela me prit un temps fou. Je redoutais à chaque instant de voir resurgir le Fléau.

– Plus vite ! me pressa Alice.

– Ce n'est pas aussi facile que ça en a l'air, marmonnai-je.

Lorsque je réussis à tourner la clé, je lâchai un soupir de soulagement.

Soudain, je repensai à mon maître.

– M. Gregory était-il emprisonné avec toi ?

Alice secoua la tête.

– Pas quand tu nous as ouvert la porte. On l'avait emmené pour l'interroger environ une heure avant.

J'avais eu la chance de ne pas être capturé et d'avoir libéré les prisonniers. Hélas, la chance, ça va, ça vient. J'étais arrivé une heure trop tard. Alice était libre, et l'Épouvanteur, toujours captif. Et, si je ne trouvais pas un moyen de le délivrer, il serait brûlé.

Sans tarder davantage, je conduisis Alice le long de la galerie jusqu'à la rivière souterraine. Je la traversai en quelques sauts. Quand je me retournai, Alice était encore sur l'autre rive, fixant le courant rapide.

– C'est profond, Tom ! me cria-t-elle. Trop profond ! Et les pierres sont glissantes !

Je retraversai et, la tenant par la main, l'aidai à franchir le gué.

Nous parvînmes bientôt devant la trappe donnant sur le sous-sol de la maison. Une fois dans la cave, je rabattis le panneau de bois. Je fus déçu de constater qu'Andrew était parti. Il fallait que je lui parle, il fallait qu'il sache que mon maître n'était pas dans la cellule, que le frère Peter était en danger, et que la rumeur était vraie : le Fléau avait retrouvé sa puissance !

Pourtant, je déclarai :

– Nous ferions mieux d'attendre ici un moment. L'Inquisiteur fera fouiller la ville dès qu'il apprendra que des prisonniers se sont échappés. La maison est hantée ; le dernier endroit où on viendra nous chercher, c'est cette cave.

Alice acquiesça. Pour la première fois depuis le printemps, je l'observai attentivement. Elle était de ma taille – ce qui signifiait qu'elle avait grandi autant que moi – et vêtue de noir, comme le jour où je l'avais laissée chez sa tante, à Staumin. Si ce n'était pas la même robe, c'en était une identique.

Elle était toujours aussi jolie, mais son visage amaigri la faisait paraître plus âgée, à croire que les choses qu'elle avait vécues l'avaient forcée à mûrir, des choses auxquelles personne ne devrait être confronté. Ses cheveux noirs, sales et emmêlés, ses joues crasseuses prouvaient qu'elle n'avait pas eu l'occasion de se laver depuis fort longtemps.

– Je suis heureux de te revoir, lui dis-je. Quand je t'ai aperçue dans la charrette de l'Inquisiteur, j'ai cru que tu étais perdue.

Elle garda le silence, puis elle me prit le bras et le serra.

– Je meurs de faim, Tom. Tu n'as rien à manger ?

Je secouai la tête.

– Pas même un bout de vieux fromage ?

– Désolé, je n'en ai plus.

Elle s'écarta, attrapa la bordure d'un tapis, sur le sommet de la pile.

– Donne-moi un coup de main ! J'ai besoin de m'asseoir, et ce carrelage glacé n'est guère engageant.

Je posai la chandelle et le bâton, et l'aidai à étaler le tapis. L'odeur de moisi m'emplit les narines, et je regardai avec dégoût les cloportes que nous avions dérangés détaler de tous côtés.

Sans se préoccuper d'eux, Alice s'assit, le menton appuyé sur ses genoux.

– Un jour, fit-elle, je me vengerai. Personne ne mérite d'être traité ainsi.

Je m'installai près d'elle et posai ma main sur la sienne.

– Qu'est-il arrivé ? demandai-je.

Elle resta muette un long moment. Je commençais à croire qu'elle ne répondrait pas quand elle se décida soudain :

– Après avoir appris à me connaître, ma vieille tante a été bonne pour moi. Elle me faisait travailler dur, mais elle me nourrissait bien. Je m'étais habituée à vivre à Staumin. Et c'est là que l'Inquisiteur est arrivé. Il nous est tombé dessus sans crier gare ; il est entré chez nous en enfonçant la porte. Pourtant, ma tante n'était pas comme Lizzie l'Osseuse, elle n'était pas sorcière !

« Les soldats l'ont plongée dans la mare à minuit, devant une foule de villageois ricanants, qui la huaient. J'étais terrifiée, persuadée que ce serait bientôt mon tour. Ils lui ont lié les pieds et les mains ensemble, et ils l'ont jetée à l'eau. Elle a coulé comme une pierre. C'était une nuit noire et venteuse. Au moment où elle a heurté la surface, une bourrasque a soufflé la plupart des torches. Ils ont mis un temps fou à la tirer de là.

Enfouissant son visage dans ses mains, Alice émit un bref sanglot. J'attendis en silence qu'elle retrouve la force de continuer. Elle se redressa enfin, les yeux secs, même si sa lèvre tremblait.

– Lorsqu'ils l'ont sortie de l'eau, reprit-elle, ma tante était morte. Ce n'est pas juste, Tom ! Elle n'a pas flotté ! Elle a coulé, ce qui signifiait qu'elle était innocente, et ils l'ont tuée ! Après, ils m'ont fait monter dans la charrette avec les autres.

– Ma mère affirme que l'épreuve de l'eau ne sert à rien, que seuls les imbéciles l'utilisent.

– Oh, l'Inquisiteur n'est pas un imbécile ! Il sait ce qu'il fait, tu peux me croire. Il est cupide, il amasse des richesses. Il a vendu la maison de ma tante et a gardé l'argent. Je l'ai vu le compter. Il accuse les gens de sorcellerie, les élimine, leur prend leurs biens, leur terres, leurs économies. Et il en éprouve de la jouissance ! L'obscur est en lui. Il prétend débarrasser le Comté des sorcières, alors qu'il est plus cruel qu'aucune sorcière que j'ai connue, et c'est peu dire !

« Parmi les prisonniers, il y avait une fille appelée Maggie, à peine plus âgée que moi. Elle n'a pas subi l'épreuve de l'eau, mais une autre, à laquelle il nous a forcés d'assister. Il a utilisé une longue aiguille, qu'il lui a enfoncée dans chaque partie du corps. Tu aurais entendu ses cris ! La pauvre fille était folle de douleur. Quand elle s'est évanouie, il lui a jeté un seau d'eau à la figure pour la ranimer. Au bout du compte, il a trouvé ce qu'il cherchait : la marque du Diable ! Tu sais ce que c'est, Tom ?

Je hochai la tête. L'Épouvanteur m'avait expliqué que c'était l'une des méthodes des chasseurs de sorcières. Encore un mensonge ! La marque du Diable n'existe pas. Tous ceux qui ont une vraie connaissance de l'obscur le savent.

– C'est cruel et injuste, continua Alice. Après une trop grande souffrance, le corps s'engourdit, et il arrive que l'aiguille, en pénétrant la chair, ne provoque plus de sensation. Ils prétendent alors que c'est l'endroit où le Diable t'a touché. Tu es déclaré coupable et condamné au bûcher. Le pire, c'était l'expression du visage de l'Inquisiteur ! Si satisfait de lui ! Mais je me vengerai, je lui ferai payer ses vilenies ! Maggie ne mérite pas d'être brûlée !

– L'Épouvanteur non plus, remarquai-je amèrement. Toute sa vie il a lutté contre l'obscur.

– C'est un homme, son agonie sera moins atroce. L'Inquisiteur s'arrange pour que les femmes mettent davantage de temps à brûler. Il affirme qu'il est plus difficile de sauver leur âme que celle des hommes, qu'elles ont besoin de souffrir davantage pour se repentir de leurs péchés.

Me revint alors à l'esprit ce que l'Épouvanteur m'avait appris à propos du Fléau : il ne supportait pas la proximité des femmes, ça le rendait nerveux.

– La créature sur qui tu as craché, lui dis-je, c'était le Fléau. Tu en as entendu parler ? Comment as-tu réussi à l'effrayer si aisément ?

Alice haussa les épaules.

– Il n'est pas très difficile de deviner si ta présence met quelqu'un mal à l'aise. Certains hommes sont comme ça ; lorsque je ne suis pas la bienvenue, je le sais tout de suite. Le vieux Gregory me donne cette impression, et j'ai ressenti la même tout à l'heure, en bas. Un bon crachat remet les choses en place. Crache trois fois sur un crapaud, et aucune créature à la peau humide et froide ne t'importunera plus pendant un bon mois. Lizzie ne jurait que par ce procédé. Toutefois, je ne pensais pas que ce serait d'une telle efficacité sur le Fléau. Oui, j'ai entendu parler de ce démon. Et, s'il est déjà capable de changer ainsi d'apparence, nous devons nous préparer à affronter de sérieux problèmes ! Je l'ai eu par surprise, voilà tout. La prochaine fois, il se tiendra sur ses gardes ; je ne redescendrai pas dans ces galeries, c'est hors de question !

Nous demeurâmes silencieux un moment. Je fixais le vieux tapis moisi quand j'entendis soudain Alice respirer lentement et profondément. Je la regardai : elle avait les yeux fermés. Elle s'était endormie sans changer de position, le menton sur les genoux.

J'ignorais combien de temps nous serions contraints de rester terrés dans cette cave, et je n'avais guère envie de souffler la chandelle. Mais il était préférable d'économiser la mèche pour plus tard ; je l'éteignis donc et tentai de dormir moi aussi, sans y parvenir. J'étais glacé. Je ne cessais de frissonner et n'arrivais pas à détourner mes pensées de l'Épouvanteur, toujours prisonnier. Les derniers évènements avaient dû mettre l'Inquisiteur dans une colère noire ; il ne tarderait pas à faire dresser les bûchers.

Je finis par m'assoupir moi aussi.

Un chuchotement contre mon oreille me tira de mon sommeil.

– Tom, disait Alice d'une voix à peine perceptible, nous ne sommes pas seuls. Je sens qu'on m'observe, et je n'aime pas ça.

Elle avait raison. Je devinai une présence, dans le coin, et il faisait très froid. Mes cheveux se dressèrent sur ma nuque. À coup sûr, c'était le spectre de Matty Barnes, l'étrangleur.

– Ne t'inquiète pas, Alice, soufflai-je. Ce n'est qu'un fantôme. Tâche de l'ignorer. Si tu n'as pas peur, il ne te fera aucun mal.

– Je n'ai pas peur. Du moins, plus maintenant.

Elle marqua une pause, puis elle poursuivit :

– Dans cette affreuse cellule, j'était terrifiée. Je n'ai pas fermé l'œil un seul instant, au milieu de tous ces cris et gémissements. Je ne vais pas tarder à me rendormir, mais je voudrais qu'*il* s'en aille. *Il* n'a pas le droit de me fixer comme ça !

– Je ne sais vraiment plus que faire, à présent, lui confiai-je, pensant de nouveau à l'Épouvanteur.

Alice ne réagit pas, sa respiration s'était ralentie. Elle dormait. Et je dus l'imiter, car un bruit me réveilla soudain en sursaut : un martèlement de bottes sur le carrelage. On marchait dans la cuisine, au-dessus de nous.

11
Le procès de l'Épouvanteur

La porte s'ouvrit en grinçant, des pas descendirent l'escalier, et la lueur d'une chandelle éclaira la cave. Je fus soulagé de voir apparaître Andrew.

– Je me doutais bien que je te trouverais ici, fit-il.

Il déposa près de moi un petit paquet, ainsi que sa chandelle. D'un mouvement du menton, il désigna Alice, profondément endormie. Elle était couchée sur le côté, le visage dans ses bras, et nous tournait le dos.

– Qui est-ce ? demanda-t-il.

– Elle s'appelle Alice ; elle vivait près de Chipenden. M. Gregory n'était pas là. On l'avait emmené pour l'interroger.

Andrew secoua la tête, l'air accablé.

– Frère Peter est venu me prévenir. Tu as joué de malchance ! À une demi-heure près, John aurait réintégré la cellule. Cependant, sur les onze prisonniers qui ont réussi à s'échapper, cinq ont été repris peu de temps après. Et j'ai une autre mauvaise nouvelle : les hommes de l'Inquisiteur ont arrêté Frère Peter dans la rue, alors qu'il sortait de chez moi. J'ai assisté à la scène de ma fenêtre. Je n'ai pas intérêt à rester dans cette ville ! Ils vont sûrement venir me chercher, et je n'ai pas l'intention de les attendre. J'ai déjà fermé la boutique. Mes outils sont dans ma charrette. Je me rends dans le sud, du côté d'Adlington, où j'ai travaillé autrefois.

– Je suis désolé pour vous, Andrew.

– Ne t'en fais pas pour moi. Qui n'aurait pas aidé son propre frère ? D'ailleurs, ma situation n'est pas si dramatique : je n'étais que locataire de l'échoppe et de la maison, et j'ai un métier dans les mains. Je trouverai toujours du travail.

Déballant le paquet, il ajouta :

– Tiens, je t'ai apporté de quoi manger.

– Quelle heure est-il ?

– Dans deux heures environ, ce sera l'aube. J'aurai du mal à repartir discrètement. Avec toute cette agitation, la moitié de la ville est réveillée. Beaucoup de gens se dirigent vers la grande halle de la Porte des Pêcheurs. Après les évènements de la nuit, l'Inquisiteur va tenir un tribunal d'urgence pour les prisonniers qu'il garde encore.

– Pourquoi n'attend-il pas qu'il fasse jour ?

– Il craint une assistance trop nombreuse. Il veut que tout soit terminé vite pour ne pas avoir à affronter l'opposition de ceux des habitants qui réprouvent sa façon d'agir. Le bûcher sera dressé dès ce soir, au sommet de la colline du phare, à Wortham, sur la rive sud du fleuve. L'Inquisiteur va s'entourer d'une importante troupe en armes pour prévenir les troubles ; alors, si tu as deux sous de jugeote, tu ne bougeras pas d'ici jusqu'à la nuit ; ensuite, tu fileras le plus vite possible.

Avant même qu'il ait fini d'ouvrir le paquet, Alice s'était assise. Avait-elle senti la nourriture, ou avait-elle feint de dormir pour nous écouter ?

Andrew nous tendit des tranches de jambon, du pain frais et deux grosses tomates. Sans un mot de remerciement, Alice se jeta dessus. J'eus un instant d'hésitation, puis j'en fis autant. J'avais très faim, et je ne voyais pas de raison de jeûner plus longtemps.

– Donc, reprit Andrew, je m'en vais. Pauvre John ! Nous ne pouvons plus rien pour lui.

– Ne peut-on tenter encore une fois de le sauver ? demandai-je.

– Non, tu en as assez fait. T'approcher du tribunal serait trop dangereux. Hélas, mon malheureux frère sera bientôt conduit à Wortham sous bonne garde pour y être brûlé avec les autres condamnés.

– Et la malédiction ? insistai-je. Vous avez dit vous-même qu'il mourrait seul, sous la terre, pas en haut d'une colline !

– Oh, la malédiction... ! Je n'y crois pas davantage que John. Je désespérais de l'empêcher d'affronter le Fléau au moment où l'Inquisiteur était en ville, voilà pourquoi j'ai employé cet argument. Non, j'ai bien peur que le sort de mon frère ne soit scellé ; et toi, tu ferais mieux de t'éloigner. John m'a parlé d'un épouvanteur qui exerce du côté de Caster. Il couvre la partie nord du Comté. Va le trouver de sa part, il te prendra avec lui. Il a été l'apprenti de ton maître.

Andrew se dirigea vers l'escalier. Au moment de s'en aller, il ajouta :

– Je te laisse la chandelle. Bonne chance, Tom ! Et, si tu as besoin un jour d'un bon serrurier, tu sauras où me trouver.

Sur ces mots, il disparut. Je l'écoutai monter les marches et refermer la porte.

Quelques instants plus tard, nous avions dévoré les maigres provisions ; il n'en restait pas une miette. Alice léchait le jus de tomate sur ses doigts.

– Alice, déclarai-je, je veux assister au procès. J'ai peut-être encore une chance d'aider l'Épouvanteur. Tu viendras avec moi ?

Elle ouvrit de grands yeux.

– Une chance ? Tu as entendu son frère : il n'y a plus rien à espérer, Tom ! Tu ne vas pas affronter des hommes armés. C'est beaucoup trop risqué, voyons ! Et pourquoi t'aiderais-je ? Le vieux Gregory, lui, ne lèverait pas le petit doigt pour moi. Il me laisserait brûler, tu peux en être sûr !

Je ne sus quoi répliquer. Elle disait vrai, mon maître avait refusé de la secourir. Avec un soupir, je me remis sur mes pieds.

– J'y vais tout de même.

– Non, Tom ! Ne m'abandonne pas ! Pas avec ce fantôme...

– Je croyais que tu n'avais pas peur.

– Je n'ai pas peur. Mais, dans mon sommeil, je l'ai senti me serrer la gorge. Je l'ai vraiment senti ! Toi parti, il pourrait s'enhardir.

– Alors, accompagne-moi ! Ce ne sera pas si dangereux, tant qu'on sera dans le noir. Et on n'est jamais mieux caché que dans une foule. Viens, s'il te plaît !

– Tu as un plan ? Quelque chose que tu ne m'as pas encore révélé ?

Je secouai la tête.

– En ce cas, pas question !

– Écoute, Alice, je veux juste aller voir. Je ne me pardonnerais jamais de ne pas avoir fait une dernière tentative. Si je ne trouve pas de solution, nous partirons.

Elle se releva à contrecœur.

– Bon, j'irai. Seulement promets-moi que, à la moindre alerte, nous filerons aussitôt. Je connais l'Inquisiteur mieux que toi. Crois-moi, il ne faut pas traîner dans les parages !

– Je te le promets.

Je laissai le sac et le bâton de mon maître dans la cave, et nous nous mîmes en route vers la Porte des Pêcheurs, où le procès devait avoir lieu.

Andrew n'avait pas exagéré en déclarant que la moitié de la ville était réveillée. Malgré l'heure matinale, des chandelles brûlaient derrière les rideaux, et des gens se hâtaient à travers les rues sombres dans la même direction que nous.

Je m'attendais à ce qu'on ne puisse pas approcher du tribunal, persuadé que des gardes seraient postés à l'extérieur. Je fus surpris de ne pas voir un seul des sbires de l'Inquisiteur. Les grandes portes de la halle étaient ouvertes, et les curieux s'agglutinaient sur le seuil, comme si tous ne parvenaient pas à entrer.

Je m'avançai prudemment, profitant de l'obscurité. En me mêlant à la foule, je constatai qu'elle n'était pas aussi dense que je l'avais cru.

À l'intérieur du bâtiment, l'air était vicié, chargé d'une odeur fade, écœurante. Ce n'était qu'une vaste salle au sol carrelé, sur lequel on avait répandu du sable. Je ne voyais pas très bien ce qui se passait, car la plupart des gens étaient plus grands que moi, mais il me sembla qu'ils faisaient cercle autour d'un grand espace vide, où personne n'osait pénétrer. Je pris Alice par la main et me frayai un chemin.

Si l'entrée était plongée dans l'ombre, deux énormes torches éclairaient une estrade de bois. L'Inquisiteur s'y tenait debout, toisant la foule du regard. Il parlait, mais sa voix se perdait dans le brouhaha.

En regardant autour de moi, je lus sur les visages toute une variété d'expressions : de la colère, de la tristesse, de l'amertume ou de la résignation, parfois même une hostilité manifeste. J'en conclus que beaucoup d'opposants à l'Inquisiteur étaient réunis ici, probablement des amis et des parents des accusés. Cette pensée me rendit quelque espoir : je trouverais peut-être un soutien parmi eux.

Cet espoir fut vite déçu lorsque je compris pourquoi personne ne s'avançait. Au pied de la plateforme, cinq rangées de bancs étaient occupées par des prêtres qui nous tournaient le dos. Devant les bancs, une double ligne de soldats à la mine sinistre faisait face à l'assistance. Les uns avaient tiré leur épée, d'autres gardaient la main posée sur le pommeau de leur arme, comme s'ils avaient hâte de la dégainer. Voilà pourquoi la foule restait à distance !

Levant les yeux, je découvris une galerie supérieure qui courait le long des murs. Des visages se penchaient par-dessus la balustrade, qui, vus d'en bas, se ressemblaient tous. Je jugeai que cet endroit était le plus sûr, et le meilleur poste d'observation. Remarquant des marches sur ma gauche, j'entraînai Alice dans cette direction. Un instant plus tard, nous étions sur la galerie.

Celle-ci n'était pas encore bondée, et nous nous fîmes aisément une place. Les mêmes relents douceâtres flottaient dans l'air, plus forts encore qu'au rez-de-chaussée. Je devinai alors que la halle devait servir de marché aux viandes. C'était l'odeur du sang !

L'Inquisiteur n'était pas seul sur l'estrade. Au fond, dans la pénombre, un groupe armé entourait les prisonniers attendant leur jugement. Et, juste derrière l'Inquisiteur, deux gardes tenaient par les bras une fille aux longs cheveux noirs, pieds nus, vêtue d'une robe en lambeaux. Elle sanglotait.

Alice me chuchota à l'oreille :

– C'est Maggie, celle qu'il a torturée avec son aiguille. Pauvre Maggie ! Elle est perdue...

En hauteur, le son était plus net, et j'entendis clairement le discours de l'Inquisiteur.

– Cette femme a parlé ! clamait-il d'une voix arrogante. Elle a avoué, et on a trouvé sur sa chair la marque du Diable. Je la condamne à être attachée au poteau et brûlée vive. Que Dieu ait pitié de son âme !

Maggie sanglota plus fort. L'un des gardes l'empoigna par les cheveux et la traîna vers une porte de côté. Un autre prisonnier, portant une soutane noire, les mains liées dans le dos, fut poussé à sa place. Un instant je crus que je me trompais. Mais non, il n'y avait pas de doute...

C'était bien Frère Peter. Je reconnus son collier de barbe, son crâne chauve et son dos voûté. Il avait été si cruellement battu que son visage était couvert de sang. Son nez semblait cassé, et l'un de ses yeux se réduisait à une mince fente sous une paupière rouge et enflée.

Cette vision m'épouvanta : s'il en était là, c'était à cause de moi ! Il m'avait permis de m'échapper, et, grâce à lui, j'avais pu atteindre la cellule où l'Épouvanteur était enfermé. On l'avait torturé pour le contraindre à parler. La culpabilité me submergea.

– Celui-ci était un frère, un serviteur de l'Église, tonitrua l'Inquisiteur. Regardez-le ! Regardez ce traître ! Il s'est mis au service de nos ennemis, il s'est allié aux forces du mal ! Nous avons obtenu sa confession, écrite de sa propre main. La voici !

Il brandit un morceau de papier bien haut pour que tous le voient ; cependant, personne n'aurait pu le lire. Même s'il s'agissait d'une confession, le visage du pauvre frère Peter était assez éloquent : on lui avait extorqué ces aveux. Où était la justice ? Ce procès n'était qu'un simulacre. L'Épouvanteur m'avait raconté que, au tribunal du château, à Caster, il y avait un juge, un plaignant et un défenseur. Ici, seul intervenait l'Inquisiteur.

– Il est coupable ! affirma-t-il. Qui en douterait ? En conséquence, je le condamne à être enfermé dans les catacombes. Que Dieu ait pitié de son âme !

Une rumeur horrifiée parcourut la foule. Les prêtres assis sur les bancs poussèrent un cri d'effroi. Ils savaient quel destin attendait le malheureux : il serait pressé à mort par le Fléau !

Frère Peter voulut parler, mais ses lèvres tuméfiées l'en empêchèrent. L'un des gardes le gifla, tandis que l'Inquisiteur lui lançait un sourire de hyène. On le fit sortir par la porte latérale, et à peine avait-il disparu qu'un autre prisonnier était tiré de la pénombre et poussé sur le devant de la scène. Mon cœur manqua un battement : c'était l'Épouvanteur.

À première vue, malgré des hématomes sur le visage, il n'avait pas subi autant de mauvais traitements que Frère Peter. Puis je remarquai qu'il clignait des yeux dans la lumière des torches, l'air ahuri, le regard vide, comme s'il avait perdu la mémoire et ne savait plus qui il était. Que lui avait-on fait pour le mettre dans un tel état ?

– Celui-ci s'appelle John Gregory ! tonna l'Inquisiteur, et l'écho renvoya sa voix de mur en mur. Voilà des années que ce suppôt de Satan exerce ses activités démoniaques dans le Comté, profitant de la crédulité des gens pour leur soutirer de l'argent. A-t-il avoué ses fautes ? Imploré le pardon de ses péchés ? Nullement ! Il s'entête ! Seul le feu peut désormais le purifier et lui rendre l'espérance du salut ! Et ce n'est pas tout ! Il s'adonne au mal et y a entraîné d'autres. Père Cairns, veuillez vous lever et nous apporter votre témoignage !

Un prêtre se leva d'un des bancs et s'approcha de l'estrade. Comme il me tournait le dos, je ne voyais pas son visage, mais je remarquai sa main bandée et, quand il parla, je reconnus sa voix.

– Seigneur Inquisiteur, déclara-t-il, John Gregory a amené avec lui dans cette ville un apprenti, un garçon qu'il a déjà corrompu. Son nom est Thomas Ward.

Alice étouffa une exclamation ; quant à moi, mes jambes flageolèrent. Je prenais brusquement conscience du danger ; j'étais là, dans cette salle, à portée de main de l'Inquisiteur et de ses sbires !

– Ce garçon était tombé entre mes mains, continua le père Cairns. Sans l'intervention du frère Peter, qui l'a aidé à échapper à la justice, je vous l'aurais livré pour qu'il soit interrogé. Toutefois, je l'ai questionné, Monseigneur, et j'ai réalisé à quel point il était déjà endurci, insensible à la persuasion. En dépit de mes efforts, il a refusé de convenir qu'il se fourvoyait. Et celui qui est à blâmer, c'est John Gregory, qui, non content de pratiquer son vil commerce, met toute son énergie à corrompre la jeunesse. Je sais que de nombreux apprentis sont passés entre ses mains. Quelques-uns poursuivent actuellement la même ignoble activité et forment à leur tour des apprentis. Par ces coupables pratiques, le mal se répand comme la peste à travers le Comté !

– Merci, Père. Retournez vous asseoir. Votre témoignage, à lui seul, suffit à condamner John Gregory.

Comme le père Cairns rejoignait son banc, Alice m'agrippa l'épaule.

– Partons d'ici ! me souffla-t-elle à l'oreille. C'est trop dangereux.

Je secouai la tête avec obstination. Certes, la mention de mon nom m'avait effrayé, pourtant je voulais rester encore un peu pour connaître le sort réservé à mon maître.

– John Gregory, rugit l'Inquisiteur, tu ne mérites qu'un châtiment : le bûcher ! Je prierai pour toi. Je prierai pour que la souffrance te révèle tes erreurs. Je prierai pour que te soit accordé le pardon de Dieu. Ainsi, tandis que ton corps brûlera, ton âme sera sauvée !

Tout en fulminant, il ne quittait pas l'accusé des yeux. Mais il aurait aussi bien pu s'adresser à un mur : on ne lisait pas le moindre signe de compréhension sur le visage de l'Épouvanteur. Dans un sens, c'était une bonne chose, car il ne réalisait pas ce qui lui arrivait. En revanche, cela signifiait que, si j'arrivais à le tirer de là, il ne serait plus jamais ce qu'il était.

Une boule m'obstruait la gorge. Je me sentais chez moi dans la maison de l'Épouvanteur ; j'aimais ses leçons, nos conversations, et même les moments terribles où nous devions affronter l'obscur. Je redoutais de perdre tout cela, et l'idée que mon maître puisse être brûlé vif m'emplissait d'horreur.

Maman avait raison. J'avais eu des doutes sur mes capacités à devenir l'apprenti de l'Épouvanteur ; j'avais craint la solitude. Elle m'avait affirmé que mon maître, bien qu'étant mon professeur, finirait par être mon ami. Je ne savais pas si c'était vraiment le cas, car il s'était souvent montré dur et sévère. Mais, oui, s'il disparaissait, il me manquerait.

Lorsque les gardes l'entraînèrent vers la porte du fond, je fis signe à Alice. Baissant la tête et prenant soin de ne croiser le regard de quiconque, je longeai la galerie et descendis l'escalier.

Dehors, le ciel s'éclaircissait. Bientôt, nous ne pourrions plus compter sur la protection de la nuit et risquerions d'être repérés. Les rues étaient plus animées, la foule qui se pressait à l'extérieur du bâtiment était plus dense. Je jouai des coudes dans la cohue de façon à m'approcher de la porte par laquelle étaient emmenés les prisonniers.

Au premier coup d'œil, je sus que la situation était sans espoir. Une bonne vingtaine d'hommes en armes gardaient l'issue. Nous n'avions aucune chance.

Le moral en berne, je lançai à Alice :

– Allons-nous-en ! Nous n'avons plus rien à faire ici.

J'avais hâte de retrouver la sécurité de la maison hantée, aussi accélérai-je le pas. Alice me suivit sans un mot.

12
La Grille d'Argent

De retour dans la cave, Alice se planta devant moi, les yeux étincelants de colère.

– Ce n'est pas juste, Tom ! Pauvre Maggie ! Je ne veux pas qu'elle soit brûlée ! Ni elle, ni aucun des autres prisonniers !

Je haussai les épaules, l'esprit vide. Alice finit par s'allonger et s'endormir. J'essayai de l'imiter, sans succès, tant je pensais à l'Épouvanteur. Même si cela paraissait impossible, ne pourrais-je aller au bûcher et tâcher d'imaginer un moyen de le sauver ?

Après avoir tourné et retourné ces idées dans ma tête, j'en vins à la conclusion qu'il n'y avait rien à faire. À la tombée du jour, je quitterais Priestown et rentrerais à la maison pour parler à maman. Elle saurait me conseiller quant à mon avenir ; moi, j'étais totalement dépassé par la situation. Et, puisque je devrais marcher toute la nuit, autant prendre un peu de sommeil.

Il me fallut un moment pour y parvenir. À peine assoupi, je commençai à rêver : j'étais de retour dans les catacombes...

D'ordinaire, on n'a pas conscience d'être en train de rêver. Si on s'en rend compte, on se réveille aussitôt. En tout cas, pour moi, ça se passe toujours ainsi. Seulement, ce rêve-là était différent, comme si j'étais sous l'emprise d'une force incontrôlable.

Je marchais le long d'une galerie, une chandelle à la main, me dirigeant vers l'entrée ténébreuse d'une des cryptes où reposaient les restes du Petit Peuple. J'avais beau refuser d'y pénétrer, mes pieds avançaient malgré moi.

Je m'arrêtai sur le seuil, et la flamme vacillante de la chandelle éclaira les ossements. La plupart étaient disposés au fond des niches. D'autres, brisés, s'éparpillaient sur le sol pavé ou s'entassaient dans un coin. Je ne voulais pas entrer là-dedans ; or, j'y fus contraint. J'entendais sous mes semelles des craquements sinistres. Soudain, je me sentis glacé.

Un hiver, lorsque j'étais petit, mon frère James m'avait poursuivi pour me mettre de la neige dans les oreilles. Je m'étais débattu, mais, s'il avait un an de moins que Jack, notre frère aîné, il était aussi costaud que lui – d'ailleurs, mon père l'envoya en apprentissage chez un forgeron. Il avait également le même sens de l'humour : fourrer de la neige dans les oreilles de son petit frère était le genre de blague stupide que Jack adorait. J'en avais eu le visage engourdi et douloureux pendant près d'une heure. J'éprouvais cette même impression dans mon rêve. Un froid extrême. Un phénomène surgi de l'obscur allait se manifester. La sensation montait, me paralysant le cerveau, à croire que ma tête ne m'appartenait plus.

Une voix s'éleva dans les ténèbres. Quelque chose se tenait derrière moi, m'interdisant la fuite. La voix était rauque et profonde, et je n'eus pas besoin de demander qui parlait. Bien que tournant le dos à la créature, je sentais son haleine putride.

– On m'a entravé, dit le Fléau. Je suis captif. Tel est mon sort.

Je ne répondis rien, et il y eut un long silence. Je tentai de me réveiller, de sortir de ce cauchemar. En vain.

– Une pièce bien agréable que celle-ci, reprit le Fléau. L'un de mes lieux favoris. Plein de vieux os. Ça ne vaut pas le sang, le sang de la jeunesse, le meilleur ! Si je n'ai pas de sang, je me contente des os. Des os frais seraient préférables. De bons os frais remplis de moelle. C'est ce que j'aime ! Fendre de jeunes os et en sucer la moelle ! Mais de vieux os comme ceux-ci, c'est mieux que rien. Mieux que la faim qui me dévore les entrailles. La faim qui fait si mal.

« Il n'y a plus de moelle dans les vieux os. Pourtant, les vieux os ont de la mémoire, le sais-tu ? Je les brise lentement, afin qu'ils me livrent leurs secrets. Je vois la chair qui les recouvrait avant, les espoirs, les ambitions des vivants, dans ces choses mortes, sèches, cassantes. Ça me nourrit aussi. Ça apaise ma faim.

La voix du Fléau n'était guère qu'un murmure, tout près de mon oreille. J'eus l'envie soudaine de faire volte-face pour le regarder. Il dut lire dans mon esprit, car il m'avertit :

– Ne te retourne pas, petit. Ce que tu verras ne te plaira pas. Réponds seulement à ceci...

Il marqua une longue pause ; mon cœur battait à grands coups dans ma poitrine. Enfin, la créature posa sa question :

– Qu'y a-t-il après la mort ?

Je ne connaissais pas la réponse. L'Épouvanteur n'abordait pas de tels sujets. J'avais seulement appris que certains fantômes pensaient et parlaient ; que certaines âmes laissaient derrière elles des sortes de traces, qu'on appelait des ombres. Mais où avaient-elles disparu ? Je l'ignorais. Seul Dieu le savait. S'il y avait un Dieu...

Je secouai la tête sans mot dire. J'avais trop peur,

à présent, pour oser me retourner. Je devinais dans mon dos une masse énorme, effroyable.

– Il n'y a rien, après la mort ! Rien ! Rien du tout ! mugit le Fléau. Que du noir et du vide. Que l'oubli. Voilà ce qui t'attend, de l'autre côté. Accède à ma demande, petit, et je te donnerai une longue, très longue vie ! Le plus que peut espérer un misérable humain, c'est soixante-dix ans, dix ou vingt fois moins que ce que je peux t'offrir ! Tout ce que tu as à faire, c'est m'ouvrir la Grille d'Argent. Ouvre la porte, je ferai le reste. Ton maître sera libre, lui aussi. C'est ce que tu désires, je le sais. Et tu retrouveras ta vie d'avant.

Au fond de moi, j'avais envie de dire oui. J'imaginais l'Épouvanteur sur le bûcher, mon long voyage solitaire vers Caster, sans aucune certitude d'y poursuivre mon apprentissage. J'aurais tant voulu que tout recommence comme si rien ne s'était passé ! Mais, quoique tenté d'accepter, je savais que c'était impossible. Même si le Fléau tenait parole, je n'avais pas le droit de le laisser vagabonder dans le Comté et y commettre ses méfaits en toute impunité. Mon maître préférerait mourir que de voir une telle horreur advenir.

J'ouvris la bouche pour refuser… Avant que j'aie prononcé un mot, le Fléau enchaîna :

– Avec la fille, ce serait facile ! Tout ce qu'elle désire, elle, c'est un foyer, une maison chauffée, des habits propres. Toi, c'est différent. Pense à ce que je t'accorderai ! En échange, je ne te demande que ton sang. Pas beaucoup. Ça ne te fera pas mal. Rien qu'un peu, c'est tout ce que je veux. Et nous ferons un pacte. J'aspirai un peu de ton sang, et je récupérerai mes forces. Laisse-moi passer la grille, offre-moi ma liberté. Après quoi, j'exaucerai trois de tes vœux. Et tu auras une longue, très longue vie. Le sang d'une fille ne me satisfait pas pleinement ; c'est le tien qu'il me faut. Tu es le septième fils d'un septième fils. Je n'ai goûté qu'une seule fois un sang comme celui-là. Je m'en souviens ! Oh, je m'en souviens ! Le sang délicieux du septième fils d'un septième fils ! Je serai fort ! Et grande sera ta récompense ! N'est-ce pas préférable au néant de la mort ?

« Ah, la mort ! Elle viendra te prendre un jour. Elle viendra, inexorable, rampant autour de toi comme la brume sur la berge d'une rivière par une nuit humide et froide. Songe que je peux retarder ce moment. Le repousser des années et des années. Te donner une très longue vie avant que tu affrontes l'obscurité. Cette noirceur ! Ce néant ! Qu'en dis-tu, petit ? Je suis entravé. Je suis captif. Toi, tu peux m'aider.

Terrifié, je tentai de nouveau de me réveiller. Tout à coup, des mots sortirent de ma bouche comme prononcés par quelqu'un d'autre :

– Je ne pense pas qu'il n'y ait rien après la mort. J'ai une âme, et, si je mène une vie droite, je continuerai à vivre d'une autre manière. Il y a forcément quelque chose. Je ne crois pas au néant. Je n'y crois pas !

– Non ! Non ! rugit le Fléau. Tu ne sais pas ce que je sais ! Tu ne vois pas ce que je vois ! Je vois au-delà de la mort. Je vois le vide. Le néant. Moi, je sais ! Je connais l'horreur de n'être plus. Il n'y a rien ! Rien du tout !

Les battements de mon cœur s'apaisèrent, je me sentis soudain très calme. Le Fléau était toujours là, mais l'atmosphère de la crypte se réchauffait. Je comprenais, maintenant. Je savais quelle était la douleur de la créature. Je comprenais pourquoi elle avait besoin de se nourrir des humains, de leur sang, de leurs espoirs et de leurs rêves...

– J'ai une âme qui me fera vivre, conclus-je d'une voix tranquille. Voilà la différence entre nous : j'ai une âme, et toi pas ! Pour toi, il n'y a après la mort que le néant.

Une brusque poussée m'envoya contre le mur, et j'entendis derrière moi un sifflement furieux, qui enfla, devenant un rugissement de rage.

– Imbécile ! hurla le Fléau.

Sa voix emplit la crypte ; les galeries innombrables des catacombes s'en renvoyèrent longuement l'écho. La créature cogna ma tête sur les pierres dures et froides, m'égratignant le front. Du coin de l'œil, j'aperçus une main énorme qui me serrait la tempe. Les doigts se terminaient par de puissantes griffes jaunes.

– Je t'ai offert une chance, et tu l'as laissée passer, grinça le Fléau. Tant pis pour toi ! Quelqu'un d'autre m'aidera. Ce que je n'obtiens pas de toi, je l'obtiendrai d'elle !

Je fus projeté sur le tas d'ossements et m'y écrasai avec l'impression de les traverser. Je tombais, tombais dans un puits sans fond plein de fragments de squelettes. La chandelle s'était éteinte, mais les os luisaient dans l'obscurité : des crânes grimaçants, des cages thoraciques, des fémurs, des humérus et des cubitus, des phalanges. La poussière sèche de la mort se collait à mon visage, me pénétrait dans la bouche, dans les narines, dans la gorge. Je toussais, j'étouffais.

– Voilà le goût de la mort ! clamait le Fléau. Voilà à quoi elle ressemble !

Puis les ossements disparurent, et je ne vis plus rien. Je continuais de tomber dans une nuit totale. Je luttai pour me réveiller, terrifié à l'idée que le Fléau m'avait peut-être tué durant mon sommeil. En tout cas, je savais à présent qui il allait tenter de persuader.

Alice !

Lorsque j'émergeai enfin de ce cauchemar, il était trop tard. La chandelle qui brûlait près de moi avait presque entièrement fondu ; j'avais dû dormir pendant des heures. Et j'étais seul dans la cave.

Je fouillai ma poche, même si je l'avais déjà deviné : Alice m'avait dérobé la clé de la Grille d'Argent...

Je me redressai, chancelant, les tempes douloureuses ; la tête me tournait. Je me passai la main sur le front et la retirai maculée de sang. Le Fléau m'avait infligé cette blessure en rêve ; il lisait dans les pensées. Comment espérer vaincre une créature qui connaît vos intentions avant que vous ayez eu le temps de bouger ou de parler ? L'Épouvanteur avait raison : c'était l'être le plus dangereux que nous ayons jamais eu à affronter.

Alice avait laissé la trappe ouverte. Levant le reste de chandelle, je me ruai dans les catacombes. Quelques minutes plus tard, j'atteignis la rivière, qui me parut plus profonde qu'auparavant. L'eau tourbillonnait, rapide, recouvrant trois des neuf pierres, au milieu du passage ; je m'y engageai, et le courant happa mes bottes.

J'eus vite fait de traverser, espérant encore contre toute espérance que j'arriverais à temps.

Hélas ! Passé le tournant, je vis Alice assise, le dos au mur, la main gauche reposant sur les pavés, les doigts ensanglantés.

Et la Grille d'Argent était grande ouverte !

13
Le bûcher

– Alice ! m'écriai-je, fixant la grille ouverte d'un regard incrédule. Qu'est-ce que tu as fait ?

Elle leva vers moi des yeux brillants de larmes.

La clé était toujours dans la serrure. Je l'en arrachai d'un geste rageur et la fourrai dans ma poche de pantalon, l'enfouissant profondément dans la limaille de fer.

– Lève-toi ! Sortons de là ! aboyai-je, trop furieux pour en dire davantage.

Je lui tendis la main, mais elle serra la sienne, ensanglantée, contre elle en grimaçant de douleur.

– Comment t'es-tu blessée ? demandai-je.

– Ce n'est rien. Bientôt il n'y paraîtra plus. Tout ira bien, tu verras.

– Non, Alice ! Non, ça n'ira pas. À cause de toi, le Comté est en danger, à présent.

Je la tirai par sa main intacte et la conduisis jusqu'à la rivière souterraine. Lorsque nous fûmes sur la berge, elle se dégagea. Sur le moment, je n'y pris pas garde ; je me contentai de franchir rapidement le cours d'eau. Arrivé de l'autre côté, je m'aperçus qu'elle était toujours à la même place, fixant le flot noir.

– Viens ! criai-je. Dépêche-toi !

– Je ne peux pas, Tom ! Je ne peux pas !

Je posai la chandelle et retournai la chercher. Elle se déroba. Si elle se débattait, je n'y arriverais pas. Je l'agrippai donc fermement par le bras. Or, à l'instant où ma main la touchait, son corps s'avachit, et elle s'effondra contre moi. Sans hésiter, je la basculai sur mon épaule, comme j'avais vu l'Épouvanteur le faire pour transporter une sorcière.

Car, voyez-vous, je n'avais plus de doute : si Alice se montrait incapable de traverser une eau courante, c'est que sa rencontre avec le Fléau l'entraînait du côté de l'obscur.

Une part de moi avait envie de l'abandonner là. Ainsi aurait agi l'Épouvanteur. Pourtant, je ne pouvais m'y résoudre. Tant pis si j'allais contre les idées de mon maître ! Pour moi, elle était toujours Alice, une fille qui m'avait soutenu dans bien des épreuves.

Aussi légère qu'elle soit, la porter sur mon épaule ne me facilitait pas les choses, et j'eus du mal à garder mon équilibre en sautant de pierre en pierre. Pour tout arranger, dès que j'eus entamé la traversée, elle se mit à gémir comme si elle souffrait.

Lorsque j'atteignis enfin la rive, je la remis sur ses pieds et ramassai mon bout de chandelle.

Tremblante, elle ne bougea pas, et je dus la forcer à avancer jusqu'aux marches menant à la trappe.

De retour dans la cave, je m'assis sur le vieux tapis. Alice resta debout et s'adossa contre le mur en croisant les bras. Ni elle ni moi ne parlâmes. Il n'y avait rien à dire, et trop de soucis m'encombraient l'esprit.

J'avais dormi longtemps car, en allant jeter un coup d'œil en haut des escaliers de la cave, je constatai que le soleil commençait à descendre. Dans une demi-heure, je reprendrais la route. Or, je désirais désespérément arracher l'Épouvanteur au sort qui l'attendait ; cette pensée me rendait malade. Mais je me sentais trop démuni. Entreprendre quoi que ce soit contre des douzaines d'hommes en armes était une folie. Quant à me rendre sur la colline et assister au supplice, c'était hors de question. Je ne le supporterais pas. Non, j'allais rentrer à la maison et tout raconter à maman. Elle saurait me conseiller.

Lorsque je jugeai l'heure propice, je retirai la chaîne d'argent de sous ma chemise et la rangeai dans le sac de l'Épouvanteur, ainsi que son manteau. « Bon matériel ne se gaspille pas », disait souvent mon père. Je remis également dans leurs boîtes autant de sel et de limaille de fer que je pus en extraire de mes poches. Dans l'une d'elles, j'enfonçai le bout de chandelle. Il pourrait toujours servir.

– Viens, ordonnai-je à Alice.

Vêtu de mon manteau, chargé du sac et le bâton à la main, je montai l'escalier. Puis j'utilisai le passe-partout pour déverrouiller la porte de derrière. Nous sortîmes dans le jardin, et je redonnai un tour de clé.

– Au revoir, Alice ! dis-je, m'apprêtant à m'en aller.

– Quoi ? Tu ne viens pas avec moi, Tom ?

– Où cela ?

– Mais... au bûcher ! L'Inquisiteur ne se doute pas de ce qui l'attend. Il va payer pour ce qu'il a fait subir à ma pauvre tante.

– Et comment comptes-tu t'y prendre ?

Alice écarquilla les yeux.

– J'ai donné mon sang au Fléau, tu le sais. J'ai passé mes doigts par la grille, et il l'a aspiré sous mes ongles. S'il n'aime pas les filles, il apprécie leur sang ! Il a eu ce qu'il voulait, le pacte entre nous est scellé. Désormais, il doit obéir à ma volonté.

Les ongles de sa main gauche étaient noirs de

caillots séchés. Écœuré, je me détournai, ouvris la porte du jardin et émergeai dans la ruelle.

– Où vas-tu, Tom ? Tu ne peux pas partir maintenant ! cria-t-elle.

– Je rentre à la ferme pour parler à ma mère, répondis-je sans la regarder.

– C'est ça, va la trouver, ta mère ! Tu n'es qu'un petit garçon à sa maman, et tu le resteras !

Je n'avais pas fait dix pas qu'elle me rattrapait.

– Ne t'en va pas, Tom ! Je t'en prie, ne t'en va pas ! suppliait-elle.

Je continuai d'avancer.

Je perçus alors une vraie colère dans sa voix. Et aussi du désespoir :

– Tu ne peux pas me quitter, Tom ! Je ne te laisserai pas partir. Tu es à moi ! Tu m'appartiens !

Cette fois, je fis volte-face.

– Non, Alice ! Je ne t'appartiens pas. Je suis du côté de la lumière, et toi, tu t'es livrée à l'obscur.

Elle me saisit l'avant-bras si fort que je sentis ses ongles me pénétrer la chair. Je tressaillis de douleur, mais je la regardai dans les yeux.

– Tu n'as donc aucune conscience de ce que tu as fait ?

– Oh si, Tom ! J'en ai parfaitement conscience. Un jour, tu me remercieras. Tu te préoccupes trop de ton précieux Fléau ! Crois-moi, il n'est pas pire que l'Inquisiteur !

Lâchant mon bras, elle poursuivit :

– J'ai agi pour notre sécurité, la tienne, la mienne, et même celle du vieux Gregory.

– Le Fléau le tuera, maintenant qu'il est en liberté.

– Non, Tom, tu te trompes. Ce n'est pas le Fléau qui veut tuer le vieux Gregory, c'est l'Inquisiteur ! Au contraire, grâce à moi, le Fléau est son dernier espoir de survie.

Comme je la dévisageais, troublé, elle insista :

– Allez, Tom, viens avec moi, tu verras !

Je secouai la tête.

– Que tu viennes ou pas, reprit-elle, je le ferai quand même.

– Quoi donc ?

– Je sauverai les prisonniers de l'Inquisiteur. Tous ! Et je lui montrerai ce qu'on ressent quand on est brûlé vif !

Je la fixai d'un œil dur, mais elle ne cligna pas. La colère flambait dans ses prunelles. À cet instant, elle aurait pu soutenir le regard de l'Épouvanteur, ce dont elle était habituellement incapable. Alice disait la vérité, et je la crus. Je crus possible que le Fléau lui obéisse et nous vienne en aide. Après tout, ils avaient conclu un pacte.

S'il existait une chance, même la plus infime, de sauver l'Épouvanteur, je n'avais pas le droit de la négliger. Je ne me sentais pas du tout à l'aise de devoir m'appuyer sur un être aussi maléfique ; malheureusement, je n'avais aucune autre solution.

Alice se dirigeait déjà vers la colline du Phare. Je lui emboîtai le pas.

Les rues étaient désertes.

– Autant me débarrasser de ce bâton, dis-je. Il pourrait nous trahir.

Alice approuva de la tête et me désigna les ruines d'un vieux hangar.

– Laisse-le là-dedans. On le reprendra au retour.

Une lueur éclairait encore le ciel à l'ouest et se reflétait dans la rivière qui serpentait au pied des hauteurs de Wortham. Mon regard fut attiré par l'impressionnante colline du Phare. Des arbres, qui commençaient à perdre leurs feuilles, recouvraient le bas de la pente ; au-delà ne poussaient que de l'herbe et des buissons.

Nous dépassâmes les dernières maisons pour nous joindre à une file de gens qui traversaient l'étroit pont de pierre enjambant la rivière. Nous avancions lentement, dans l'air humide et immobile. Un brouillard blanc enveloppait la rive. Nous gravîmes la pente boisée, pataugeant dans un amas de feuilles pourrissantes. Enfin, nous atteignîmes le sommet de la colline. La foule s'y pressait, et de nouveaux curieux arrivaient sans cesse. Trois énormes tas de fagots étaient prêts à être allumés, le plus grand au milieu. Au centre de chaque bûcher se dressaient d'épais poteaux de bois, auxquels les victimes seraient attachées.

À cette altitude, d'où l'on apercevait les lumières de la ville, la température était plus fraîche. L'endroit était éclairé par des torches accrochées à de hautes perches, qui oscillaient légèrement dans la brise. Il restait cependant des flaques d'obscurité dissimulant les visages des gens. Je suivis Alice, qui se glissait de ce côté, de sorte que nous puissions voir sans être vus.

Une douzaine de costauds étaient postés dos aux bûchers. Ils portaient des cagoules noires, fendues au niveau des yeux et de la bouche, et tenaient des matraques, dont ils paraissaient tout disposés à se servir. C'étaient les bourreaux, chargés de prêter main-forte à l'Inquisiteur et, le cas échéant, de contenir la foule.

Je me demandais comment l'assistance se comporterait. Y avait-il un espoir qu'elle s'insurge ? Les proches des condamnés, parents ou amis, sans doute désireux de les sauver, étaient-ils assez nombreux pour tenter quelque chose ? Par ailleurs, comme le disait Frère Peter, beaucoup de gens aimaient le spectacle du supplice et venaient par plaisir.

À l'instant où cette pensée me traversait l'esprit, les tambours résonnèrent. *Brûlez ! Brûlez ! Brûlez ! Sorcières et sorciers, brûlez !* semblaient-ils scander.

Une rumeur courut dans la foule. Ce murmure devint un rugissement qui explosa en une cacophonie de huées et de sifflets. L'Inquisiteur approchait, dressé de toute sa taille sur son grand étalon blanc. Derrière lui cahotait la charrette transportant les prisonniers. Des cavaliers, l'épée au côté, chevauchaient de part et d'autre. À leur suite, une douzaine de tambours marchaient, bravaches, battant leurs instruments d'un geste théâtral.

Brûlez ! Brûlez ! Brûlez ! Sorcières et sorciers, brûlez !

La situation me parut soudain désespérée. Les spectateurs des premiers rangs jetaient des fruits pourris sur les captifs ; cependant les gardes qui escortaient la charrette, probablement agacés d'être atteints par erreur, brandirent leurs épées et lancèrent leurs chevaux, obligeant les agresseurs à battre en retraite. D'un seul mouvement, la foule recula.

L'attelage s'arrêta, et je découvris l'Épouvanteur au milieu des autres condamnés. Certains priaient, à genoux ; d'autres pleuraient ou s'arrachaient les cheveux. Mon maître, lui, était debout, bien droit, le regard fixé devant lui. Son visage hagard était marqué par l'épuisement, et ses yeux conservaient la même expression vague qu'ils avaient au tribunal, comme s'il n'avait pas idée du sort qui l'attendait. Un nouvel hématome noircissait son front, au-dessus de l'œil gauche, et ses lèvres tuméfiées révélaient qu'on l'avait encore frappé.

Un prêtre s'avança, un rouleau à la main, et le battement des tambours se mua en un sourd roulement, qui monta crescendo avant de se taire d'un coup. Le prêtre lut alors le texte écrit sur le parchemin :

Habitants de Priestrown ! Nous sommes rassemblés ici pour assister, selon la loi, à la mort par le feu de douze sorcières et d'un sorcier, les misérables pécheurs qui se tiennent devant vous. Priez pour eux ! Priez pour que la souffrance les amène à reconnaître leurs erreurs ! Priez pour qu'ils obtiennent le pardon de Dieu, sauvant ainsi leur âme immortelle !

Il y eut un autre roulement de tambours. Dans le silence qui suivit, le prêtre reprit :

Notre protecteur, le Grand Inquisiteur, souhaite que ce spectacle serve de leçon à ceux qui seraient attirés par le sentier des ténèbres. Regardez brûler ces pécheurs ! Écoutez leurs os craquer ! Voyez leur graisse fondre comme le suif d'une chandelle ! Entendez leurs cris, et souvenez-vous que cela n'est rien ! Rien qui puisse se comparer aux flammes de l'Enfer ! Rien qui égale l'éternité de tourments réservée à ceux qui ne demanderont pas miséricorde !

La foule restait muette. Peut-être par peur de l'Enfer, mais plus probablement pour une autre raison, celle qui m'effrayait moi aussi : l'idée d'assister à l'horreur qui se préparait, au spectacle de ces êtres de chair et de sang livrés aux flammes pour endurer la plus atroce des agonies.

Deux bourreaux encagoulés s'avancèrent et se saisirent de la première prisonnière, une femme à l'épaisse chevelure grise qui lui descendait au-dessous de la taille. Tandis qu'ils la traînaient vers le bûcher central, elle se mit à cracher et à jurer, se débattant furieusement. Des rires et des injures jaillirent de la foule. Soudain, à la surprise de tous, la femme réussit à se libérer et courut vers la pénombre.

Avant que les gardes aient eu le temps de réagir, l'Inquisiteur lança son cheval au galop, les sabots de l'animal faisant gicler des paquets de boue. Il rattrapa la femme par les cheveux, enroula ses longues mèches autour de son poing et la tira avec une telle violence que le dos de la condamnée s'arqua. Ses pieds touchaient à peine le sol. Elle poussa un cri aigu lorsque les bourreaux la saisirent. Elle fut bientôt liée à l'un des poteaux. Son sort était scellé.

Le deuxième prisonnier à être sorti de la charrette fut l'Épouvanteur, et mon cœur sombra dans ma poitrine. On l'amena lui aussi jusqu'au grand bûcher et on l'attacha au poteau central. Il se laissait faire ; il paraissait juste étonné. Le découvrir ainsi, sans un geste de révolte devant son destin, m'était insoutenable. Certains des hommes de l'Inquisiteur portaient des torches, et je les imaginais allumant les fagots, je voyais les flammes s'élever. C'était plus que je n'en pouvais supporter. Les larmes roulèrent sur mes joues.

Je m'efforçai de me rappeler ce qu'il m'avait confié à propos de quelqu'un qui veillait sur nous et qui serait à nos côtés pour nous secourir aux heures difficiles si nous vivions avec droiture. L'Épouvanteur avait vécu ainsi toute sa vie, il avait toujours fait les choix qu'il estimait justes. Ne méritait-il pas un secours ?

Si ma famille m'avait enseigné la piété, j'aurais prié pour lui. J'ignorais comment m'y prendre ; pourtant, je me surpris à marmonner ce qui était, je le suppose, une prière :

– Aidez-le, s'il vous plaît ! S'il vous plaît, aidez-le !

Un souffle d'air frôla alors mon cou, et j'eus froid, très froid. Quelque chose approchait, surgi de l'obscur. Quelque chose de puissant, de dangereux. Alice lâcha une exclamation, puis gronda sourdement. À l'instant où je me tournais vers elle, un voile tomba devant mes yeux, et je ne distinguai plus rien. La rumeur de la foule s'atténua ; tout devint silencieux. Je me sentis coupé du reste du monde, perdu dans cette noirceur : le Fléau était là...

Je devinais une présence, un vaste esprit ténébreux, un poids énorme qui menaçait de m'ôter la vie en m'écrasant. J'étais terrifié, autant pour moi que pour les gens réunis ici. Et je ne pouvais qu'attendre, aveugle et impuissant.

Lorsque je recouvrai la vue, Alice s'avançait. Je n'eus pas le temps de la retenir. Elle sortit de l'ombre et marcha vers le bûcher, où les bourreaux liaient l'Épouvanteur au poteau. L'Inquisiteur était là, surveillant les opérations. Quand elle s'approcha, il fit virer sa monture et l'éperonna. Le cheval partit au galop. Durant quelques secondes, je crus qu'Alice allait être piétinée. Mais l'étalon stoppa net, si près d'elle qu'elle aurait pu lui caresser les naseaux.

Un sourire cruel étira les lèvres de l'Inquisiteur quand il reconnut l'une des évadées...

Ce qui se passa alors, je ne l'oublierais jamais.

Dans le silence qui s'était abattu sur l'assistance, Alice leva les mains et pointa vers l'Inquisiteur ses deux index. Puis elle éclata d'un rire dont l'écho se répercuta sur la colline, un rire qui donnait la chair de poule, un rire triomphal, sonnant comme un défi. Cette scène était bien insolite : l'Inquisiteur s'apprêtait à brûler des innocents, accusés à tort de sorcellerie, alors que, face à lui, se tenait une vraie sorcière, libre, douée de réels pouvoirs !

Soudain, Alice se mit à tourner sur elle-même, les bras étendus. Des taches noires apparurent sur la tête et les naseaux de l'étalon blanc. Stupéfait, je ne compris pas tout de suite. Quand l'animal hennit de terreur et se dressa sur ses jambes arrière, je remarquai les gouttes de sang jaillissant de la main gauche d'Alice, ce sang dont le Fléau s'était abreuvé.

Il y eut une bourrasque, suivie d'un éclair éblouissant et d'un coup de tonnerre si violent qu'il me blessa les tympans. Je fus jeté à terre, tandis qu'autour de moi les gens criaient. Alice tourbillonnait de plus en plus vite. Le cheval de l'Inquisiteur rua, propulsant son cavalier désarçonné au milieu du grand bûcher.

Il y eut un autre éclair, et le tas de bois prit feu. Des flammes crépitantes montèrent aussitôt et l'Inquisiteur, à genoux, se trouva encerclé. Des gardes se précipitèrent pour lui prêter secours, mais la foule s'interposa. L'un d'eux fut tiré à bas de son cheval. En un instant, ce fut l'émeute. Partout, des gens se battaient, d'autres s'enfuyaient en courant ; l'air vibrait de hurlements.

Laissant tomber mon sac, je me ruai vers mon maître, car les flammes progressaient rapidement. D'un seul élan, j'escaladai le bûcher dans la chaleur dégagée par les fagots, qui s'embrasaient déjà.

Je m'attaquai aux liens, mes doigts s'acharnant sur les nœuds. Près de l'autre poteau, un homme s'efforçait de détacher la femme aux cheveux gris. Je commençai à paniquer : je n'y arrivais pas, les nœuds étaient trop serrés, et la chaleur augmentait.

Tout à coup, avec une exclamation de joie, l'homme libéra la captive. Je compris comment : il tenait un couteau. Il s'apprêtait à sauter à terre quand il me remarqua. Autour de nous, la colline retentissait de clameurs, le feu ronflait. Même en criant, je ne me serais pas fait entendre. Je tendis donc ma paume ouverte. Il marqua un temps d'hésitation, puis me lança le couteau. Pas assez fort ! Il tomba dans les flammes. Sans réfléchir, je plongeai la main entre les bûches rougeoyantes et le récupérai. Il ne me fallut que quelques secondes pour couper les cordes.

Je ressentis un extraordinaire soulagement, qui, hélas, fut de courte durée. Nous n'étions pas encore sauvés. Les hommes de l'Inquisiteur étaient partout, et nous risquions fort d'être capturés. Auquel cas nous brûlerions tous les deux...

J'entrepris d'emmener mon maître à l'abri de l'obscurité. L'opération me parut durer une éternité. L'Épouvanteur s'appuyait sur moi de tout son poids et avançait à petits pas incertains. Ne voulant pas abandonner son sac, je me dirigeai vers l'endroit où je l'avais laissé.

Nous ne dûmes qu'à la chance d'éviter les hommes de l'Inquisiteur. Les cavaliers taillaient sans distinction dans la foule, et je redoutais qu'ils nous chargent. Notre progression était de plus en plus difficile. L'Épouvanteur pesait sur mon épaule gauche, et je portais son sac, que j'avais récupéré. Puis quelqu'un vint le soutenir de l'autre côté, ce qui nous permit de gagner le couvert des arbres, et une relative sécurité.

Je découvris alors que c'était Alice.

– J'ai réussi, Tom ! me lança-t-elle, tout excitée. J'ai réussi !

Je désapprouvais sa méthode et n'osais lui montrer ma joie.

– Où est le Fléau ? lui demandai-je.

– Ne t'inquiète pas de ça, Tom. Je sais quand il est proche ; or, là, je ne sens plus sa présence. Comme il a dû dépenser une grande partie de son énergie en répondant à mon appel, je suppose qu'il a regagné l'obscur pour restaurer ses forces.

Cette idée me déplaisait au plus haut point.

– Et l'Inquisiteur ? Il est mort ?

Alice secoua la tête.

– Non, hélas ! Il s'est brûlé les mains en tombant sur le bûcher, c'est tout. Au moins, il aura connu la morsure du feu !

À ces mots, j'eus conscience de la brûlure de ma propre main, la gauche, celle qui soutenait mon maître. J'y jetai un regard : le dessus était à vif, couvert de cloques. À chaque instant, la douleur augmentait.

Nous franchîmes le pont au milieu d'une incroyable bousculade. Les gens couraient, affolés, pressés de fuir les bagarres et d'échapper aux représailles qui s'ensuivraient. Les hommes de l'Inquisiteur ne tarderaient pas à se regrouper pour rattraper les prisonniers et châtier ceux qui auraient joué un rôle dans leur évasion. Quiconque se trouvant sur leur route en pâtirait.

Bien avant l'aube, nous étions loin de Priestown. Nous passâmes les premières heures du jour dans une bergerie délabrée, craignant à tout instant que surgissent des gardes lancés à notre poursuite.

L'Épouvanteur n'avait pas prononcé un mot, pas même après que je lui eus rendu son bâton, que j'avais récupéré en chemin. Son regard restait vide, comme si son esprit était ailleurs. Cela m'inquiétait de plus en plus. Les coups qu'il avait reçus l'avaient mis dans un triste état. Je ne voyais qu'une solution.

– Emmenons-le à la ferme, proposai-je. Ma mère saura le soigner.

– Je doute qu'elle soit ravie de me revoir, objecta Alice. Pas plus que ton frère. Surtout quand ils apprendront ce que j'ai fait.

J'approuvai de la tête. Alice avait raison : mieux valait qu'elle ne vienne pas avec moi. J'avais cependant besoin de son aide pour soutenir l'Épouvanteur, qui n'était guère solide sur ses jambes.

La douleur à ma main m'arracha une grimace.

– Qu'est-ce qui ne va pas, Tom ?

Elle remarqua alors mes brûlures et les examina de plus près.

– Je vais t'arranger ça, dit-elle. Ce ne sera pas long...

– Non, Alice, ne sors pas ! C'est trop dangereux !

Sans m'écouter, elle se glissa hors de la bergerie. Dix minutes plus tard, elle revenait avec des écorces et les feuilles d'une plante qui m'était inconnue. Elle mâcha l'écorce jusqu'à la réduire en une pâte fibreuse.

– Tends ta main ! m'ordonna-t-elle.

– Qu'est-ce que c'est ? demandai-je, soupçonneux.

Cependant, j'avais si mal que j'obtempérai.

Elle étala la pâte d'écorce sur ma brûlure et m'enveloppa la main avec les feuilles. Puis, avec un fil noir qu'elle tira du tissu de sa robe, elle attacha ce pansement de fortune.

– C'est Lizzie qui me l'a appris, m'expliqua-t-elle. Tu vas te sentir très vite soulagé.

J'étais sceptique ; pourtant, presque tout de suite, la douleur s'atténua. Ce remède enseigné à Alice par une sorcière était efficace !

La façon dont va le monde est parfois étrange. Du mal peut surgir un bien. Et ma main n'en était pas l'unique preuve. Parce qu'Alice avait conclu un pacte avec le Fléau, l'Épouvanteur avait été délivré.

14
Le récit de mon père

Nous arrivâmes en vue de la ferme peu avant le coucher du soleil. À cette heure, papa et Jack s'occupaient de la traite ; c'était le moment propice pour parler à maman seul à seule.

Je n'étais pas revenu à la maison depuis le printemps, l'époque où Mère Malkin, cette redoutable sorcière, s'était introduite chez nous. Grâce au courage d'Alice, nous avions réussi à la détruire, mais ces évènements avaient profondément troublé Jack et Ellie, son épouse, et ils n'apprécieraient pas que je sois à la maison après la tombée de la nuit. Mon travail les terrifiait, et ils craignaient qu'un malheur n'arrive à leur petite fille. Aussi prévoyais-je de reprendre la route dès que j'aurais trouvé le moyen d'aider mon maître.

J'avais conscience de mettre la vie des miens en danger en amenant Alice et M. Gregory à la ferme. Si les hommes de l'Inquisiteur étaient à nos trousses, ils n'auraient aucune pitié pour des gens abritant une sorcière et un épouvanteur. Pour éviter les risques inutiles, je les installai dans une hutte de berger, inoccupée depuis des années, située à la lisière de nos terres. Elle appartenait à des fermiers voisins, qui n'avaient plus de troupeaux. Après les avoir priés de m'attendre là, je coupai à travers champs et me dirigeai vers notre ferme.

Quand j'ouvris la porte de la cuisine, je découvris maman assise dans son rocking-chair, à sa place favorite, au coin du feu. Sans se balancer, elle me regardait entrer. Les rideaux étaient déjà tirés, et les bougies de cire, allumées dans le grand chandelier de cuivre.

D'une voix douce, elle dit :

– Prends une chaise, viens près de moi et raconte !

Mon arrivée ne la surprenait pas le moins du monde. J'y étais habitué. Les femmes des environs faisaient souvent appel à ma mère en cas de naissance difficile, et, curieusement, elle savait si quelqu'un avait besoin d'aide bien avant que le message lui parvienne. De la même façon, elle avait pressenti que j'approchais. Maman n'était pas une personne ordinaire ; elle possédait des dons qui l'auraient rendue fort suspecte aux yeux de l'Inquisiteur !

– Il s'est passé une chose grave, n'est-ce pas ? Et qu'est-il arrivé à ta main ?

– Ce n'est rien, maman. Une simple brûlure. Alice m'a soigné, je n'ai plus mal.

Au nom d'Alice, elle haussa les sourcils.

– Je t'écoute, mon fils !

Je hochai la tête, une boule dans la gorge. Je dus m'y reprendre à trois fois avant de prononcer ma première phrase. Quand je parvins à m'exprimer, mon récit sortit d'une traite.

– Ils ont failli brûler M. Gregory. L'Inquisiteur l'a arrêté à Priestown. Nous nous sommes enfuis, mais on nous recherche, et l'Épouvanteur ne va pas bien. Il faut le secourir. Et nous secourir aussi.

J'acceptai enfin de m'avouer à moi-même ce qui me perturbait le plus, et mes larmes débordèrent : si j'avais d'abord refusé d'aller jusqu'au bûcher, c'était simplement parce que j'avais eu peur, peur de me faire prendre et d'être brûlé moi aussi !

– Que diable faisiez-vous à Priestown ?

– Le frère de M. Gregory est mort, et son enterrement avait lieu là-bas. Nous devions nous y rendre.

– Tu ne m'as pas tout dit. Comment avez-vous échappé à l'Inquisiteur ?

Je ne tenais pas à ce que ma mère apprenne le rôle d'Alice dans cette histoire ; j'aurais préféré qu'elle ignore de quelle façon cette fille, qu'elle avait défendue, avait fait alliance avec l'obscur, ainsi que l'Épouvanteur l'avait redouté. N'ayant toutefois guère le choix, je lui contai l'affaire.

Lorsque j'eus terminé, elle poussa un profond soupir.

– Voilà qui est inquiétant, très inquiétant. Le Fléau en liberté, ça ne présage que du malheur pour les gens du Comté, d'autant qu'il a soumis une jeune sorcière à sa volonté. Nous sommes en danger. Alors, tâchons d'agir au mieux ! Je prends mon sac et je vais voir ce que je peux faire pour ce pauvre M. Gregory.

– Merci, maman !

Réalisant soudain que je n'avais parlé que de mes propres problèmes, j'ajoutai :

– Et comment ça va, ici ? Comment va le bébé d'Ellie ?

Maman sourit, avec cependant une pointe de tristesse dans le regard.

– Oh, la petite va bien ! Ellie et Jack sont heureux.

Elle se pencha et posa doucement la main sur mon bras.

– Mais j'ai de mauvaises nouvelles pour toi, Tom. Cela concerne ton père. Il est très malade.

Je me levai, incrédule et bouleversé ; à l'expression du visage de ma mère, je devinai que c'était grave.

– Assieds-toi, mon fils, reprit-elle, et écoute-moi attentivement avant de t'affoler. Si son état est sérieux, ça aurait pu être pire. Il a attrapé un gros rhume, qui a touché les poumons et évolué en pneumonie. Nous avons failli le perdre. Il se remet, à présent ; il devra néanmoins rester au chaud cet hiver. Je crains qu'il ne puisse plus beaucoup s'occuper de la ferme. Jack sera obligé de se débrouiller sans lui.

– Je pourrais l'aider, maman.

– Non, Tom. Tu as ton travail. Avec le Fléau en liberté et ton maître affaibli, le Comté a plus que jamais besoin de toi. Laisse-moi le temps d'annoncer à ton père que tu es là. Je ne lui dirai rien de tes soucis. Inutile de l'inquiéter ou de lui causer un choc. Nous garderons cela pour nous.

J'attendis dans la cuisine. Quelques minutes plus tard, maman redescendait, son sac à la main.

– Je vais m'occuper de ton maître. Monte voir ton père ! Il est heureux que tu sois revenu. Ne lui parle pas trop longtemps, il est encore très faible.

Papa était assis dans son lit, appuyé contre des oreillers. Il eut un pâle sourire en me voyant entrer. Son visage émacié et la barbe grise qui lui mangeait le menton le faisaient paraître plus vieux qu'il n'était.

– Quelle bonne surprise, Tom ! Installe-toi ! fit-il en désignant d'un mouvement de tête une chaise près du lit.

– Je suis désolé, dis-je. Si j'avais su que tu étais malade, je serais venu plus tôt.

Papa leva la main comme pour signifier que peu importait. Puis une toux violente le secoua. S'il allait mieux, qu'est-ce que cela devait être avant !

Une odeur particulière flottait dans la pièce, ce relent douceâtre propre aux chambres de malades.

– Comment va ton travail ? me demanda-t-il quand la quinte cessa enfin.

– Ça va. Je m'y habitue, et ça me plaît davantage que les tâches de la ferme, répondis-je en repoussant au fond de mon esprit ce que je venais de vivre.

– C'est plus amusant que d'être fermier, hein ? me taquina-t-il avec un sourire. Tu sais que, moi-même, je n'ai pas toujours travaillé la terre...

Je hochai la tête. Dans sa jeunesse, papa avait été marin. Il avait souvent évoqué les endroits qu'il avait visités. C'étaient de superbes récits, palpitants et hauts en couleur. Quand il se rappelait cette époque révolue, ses yeux brillaient d'un éclat singulier. J'eus envie de le revoir s'allumer.

– Oh oui, papa ! Raconte-moi une de tes histoires ! Celle de l'énorme baleine !

Il resta un instant silencieux, puis il me prit la main pour m'attirer plus près de lui.

– Il y en a une qu'il faut que je te transmette, fils, avant qu'il soit trop tard.

– Ne dis pas de bêtises, protestai-je, inquiet du tour que prenait la conversation.

– Non, Tom. Je compte bien voir encore un printemps et un été, mais mon séjour en ce monde touche à sa fin. J'ai beaucoup réfléchi dernièrement, et j'en ai conclu qu'il était temps de te faire certaines révélations. Je ne pensais pas en avoir l'occasion de si tôt ; puisque tu es là, je vais en profiter, car qui sait quand je te reverrai ?

Il marqua une pause, puis il poursuivit :

– C'est à propos de ta mère, de notre rencontre...

– Tu verras d'autres printemps, papa ! m'écriai-je.

Cependant, j'étais surpris. De toutes les merveilleuses histoires de mon père, il y en avait une, justement, qu'il ne nous avait pas contée : celle de sa rencontre avec maman. Il n'était jamais disposé à en parler. Si on l'interrogeait, soit il changeait de sujet, soit il nous envoyait le demander à notre mère. Nous n'avions pas osé. Il y a des choses qu'on ne comprend pas, quand on est enfant, mais on ne pose pas de questions. On sait d'instinct que les parents n'ont pas envie d'y répondre. Aujourd'hui, c'était différent.

Il secoua la tête d'un air las, puis la laissa tomber comme si un lourd fardeau pesait sur ses épaules. Quand il se redressa, il souriait faiblement.

– Je ne suis pas sûr qu'elle m'approuverait ; aussi, que cela reste entre nous ! Je ne dirai rien non plus à tes frères, et je te demande de ne pas leur en parler, fils. Mais je pense au genre de travail auquel tu es destiné, étant le septième fils d'un septième fils, tout ça, et...

Il se tut de nouveau et ferma les paupières. Je le regardai, et une vague de tristesse me submergea, tant il avait l'air vieux et malade. Enfin, il rouvrit les yeux et entama son récit, très vite, de peur, peut-être, de changer d'avis :

– Le bateau où j'étais matelot avait accosté dans un petit port pour s'approvisionner en eau. C'était un lieu isolé, dominé par de hautes collines rocheuses. On n'y trouvait que la demeure du commandant du port et quelques petites maisons de pêcheurs. Nous naviguions depuis des semaines, et le capitaine, qui était un brave homme, décréta que nous avions besoin de repos. Il nous autorisa donc à aller à terre. Nous nous séparâmes en deux équipes d'une douzaine d'hommes. Je faisais partie de la seconde, qui quitta le navire à la nuit tombée.

« Quand nous pénétrâmes dans la plus proche taverne, à l'entrée d'un village, à mi-chemin de la montagne, elle était sur le point de fermer. Nous bûmes rapidement, jetant l'alcool au fond de nos gosiers comme si c'était notre dernière beuverie, et nous achetâmes chacun un cruchon de vin pour le vider au retour.

« Je bus sûrement un peu trop... Je me réveillai sur le bord du sentier pentu qui descendait au port. Le soleil était sur le point de se lever, ce qui ne m'inquiéta pas trop : nous ne devions pas reprendre la mer avant midi. Je me remis sur mes pieds, secouai la poussière de mes habits. C'est alors que j'entendis des sanglots à quelque distance de là.

« Je restai une bonne minute à écouter, avant de me décider. Ça ressemblait à des pleurs de femme, mais je me méfiais. J'avais entendu d'étranges rumeurs sur ces régions, à propos de créatures qui s'attaquaient aux voyageurs. J'étais seul et, autant te l'avouer, j'avais peur. Dire que, si je n'avais pas cherché à savoir qui pleurait, je n'aurais pas connu ta mère, et tu ne serais pas là aujourd'hui !

« Je gravis péniblement la pente raide jusqu'au sommet d'une crête en suivant le sentier, qui me mena, de l'autre côté, au bord d'une haute falaise. Les vagues s'écrasaient sur les rochers en contrebas, et je vis notre bateau ancré dans la baie. Il me parut tout petit, à croire qu'il aurait pu tenir dans la paume de ma main !

« Une corniche saillait de la falaise, telle une dent dans la mâchoire d'un rat ; une jeune fille y était assise face à la mer, le dos contre la paroi, enchaînée au rocher. Et elle était aussi nue qu'au jour de sa naissance.

À ces mots, le visage de papa s'empourpra comme une robe de cardinal.

– Elle m'aperçut et me cria je ne sais quoi. À ses mimiques, je devinai que quelque chose l'effrayait, quelque chose de pire que d'être attachée nue à ce rocher. Elle parlait dans sa langue, que je ne comprenais pas. Je ne la comprends toujours pas, d'ailleurs ! À toi, elle te l'a enseignée, à toi seul. C'est une bonne mère ; pourtant tes frères n'ont pas eu le droit d'apprendre un mot de grec !

Je hochai la tête. Certains en avaient été jaloux, surtout Jack, ce qui ne m'avait pas simplifié la vie.

– Je n'entendais rien à ses paroles, reprit mon père, cependant il était clair que ce qui la terrifiait venait de la mer. Je n'avais aucune idée de ce que ça pouvait être. Puis le disque du soleil émergea à l'horizon, et elle hurla.

« Je n'en crus pas mes yeux : de minuscules cloques se formèrent sur sa peau, et, en quelques instants, son corps ne fut qu'une plaie. C'était le soleil qui l'épouvantait ! Tu l'as probablement remarqué, elle évite toujours de rester dehors, même sous la lumière timide de notre Comté. Or, dans ce pays-là, son rayonnement était féroce. Je sus que, si je ne l'aidais pas, elle mourrait. »

Il s'arrêta pour reprendre haleine, et je pensai à maman. Je n'ignorais pas qu'elle craignait le soleil, et j'avais toujours considéré cela comme naturel.

– Je devais agir vite, continua papa. J'ôtai ma chemise pour l'en couvrir. Elle n'était pas assez grande ; j'ajoutai mon pantalon et je m'accroupis devant elle, dos au soleil, pour la protéger de mon ombre.

« Je demeurai dans cette position jusqu'à midi passé, quand le soleil disparut derrière la montagne. Mon bateau avait levé l'ancre sans moi ; mon dos était rouge brique, mais ta mère était vivante, et les cloques s'étaient résorbées. Je m'efforçai alors de délier la chaîne qui l'entravait. Celui qui l'avait attachée s'y connaissait mieux en nœuds que moi, qui étais pourtant marin ! Lorsque je parvins enfin à la libérer, je découvris une chose si cruelle que j'eus peine à y croire. Ta mère... C'est une femme si bonne ! Comment avait-on pu lui faire ça ?

Papa se tut, la tête baissée, plongé dans ses souvenirs, et je vis que ses mains tremblaient. J'attendis une longue minute, puis le pressai doucement :

– Que veux-tu dire, papa ? Que lui avait-on fait ?

Il releva la tête ; ses yeux étaient remplis de larmes.

– On lui avait cloué la main gauche au rocher, avec un clou énorme, et je craignais de la blesser davantage en l'arrachant. Alors, elle sourit et dégagea sa main d'un coup, laissant le clou dans le roc. Sans s'inquiéter de son sang, qui ruisselait sur le sol, elle se leva et s'avança vers moi, comme si de rien n'était. Je reculai et faillis basculer du haut de la falaise. Elle me retint en me saisissant l'épaule, et elle m'embrassa.

« Comme tous les marins qui font escale chaque année dans des dizaines de ports, j'avais déjà embrassé des femmes, mais le plus souvent j'avais ingurgité des pintes de bière et j'étais soûl. Je ne peux l'expliquer, mais je sus à cet instant qu'elle était celle qui m'était destinée. La femme avec qui je vivrais le reste de mes jours.

Il recommença à tousser, et sa quinte dura longtemps. La crise le mit hors d'haleine. Il lui fallut plusieurs minutes pour reprendre la parole. J'aurais dû le laisser se reposer ; toutefois, je songeai que l'occasion ne se représenterait peut-être pas, en effet. Mon esprit travaillait à toute vitesse. Certains points du récit de mon père me rappelaient ce que l'Épouvanteur avait écrit à propos de Meg. Elle aussi avait été attachée avec une chaîne. Elle aussi, quand il l'avait libérée, l'avait embrassé. Je me demandais si la chaîne qui avait lié maman était une chaîne d'argent, sans oser poser la question. Je n'étais pas sûr de vouloir entendre la réponse. Si papa avait cru bon que je le sache, il l'aurait précisé.

– Qu'est-il arrivé ensuite ? m'enquis-je. Comment as-tu réussi à revenir au pays ?

– Ta mère était riche. Elle vivait seule dans une grande maison, au milieu d'un jardin entouré d'un haut mur, à un mille à peine de la falaise où je l'avais trouvée. Nous nous y rendîmes, et j'y demeurai. Sa main guérit très vite, sans garder la moindre cicatrice. Je lui appris notre langue. Ou, plus exactement, elle m'apprit à la lui enseigner. Je désignais des objets en prononçant leur nom. Quand elle les avait correctement répétés, j'approuvais d'un signe de tête. Une seule fois suffisait ; ta mère a l'esprit vif, tu sais ! Plus que vif ! C'est une femme d'une grande intelligence, qui n'oublie jamais rien.

« Nous passâmes plusieurs semaines dans cette maison, et j'y étais heureux, sauf certaines nuits étranges, où ses sœurs, deux grandes femmes d'allure sauvage, venaient la voir. Elles allumaient un feu dans le jardin, derrière la maison, et discutaient avec ta mère jusqu'à l'aube. Parfois, elles dansaient autour du feu, ou bien elles jouaient aux dés. Mais, à chacune de leurs visites, il y avait des disputes, de plus en plus violentes. Je savais que j'en étais la cause, car ses sœurs me jetaient des regards furieux quand je les observais par la fenêtre, et ta mère me faisait signe de reculer. Non, elles ne me portaient pas dans leur cœur ; c'est pourquoi nous finîmes par quitter cette maison pour venir nous installer dans le Comté.

« J'en étais parti comme matelot louant ses services à un capitaine, j'y revins en homme du monde. Ta mère paya notre voyage ; nous avions une cabine pour nous seuls. Plus tard, elle acheta cette ferme, et nous nous mariâmes dans la petite église de Mellor, près de laquelle reposent mes parents. Ta mère n'est pas croyante ; elle le fit pour moi, pour éviter les bavardages des voisins. Avant la fin de l'année, ton frère Jack était né.

« J'ai eu une belle vie, fils, et la meilleure part a commencé le jour où j'ai rencontré ta mère. Je te raconte cela afin que tu comprennes : tu devines, n'est-ce pas, qu'un jour, lorsque je ne serai plus là, elle retournera chez elle, dans ce pays auquel elle appartient ?

La stupeur me laissa bouche bée.

– Et sa famille ? soufflai-je. Elle n'abandonnera pas ses petits-enfants !

Papa secoua tristement la tête.

– Je crains qu'elle n'ait pas le choix, fils. Elle m'a confié un jour qu'un « travail à terminer » l'attendait là-bas. J'ignore de quoi il s'agit, et elle ne m'a jamais dit pourquoi on avait voulu la faire mourir en l'enchaînant à ce rocher. Elle possède un monde à elle, une vie à elle, et, le moment venu, elle y retournera. Aussi, ne lui rends pas la tâche plus difficile. Regarde-moi, fils. Que vois-tu ?

Je ne sus que répondre.

– Tu vois un vieil homme qui n'a plus beaucoup de temps à vivre. J'en ai la certitude chaque fois que le miroir me renvoie mon image, et n'essaie pas de me dire le contraire ! Ta mère, elle, est encore dans la fleur de l'âge. Si elle n'est plus la jeune fille d'autrefois, elle a encore de belles années devant elle. Sans les circonstances extraordinaires où elle m'a rencontré, elle ne m'aurait pas accordé un regard. Elle mérite de retrouver sa liberté, et tu devras la laisser s'en aller avec le sourire. Me le promets-tu, fils ?

J'acquiesçai d'un hochement de tête et restai près de lui jusqu'à ce qu'il s'apaise et s'endorme.

15
La chaîne d'argent

Lorsque je redescendis, maman était de retour. J'avais hâte de savoir comment allait l'Épouvanteur, mais je n'eus pas le temps de la questionner. Par la fenêtre de la cuisine, j'aperçus Jack qui traversait la cour en compagnie d'Ellie, son bébé dans les bras.

– J'ai fait ce que j'ai pu pour ton maître, me chuchota maman, juste avant que mon frère ouvre la porte. Nous en reparlerons après le souper.

En me voyant, Jack s'immobilisa un instant sur le seuil, les sourcils froncés, et je lus sur son visage des sentiments contradictoires. Finalement, il sourit et vint m'entourer les épaules de son bras.

– Ça fait plaisir de te voir, Tom !

– Je passais par là en retournant à Chipenden, prétendis-je. J'ai décidé d'en profiter pour prendre de vos nouvelles. Je serais venu plus tôt si j'avais su que papa était malade...

– Il se remet, m'assura mon frère. C'est ce qui compte.

– Oh oui, Tom ! Il va beaucoup mieux, renchérit Ellie. Dans quelques semaines, il se portera comme un charme.

La tristesse qui marquait le visage de maman disait tout autre chose. La vérité, c'était que papa aurait bien de la chance s'il voyait le prochain printemps. Elle le savait, et moi aussi.

Au souper, chacun garda un air contraint. Était-ce ma présence ou l'état de papa qui rendait les uns et les autres aussi peu bavards ? Jack ne m'adressait que de vagues signes de tête, et, quand il parlait, le ton était sarcastique :

– Tu es pâlichon, Tom. Ça ne te réussit pas, de rôder sans cesse dans l'obscurité !

– Ne sois pas méchant, Jack ! le réprimandait Ellie.

Se tournant vers moi, elle demanda :

– Comment trouves-tu notre petite Mary ? Elle a été baptisée le mois dernier. Elle a bien grandi depuis ta dernière visite, n'est-ce pas ?

J'approuvai de la tête en souriant. La transformation du bébé me stupéfiait. Ce n'était plus cette minuscule chose au visage rouge et fripé. Elle était rondelette, elle avait des jambes vigoureuses, un visage éveillé et curieux. Elle semblait prête à quitter les genoux de sa mère pour crapahuter sur le carrelage de la cuisine.

Je n'avais pas faim, en arrivant. Pourtant, lorsque mon assiette fut remplie d'une généreuse portion de ragoût fumant, je l'attaquai avec appétit.

Le souper à peine achevé, maman sourit à Jack et à Ellie en déclarant :

– J'ai à parler avec Tom. Profitez-en ! Montez vous coucher de bonne heure, pour une fois ! Et ne t'inquiète pas de la vaisselle, Ellie, je m'en occuperai.

Jack n'avait pas terminé son ragoût, et son regard alla de maman à son assiette. Ellie s'étant déjà levée, mon frère l'imita à contrecœur.

– Je vais d'abord faire un tour avec les chiens jusqu'à la barrière, dit-il. Il y avait un renard dans les parages, la nuit dernière.

Dès qu'ils eurent quitté la pièce, la question qui me brûlait les lèvres jaillit :

– Comment va M. Gregory, maman ? Est-ce qu'il s'en sortira ?

– J'ai fait ce que j'ai pu. Les blessures à la tête guérissent le plus souvent d'elles-mêmes, d'une façon ou d'une autre. Le temps devrait faire son œuvre. Ramène-le à Chipenden ! Le plus tôt sera le mieux. Il est le bienvenu ici ; mais je dois respecter les souhaits de Jack et d'Ellie.

J'acquiesçai, fixant tristement la table.

– Encore un peu de ragoût, Tom ?

Il n'était pas nécessaire de me le demander deux fois. Maman me resservit, et je me jetai sur mon assiette avec un entrain qui la fit sourire.

– Je monte un instant voir si ton père n'a besoin de rien, m'annonça-t-elle.

Elle redescendit presque aussitôt.

– Ça va, il s'est rendormi.

Elle s'assit en face de moi et me regarda manger, l'air grave. Soudain, elle reprit :

– Ces blessures qu'Alice porte aux doigts... C'est le Fléau qui les lui a infligées ?

Je hochai la tête.

– Tu fais encore confiance à cette fille, après ce qui est arrivé ?

– Je ne sais pas, fis-je en haussant les épaules. Elle a conclu un pacte avec l'obscur, mais, sans elle, l'Épouvanteur aurait péri, et beaucoup d'innocents avec lui.

Maman soupira :

– C'est une sale affaire, et je ne suis pas certaine d'y voir clair. J'aurais aimé venir avec toi pour t'aider à ramener ton maître à Chipenden, car le voyage ne sera pas facile. Seulement, il m'est impossible de laisser ton père. Sans des soins constants, il pourrait y avoir une rechute, et je ne veux pas courir ce risque.

Ayant saucé mon assiette, je repoussai ma chaise.

– Je crois que je ferais mieux de partir, maman. En m'attardant, je vous mets en danger. L'Inquisiteur n'abandonnera pas la poursuite comme ça ! De plus, le Fléau est en liberté, et il a goûté au sang d'Alice. Je ne tiens pas à l'attirer ici.

– Attends que je te prépare quelques tranches de pain et de jambon pour la route !

– Merci, maman !

Je la regardai tailler dans la miche, regrettant de ne pouvoir rester plus longtemps. Ça aurait été si bon d'être à la maison, même pour une nuit !

– Tom, dans son enseignement sur les sorcières, M. Gregory a-t-il évoqué les *familières* ?

Je fis signe que oui. Il existe plusieurs catégories de sorcières, qui puisent leur pouvoir de différentes sources. Certaines utilisent la magie des ossements, d'autres celle du sang. Il m'avait parlé récemment d'une troisième catégorie, plus dangereuse, usant de ce qu'on appelle la « magie familière ». Ces sorcières prennent un peu de sang à un être quelconque – chat, crapaud ou chauve-souris –, qui dès lors leur prête ses yeux et ses oreilles et leur obéit en tout. Mais il arrive que les sorcières tombent sous l'emprise de ces bêtes et perdent leur volonté propre.

– Eh bien, reprit maman, c'est le cas d'Alice, Tom : elle pratique la magie familière. Elle a conclu un pacte avec ce démon, et croit le manipuler à sa guise. C'est un jeu dangereux, mon fils, car le Fléau est autrement puissant ! Si elle n'est pas vigilante, c'est elle qui sera bientôt aux mains de la créature, et tu ne pourras plus lui accorder ta confiance. Du moins, tant que le Fléau ne sera pas détruit.

– Selon M. Gregory, il est prêt à retrouver sa forme originelle. Je l'ai vu, dans les catacombes ! Il avait emprunté les traits de l'Épouvanteur, et il a tenté de me duper. Il est sûrement plus fort encore, maintenant qu'il a goûté au sang d'Alice.

– C'est tout à fait vrai. Toutefois, il lui a fallu dépenser une grande quantité d'énergie pour s'évader d'un lieu où il était retenu depuis si longtemps. Il doit se sentir perdu, désemparé. Il est probablement redevenu un esprit, trop affaibli pour se revêtir de chair. Il ne récupérera ses pleines capacités qu'une fois son pacte de sang accompli.

– Peut-il voir par les yeux d'Alice ?

Cette idée me terrifiait. J'allais bientôt voyager en compagnie de cette fille, la nuit. Je me rappelais l'horrible sensation du Fléau pesant sur ma tête et mes épaules, lorsque j'avais cru ma dernière heure arrivée. Peut-être serait-il plus prudent d'attendre le matin...

– Non, pas déjà. Elle lui a fait don de son sang et lui a offert la liberté. En échange, il a promis d'exaucer trois vœux ; à chaque souhait réalisé, il lui prendra un peu plus de sang. Exténuée, elle aura de plus en plus de mal à lui résister. Elle l'a abreuvé pour obtenir son intervention au bûcher de Wortham. Si elle le fait une deuxième fois, il verra par ses yeux. Une dernière fois, et elle lui appartiendra. Il sera alors assez fort pour retrouver sa véritable apparence, et rien ni personne ne sauvera plus Alice.

– Où qu'elle soit, il la cherchera ?

– Oui. Dans les premiers temps, à moins qu'elle ne l'attire, ses chances de la retrouver seront minces. En particulier tant qu'elle se déplacera. Mais qu'elle demeure en un même lieu, et il la localisera. Ses forces augmenteront de nuit en nuit, surtout s'il s'empare d'une nouvelle victime. N'importe quel sang l'y aidera, animal ou humain ; il est aisé de terroriser quelqu'un qui est seul dans le noir, de le plier à sa volonté. Il finira par rejoindre Alice ; après quoi, il l'accompagnera en permanence, sauf pendant le jour, où il se réfugiera sous terre. Les créatures de l'obscur s'aventurent rarement à la lumière. Aussi longtemps que ce démon sera en liberté, chacun, dans le Comté, vivra dans la peur dès la tombée de la nuit.

– Connais-tu le début de cette affaire, maman ? M. Gregory m'a raconté que Heys, le souverain du Petit Peuple, avait dû sacrifier ses fils au Fléau, et que le plus jeune était parvenu, on ne sait comment, à l'entraver.

– C'est une histoire sinistre. Ce qu'ont subi les fils du roi dépasse l'entendement. Toutefois, mieux vaut que tu sois au courant, pour comprendre ce que tu auras à affronter. Le Fléau vivait sous les tumulus de Heysham, parmi les ossements des morts. Il y entraîna d'abord le fils aîné pour se divertir, le dépouillant de ses pensées et de ses rêves, le plongeant dans la détresse la plus noire. Il fit subir un sort identique aux fils cadets, les uns après les autres. Imagine la souffrance de leur père ! Tout roi qu'il était, il ne pouvait rien pour eux !

Maman poussa un soupir lourd de tristesse.

– Aucun des fils de Heys ne résista plus d'un mois à de tels tourments. Trois d'entre eux se précipitèrent du haut d'une falaise et s'écrasèrent sur les rochers en contrebas. Deux autres se laissèrent mourir de faim. Le sixième se jeta à la mer et nagea jusqu'à ce que les forces lui manquent et qu'il se noie. Son corps fut ramené sur le rivage par la marée du printemps. Tous sont enterrés dans des tombeaux creusés à même le roc. Une autre tombe contient le corps de leur père, qui mourut peu après, le cœur brisé. Seul Maze, son septième fils, le dernier de ses enfants, lui survécut.

« Le roi était un septième fils, lui aussi. Et Maze, comme toi, avait le don. Il était particulièrement petit ; pourtant, le sang de ses ancêtres coulait avec vigueur dans ses veines. Il réussit à entraver le Fléau, nul ne sait comment, pas même ton maître. Au bout du compte, la créature le tua en le pressant contre le sol de pierre des catacombes. Des années plus tard, ses restes rappelant au Fléau sa défaite, celui-ci brisa ses os en morceaux et les fit passer entre les barreaux de la Grille d'Argent. C'est ainsi que le Petit Peuple put lui donner une sépulture. Il repose non loin de ses frères, en ce lieu qui fut appelé Heysham en l'honneur de l'ancien roi.

Nous demeurâmes un moment sans parler. C'était en effet une histoire sinistre.

Rompant le silence, je demandai :

– Comment arrêter le Fléau, à présent qu'il est en liberté ? Comment le détruire ?

– Laisse ça à M. Gregory, Tom ! Aide-le seulement à regagner Chipenden et à se remettre. Alors, il s'en occupera. Le plus simple serait de l'entraver de nouveau, mais cela ne l'empêcherait pas d'exercer sa malignité comme il l'a fait ces dernières années. Si, au fond des catacombes, il a su regagner autant d'énergie, il recommencera là aussi. Cette solution n'est pas assez radicale. C'est à ton maître de découvrir le moyen de le mettre hors d'état de nuire, pour notre salut à tous.

– Et s'il ne guérit pas ?

– Espérons que si, car cette tâche n'est pas de ta compétence. Pas encore. Vois-tu, mon fils, où que soit Alice, le Fléau l'utilisera pour faire du mal, et ton maître n'aura sans doute d'autre alternative que d'enfermer cette fille dans une fosse.

Ma mère parut troublée. Elle porta une main à son front en fermant les yeux, comme prise d'un brusque mal de tête.

– Ça va, maman ? murmurai-je, anxieux.

Elle hocha la tête en esquissant un sourire. Puis elle dit :

– Attends encore un instant, Tom. Je dois rédiger une lettre.

– Une lettre ? Pour qui ?

– Nous en parlerons quand je l'aurai terminée.

J'allai m'installer près du feu. Le regard fixé sur les braises, je me demandai ce qu'elle pouvait bien écrire. Lorsqu'elle revint, elle s'assit dans son rocking-chair et me tendit une enveloppe cachetée. Je lus :

À mon plus jeune fils, Thomas J. Ward

J'étais étonné. J'avais imaginé une missive adressée à l'Épouvanteur, qu'il lirait quand il serait rétabli.

– Pourquoi m'écrire, maman ? Pourquoi ne pas me dire les choses maintenant ?

– Parce que tous nos actes, même les plus minimes, ont une influence, me répondit-elle en posant doucement la main sur mon bras. Il est dangereux de voir l'avenir, et plus dangereux encore de révéler ce qu'on a vu. Ton maître a son propre chemin à tracer. Chacun de nous a le sien. Mais l'obscur nous menace, et il est de mon devoir d'user de tout mon pouvoir pour empêcher le pire. N'ouvre cette lettre qu'en cas d'extrême nécessité. Suis ton instinct. Lorsque ce moment sera venu, tu le sauras, même si je prie pour qu'il ne survienne jamais. En attendant, garde-la en sécurité.

Docilement, je glissai l'enveloppe dans ma veste.

– À présent, reprit maman, suis-moi ! J'ai quelque chose d'autre pour toi.

Au ton de sa voix et à son air mystérieux, je devinai où elle me conduisait.

Je ne m'étais pas trompé.

Empoignant le chandelier de cuivre, elle monta à son cagibi, la pièce personnelle, au-dessous du grenier, qu'elle tenait fermée à clé. Personne d'autre que ma mère n'y pénétrait, pas même papa. Tout petit, je l'y avais accompagnée une ou deux fois, et c'était à peine si je m'en souvenais.

Prenant une clé dans sa poche, elle déverrouilla la serrure, et j'entrai avec elle. La pièce était pleine de caisses et de boîtes. Je savais que maman venait ici une fois par mois. Ce qu'elle y faisait, je n'en avais pas la moindre idée.

Elle se dirigea vers une grande malle posée près de la fenêtre. Puis elle me fixa presque durement, au point que je me sentis mal à l'aise. Je n'aurais pas voulu être son ennemi !

– Voilà six mois que tu es l'apprenti de M. Gregory, commença-t-elle. Tu as déjà été témoin de bien des évènements. À présent, l'obscur t'a remarqué et va tenter de te neutraliser. Tu es en danger, Tom, et ce danger ira grandissant. Toutefois, rappelle-toi ceci : toi aussi, tu grandis. Tu grandis vite. Chaque inspiration, chaque battement de ton cœur te rende plus fort, plus brave, meilleur. John Gregory a lutté contre l'obscur pendant des années pour te préparer la voie. Quand tu deviendras un homme, mon fils, ce sera au tour de l'obscur d'avoir peur, car tu ne seras plus la proie, mais le chasseur.

Avec un sourire triste, elle conclut :

– C'est pour cela que je t'ai donné la vie.

Puis, ouvrant la malle, elle leva le chandelier afin que je voie ce qu'il y avait dedans.

Une longue chaîne d'argent aux fins anneaux étincela dans la lumière des bougies.

– Prends-la ! dit maman. Moi, je ne peux y toucher.

À ces mots, je frissonnai, car je devinais que cette chaîne avait lié maman au rocher. Papa n'avait pas spécifié qu'elle était en argent, une omission lourde de sens, puisque cet objet – un outil si précieux pour un épouvanteur – servait à entraver les sorcières. Cela signifiait-il que maman était une sorcière ? Peut-être était-elle une lamia, comme Meg ? La chaîne d'argent, le baiser donné à mon père, tout concordait...

Je saisis la chaîne et la laissai se balancer dans mes mains. Elle était fine et légère, d'une qualité bien supérieure à celle de l'Épouvanteur, contenant un taux d'argent plus important.

Comme si elle avait entendu mes pensées, maman déclara :

– Je sais que ton père t'a raconté notre rencontre. Mais souviens-toi de ceci, mon fils : aucun d'entre nous n'est parfaitement bon ni totalement mauvais. Les uns et les autres, nous nous situons quelque part entre les deux. Il survient cependant un moment dans la vie où nous faisons un pas décisif, soit vers la lumière, soit vers l'obscur. Parfois, c'est une résolution que nous prenons dans le secret de notre cœur ; parfois, une rencontre particulière en est la cause. Grâce à ce que ton père a fait pour moi, j'ai avancé dans la bonne direction ; voilà pourquoi je suis ici aujourd'hui. Cette chaîne t'appartient désormais. Emporte-la et prends-en soin, jusqu'à ce que tu aies besoin de l'utiliser !

J'enroulai la chaîne autour de mes doigts et la rangeai dans ma poche, à côté de la lettre. Maman referma le couvercle. Je quittai la pièce à sa suite, et elle verrouilla la porte.

De retour dans la cuisine, je pris le paquet de casse-croûte et me préparai à partir.

– Montre-moi ta main avant de t'en aller !

Je la lui tendis. Elle dénoua le fil et retira les feuilles. La brûlure était presque guérie.

– Cette fille connaît son travail, commenta-t-elle. Je dois lui accorder ça. Laisse ta main à l'air, maintenant, et dans quelques jours il n'y paraîtra plus.

Maman me serra dans ses bras. Après l'avoir remerciée une dernière fois, j'ouvris la porte de derrière et m'enfonçai dans la nuit.

J'étais à mi-chemin de la hutte, au milieu d'un champ, quand j'entendis un jappement. Une silhouette s'avança vers moi. C'était Jack.

Lorsqu'il fut devant moi, la pâle clarté des étoiles me révéla que la colère lui tordait le visage.

– Tu me prends pour un imbécile, hein ? rugit-il. Les chiens n'ont pas mis cinq minutes à les débusquer !

Je regardai les deux bêtes qui se blottissaient peureusement contre les jambes de mon frère. Ces chiens de berger n'étaient pas particulièrement tendres, mais ils me connaissaient, et j'aurais espéré de leur part une manifestation d'amitié. De toute évidence, quelque chose les avait terrorisés.

– Tu aurais dû voir ça ! reprit Jack. Cette fille a sifflé et craché, et ils ont filé, ventre à terre, comme s'ils avaient le Diable aux trousses ! Je l'ai priée de dégager, mais elle a eu le culot de me rétorquer qu'elle n'était pas sur mes terres et que je n'avais rien à dire.

– J'avais besoin de l'aide de maman, Jack. M. Gregory est malade. Je l'ai laissé avec Alice à l'extérieur de notre domaine pour ne pas te contrarier.

– Encore heureux ! Je te signale que maman m'a envoyé au lit comme si j'étais un gamin. Devant ma propre femme ! Tu crois que ça m'a plu ? Parfois, je me demande si la ferme m'appartiendra un jour !

Furieux, je dus me mordre les lèvres pour ne pas lui jeter à la figure que son rêve se réaliserait sans doute plus tôt qu'il le pensait. Papa mort et maman repartie dans son pays, le domaine serait à lui.

– Excuse-moi, Jack, je ne peux m'attarder, dis-je en me dirigeant vers la hutte.

Au bout de quelques pas, je jetai un regard pardessus mon épaule. Mon frère marchait vers la maison ; il ne se retourna pas.

Nous reprîmes la route sans prononcer un mot. J'avais matière à réfléchir, et Alice le comprit. L'Épouvanteur avançait, le regard vide. En revanche, il avait retrouvé une démarche à peu près assurée ; il n'était plus nécessaire de le soutenir.

Peu avant le lever du soleil, je rompis le silence :

– Tu as faim ? Maman nous a préparé un en-cas.

Alice acquiesça, et nous nous assîmes sur un talus herbeux pour manger. Lorsque je tendis une tranche de pain à mon maître, il la repoussa rudement. Il se leva, s'éloigna un peu et s'appuya à une clôture, comme s'il ne supportait plus notre présence ; à moins que ce soit celle d'Alice.

– Il va mieux, non ? dis-je. Comment maman l'a-t-elle soigné ?

– Elle lui a baigné le front, sans cesser de le regarder dans les yeux. Puis elle lui a donné une potion à boire. Je me tenais à l'écart, et elle n'a pas jeté un seul coup d'œil dans ma direction.

– Parce qu'elle connaît ton rôle dans ce qui s'est passé... J'ai dû tout lui raconter ; on ne peut rien lui cacher.

– Je ne regrette rien. J'ai sauvé ces gens. C'est aussi pour toi que j'ai agi, Tom. Pour que tu puisses ramener le vieux Gregory chez lui et poursuivre ton apprentissage. C'était ce que tu voulais, non ? N'ai-je pas fait ce qu'il fallait ?

Je ne répondis pas. Oui, en empêchant l'Inquisiteur de brûler des innocents, Alice avait sauvé des vies, sauvé l'Épouvanteur. Ce n'étaient pas ses actions qui me troublaient, mais le procédé utilisé. Je désirais lui venir en aide ; hélas, je ne voyais pas comment.

Dorénavant, Alice appartenait à l'obscur, et, dès que l'Épouvanteur aurait recouvré ses forces, il l'enfermerait dans une fosse. Elle le savait, et moi aussi.

16
Une fosse pour Alice

Alors que le soleil sombrait à l'horizon, les collines apparurent devant nous. Bientôt, nous grimpions la côte qui menait à la maison de l'Épouvanteur, empruntant le sentier sous les arbres pour contourner le village de Chipenden.

Je m'arrêtai devant le portail. Mon maître était à vingt pas derrière moi, fixant sa demeure comme s'il la voyait pour la première fois.

Je m'adressai à Alice :

– Tu ferais mieux de t'en aller.

Elle acquiesça d'un signe de tête. Un seul pas au-delà de la clôture l'aurait mise en grand danger. Le gobelin domestique, gardien de la maison et des jardins, n'aurait pas supporté son intrusion.

– Où vas-tu t'installer ? m'inquiétai-je.

– Ne te tourmente pas pour moi. Et ne crois pas que j'appartienne au Fléau ! Je ne suis pas idiote. Ne me faut-il pas le sommer encore deux fois d'apparaître pour me servir, et lui donner deux fois mon sang avant que cela arrive ? Pour l'instant, il ne fait pas froid, je resterai dans le coin quelques jours ; peut-être dans les ruines de la maison de Lizzie. Après quoi, j'irai probablement à Pendle. Que puis-je envisager d'autre ?

Alice avait des tantes à Pendle, des sorcières, malheureusement. C'était auprès d'elles qu'elle se sentirait le mieux. Malgré ses dénégations, elle était déjà entraînée vers l'obscur.

Sans rien ajouter, elle tourna les talons et s'enfonça dans l'ombre du crépuscule.

Je la suivis tristement du regard jusqu'à ce qu'elle ait disparu. J'ouvris alors le portail.

La porte d'entrée déverrouillée, l'Épouvanteur entra avec moi dans la maison.

Je le conduisis à la cuisine. Un feu flambait dans l'âtre, et, sur la table, deux couverts étaient disposés. Le gobelin avait prévu notre arrivée. Ce fut un souper léger, composé de deux bols de soupe de pois et d'épaisses tranches de pain. Notre longue marche m'avait creusé l'appétit, et je fis honneur au repas.

L'Épouvanteur demeura longtemps assis, à contempler son bol fumant. Enfin il prit un morceau de pain et le trempa dans le potage.

– On a eu de rudes moments, petit, me dit-il. C'est agréable d'être à la maison.

Le son de sa voix me causa un tel choc que je faillis tomber de ma chaise.

– Vous sentez-vous mieux ? demandai-je.

– Mieux que jamais ! Une bonne nuit de sommeil, et je serai frais et dispos. Ta mère est une femme merveilleuse. Dans le Comté, personne ne s'y connaît comme elle en potions.

– Je pensais que vous aviez tout oublié. Vous étiez ailleurs, tel un somnambule.

– Oui, il y avait de ça. Je voyais, j'entendais, mais ce que je percevais me semblait irréel. J'avais l'impression d'être plongé dans un cauchemar. Et je ne pouvais plus parler ; je ne trouvais plus mes mots. Ce n'est que devant cette maison que la conscience m'est revenue. As-tu toujours la clé de la Grille d'Argent ?

Surpris, je la tirai de ma poche de pantalon et la tendis à mon maître. Il la tourna et la retourna entre ses doigts.

– Que d'ennuis nous aura causés cet objet ! soupira-t-il. Au bout du compte, tu t'en es bien sorti.

Je souris, heureux pour la première fois depuis tant de jours. Mais, lorsque mon maître reprit la parole, ce fut pour m'interroger d'une voix dure :

– Où est la fille ?
– Pas très loin, je suppose.
– Parfait. Nous nous occuperons d'elle plus tard.

Tout au long du souper, je songeai à Alice. Que mangerait-elle ? Elle capturait les lièvres avec habileté, elle ne mourrait donc pas de faim – un souci de moins ! Cependant, au printemps dernier, après que sa tante, Lizzie l'Osseuse, avait enlevé un enfant, les hommes du village avaient mis le feu à sa maison, et les ruines offriraient une maigre protection contre la froideur des nuits d'automne. Par chance, ainsi qu'Alice l'avait signalé, la température était encore clémente. Non, le pire danger qui la menaçait venait de l'Épouvanteur...

Or, il s'avéra que nous avions profité de la dernière nuit douce de l'année. Le matin suivant, l'air était nettement plus frais. Quand je m'assis en compagnie de l'Épouvanteur sur notre banc, face aux collines, le vent se leva, arrachant les feuilles des arbres. L'été était fini.

J'avais déjà ouvert mon cahier, mais mon maître n'avait pas l'air pressé de commencer la leçon du jour. Il n'était pas remis des mauvais traitements infligés par l'Inquisiteur. Au petit déjeuner, il avait à peine parlé, le regard dans le vide, perdu dans ses pensées.

Ce fut moi qui brisai le silence.

– Que va entreprendre le Fléau, à présent qu'il est libre ? demandai-je. À quoi peut s'attendre la population ?

– La réponse est évidente : le Fléau désire par-dessus tout retrouver ses forces. Lorsqu'il y aura réussi, la terreur qu'il causera sera sans limites. Sa malignité se répandra partout. Aucun être vivant ne sera hors d'atteinte. Il va s'abreuver de sang et lire dans les esprits jusqu'à ce que ses pouvoirs soient restaurés. Durant le jour, forcé de se réfugier sous la terre, il verra par les yeux des gens qui marchent dans la lumière. Jusqu'alors, il contrôlait uniquement les prêtres de la cathédrale et n'étendait son influence que sur la ville de Priestown. Bientôt, il n'y aura plus un seul lieu sûr dans le Comté.

« La cité de Caster pourrait être la prochaine à en souffrir. Mais sans doute le Fléau s'attaquera-t-il d'abord à un hameau quelconque, dont il tuera les habitants en les pressant à mort en guise d'avertissement, juste pour montrer de quoi il est capable. C'est de cette façon qu'il a pris le contrôle du roi Heys et des souverains qui ont régné avant lui. Lui désobéir condamnerait toute une communauté au pressoir.

– Ma mère dit qu'il poursuivra Alice, risquai-je d'un air malheureux.

– C'est exact, petit ! Ta folle amie Alice ! Il a besoin d'elle pour récupérer son énergie. Elle lui a déjà donné de son sang ; aussi, tant qu'elle est en liberté, elle risque de tomber très vite sous son contrôle. Si rien n'arrête le processus, elle lui appartiendra au point de ne plus pouvoir agir de sa propre volonté. Il la manipulera aussi aisément que je plie mon petit doigt. Le Fléau le sait, il est prêt à tout pour lui prendre encore du sang. Il est à sa recherche.

– Elle est forte ! protestai-je. Et le Fléau n'a-t-il pas peur des femmes ? Nous l'avons rencontré ensemble, dans les catacombes, après que j'ai tenté de vous arracher à votre cellule. Il avait pris votre apparence pour me tromper, et...

– Ce qu'on raconte est donc vrai, il se matérialise de nouveau !

– Oui, c'est vrai. Seulement, quand Alice lui a craché dessus, il s'est enfui.

– Le Fléau a plus de mal à contrôler une femme qu'un homme, en effet. Les femmes sont des êtres obstinés et souvent imprévisibles. Elles le rendent nerveux. Mais, à partir du moment où il a goûté au sang de l'une d'elles, tout est différent. Il harcèlera Alice sans répit. Il s'introduira dans ses rêves pour lui faire miroiter ce qu'il se propose de lui offrir – elle n'aura qu'à demander. Viendra alors un jour où elle ne pourra se retenir de l'invoquer encore. Mon cousin était sous la domination du Fléau, ça ne fait aucun doute. Sinon il ne m'aurait pas trahi.

L'Épouvanteur se gratta la barbe, puis il reprit :

– Oui, la puissance du Fléau ira grandissant si personne ne l'empêche de répandre ses maléfices dans tout le Comté. C'est ce qui est arrivé au Petit Peuple, jusqu'à ce que des mesures désespérées soient prises. Il nous faut découvrir avec précision de quelle façon ce démon a été entravé ; et, surtout, s'il existe un moyen de le tuer. Voilà pourquoi nous devons nous rendre à Heysham. Il y a un grand tumulus, là-bas, un tertre funéraire. Les corps du roi Heys et de ses fils y reposent dans des tombes de pierre.

« Dès que je me sentirai d'aplomb, nous nous y rendrons. Comme tu le sais, ceux qui ont péri de mort violente ont parfois du mal à quitter ce monde. Nous visiterons ces sépultures. Avec un peu de chance, un ou deux fantômes errent dans les parages. Peut-être même celui de Maze. C'est notre seul espoir, car, pour être honnête, petit, je n'ai pas la moindre idée de la façon dont nous viendrons à bout de cette tâche.

Sur ces mots, l'Épouvanteur inclina la tête, l'air profondément triste et préoccupé. Je ne l'avais jamais vu aussi abattu.

– Êtes-vous déjà allé à Heysham ? voulus-je savoir, étonné que les fantômes ne se soient pas montrés auparavant.

– Oui, mon garçon. Une fois. J'étais apprenti, à l'époque. Mon maître avait été appelé pour régler un cas d'apparition : un spectre arrivé de la mer hantait le rivage. Le travail achevé, nous sommes passés près des tombes, sur la colline, en bordure de la falaise, et j'ai su qu'il s'y produisait quelque chose, car la chaude nuit d'été est devenue soudain glaciale. Mon maître continuant son chemin, je l'ai interrogé, surpris qu'il ne fasse rien. « Inutile de s'en mêler, m'a-t-il répondu. Ces manifestations ne gênent personne. Certains fantômes s'attardent sur cette terre parce qu'ils ont une mission à accomplir. Autant les laisser en paix ! » Sur le moment, je n'ai pas bien compris, mais, comme d'habitude, il avait raison.

J'essayai d'imaginer l'Épouvanteur en apprenti. Je me demandai à quoi ressemblait son maître, qui avait accepté de former un jeune homme ayant abandonné la prêtrise.

– Quoi qu'il en soit, poursuivit-il, nous partirons dès que possible. Mais, avant, une besogne nous attend. Tu sais laquelle, n'est-ce pas ?

Sa question me fit frissonner. Oui, je savais...

– Nous devons nous occuper de cette fille. Il faut découvrir où elle se cache. Je présume qu'elle se terre dans les ruines de la maison de sa tante Lizzie. Qu'en penses-tu ?

Comme je m'apprêtais à protester, il me fixa d'un regard si dur que je baissai les yeux. Incapable de lui mentir, j'admis :

– C'est probablement là qu'elle s'est réfugiée.

– Eh bien, elle ne peut y rester plus longtemps. Elle représente un danger pour tout le monde. Elle doit être enfermée dans une fosse. Et le plus tôt sera le mieux. Tu vas donc te mettre à creuser...

– Moi ?

Je le dévisageai, incrédule.

– Écoute-moi, petit ! C'est pénible, mais nécessaire. Il est de notre devoir d'assurer la sécurité des habitants du Comté, et cette fille est une menace.

– Ce n'est pas juste ! m'indignai-je. Elle vous a sauvé la vie ! Et, au printemps dernier, elle a sauvé la mienne ! En fin de compte, tout ce qu'elle a entrepris s'est avéré positif. Ses intentions sont bonnes.

L'Épouvanteur leva la main pour m'imposer silence.

– Ne gaspille pas ta salive ! m'ordonna-t-il d'un air sévère. Certes, elle nous a évité le bûcher, elle a sauvé des vies, dont la mienne. Seulement, elle a relâché le Fléau, et je préférerais être mort que de laisser cette créature libre de commettre ses méfaits.

– Si nous tuons le Fléau, Alice sera délivrée ! Vous lui accorderez une autre chance !

Le visage de mon maître s'empourpra de fureur, et, quand il parla, ce fut d'une voix basse et vibrante :

– Une sorcière, même une familière, reste dangereuse. Lorsqu'elle aura atteint sa maturité, elle sera bien plus à craindre que celles qui usent de la magie du sang ou des ossements. D'autant que, d'ordinaire, c'est un être faible et de petite taille qui absorbe peu à peu leur pouvoir, un crapaud ou une chauve-souris. Or, pense à ce qu'a fait cette fille ! Libérer le Fléau ! La pire des calamités ! Et elle s'imagine l'avoir soumis à *sa* volonté !

« Elle est intelligente et téméraire, mais c'est une arrogante qui ne recule devant rien. Ne crois pas que tout s'achèvera avec la mort du Fléau : si Alice atteint l'âge adulte sans qu'on réussisse à la contrôler, elle deviendra la pire sorcière que le Comté ait connue ! Nous devons la mettre hors d'état de nuire avant qu'il soit trop tard. Je suis ton maître, et tu es mon apprenti. Alors, viens avec moi et obéis !

Sur ce, il se leva et s'éloigna d'un pas rageur.

Le moral au fond des bottes, je le suivis jusqu'à la maison pour y prendre une pelle et la baguette à mesurer. Nous nous rendîmes ensuite dans le jardin est. Là, à moins de cinquante pas du trou sombre où était enfermée Lizzie l'Osseuse, je commençai à creuser une fosse qui devrait avoir huit pieds de profondeur et quatre de côté.

Le soir tombait lorsque l'Épouvanteur s'estima satisfait. Je m'extirpai de là, troublé par la proximité de Lizzie.

– Ça suffira pour aujourd'hui, déclara mon maître. Demain matin, nous irons au village demander au maçon de venir prendre les mesures.

La tâche du maçon consisterait à cimenter une bordure de pierres sur le pourtour de la fosse et à y sceller treize solides barres de fer empêchant toute tentative d'évasion. L'Épouvanteur surveillerait l'opération, afin de protéger le maçon du gobelin domestique, qui ne supportait aucune intrusion dans notre jardin.

Comme je retournai vers la maison en traînant les pieds, mon maître posa un instant la main sur mon épaule.

– Tu as accompli ton devoir, petit. C'est bien. Je dois reconnaître que, jusqu'ici, tu as plus qu'honoré les promesses faites par ta mère...

Je le regardai, abasourdi. Je me souvenais d'une lettre que maman lui avait adressée, lui assurant que je serais le meilleur apprenti qu'il ait jamais eu, et il n'avait pas apprécié.

– Continue comme ça, poursuivit-il, et, lorsque le temps sera venu pour moi de me retirer, je saurai que le Comté est entre de bonnes mains. J'espère que te voilà un peu réconforté.

L'entendre parler ainsi était vraiment surprenant ; il était toujours si avare de compliments ! Je supposai qu'il essayait de me rasséréner, mais ces louanges ne suffisaient pas à me faire oublier qu'Alice serait bientôt au fond de ce puits.

Cette nuit-là, je n'arrivais pas à dormir. J'étais donc tout à fait éveillé quand l'évènement se produisit.

Je pensai d'abord qu'il s'agissait d'une tempête soudaine. Il y eut un rugissement, et la maison fut secouée comme par une rafale de vent. Quelque chose heurta ma fenêtre avec violence, et j'entendis la vitre craquer. Alarmé, je m'agenouillai sur mon lit et tirai les rideaux. La large fenêtre à guillotine étant divisée en huit panneaux de verre épais et irrégulier, on ne discernait pas grand-chose au travers, même par temps clair. La lune était à son premier quartier, et je ne distinguai que la cime des arbres, qui s'agitait follement, à croire qu'une armée de géants s'amusait à ébranler leur tronc.

Trois carreaux étaient brisés. J'eus un instant la tentation de soulever le bas de la fenêtre pour mieux voir, puis je me ravisai. La lune brillait, cette tempête n'était donc pas d'origine naturelle. Était-ce une attaque du Fléau ? Nous avait-il retrouvés ?

Survint un battement sourd, juste au-dessus de ma tête, comme si l'on cognait sur le toit à grands coups de poing. Au bruit de raclement qui s'ensuivit je compris que des ardoises avaient été arrachées. Elles s'écrasèrent sur les pavés qui bordaient le flanc ouest de la maison.

Je m'habillai en hâte et dévalai les escaliers quatre à quatre. La porte de derrière était ouverte.

Je courus sur la pelouse et me sentis aussitôt saisi entre les mâchoires d'un vent si puissant que je suffoquai, bloqué sur place. Je luttai de toutes mes forces, un pas après l'autre, m'efforçant de garder les yeux ouverts malgré les rafales qui me giflaient le visage.

À la lumière de la lune, j'aperçus l'Épouvanteur, à mi-chemin entre la maison et la ligne des arbres, son manteau noir battant follement autour de lui. Il tenait son bâton levé dans un geste de parade. Il me fallut un temps qui me parut un siècle pour le rejoindre.

– Qu'est-ce que c'est, maître ? criai-je lorsque je fus enfin à ses côtés. Qu'est-ce que c'est ?

La réponse ne sortit pas de la bouche de l'Épouvanteur. Un son terrifiant emplit l'air, un cri de rage, un grondement assourdissant qui dut résonner à des milles alentour. C'était le gobelin. J'avais déjà entendu son hurlement, au printemps dernier, quand il avait empêché Lizzie l'Osseuse de me pourchasser jusque dans le jardin ouest.

Il était là, dans l'ombre, sous les arbres, affrontant la créature qui menaçait la maison.

Le Fléau ! Qu'est-ce que ça pouvait être d'autre ?

Je ne bougeai pas, claquant des dents, grelottant de peur et de froid, malmené par les bourrasques. Puis, peu à peu, le vent tomba et le silence revint.

– Rentrons, dit l'Épouvanteur. Nous ne pourrons rien entreprendre avant l'aube.

Sur le seuil de la porte, je désignai les débris de tuiles parsemant les pavés.

– C'était le Fléau ?

L'Épouvanteur hocha la tête.

– Il n'a pas mis longtemps à nous retrouver, hein ? C'est à cause de cette fille. Il a dû la localiser. À moins qu'elle ne l'ait appelé.

– Elle ne ferait jamais ça ! me récriai-je.

Puis, préférant changer de sujet, j'enchaînai :

– Et le gobelin nous a sauvés ?

– Oui, pour cette fois. À quel prix ? C'est ce que nous découvrirons demain matin. Et je ne parierais pas sur lui lors d'une deuxième attaque. Je vais rester ici et veiller. Retourne dans ta chambre et tâche de dormir. N'importe quoi peut arriver, désormais, et tu auras besoin de toutes tes facultés.

17
L'arrivée de l'Inquisiteur

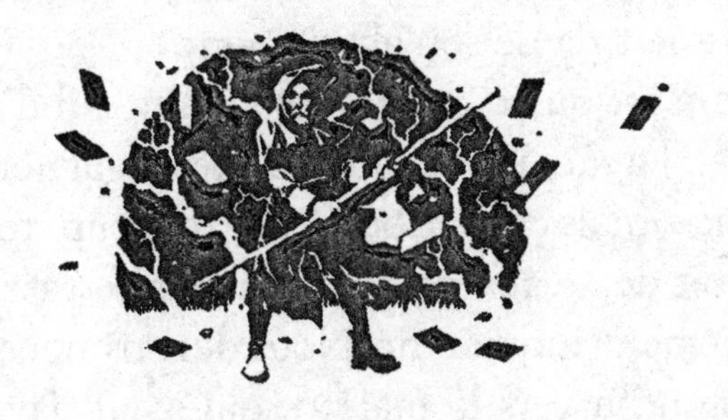

Je redescendis juste avant l'aube. Le temps s'était couvert, il n'y avait plus un souffle de vent, et la première gelée d'automne blanchissait la pelouse.

L'Épouvanteur était assis près de la porte de derrière, dans la position où je l'avais laissé. Il paraissait exténué, et son visage était aussi gris et morne que le ciel.

– Sortons, petit, dit-il d'un ton las. Allons examiner les dégâts.

Je crus qu'il parlait de la maison ; or, il se dirigea vers le bois du jardin ouest. Des dégâts, il y en avait, certes ; pas autant cependant qu'on pouvait le redouter après les violences de la nuit. Quelques grosses branches étaient brisées, l'herbe était parsemée de brindilles, et le banc avait été renversé. Sur un geste de l'Épouvanteur, je l'aidai à le remettre en place.

– Je m'attendais à pire, déclarai-je avec entrain, espérant le tirer de son abattement.

– Ce n'est qu'un début, commenta-t-il d'un ton lugubre. J'avais prévu que le Fléau gagnerait en puissance, mais ça va trop vite. Beaucoup trop vite. Qu'il soit déjà capable de telles manifestations est extrêmement inquiétant. Nous devons nous hâter.

Il retourna vers la maison, qui avait davantage souffert : non seulement des tuiles manquaient sur le toit, mais une cheminée était tombée.

– Pour les travaux, on verra plus tard..., grommela-t-il.

À cet instant, une cloche tinta. Le gobelin nous appelait. En l'entendant, mon maître esquissa un sourire.

– Je craignais qu'on doive se passer de petit déjeuner, ce matin. La situation n'est peut-être pas si dramatique...

En pénétrant dans la cuisine, je remarquai les gouttes de sang qui tachaient l'âtre et le carrelage. La pièce était glaciale. Depuis six mois que j'habitais cette maison, c'était la première fois que le feu n'était pas allumé. Sur la table, il n'y avait ni œufs au plat ni bacon, rien qu'une mince tartine pour chacun de nous.

Me prenant par le bras, l'Épouvanteur souffla :

– Ne te permets aucune critique, petit ! Mange et montre-toi satisfait de ce qui t'est offert.

Je suivis ses recommandations ; mais, lorsque j'eus avalé la dernière bouchée, mon estomac gargouillait toujours de faim.

L'Épouvanteur se leva de table.

– Ce pain était excellent, lança-t-il dans le vide. Et merci pour ce que tu as fait la nuit dernière. Nous te sommes l'un et l'autre profondément reconnaissants.

Le gobelin se montrait rarement. Ce matin-là, néanmoins, émettant un faible ronronnement, il apparut un bref instant, près de la cheminée, sous son aspect de gros chat roux. Il était dans un triste état. Son oreille gauche, déchiquetée, suppurait, et la fourrure de son cou était poisseuse de sang. Le pire, c'était la plaie à vif à l'emplacement de son œil gauche.

– Il ne sera plus jamais le même, soupira l'Épouvanteur avec tristesse, lorsque nous fûmes sortis. Réjouissons-nous que le Fléau n'ait pas retrouvé sa pleine puissance, sinon nous serions morts. Le gobelin nous a offert un délai. Dépêchons-nous d'agir !

Il n'avait pas achevé sa phrase quand, au loin, la cloche d'appel retentit : du travail pour l'Épouvanteur ! Après ce qui s'était passé, et étant donné la situation, je pensai qu'il n'en tiendrait pas compte. Je me trompais.

– Eh bien, petit, me dit-il, va voir ce qu'on me veut !

La cloche cessa de sonner avant que j'arrive au carrefour, mais la corde se balançait encore. Sous le cercle de saules, il faisait aussi sombre que d'habitude. Une seconde me suffit cependant pour réaliser que le message n'était pas destiné à mon maître. J'aperçus une fille en robe noire.

Alice.

Je la regardai en secouant la tête.

– Tu as de la chance que M. Gregory ne soit pas venu avec moi !

Elle sourit.

– Le vieux Gregory ne court pas assez vite pour me rattraper. Il n'est plus l'homme qu'il était.

– N'en sois pas si sûre ! rétorquai-je avec irritation. Il m'a ordonné de creuser une fosse. Tu finiras dedans si tu ne prends pas garde.

D'une voix railleuse, elle répliqua :

– Le vieux Gregory a perdu ses forces. Pas étonnant qu'il t'oblige à creuser !

– Non. Il me l'a imposé pour que j'accepte, pour que je comprenne qu'il est de mon devoir de t'enfermer.

– Me condamnerais-tu vraiment à une horreur pareille, Tom ? demanda-t-elle d'un air chagrin. Après tout ce que nous avons vécu ensemble ? Moi, je t'ai libéré d'une fosse, tu ne t'en souviens pas ? Quand Lizzie aiguisait son couteau, s'apprêtant à te prendre tes os !

Je m'en souvenais parfaitement. Sans le secours d'Alice, je serais mort, cette nuit-là.

– Écoute, la pressai-je, pars à Pendle tant qu'il n'est pas trop tard ! Tu dois t'éloigner d'ici !

– Le Fléau n'est pas de cet avis. Il exige que je reste un moment dans les environs.

– Cette... chose ! lâchai-je avec mépris.

– Non, Tom, ce n'est pas une chose. Il y a de l'humain en lui, je l'ai senti.

– Le Fléau a attaqué la maison de l'Épouvanteur, cette nuit. Il aurait pu nous tuer ! C'est toi qui l'as envoyé ?

Avec fermeté, elle fit signe que non.

– Ce n'est pas ma faute, Tom. Je te le jure ! Nous avons parlé, c'est tout. Il m'a confié des secrets.

– Je croyais que tu ne voulais plus avoir aucune relation avec lui, m'écriai-je, horrifié.

– J'ai lutté, Tom. J'ai vraiment lutté. Mais il vient et il murmure à mon oreille. Il vient à moi dans l'obscurité quand j'essaie de m'endormir. Et il me parle en rêve, il me fait des promesses.

– Quel genre de promesses ?

– Ce n'est pas facile pour moi, tu sais. Les nuits sont froides à présent. Le temps se gâte. Le Fléau me promet une maison avec une grande cheminée, et une réserve pleine de bois et de charbon ; il m'assure que je ne manquerai jamais de rien. Il me promet aussi de belles robes ; grâce à lui, les gens ne me regarderont plus de haut comme si j'étais une vagabonde.

– Ne l'écoute pas, Alice ! Résiste de toutes tes forces !

– Heureusement que je l'écoute de temps à autre, objecta-t-elle, un étrange sourire sur les lèvres. Sinon tu en pâtirais. J'ai beaucoup appris, vois-tu. Et ce que j'ai appris pourrait sauver la vie du vieux Gregory, et la tienne par-dessus le marché !

– Raconte-moi !

– Pourquoi te le raconterais-je, alors que tu t'apprêtes à m'enfermer au fond d'un trou pour le restant de mes jours ?

Comme je ne répondais rien, elle poussa un soupir attristé :

– Je te secourrai encore. Feras-tu de même pour moi... ? Sache que l'Inquisiteur se dirige vers Chipenden. Il ne s'est brûlé que les mains sur le bûcher, mais il veut se venger. Il sait que John Gregory habite dans le coin ; il approche avec une troupe d'hommes et des chiens, des molosses aux crocs redoutables. À midi au plus tard, il sera là. Fais savoir à ton maître que je t'ai averti, même si je ne compte pas sur sa reconnaissance.

– J'y vais !

Je remontai la pente au pas de course, prenant soudain conscience que j'avais quitté Alice sans un merci. Mais pouvais-je la remercier de pactiser avec l'obscur pour nous venir en aide ?

L'Épouvanteur m'attendait derrière la porte.

– Reprends ton souffle, petit ! Je lis sur ton visage que tu apportes de mauvaises nouvelles.

– L'Inquisiteur arrive ! lâchai-je. Il a découvert que nous habitions près de Chipenden.

– Qui te l'a dit ?

– Alice. Il sera là vers midi. Le Fléau lui a...

– Eh bien, nous ferions mieux de filer, m'interrompit-il. Mais, d'abord, redescends au village ! Avertis le boucher et l'épicier que nous nous rendons vers le nord, du côté de Caster, et que nous serons absents quelque temps, en précisant qu'on n'aura besoin de rien la semaine prochaine.

Je courus remplir ma mission. Lorsque je revins, mon maître était sur le seuil, prêt au départ. Il me tendit mon sac. Je demandai :

– Nous nous dirigeons vers le sud ?

L'Épouvanteur secoua la tête.

– Non, petit ! Nous prenons bien la route du nord, comme je l'ai dit. Il nous faut rejoindre Heysham. Espérons que nous aurons la chance de nous entretenir avec le fantôme de Maze.

– Tout le monde sait où nous allons ! Pourquoi ne pas avoir prétendu...

– Parce que je présume que l'Inquisiteur fera halte au village. Apprenant où nous allons, il bifurquera directement vers le nord, et ses chiens flaireront notre piste. Il faut absolument l'éloigner de la maison : ma bibliothèque contient des ouvrages irremplaçables. Si l'Inquisiteur montait ici, ses hommes la saccageraient et y mettraient peut-être le feu. Je ne veux pas courir ce risque.

– Comment entreraient-ils sans être mis en pièces par le gobelin ? Ne garde-t-il pas la maison et les jardins ? Serait-il trop affaibli ?

L'Épouvanteur fixa le bout de ses bottes en soupirant :

– Non, il a encore assez de forces pour affronter l'Inquisiteur et ses sbires. Mais je refuse d'avoir des morts inutiles sur la conscience. Et, même si le gobelin en tuait un bon nombre, les autres réussiraient à lui échapper. Ceux-là disposeraient alors des meilleures preuves contre moi pour m'envoyer au bûcher. Ils reviendraient avec une armée ; ça n'en finirait pas. Je n'aurais plus un moment de paix jusqu'à la fin de mes jours. Je serais contraint de m'exiler loin du Comté.

– Ne vont-ils pas nous rattraper, de toute façon ?

– Non, petit ! Pas si nous choisissons les sentiers escarpés de la montagne. Ils ne pourront y passer avec leurs chevaux, et nous aurons quelques heures d'avance. Contrairement à eux, je connais le pays à fond. Partons, à présent ! Nous avons perdu assez de temps.

L'Épouvanteur se mit en route d'un pas rapide. Je le suivis de mon mieux, portant son sac lourdement chargé, en plus du mien.

– L'Inquisiteur ne va-t-il pas envoyer une avant-garde à Caster pour nous y attendre ? demandai-je.

– Il le fera certainement, mais nous n'entrerons pas dans la ville. Nous la contournerons et obliquerons vers le sud-ouest, afin de nous rendre à Heysham. Méfions-nous surtout du Fléau, et n'oublions pas que les heures nous sont comptées. Notre dernière chance repose sur la rencontre avec le fantôme de Maze.

– Et après ? Où irons-nous ? Pourrons-nous revenir un jour ?

– Je ne vois pas pourquoi nous ne le pourrions pas. Nous finirons par nous débarrasser de l'Inquisiteur. Il y a moyen de le faire. Oh, il ne lâchera pas prise et nous donnera du fil à retordre, c'est certain. Toutefois, d'ici peu, il repartira vers le sud, préférant passer l'hiver au chaud.

Je hochai la tête, peu convaincu. Bien des failles m'apparaissaient dans le plan de l'Épouvanteur. S'il était parti d'un bon pas, il n'avait pas recouvré toute son énergie, et franchir les montagnes allait être éprouvant. Nous risquions d'être rattrapés avant d'avoir atteint notre but. De plus, les hommes de l'Inquisiteur chercheraient peut-être la maison et y mettraient le feu par dépit, surtout s'ils perdaient notre trace. Et, l'an prochain, la situation serait inchangée ; au printemps, l'Inquisiteur remonterait vers le nord. Il n'était pas homme à abandonner si facilement. Je ne voyais pas comment notre vie pourrait redevenir normale.

Une autre pensée me frappa soudain : et s'ils me capturaient ? L'Inquisiteur usait de la torture pour extorquer des aveux. S'il m'obligeait à lui dire où vivait ma famille ? Il confisquait ou brûlait les maisons des gens qu'il accusait de sorcellerie. J'imaginai papa, Jack, Ellie et le bébé chassés de leur foyer. Et quel sort réserverait-il à maman, elle qui ne supportait pas le soleil, qui accouchait les femmes dans les cas difficiles et possédait une collection d'herbes servant à préparer des potions ? Ma mère serait en grand danger !

Je ne confiai pas mes inquiétudes à l'Épouvanteur ; je savais qu'il était lassé de mes sempiternelles questions.

Nous fûmes à mi-pente de la montagne en moins d'une heure. L'air était calme, une belle journée s'annonçait.

Si j'avais pu m'ôter de l'esprit la raison qui nous conduisait ici, j'aurais apprécié la randonnée, car c'était un temps idéal pour marcher. Des courlis et des lièvres étaient notre seule compagnie ; à l'horizon, la mer étincelait au soleil.

Au début, l'Épouvanteur avait avancé en tête, à grandes foulées énergiques. Mais, bien avant midi, il avait ralenti l'allure et, lorsque nous fîmes halte près d'un cairn de pierres, il me parut à bout. Tandis qu'il déballait le fromage, je constatai que ses mains tremblaient.

– Tiens ! me dit-il en m'en tendant un petit morceau. N'avale pas tout d'un coup !

Je suivis son conseil et le grignotai lentement.

– Tu sais que la fille nous suit ? me demanda-t-il.

Je le regardai avec stupeur.

– Elle est à un mille environ derrière nous, fit-il en désignant le sud. Nous nous sommes arrêtés, et elle s'est arrêtée. Que veut-elle, à ton avis ?

– Je suppose qu'elle n'a nulle part où aller, en dehors de Pendle, et qu'elle n'a pas envie de s'y rendre. Et elle ne peut rester à Chipenden. Avec l'arrivée de l'Inquisiteur et de ses hommes, elle n'y serait plus en sécurité.

– À moins qu'elle ne te lâche pas d'une semelle parce qu'elle s'est entichée de toi ! Je regrette de ne pas avoir eu le temps de régler son cas avant de partir. À cause d'elle, le Fléau n'est pas loin. À l'heure qu'il est, il se cache quelque part sous terre, mais, dès qu'il fera noir, elle l'attirera comme la flamme d'une chandelle attire un papillon, et il hantera les parages. Si elle lui offre de nouveau un peu de son sang, il commencera à voir par ses yeux. Sa soif assouvie, il se revêtira d'os et de chair. Les manifestations de la nuit dernière n'étaient qu'un avant-goût de son pouvoir.

– Sans Alice, nous n'aurions pas quitté Chipenden, objectai-je. Nous serions peut-être déjà entre les mains de l'Inquisiteur.

Mon maître ignora ma remarque.

– Allons ! fit-il. Reprenons la route ! L'immobilité ne me rendra pas ma jeunesse.

Une heure plus tard, nous dûmes nous arrêter une fois de plus. Cette fois, l'Épouvanteur eut besoin d'une longue pause avant de se remettre péniblement debout. La journée s'écoula ainsi, avec des moments de repos de plus en plus importants, et des temps de marche de plus en plus réduits. Sur le soir, la température fraîchit ; l'air sentait la pluie, et il se mit bientôt à bruiner.

Dans les premières ombres du crépuscule, nous amorçâmes la descente vers un quadrillage d'enclos.

La pente était raide, et nous dérapions sur l'herbe glissante. La pluie tombait dru, à présent, et un fort vent d'ouest s'était levé.

– Accordons-nous un peu de répit, que je reprenne haleine ! dit l'Épouvanteur.

Il s'approcha d'un muret de pierre et l'escalada. Nous nous recroquevillâmes de l'autre côté, un peu protégés du vent et du plus gros de l'averse.

– À mon âge, grommela mon maître, l'humidité vous pénètre jusqu'aux os ! Voilà ce qu'on gagne à vivre dans le climat du Comté. À force, il vient à bout de votre résistance ; il vous rouille les articulations et vous ronge les poumons.

Nous étions misérablement blottis contre notre abri de fortune. J'étais fatigué et soucieux, et, malgré l'inconfort, j'avais du mal à garder les yeux ouverts. Je finis par sombrer dans un profond sommeil.

Aussitôt, je commençai à rêver. C'était un de ces rêves qui paraissent durer toute la nuit. Et, peu à peu, il vira au cauchemar...

18
Cauchemar sur la colline

Ce fut le pire de mes cauchemars. Pourtant, avec le travail qui était le mien, les mauvais rêves me visitaient fréquemment.

Je m'étais perdu et j'essayais de rentrer à la maison. J'aurais dû retrouver sans peine mon chemin, car la pleine lune illuminait le paysage. Or, à chaque tournant, alors que je m'attendais à reconnaître des repères familiers, je découvrais un endroit inconnu.

Je parvins enfin en haut de la colline du Pendu et j'aperçus notre ferme en contrebas. En descendant la pente, je me sentais de plus en plus oppressé. Certes, il faisait nuit, et rien ne bougeait alentour. Mais un tel calme, un tel silence, ce n'était pas naturel. Les clôtures étaient effondrées ; les portes de la grange bâillaient de travers sur leurs gonds. Ni papa ni Jack n'auraient laissé les choses en si mauvais état...

La maison semblait inhabitée, les vitres étaient brisées, des ardoises manquaient sur la toiture. La porte de derrière me résista, comme à l'ordinaire, car le chambranle était faussé. Lorsqu'elle céda, j'entrai dans une cuisine qui semblait inutilisée depuis des années. La poussière recouvrait les meubles, et des toiles d'araignées envahissaient les poutres du plafond. Au centre de la pièce, je remarquai un papier plié, posé sur le rocking-chair de maman. Je m'en emparai et sortis pour le lire à la lumière de la lune.

Les tombes de ton père, de Jack, d'Ellie et de Mary sont au sommet de la colline du Pendu.

Tu trouveras ta mère dans la grange.

Le cœur battant à m'en faire mal, je me ruai dans la cour, puis m'arrêtai, l'oreille aux aguets. Pas un bruit. Pas un souffle de vent. Je pénétrai avec anxiété dans l'obscurité de la grange, ne sachant à quoi m'attendre. Y découvrirais-je une tombe ? La tombe de ma mère ?

Par un trou du toit passa un rayon de lune, qui éclaira le visage de maman. Elle me regardait fixement. Son corps était dans l'ombre, et, d'après sa taille, je la crus agenouillée.

Pourquoi était-elle dans cette position ? Pourquoi paraissait-elle si mécontente ? N'était-elle pas heureuse de mon arrivée ?

Elle me lança alors un avertissement angoissé :

– Ne me regarde pas, Tom ! Ne me regarde pas ! Va-t'en ! Vite !

À l'instant où, effrayé, je tournais les talons, elle décolla du sol, et ce que je remarquai du coin de l'œil me liquéfia de terreur. À partir du cou, ma mère s'était métamorphosée ! J'entrevis des écailles, des griffes acérées, tandis qu'elle s'envolait à grands coups d'ailes par le trou, arrachant au passage une partie de la toiture. Je levai les bras pour me protéger des éclats de bois et d'ardoise qui tombaient autour de moi. Maman n'était plus qu'une silhouette noire se découpant sur le disque lunaire.

– Non ! Non ! criai-je. Ce n'est pas vrai ! Je ne veux pas !

Une phrase résonna dans ma tête, et je reconnus la voix sifflante du Fléau :

La lune révèle la vérité des choses, mon garçon ! Tu le sais. Ce que tu as vu est vrai, ou le sera bientôt. Ce n'est qu'une question de temps.

Je sentis une main me secouer et j'émergeai de mon rêve, trempé d'une sueur glacée. L'Épouvanteur était penché sur moi.

– Réveille-toi, petit ! Réveille-toi ! Ce n'est qu'un cauchemar. C'est le Fléau qui a pénétré ton esprit pour t'affaiblir.

J'acquiesçai d'un signe de tête, me gardant de raconter cette vision à mon maître : elle était trop effroyable. Je regardai le ciel. S'il pleuvait toujours, quelques étoiles brillaient dans une trouée de nuages. Il faisait sombre, mais l'aube était proche.

– Avons-nous dormi toute la nuit ? demandai-je.

– Oui. Et ce n'est pas ce que j'avais prévu.

Il se redressa avec raideur.

– Hâtons-nous, fit-il, inquiet. Tu les entends ?

Je tendis l'oreille et, à travers le bruit du vent et de la pluie, je perçus des aboiements lointains.

– Ils gagnent du terrain. Notre seul espoir est de brouiller la piste. Il nous faut un cours d'eau, pas trop profond, pour pouvoir y marcher. Ce que nous cherchons est au pied de la colline. Évidemment, nous regagnerons la terre ferme à un moment ou à un autre, mais les chiens devront arpenter la rive d'amont en aval avant de flairer de nouveau nos traces.

Nous enjambâmes un autre muret et descendîmes la pente raide, aussi vite que l'herbe humide et glissante nous le permettait. Plus bas nous vîmes une petite maison de berger flanquée d'un vieux prunellier tordu par le vent, dont les branches nues griffaient le ciel.

Nous nous dirigeâmes de ce côté, puis stoppâmes brusquement.

Devant nous se dressait une barrière de bois entourant un enclos où des moutons étaient enfermés. Dans la faible lumière de l'aube, nous comptâmes une vingtaine de bêtes. Toutes mortes.

– Je n'aime pas ça ! souffla l'Épouvanteur.

Je partageais ce sentiment. Soudain, je réalisai qu'il ne parlait pas du massacre des moutons : il observait la maison, derrière l'enclos.

D'une voix très basse, presque un murmure, il ajouta :

– Nous arrivons probablement trop tard. Il est toutefois de notre devoir de vérifier...

Sur ce, il s'avança, la main serrée sur son bâton. Je lui emboîtai le pas.

En longeant la barrière, je jetai un coup d'œil sur le cadavre le plus proche. Des traînées de sang poissaient le corps laineux. Si ce massacre était l'œuvre du Fléau, la créature s'était largement abreuvée. Quelle pouvait être sa puissance, dorénavant ?

La porte était grande ouverte, et l'Épouvanteur entra sans hésiter. À peine avait-il franchi le seuil qu'il s'arrêta net, le souffle court. M'immobilisant moi aussi, je suivis son regard.

À la lueur vacillante d'une chandelle, je distinguai au fond de la pièce une forme sombre, que je pris d'abord pour l'ombre du berger. Mais c'était trop dense pour être une ombre. Cette silhouette, adossée contre le mur, brandissait un bâton dans un geste de menace. Il me fallut quelques secondes pour comprendre. Mes genoux se mirent alors à trembler, et je crus que mon cœur remontait dans ma gorge.

Sur ce qui restait du visage du berger, on lisait un mélange de colère et d'épouvante. Sa bouche sanglante s'ouvrait sur des dents cassées. L'homme était aplati, pressé contre la paroi, incrusté dans la pierre. Le Fléau était passé...

Mon maître fit un pas, un autre. Je me risquai derrière lui, jusqu'à découvrir dans sa totalité la vision de cauchemar qui nous attendait. Un berceau avait été fracassé contre le mur, une couverture et un petit drap ensanglantés traînaient par terre ; on ne voyait pas trace du bébé. L'Épouvanteur s'avança, souleva la couverture avec précaution, puis, m'interdisant d'un geste d'approcher, la laissa retomber avec un gémissement.

Moi, je venais de repérer la mère de l'enfant. Elle gisait sur le plancher, en partie dissimulée par un rocking-chair. Elle tenait dans sa main droite une aiguille à tricoter ; une pelote de laine avait roulé dans l'âtre, au milieu des braises refroidies.

La porte menant à la cuisine était ouverte. Un frisson d'effroi me parcourut : quelque chose s'y tenait tapi. À peine avais-je formulé cette pensée dans ma tête que la température chuta. Le Fléau était encore là ! Paniqué, je faillis prendre la fuite. Mais l'Épouvanteur ne bougeait pas ; je ne pouvais le laisser seul.

La chandelle s'éteignit soudain, comme mouchée par des doigts invisibles, nous plongeant dans une demi-obscurité. Des profondeurs de la cuisine, une voix s'éleva, une voix qui résonna dans l'air et courut sur le carrelage, de sorte qu'il vibra sous mes pieds.

Salut, Vieille Carne ! Content que tu sois là ! Je te cherchais. Je savais que tu n'étais pas loin.

– Eh bien, tu m'as trouvé, répondit l'Épouvanteur d'un ton las en s'appuyant lourdement sur son bâton.

Tu as toujours été fouineur, hein, Vieille Carne ? Mais tu as fouiné une fois de trop. Regarde bien ! Je vais tuer le garçon devant toi. Puis ce sera ton tour.

Une main m'empoigna et me lança contre le mur avec une telle violence que le choc me coupa la respiration. Puis j'eus la sensation qu'on m'écrasait et je crus que mes côtes allaient se briser. Le pire, c'était l'effroyable pression sur mon front. Je songeai au visage du berger, incrusté dans la pierre, et une terreur sans nom s'empara de moi. Impossible de remuer, de respirer. Un voile noir tomba devant mes yeux ; la dernière image dont j'eus conscience fut celle de l'Épouvanteur se ruant vers la porte de la cuisine, le bâton brandi.

Quelqu'un me secouait doucement.

Je soulevai les paupières et vis mon maître penché sur moi.

– Ça va, petit ? me demanda-t-il avec inquiétude.

Je fis signe que oui. J'étais étendu sur le carrelage. Chaque inspiration était douloureuse. Cependant je respirais. J'étais vivant.

– Voyons si tu tiens sur tes jambes !

Avec son aide, je parvins à me remettre debout.

– Peux-tu marcher ?

Je risquai un pas. Je n'étais guère solide, mais, oui, je pouvais marcher.

– C'est bien !

– Vous m'avez sauvé. Merci !

L'Épouvanteur secoua la tête.

– Je n'y suis pour rien, petit ! Le Fléau a brusquement disparu, comme s'il obéissait à un appel. Il a escaladé la colline, ombre noire occultant les étoiles.

Il désigna le désordre macabre qui régnait dans la pièce.

– Un drame atroce s'est déroulé ici. Il nous faut fuir ! Protégeons d'abord nos vies. Nous devrions réussir à échapper à l'Inquisiteur, mais, tant que cette fille nous suivra, le Fléau sera sans cesse à proximité, gagnant chaque jour en puissance. Rejoignons Heysham au plus vite et tâchons de nous débarrasser une fois pour toutes de ce démon !

Nous quittâmes la maison du berger. Nous escaladâmes encore quelques murets avant d'entendre enfin un clapotis d'eau. Mon maître avait presque retrouvé son allure d'avant. Le sommeil lui avait fait du bien. C'était à mon tour de peiner, mal en point comme je l'étais et chargé de nos sacs.

Nous nous engageâmes sur un sentier étroit et pentu qui longeait un torrent sauvage bondissant de rocher en rocher.

– À un mille environ, me signala l'Épouvanteur en allongeant sa foulée, il se jette dans un petit lac de montagne, d'où repartent deux cours d'eau. Voilà ce que nous cherchions.

Il pleuvait plus fort que jamais, et le sol était traître sous nos pieds. Une mauvaise glissade, et nous finirions dans l'eau. Je me demandais si Alice était dans les parages et si elle était capable de marcher aussi près d'une eau courante. Alice était en danger, elle aussi ; les chiens flaireraient sa trace.

Malgré le grondement du torrent et le crépitement de la pluie, les aboiements étaient de plus en plus audibles. La meute se rapprochait. Un cri soudain me figea sur place.

Alice !

Je me retournai, mais l'Épouvanteur m'agrippa le bras pour m'obliger à continuer :

– Nous ne pouvons rien faire, petit ! Rien du tout ! Marche ! Ne traînons pas !

J'obéis, m'efforçant d'ignorer les bruits venant de la pente, au-dessus de nous, des appels, des voix rudes, encore des cris. Puis, peu à peu, le calme revint ; seul le bruit de l'eau emplissait le silence. Le ciel s'éclaircissait, et, à la faible lueur de l'aube, je discernai entre les arbres une pâle étendue d'eau.

J'avais le cœur lourd à la pensée de ce qui attendait Alice.

– Marche, petit ! me répéta l'Épouvanteur.

Une masse noire dévala alors le sentier derrière nous. On aurait dit un animal. Un gros chien.

C'était trop bête ! Nous étions presque arrivés au lac et aux ruisseaux ! Encore dix minutes, et les molosses perdaient notre trace ! Pourtant, à mon grand étonnement, mon maître ne pressa pas l'allure. Il ralentit même. Puis il s'arrêta et me poussa sur le bord du sentier. Je crus qu'il était à bout de forces ; auquel cas nous étions perdus.

Je l'interrogeai du regard, espérant qu'il allait sortir de son sac quelque chose, n'importe quoi qui puisse nous sauver. Il n'en fit rien. L'animal fonçait à présent droit sur nous. Cependant, je remarquai un détail étrange : au lieu d'aboyer furieusement comme un chien poursuivant un gibier, il jappait, et ses yeux regardaient loin devant sans nous voir. Il passa si près que j'aurais pu le toucher.

– Manifestement, cet animal est terrifié, nota l'Épouvanteur. Et, regarde, en voilà un autre !

Le deuxième chien nous frôla, la queue entre les jambes. Deux autres surgirent, puis un cinquième. Aucun ne s'intéressa à nous. Ils filaient ventre à terre sur la pente boueuse.

– Que leur arrive-t-il ? demandai-je.

– Nous le saurons sûrement bientôt, dit mon maître. Continuons !

La pluie cessa comme nous atteignions le lac. Il était assez vaste et calme, sauf à l'endroit où le torrent s'y déversait avec fracas. Nous restâmes un instant à contempler la cascade, qui charriait des brindilles, des feuilles, parfois de grosses branches.

Soudain, un objet volumineux heurta l'eau dans une gerbe d'écume blanche. Il s'enfonça avant de réapparaître à trente pas de là et de se mettre à dériver. Ça ressemblait à un corps humain.

Alice ? Je me ruai vers la berge. Mais l'Épouvanteur me retint par l'épaule.

– Ce n'est pas la fille, fit-il doucement. C'est trop grand. D'ailleurs, tout porte à croire qu'elle a appelé le Fléau ; sinon pourquoi nous aurait-il laissés tranquilles, tout à coup ? Avec le Fléau auprès d'elle, elle se sera sortie sans peine de toute embûche. Gagnons l'autre rive pour en avoir le cœur net !

Nous longeâmes le pourtour du lac. Quelques minutes plus tard, nous étions sur la berge ouest, sous un majestueux sycomore, les pieds dans une épaisse couche de feuilles mortes. Le corps surnageait à quelque distance de là. J'espérais que l'Épouvanteur avait raison, que le cadavre était trop grand pour être celui d'Alice. Mais, dans cette pâle clarté d'aube, comment en être sûr ? Et si ce n'était pas elle, qui était-ce ?

Ma peur montait ; pourtant, je ne pouvais qu'attendre, tandis que le jour se levait peu à peu et que la masse indistincte glissait lentement vers nous.

Puis les nuages s'écartèrent, et un rayon de lumière nous permit, sans l'ombre d'un doute, d'identifier le mort.

C'était l'Inquisiteur !

Il flottait sur le dos, et seul son visage émergeait de l'eau. Sa bouche grande ouverte et ses yeux écarquillés exprimaient une totale épouvante. À en juger par sa face blême, il avait été vidé de son sang jusqu'à la dernière goutte.

– De son vivant, il a noyé bien des innocents, commenta l'Épouvanteur. Des malheureux sans défense, qui avaient trimé toute leur vie, qui avaient droit à une vieillesse paisible et au respect d'autrui. Maintenant, c'est son tour. Il n'a que ce qu'il méritait.

Imposer l'épreuve de l'eau à une prétendue sorcière était une absurdité. J'étais pourtant obsédé par l'idée que l'Inquisiteur *flottait*. Ce sont les coupables qui flottent ! Les innocents, eux, coulent, comme avait coulé la malheureuse tante d'Alice.

– C'est Alice qui a fait ça, n'est-ce pas ?

L'Épouvanteur hocha la tête.

– Oui, à ce qu'on dirait. En réalité, c'est l'œuvre du Fléau. C'est la deuxième fois qu'elle sollicite son intervention. Son emprise sur elle s'est renforcée, et ce qu'elle voit, il le voit par ses yeux désormais.

Je jetai un coup d'œil anxieux vers l'extrémité du lac, du côté du torrent, là où nous avions quitté le chemin.

– Ne devrions-nous pas reprendre la route ? demandai-je. Les hommes de l'Inquisiteur ne vont-ils pas nous poursuivre ?

– Sans doute, petit, s'il leur reste du souffle. Or, j'ai le sentiment qu'ils ne seront pas d'attaque avant un bon moment. En fait, j'attends quelqu'un. Et, si je ne m'abuse, voilà cette personne...

Je suivis son regard : une frêle silhouette venait d'apparaître sur le sentier.

Alice s'arrêta, fixa un moment la cascade. Puis elle marcha dans notre direction.

Mon maître me mit en garde :

– Rappelle-toi ! Le Fléau voit par ses yeux. Il étudie nos points faibles. Soyons prudents, il surveille nos moindres faits et gestes !

J'avais envie de crier à Alice de fuir. Je n'avais aucune idée de ce que M. Gregory lui réservait. D'un autre côté, je découvrais soudain que cette fille me terrifiait. Au fond de moi, toutefois, je savais que l'Épouvanteur était son ultime espoir. Qui d'autre la délivrerait de l'emprise du Fléau ?

Alice alla jusqu'à la rive pour observer le corps de l'Inquisiteur. Je lus sur son visage un mélange de triomphe et d'effroi.

– Regarde bien ! lui lança mon maître. Examine ton œuvre de près. Es-tu contente de toi ?

– Je lui ai fait payer ses forfaits, déclara-t-elle d'une voix ferme.

– Certes, mais toi ? Quel prix dois-tu payer ? Tu appartiens plus que jamais à l'obscur. Appelle le Fléau une fois encore, et tu seras définitivement perdue.

Alice ne rétorqua rien, et nous restâmes plusieurs minutes à fixer l'eau en silence.

– Viens, petit, me dit enfin l'Épouvanteur, remettons-nous en route ! Le travail nous attend. Quelqu'un d'autre repêchera le cadavre. Quant à toi, jeune fille, si tu as un grain de bon sens, tu nous accompagneras. À présent, écoute-moi attentivement ! Ce que je vais te proposer est ta seule chance de t'en sortir, ta dernière opportunité de t'affranchir de cette créature.

Alice le dévisagea avec de grands yeux.

– Tu sais quel danger tu cours ? reprit-il. Désires-tu en être libérée ?

Elle acquiesça d'un brusque hochement de tête.

– Alors, approche ! ordonna-t-il avec sévérité.

Elle s'avança docilement.

– Où que tu ailles, le Fléau ne sera pas loin. Il faut que tu viennes avec nous. Je préfère savoir où il se tapit, plutôt que de le laisser sillonner le Comté à sa guise en répandant la terreur. Donc, à partir de cet instant, tu seras sourde et aveugle ; ainsi, il ne verra pas par tes yeux, n'entendra pas par tes oreilles. Mais tu dois l'accepter de ton plein gré. La moindre tricherie serait désastreuse, pour toi comme pour nous.

Farfouillant dans son sac, il exhiba un morceau de tissu noir, qu'il montra à Alice.

– Ceci est un bandeau à nouer sur tes yeux. Le porteras-tu ?

Elle accepta d'un signe de tête. Il tendit alors sa paume ouverte.

– Quant à ces petites boules de cire, elles te boucheront les oreilles.

Chacune était munie d'une mince cheville d'argent, permettant de la retirer aisément.

Alice les regarda d'un œil suspicieux ; puis elle pencha la tête d'un côté, de l'autre, et se laissa obturer les oreilles. Après quoi, l'Épouvanteur lui couvrit les yeux du bandeau, qu'il noua bien serré.

Nous reprîmes la route en direction du nord-est. L'Épouvanteur guidait Alice en la tenant par le coude. J'espérais qu'on ne croiserait personne en chemin. Notre trio avait de quoi intriguer, et mieux valait ne pas trop attirer l'attention...

19
Les pierres tombales

Il faisait jour ; nous n'avions donc rien à craindre du Fléau dans l'immédiat. Il devait se terrer quelque part, comme toute créature de l'obscur. Alice ayant les yeux bandés et les oreilles bouchées, il ne pouvait ni nous voir ni nous entendre, il ne saurait nous trouver.

Je m'attendais à une nouvelle et dure journée de marche, me demandant si nous atteindrions Heysham avant la nuit. Or, l'Épouvanteur nous emmena dans une grande ferme. Nous sonnâmes à la grille, ce qui déclencha de furieux aboiements de chiens. Un homme s'approcha en boitant, appuyé sur une canne. Il se montra fort agité.

– Je suis désolé, croassa-t-il. Vraiment désolé. Ma situation n'a pas changé. Si j'avais de quoi, je vous réglerais.

Il s'avéra que, cinq ans auparavant, l'Épouvanteur avait débarrassé la ferme d'un gobelin malfaisant et n'avait toujours pas été payé. Aujourd'hui, mon maître réclamait son dû, mais pas sous forme d'argent.

Une demi-heure plus tard, nous voyagions dans une carriole tirée par le plus énorme cheval de trait que j'aie jamais vu. Le fils du fermier tenait les rênes. En s'installant sur son banc, il avait fixé Alice avec des yeux ronds, troublé par son bandeau.

– Occupe-toi de ton attelage au lieu de guigner cette fille ! lui avait lancé sèchement l'Épouvanteur.

Le garçon avait vite détourné le regard. Il paraissait plutôt content de nous servir de cocher et de délaisser pour quelques heures les corvées de la ferme.

Nous prîmes bientôt la route qui contournait Caster. L'Épouvanteur fit allonger Alice au fond de la carriole et la recouvrit de paille pour que personne ne remarque sa présence, au cas où nous croiserions d'autres voyageurs.

Le cheval était accoutumé à tirer de lourdes charges. N'ayant que nous trois à transporter en plus du jeune fermier, il trottait allégrement. Au loin, nous apercevions la cité avec son château.

Bien des sorcières y avaient été condamnées après un long procès. Mais, à Caster, on ne les brûlait pas ; elles étaient pendues.

Pour employer une expression de mon père du temps où il était marin, nous croisâmes au large. Passé la ville, nous franchîmes un pont qui enjambait la rivière Lune, et continuâmes en direction de Heysham.

Dès que nous eûmes atteint les faubourgs, l'Épouvanteur ordonna au fils du fermier de nous attendre sur un bas-côté.

– Nous serons de retour à l'aube, lui dit-il. Ne t'inquiète pas, tu seras justement récompensé de ta patience.

Nous suivîmes une ruelle pentue qui grimpait sur la colline, longeant une vieille église et son cimetière. De ce côté, abrité du vent, tout était tranquille. Des arbres centenaires enveloppaient de leur ombre d'anciennes pierres tombales. Mais, une fois au sommet, une bise glacée nous souffla en plein visage l'odeur salée de la mer. Devant nous s'élevaient les ruines d'une petite chapelle. Seuls trois murs de pierre tenaient encore debout. De cette hauteur, on découvrait la baie, en contrebas, une plage de sable presque entièrement submergée par la marée haute et un étroit promontoire rocheux, à quelque distance de là, que les vagues éclaboussaient.

– La plupart de nos côtes sont plates, m'expliqua l'Épouvanteur. Cette falaise est la plus élevée du Comté. C'est là, dit-on, que les premiers habitants ont accosté. Ils venaient d'un lointain pays de l'ouest, et leur bateau s'est échoué sur ces rochers. Ce sont leurs descendants qui ont élevé cette chapelle.

Il tendit le doigt, et, derrière les ruines, je vis les tombes.

– Il n'y a pas de sépultures semblables dans tout le Comté, commenta-t-il.

Au bord de la falaise, taillés dans de larges blocs, six sarcophages en forme de corps humain étaient alignés, étroitement fermés. Ils étaient de longueurs différentes, mais plutôt petits, comme conçus pour des enfants. Il s'agissait des tombes de membres du Petit Peuple, les six premiers fils du roi Heys.

L'Épouvanteur s'agenouilla devant la plus proche. Sur la partie supérieure de chaque pierre tombale, il y avait un trou carré. Mon maître en suivit le pourtour de son index. Puis il étendit sa main gauche. Sa paume recouvrait exactement la cavité.

– À quoi cela pouvait-il bien servir ? grommela-t-il dans sa barbe.

– De quelle taille étaient les gens du Petit Peuple ? demandai-je.

En y regardant de plus près, je me rendis compte

que les tombes n'étaient pas aussi petites qu'on aurait cru au premier regard.

En guise de réponse, l'Épouvanteur sortit de son sac une baguette pliante servant à mesurer.

– Celle-ci fait environ cinq pieds de long, annonça-t-il, et, au milieu, sa largeur est de treize pouces et demi. Mais il est possible que les morts aient été ensevelis avec des objets usuels, qui leur seraient utiles dans l'autre monde. Peu de gens, chez le Petit Peuple, dépassaient cinq pieds, et la plupart faisaient moins que ça. Au fil des années, chaque génération a gagné en taille, à cause des mariages avec les étrangers venus de la mer. Aussi n'ont-ils pas totalement disparu. Leur sang coule dans nos veines.

L'Épouvanteur se tourna vers Alice et, à mon grand étonnement, dénoua son bandeau. Puis il ôta de ses oreilles les boules de cire et replaça soigneusement le tout dans son sac. Alice papillota des paupières et regarda autour d'elle. Ce qu'elle vit ne sembla pas lui plaire.

– Je n'aime pas cet endroit, gémit-elle. Quelque chose ne va pas, je le sens.

– En vérité, jeune fille ? fit l'Épouvanteur. Voilà la phrase la plus intéressante que tu aies dite aujourd'hui ! C'est bizarre... Pour moi, ce lieu est fort agréable. Rien de plus revigorant qu'une bonne goulée d'air marin !

Personnellement, je ne trouvais plus l'air si revigorant. Le vent était tombé, des tentacules de brouillard montaient de la mer, et il faisait de plus en plus froid. Dans une heure, ce serait la nuit. Je comprenais le malaise d'Alice. Mieux valait éviter de s'attarder dans les parages après le coucher du soleil. Je percevais une présence, et elle ne me semblait guère amicale.

– Un esprit hante les parages, signalai-je à mon maître.

– Asseyons-nous et laissons-lui le temps de s'habituer à nous, déclara-t-il. Nous n'avons pas l'intention de l'effrayer, n'est-ce pas... ?

– Est-ce le fantôme de Maze ?

– Je l'espère, petit. Je l'espère de tout cœur. Nous le saurons bientôt. Un peu de patience !

Nous restâmes assis sur un talus herbeux, non loin des tombes, tandis que le jour baissait lentement. J'étais de plus en plus tendu.

– Qu'arrivera-t-il quand il fera tout à fait noir ? m'inquiétai-je. Le Fléau ne va-t-il pas apparaître ? Maintenant que vous avez ôté le bandeau d'Alice, il peut nous repérer.

– Je pense que nous sommes relativement en sécurité, petit, me répondit l'Épouvanteur. C'est probablement le seul endroit dans tout le Comté dont il préfère se tenir éloigné. Si je ne m'abuse, à cause de ce qui s'est accompli ici, le Fléau ne s'approchera pas à moins d'un mile. Il sait sans doute où nous sommes ; toutefois, il n'y a pas grand-chose qu'il puisse tenter. N'ai-je pas raison, jeune fille ?

Alice approuva, frissonnante :

– Il essaie de me parler. Mais sa voix est faible, lointaine. Il n'arrive pas à pénétrer dans ma tête.

– C'est exactement ce que j'escomptais, dit mon maître. Nous n'avons pas perdu notre temps en faisant ce voyage.

– Il veut que je parte. Il veut que j'aille à lui...

– Et *toi*, tu le veux ?

Alice fit non de la tête.

– Heureux de l'apprendre, jeune fille. Car, si tu te sers de lui une troisième fois, plus personne ne pourra te venir en aide. Où se cache-t-il, en ce moment ?

– Dans une caverne noire et humide, profondément sous terre. Il n'a trouvé que quelques ossements. Il a faim.

– Parfait ! Il est temps de se mettre à l'ouvrage.

Il désigna la chapelle.

– Vous deux, abritez-vous entre ces murs. Tâchez de dormir un peu pendant que je veille.

Sans discuter, nous allâmes nous installer sur l'herbe, dans les ruines, à un endroit d'où nous pouvions voir l'Épouvanteur et les tombes. Je croyais qu'il s'assiérait, mais il resta debout, la main gauche serrée sur son bâton. J'étais fatigué et ne fus pas long à m'endormir.

Je m'éveillai bientôt en sursaut : Alice me secouait.

– Qu'est-ce qui ne va pas ? soufflai-je.

– Il perd son temps ! murmura-t-elle en désignant l'Épouvanteur, accroupi près des tombes. Il y a quelque chose, tout proche, mais de l'autre côté, contre la haie.

– Tu es sûre ?

Elle confirma d'un signe de tête.

– Va le lui dire, toi ! Il se fâchera si ça vient de moi.

Je m'avançai et appelai à voix basse :

– Monsieur Gregory ?

Il ne bougea pas, et je me demandai s'il ne s'était pas endormi dans cette position. Puis, lentement, dépliant son grand corps, il se releva et tourna le buste vers moi sans déplacer ses pieds.

Malgré quelques trouées dans les nuages, la lueur des étoiles était trop faible pour que je voie son visage. Je ne distinguais qu'un ovale noir sous son capuchon.

– Alice dit qu'il y a quelque chose derrière la haie.

– Elle dit ça ? marmonna-t-il. Alors, allons jeter un coup d'œil.

Nous nous dirigeâmes de ce côté. Plus nous en approchions, plus il faisait froid. Alice avait raison : un esprit errait dans les parages.

Soudain, l'Épouvanteur se jeta à genoux et se mit à arracher l'herbe. Je m'agenouillai à mon tour pour l'aider.

Nous dégageâmes deux autres tombes. La première mesurait environ cinq pieds de long ; la deuxième était moitié plus petite. C'était la plus petite de toutes.

– Quelqu'un de l'ancienne lignée, un être au sang pur, est enterré ici, déclara mon maître. Le fantôme qui hante ces lieux est bien celui de Maze ! Éloigne-toi, petit ! Tiens-toi à distance !

– Je ne peux pas rester vous écouter ?

L'Épouvanteur secoua la tête.

– Vous n'avez pas confiance en moi ?

– Et toi, répliqua-t-il, as-tu confiance en toi-même ? Pose-toi la question ! D'une part, le fantôme apparaîtra plus volontiers à un seul d'entre nous. D'autre part, mieux vaut que tu n'entendes pas ce que nous dirons. Le Fléau lit dans les pensées, rappelle-toi ! Es-tu assez fort pour l'en empêcher ? Il ne doit pas découvrir notre plan, ni savoir que nous connaissons ses faiblesses. Quand il a fouillé ton cerveau, pendant ton cauchemar, à la recherche d'indices, es-tu sûr de ne rien avoir laissé échapper ?

Non, je n'en étais pas sûr.

– Tu es un garçon courageux, le plus courageux que j'aie eu à former. Seulement, tu n'es encore qu'un apprenti, ne l'oublions ni l'un ni l'autre. Aussi, éloigne-toi, petit ! m'ordonna-t-il, accompagnant ses paroles d'un geste de la main.

J'obéis et regagnai les ruines. Alice s'était endormie. Je m'allongeai près d'elle, mais je ne tenais pas en place, trop curieux de savoir ce que révélerait le fantôme de Maze. Quant à la mise en garde de l'Épouvanteur à propos du Fléau et de ce qu'il avait peut-être déniché dans ma tête, elle ne m'inquiétait pas outre mesure. Ici, nous étions à l'abri de ses manigances, et, si mon maître trouvait ce qu'il cherchait, le sort du démon serait réglé avant la prochaine nuit.

Je quittai donc mon abri et rampai le long du mur. Je n'en étais pas à ma première désobéissance ; toutefois jamais l'enjeu n'avait été aussi important. Je m'assis, dos au mur, et patientai.

Je n'eus pas à attendre longtemps. Je commençai à avoir très froid et me mis à grelotter. L'un des morts approchait. Était-ce bien le fantôme de Maze ?

Au-dessus de la plus petite tombe brillait un faible halo. Sa forme n'était pas vraiment humaine : ce n'était qu'une colonne de lumière, arrivant à peine aux genoux de l'Épouvanteur. Aussitôt, celui-ci l'interrogea. Il n'y avait pas un souffle d'air, et, même s'il chuchotait, j'entendais chacun de ses mots :

– Parle ! Parle, je te l'ordonne !

Laisse-moi ! Laisse-moi reposer en paix !

Maze était mort en pleine jeunesse. Pourtant, la voix était celle d'un très vieil homme, rauque, hachée, emplie d'une immense lassitude. Cela ne signifiait pas pour autant que cette voix n'était pas la sienne. Mon maître m'avait appris que les fantômes ne s'expriment pas à la façon des vivants. Ils s'adressent directement à votre esprit ; c'est pourquoi il est possible de communiquer avec quelqu'un ayant vécu des siècles auparavant ou parlant une autre langue.

L'Épouvanteur s'exprima avec solennité :

– Je suis John Gregory, le septième fils d'un septième fils. Je viens achever ce qui a été entrepris autrefois, pour que cessent les maléfices du Fléau et que tu trouves la paix. Mais j'ai besoin d'apprendre certaines choses. D'abord, quel est ton nom ?

Il y eut un long silence, et je crus que le fantôme resterait muet. La réponse vint enfin :

Je suis Maze, septième fils du roi Heys. Que désires-tu savoir ?

– Il est temps de mener cette tâche à son terme, reprit l'Épouvanteur. Le Fléau est en liberté ; il aura retrouvé sous peu sa pleine puissance et menacera le pays tout entier. Il doit être détruit. Je suis venu à toi pour que tu m'instruises. Comment l'as-tu enfermé dans les catacombes ? Comment peut-on le tuer ? Me le révéleras-tu ?

Es-tu fort ? demanda la voix. *Es-tu capable de verrouiller ton esprit ? D'empêcher le Fléau de lire dans tes pensées ?*

– Je le peux.

En ce cas, peut-être y a-t-il un espoir. Je vais te dire ce que j'ai fait, comment j'ai entravé le Fléau. Pour commencer, j'ai passé un pacte avec lui, en lui offrant mon sang. Ensuite, je l'ai autorisé à s'en abreuver de nouveau à trois reprises ; en retour, il devait obéir trois fois à mes ordres.

Au plus profond des catacombes de Priestown, il y a une chambre funéraire. Elle abrite une urne contenant les cendres de nos Anciens, les Pères fondateurs de notre peuple. C'est dans cette chambre que j'ai invité le Fléau à me rejoindre afin de lui offrir mon sang. Après quoi, je me suis montré un maître exigeant.

La première fois, je l'ai sommé de se tenir éloigné des sépultures de mon père et de mes frères, désirant qu'ils reposent en paix. Le Fléau en a été consterné : le tumulus était une de ses résidences favorites, où il se terrait pendant les heures du jour, se nourrissant des ossements des morts et aspirant les restes de leur mémoire. Mais un pacte est un pacte, et il était tenu d'obéir. La deuxième fois, je l'ai envoyé aux confins de la terre, en quête de connaissance, l'écartant ainsi pendant un mois et un jour. Cela m'a donné le temps dont j'avais besoin.

J'ai alors mis mon peuple au travail : il a forgé la

Grille d'Argent. Même après son retour, le Fléau n'en a rien su, car je gardais mes pensées secrètes.

Après lui avoir donné mon sang pour la troisième fois, je lui ai dit ce que j'attendais de lui, annonçant d'une voix forte le prix qu'il avait à payer.

« Tu resteras lié aux catacombes, ai-je ordonné, confiné dans ses profondeurs sans espoir d'en sortir. Cependant, comme je ne supporte pas qu'un être, aussi pernicieux soit-il, endure une telle captivité sans la moindre lueur d'espoir, j'ai fait placer la Grille d'Argent. S'il se trouve un jour quelqu'un d'assez fou pour t'ouvrir cette grille, tu pourras la franchir et recouvrer ta liberté. Sache toutefois que, si tu retournes dans ces souterrains, tu y resteras captif pour l'éternité. »

Voilà ce que me dicta mon cœur trop clément, et l'entrave ne fut pas aussi efficace qu'elle aurait dû. Toute ma vie, je me suis montré compatissant. Certains estimaient que c'était une faiblesse ; en cette occasion, je leur ai donné raison. Car je n'ai su me résoudre à condamner le Fléau lui-même à une éternité d'emprisonnement sans lui laisser la plus petite chance de s'échapper.

– Tu as accompli l'essentiel du travail, déclara l'Épouvanteur. À moi de l'achever. Si nous le ramenons là-bas, il sera entravé pour toujours. C'est déjà une bonne chose. Mais cette créature est si malfaisante que la tenir enfermée ne suffit pas. Il faut la détruire. Comment peut-elle être tuée ? Le sais-tu ?

Premièrement, le démon devra avoir repris son apparence charnelle. Deuxièmement, il devra se trouver au plus profond des catacombes. Troisièmement, son cœur devra être percé par une pointe d'argent. Il ne mourra que si ces trois conditions sont remplies. Sache toutefois que celui qui prendra le risque de le tuer se mettra en grand danger : dans les affres de l'agonie, une telle énergie émanera du Fléau que son meurtrier périra presque certainement avec lui.

L'Épouvanteur lâcha un profond soupir.

– Je te remercie. La lutte sera dure, mais elle doit être entreprise, quel que soit le prix à payer. Toi, ta tâche est achevée. Va en paix !

Le fantôme de Maze émit en réponse un râle si effrayant, si désespéré, que les cheveux se dressèrent sur ma tête.

Il n'y aura pas de paix pour moi, gémit-il. *Pas de paix tant que le Fléau ne sera pas mort…*

Sur ces mots, la forme lumineuse s'évanouit.

Je me faufilai en vitesse dans les ruines. Quelques instants plus tard, l'Épouvanteur arriva. Il s'étendit sur l'herbe et ferma les yeux.

– J'ai de sérieux sujets de réflexion, murmura-t-il.

Je restai muet. Je me sentais soudain coupable d'avoir écouté sa conversation avec le fantôme. Je craignais presque, si je lui en parlais, qu'il m'envoie affronter seul le Fléau !

– Je t'expliquerai tout quand il fera jour, me souffla-t-il. Pour l'instant, dormons un peu. Ce serait dangereux de quitter ces lieux avant le lever du soleil.

Contre toute attente, je dormis bien. Je fus éveillé un peu avant l'aube par un curieux cliquetis. C'était l'Épouvanteur qui affûtait la lame rétractable de son bâton avec une pierre à aiguiser. Il travaillait avec méthode, éprouvant de temps à autre le tranchant du bout du doigt. Enfin, il s'estima satisfait, et la lame s'escamota dans le bois avec un bruit sec.

Je m'étirai longuement tandis que mon maître farfouillait dans son sac.

– Nous avons le moyen de vaincre le Fléau, me dit-il. C'est réalisable, même si c'est la tâche la plus périlleuse que nous ayons jamais eu à entreprendre. Si j'échoue, ce sera dramatique pour tout le monde.

– Comment ferons-nous ? demandai-je, embarrassé, puisque je connaissais déjà la procédure.

Il passa devant moi sans répondre et marcha vers Alice, qui se relevait en se frictionnant les genoux. Il lui noua le bandeau sur les yeux, puis, avant de lui obturer les oreilles, il lui dit :

– Écoute-moi, jeune fille, c'est capital ! Lorsque je te débarrasserai de ça, ce soir, tu devras faire ce que je t'ordonnerai, immédiatement et sans poser de questions. Compris ?

Elle hocha la tête, et il l'équipa des bouchons de cire. Alice étant de nouveau sourde et aveugle, le Fléau resterait dans l'ignorance de nos projets. À moins qu'il réussisse à lire dans mon esprit...

Mon malaise s'accentuait : j'en savais trop !

– À présent, reprit mon maître en se tournant vers moi, je vais t'annoncer quelque chose qui ne te plaira pas : nous retournons à Priestown, nous redescendons dans les catacombes.

Il empoigna Alice par le bras et la guida jusqu'à la carriole, où le fils du fermier nous attendait. L'Épouvanteur lui dit :

– Tu vas nous conduire à Priestown aussi vite que ton cheval le pourra !

– Ce n'était pas prévu ! protesta le garçon. Mon père compte sur moi pour midi. J'ai du travail.

L'Épouvanteur lui tendit une pièce d'argent.

– Tiens, prends ça ! Et, si nous arrivons là-bas en fin de journée, tu en auras une deuxième. Ton père ne te reprochera pas ton retard, il a besoin d'argent.

Alice s'allongea à nos pieds, et mon maître la dissimula sous la paille. Puis la carriole s'ébranla. Après avoir contourné Caster, au lieu de remonter vers les collines, nous prîmes la direction de Priestown.

– N'est-ce pas dangereux de nous montrer là-bas en plein jour ? m'inquiétai-je.

La route était encombrée d'attelages et de marcheurs. Nerveux, j'insistai :

– Et si les hommes de l'Inquisiteur nous repèrent ?

– Je n'ai pas dit que c'était sans risque. Néanmoins, ceux qui étaient à nos trousses sont probablement en train de s'occuper du corps. Nul doute qu'ils vont le transporter à Priestown pour les funérailles ; celles-ci n'auront pas lieu avant demain. D'ici là, notre tâche sera terminée, et nous serons déjà sur le chemin du retour. D'autre part, l'orage nous sera propice. Les gens sensés se calfeutreront chez eux, à l'abri de la pluie.

Je regardai le ciel. Les nuages, au sud, ne me paraissaient guère menaçants. Quand je lui en fis la remarque, mon maître sourit :

– Tu as encore beaucoup à apprendre, petit. Ce sera l'un des plus violents orages qui soient.

– Il a tellement plu ! On mériterait quelques jours de beau temps, marmonnai-je.

– Certes ! Seulement, ce qui se prépare est loin d'être un phénomène naturel. Sauf erreur, c'est l'œuvre du Fléau, comme la tempête qui a assailli ma maison. Encore un signe de sa puissance ! Il va déchaîner les éléments pour exprimer sa rage et sa frustration de ne pouvoir utiliser Alice à son gré. Profitons-en : pendant qu'il se concentre là-dessus, il ne se soucie pas de nous. Et cela nous aidera à pénétrer en ville sans problème.

– Pourquoi faut-il retourner dans les catacombes pour tuer le Fléau ? demandai-je dans l'espoir qu'il me révélerait ce que je savais déjà.

De la sorte, je n'aurais plus besoin de jouer les ignorants.

– Parce que c'est là que j'aurai une chance de le détruire. Et parce que, au cas où je n'y parviendrais pas, une fois enfermé là-dedans, la Grille d'Argent verrouillée, il sera de nouveau prisonnier. Et cela pour toujours. C'est ce que m'a révélé le fantôme de Maze. Ainsi, même si j'échoue, j'aurai au moins rétabli la situation. Mais assez de questions ! J'ai besoin de silence pour me préparer à ce qui m'attend...

Nous n'échangeâmes plus un mot avant d'atteindre les faubourgs de Priestown. Le ciel était maintenant d'un noir de poix, traversé d'éclairs zigzagants, et des coups de tonnerre éclataient au-dessus de nos têtes. La pluie s'abattit sur nous, transperçant nos vêtements. Je ne supportais pas d'être mouillé ainsi ; je plaignais surtout Alice, allongée au fond de la carriole, baignant dans un demi-pouce d'eau, sans rien voir ni rien entendre, ignorant où on la conduisait et quand elle arriverait à destination.

Le voyage s'interrompit pour moi plus tôt que je le prévoyais. Au dernier carrefour, juste avant d'entrer en ville, l'Épouvanteur demanda au fils du fermier de s'arrêter.

– C'est ici que tu descends, me déclara-t-il d'un ton sans réplique.

Je le regardai, ahuri. La pluie lui dégoulinait le long du nez et lui trempait la barbe. Il me fixait sans ciller, le regard dur. Il désigna la route étroite qui remontait vers le nord-est.

– Je veux que tu retournes à Chipenden. Tu iras à la cuisine et tu avertiras mon gobelin que je risque de ne pas revenir. Dis-lui qu'en ce cas il devra tenir la maison en ordre pour le jour où, ayant terminé ton apprentissage, tu t'y installeras. Ensuite, tu te rendras à Caster, où tu te présenteras à Bill Arkwrigt, l'Épouvanteur local. Il est un peu obtus, mais c'est un homme honnête, et il prendra en main les dernières années de ta formation. Après quoi, tu retourneras à Chipenden et tu continueras d'étudier. Tu te plongeras dans mes livres, puisque je ne serai plus là pour t'instruire.

– Mais... pourquoi ? balbutiai-je. Qu'est-ce qui ne va pas ? Pourquoi ne reviendriez-vous pas ?

Encore une question dont je connaissais la réponse.

L'Épouvanteur secoua la tête avec lassitude.

– Parce qu'il n'y a qu'un seul moyen de vaincre le Fléau, et qu'il me coûtera sans doute la vie. Celle de la fille également, à mon avis. C'est dur, petit, mais c'est ainsi. Un jour peut-être, dans bien des années, tu seras confronté toi-même à pareille tâche, ce que je ne te souhaite pas. Mon ancien maître est mort dans des conditions similaires ; aujourd'hui, c'est mon tour. L'histoire se répète, et il nous faut être prêts à nous sacrifier. C'est la rançon de notre métier, tu t'y accoutumeras.

L'Épouvanteur pensait-il à cet instant à la malédiction qui pesait sur lui ? Était-ce aussi à cause de ça qu'il s'attendait à mourir ? Or, s'il mourait, il n'y aurait plus personne dans ces profondeurs pour protéger Alice. Elle serait à la merci du Fléau. Je m'insurgeai :

– Et Alice ? Vous ne l'avez pas prévenue de ce qui l'attendait ! Vous vous servez d'elle !

– Il n'y a pas d'autre solution. De toute façon, elle est allée trop loin pour être sauvée, à moins que le Fléau soit détruit. C'est le mieux que je puisse faire. Et, si elle meurt, son esprit sera libéré, et elle ne sera plus liée à ce démon.

– S'il vous plaît ! suppliai-je. Laissez-moi venir avec vous ! Laissez-moi vous aider !

– La meilleure façon de m'aider est d'obéir à mes instructions, rétorqua-t-il avec impatience.

Me saisissant par le bras, il me força rudement à descendre. Déséquilibré, je tombai sur les genoux. Lorsque je me relevai, la carriole s'éloignait déjà. L'Épouvanteur ne jeta pas un regard en arrière.

20
La lettre de maman

J'attendis que la carriole soit presque hors de vue avant de la suivre, réprimant les sanglots qui me serraient la gorge. Je n'avais encore aucune idée de ce que j'allais faire, mais je ne supportais pas le tour que prenaient les évènements. L'Épouvanteur s'était résigné à son sort, et la pauvre Alice ignorait le sien.

Je ne risquais guère d'être repéré. La pluie tombait à verse, et le ciel était si noir qu'on se serait cru au beau milieu de la nuit. Toutefois, l'Épouvanteur avait l'ouïe fine et le regard perçant ; si je m'approchais trop, il le saurait tout de suite. Aussi alternai-je la marche et la course, tout en conservant une distance prudente.

Les rues de Priestown étaient désertes. Malgré le bruit de la pluie, et bien que l'attelage fût loin devant, je percevais le claquement des sabots et le grondement des roues sur les pavés.

Bientôt, la flèche de la cathédrale apparut au-dessus des toits, confirmant la destination de l'Épouvanteur : il se dirigeait vers la maison hantée, dont la cave donnait accès aux catacombes.

J'eus alors une impression très étrange : une minuscule aiguille de glace venait de se planter dans mon crâne. Je n'avais rien éprouvé de semblable auparavant ; pourtant, il ne m'en fallut pas davantage pour comprendre l'avertissement. Je fis en sorte de vider mon esprit, juste avant que la voix du Fléau retentisse :

Enfin, je te retrouve !

D'instinct, je m'arrêtai et fermai les yeux. Certes, la créature ne voyait pas par mes yeux ; je gardai néanmoins les paupières closes. L'Épouvanteur m'avait appris que la vision du Fléau était différente de la nôtre. Il était capable de vous repérer, telle une araignée reliée à sa proie par un mince fil de soie, mais sans savoir précisément où vous étiez. Cependant, si je distinguais la moindre chose, l'image s'infiltrerait dans mes pensées. Le Fléau les passerait au crible et découvrirait des indices de ma présence à Priestown.

Où es-tu, petit ? Autant me le dire ! Tôt ou tard, tu me le révéleras. De gré ou de force. Choisis !

L'aiguille de glace s'enfonça plus profondément, et mon cerveau s'engourdit, comme ce jour d'hiver où mon frère James m'avait poursuivi pour me fourrer de la neige dans les oreilles.

– Je rentre à la maison, mentis-je. Je rentre me reposer.

Tout en parlant, je m'imaginais marchant dans la cour de notre ferme ; la colline du Pendu était derrière moi, noyée par le crépuscule ; les chiens aboyaient ; j'approchais de la porte de la maison, pataugeant dans les flaques ; la pluie me mouillait le visage...

Où est Vieille Carne ? Dis-le-moi ! Où va-t-il avec la fille ?

– Il retourne à Chipenden. Il veut enfermer Alice dans une fosse. J'ai tenté de l'en dissuader, il a refusé de m'écouter. Il procède toujours ainsi avec une sorcière.

Pendant ce temps, en pensée, j'ouvrais la porte et entrais dans la cuisine. Les rideaux étaient tirés ; sur la table, les bougies brûlaient dans le chandelier de cuivre ; maman se balançait sur son rocking-chair ; en me voyant, elle se levait avec un sourire...

À cet instant, l'éclat de glace fondit dans ma tête, et je sus que le Fléau était parti. Je ne l'avais pas empêché de lire dans mon esprit ; malgré tout, je l'avais trompé. J'avais gagné !

Oui, mais... S'il préparait une nouvelle incursion ? Pire, s'il s'attaquait à ma famille ?

Mon exaltation retomba d'un coup.

Je me précipitai en direction de la maison hantée. Quelques minutes plus tard, percevant de nouveau le bruit caractéristique de la carriole, je me remis à la suivre, tantôt marchant, tantôt courant.

Elle s'arrêta enfin, pour repartir presque aussitôt. Je n'eus que le temps de me jeter dans une ruelle avant qu'il passe devant moi en cahotant. Le fils du fermier secoua les rênes, et les sabots du gros cheval claquèrent plus vite sur les pavés humides. Le garçon avait hâte de retourner chez lui, et je n'aurais su l'en blâmer.

Je patientai un peu, pour laisser à Alice et à l'Épouvanteur le temps de pénétrer dans la maison. Puis je remontai la rue en hâte et soulevai le loquet de la porte de l'arrière-cour.

Comme je l'avais prévu, mon maître avait verrouillé celle de la maison. Qu'importe ! J'avais toujours la clé d'Andrew.

Quelques secondes plus tard, j'étais dans la cuisine. J'allumai le bout de chandelle que j'avais fourré dans ma poche en fuyant ces lieux avec Alice. Je descendis à la cave et pris l'escalier menant aux catacombes.

Un cri retentit au loin, et je devinai ce qui se passait : l'Épouvanteur franchissait la rivière souterraine en portant Alice. Malgré ses yeux bandés et ses oreilles bouchées, elle avait senti la proximité de l'eau courante.

Bientôt, je sautais à mon tour de pierre en pierre pour traverser le cours d'eau. J'atteignis la Grille d'Argent juste à temps. Alice et l'Épouvanteur étaient déjà de l'autre côté, et mon maître, agenouillé, s'apprêtait à la refermer.

Il me foudroya du regard en me voyant :

– J'aurais dû m'en douter ! Ta mère ne t'a donc pas appris l'obéissance ?

Soudain, je compris ses raisons : il avait voulu me protéger. Je m'élançai néanmoins, agrippai la grille et la tirai pour l'ouvrir. Mon maître résista un moment, puis renonça et repassa de mon côté, son bâton à la main.

Je ne savais que dire. Mon esprit était confus. Je n'avais pas la moindre idée de ce que j'espérais en les accompagnant. Quelque chose me revint alors en mémoire.

– Je veux vous aider, m'écriai-je. Andrew m'a rapporté les termes de la malédiction : que vous mourriez seul, dans le noir, sans un ami à vos côtés ! Alice n'est pas votre amie ; moi, je le suis. Si je reste avec vous, cela ne se réalisera pas...

Il leva le bâton au-dessus de sa tête comme s'il allait me battre. Il me dominait de toute sa taille ; je l'avais rarement vu dans une telle colère. Puis il avança d'un pas et me gifla. Je reculai en titubant, aussi surpris que consterné.

Le coup n'avait pas été violent ; pourtant les larmes me montèrent aux yeux. Même papa ne m'avait jamais frappé ainsi ! Je n'arrivais pas à croire que l'Épouvanteur ait osé le faire ; je me sentais blessé. Cela m'était plus douloureux qu'aucune souffrance physique.

Il me dévisagea longuement, secouant la tête comme si je l'avais profondément déçu. Il repassa la grille et la verrouilla.

– Obéis à mes ordres ! ordonna-t-il. Tu es né dans ce monde pour une raison précise. Ne t'acharne pas sur ce à quoi tu ne peux rien. Si tu ne le fais pas pour moi, fais-le pour ta mère, pour sa tranquillité. Retourne à Chipenden ! Puis va à Caster, comme je te l'ai commandé. C'est ce qu'elle désire. Comporte-toi de façon qu'elle soit fière de toi !

Sur ces mots, l'Épouvanteur tourna les talons et, tenant Alice par le bras pour la guider, il s'enfonça avec elle dans la galerie. Je ne les quittai pas du regard tant qu'ils n'eurent pas disparu.

Je ne sais combien de temps je demeurai là, fixant la grille verrouillée, la tête vide.

Enfin, ayant perdu tout espoir, je revins sur mes pas. Que faire ? Obéir ? Retourner à Chipenden et me rendre ensuite à Caster ? Qu'envisager d'autre ? Je ne pouvais m'ôter de l'esprit que l'Épouvanteur m'avait giflé. C'était probablement notre dernière entrevue, et nous nous étions séparés dans la colère et la déception.

Je retraversai la rivière souterraine, suivis le chemin pavé et remontai dans la cave. Là, je m'assis sur le tapis moisi pour réfléchir. Je me souvins alors qu'il y avait une autre entrée par où pénétrer dans les catacombes : la trappe donnant dans le cellier du presbytère, celle par où les prisonniers s'étaient échappés ! Peut-être l'atteindrais-je sans être repéré ? À une heure où tous les prêtres seraient dans la cathédrale... ?

Toutefois, même si je parvenais à m'introduire dans les catacombes, j'ignorais de quelle manière venir en aide à mon maître. Il serait trop stupide de lui désobéir encore une fois pour rien. N'allais-je pas y laisser la vie, alors qu'il était de mon devoir de continuer mon apprentissage à Caster ? L'Épouvanteur n'avait-il pas raison ? Maman penserait-elle aussi que c'était l'unique solution ? Les pensées tourbillonnaient dans ma tête, et aucune réponse claire ne m'apparaissait.

Il m'était difficile de prendre un parti ; néanmoins, l'Épouvanteur m'avait toujours recommandé de m'appuyer sur mon intuition. Or, celle-ci me poussait à agir. Je me rappelai tout à coup la lettre de maman. « N'ouvre cette lettre qu'en cas d'extrême nécessité, m'avait-elle dit. Suis ton instinct... » Eh bien, le moment était venu.

Je pris l'enveloppe dans la poche de ma veste, les mains tremblantes. Après quelques secondes d'hésitation, je la déchirai, en sortis le papier, que je dépliai. Levant la chandelle, je lus :

Cher Tom,

Tu te prépares à affronter un grand danger. Je ne m'attendais pas à ce que cela se produise aussi tôt. À présent, tout ce que je puis faire est de t'y préparer en te révélant ce contre quoi tu dois lutter, et les conséquences que peuvent entraîner tes décisions.

Bien des éléments me demeurent cachés, mais d'un au moins je suis certaine : ton maître va descendre jusqu'à la chambre funéraire, au plus profond des catacombes. Là, il combattra le Fléau, dans une lutte sans merci. Pour l'attirer, il utilisera Alice ; il n'a pas le choix. Toi, tu as le choix. Tu peux les rejoindre et essayer de leur porter secours.

Des trois qui affronteront le Fléau, deux seulement sortiront vivants des galeries. Toutefois, si maintenant tu renonces, sache que ceux qui sont déjà en bas mourront, et qu'ils mourront pour rien.

En cette vie, il est parfois nécessaire de se sacrifier pour que d'autres soient sauvés. J'aurais voulu t'offrir confort et sécurité ; c'est impossible. Sois fort et agis selon ta conscience ! Quelque décision que tu prennes je serai toujours fière de toi

Ta maman.

Une phrase de l'Épouvanteur me revint à l'esprit. Peu de temps après que j'étais devenu son apprenti, il s'était exprimé avec tant de conviction que les mots s'étaient gravés dans ma mémoire : « Nous ne croyons pas aux prophéties, car l'avenir n'est pas défini. »

J'avais cruellement besoin de me fier à cette parole de mon maître, car, si c'était maman qui avait raison, l'un de nous – l'Épouvanteur, Alice ou moi – périrait au fond des ténèbres. Pourtant cette lettre m'assurait que les prophéties existaient bel et bien. Sinon comment maman aurait-elle su qu'à cette heure même l'Épouvanteur et Alice seraient en route pour la chambre funéraire afin d'y affronter le Fléau ? Et pourquoi avais-je lu la lettre juste au bon moment ? Par simple intuition ? Était-ce une explication suffisante ?

Un frisson me parcourut. Depuis que je travaillais avec l'Épouvanteur, je n'avais pas éprouvé un tel effroi. Je m'enfonçais au cœur d'un cauchemar où tout était écrit d'avance. Je n'avais aucune autre possibilité. Quel choix me laissait-on, sachant qu'abandonner Alice et l'Épouvanteur, c'était les condamner à mort ?

Une autre raison m'obligeait à redescendre dans les catacombes : la malédiction. Était-ce à cause de ça que mon maître m'avait giflé ? Peut-être s'était-il mis en colère parce qu'il avait peur ! Maman m'avait dit, avant que je quitte la maison pour la première fois, qu'il deviendrait mon ami. Je n'aurais su dire si c'était le cas, mais j'étais certainement plus un ami pour lui qu'Alice ne l'était, et il avait besoin de moi.

Lorsque je ressortis dans la ruelle, il pleuvait toujours. L'orage s'était éloigné ; je pressentais cependant que l'accalmie ne durerait pas ; nous étions au cœur de ce que mon père appelle « l'œil du cyclone ». Alors, dans ce curieux silence, la cloche de la cathédrale se mit à sonner. Ce n'était pas le glas lugubre que j'avais entendu dans la maison d'Andrew, annonçant la mort du prêtre qui s'était jeté du haut d'un toit. Un carillon entraînant appelait la congrégation à l'office du soir.

J'attendis, aplati contre un mur pour me protéger un peu de la pluie. J'ignore pourquoi je me donnai cette peine, vu que j'étais déjà trempé jusqu'aux os.

La cloche se tut enfin, signifiant – du moins je l'espérais – que tous les prêtres étaient à présent à l'intérieur de la cathédrale et que la voie était libre. Je me dirigeai donc de ce côté.

Le soir tombait, et les nuages s'amoncelaient au-dessus de ma tête. Comme je passais le coin de la rue, un éclair illumina brusquement le ciel, et je constatai que la place devant la cathédrale était déserte. Je devinais la masse obscure du bâtiment, avec ses puissants contreforts et ses hautes fenêtres en ogive. La lueur des cierges dansait derrière les vitraux. Celui qu'on voyait à gauche du portail représentait saint Georges, vêtu de son armure, tenant une épée et un étendard orné d'une croix. À droite, c'était saint Pierre, debout devant sa barque. Au centre, au-dessus du portail, la gargouille de pierre, image du Fléau, me fixait de son regard maléfique.

Mon saint patron n'était pas représenté. Thomas, l'homme qui avait douté ; Thomas, l'homme qui avait manqué de foi. J'ignorais qui, de mon père ou de ma mère, avait choisi ce prénom, mais c'était un bon choix : je n'adhérais pas aux enseignements de l'Église. Un jour, je serais enterré à l'extérieur d'un cimetière, non entre ses murs. Lorsque je serais devenu un épouvanteur, ma dépouille ne pourrait reposer en terre bénie. Cette perspective ne me troublait pas le moins du monde. Comme le disait souvent mon maître, les prêtres ignorent bien des choses.

Des chants s'élevèrent à l'intérieur du bâtiment. Sans doute était-ce le chœur que j'avais entendu répéter en sortant du confessionnal du père Cairns. L'espace d'un instant, j'enviai ces gens. Ils étaient heureux, tous ensemble ; leur foi les unissait. Moi, je devais descendre dans ces souterrains humides et froids, seul dans le noir.

Quittant la place, je m'engageai dans une venelle au sol couvert de graviers, entre la cathédrale et le presbytère. Soudain, mon cœur fit une embardée. Quelqu'un s'abritait de la pluie, assis, dos au mur et face à la trappe, un gros gourdin près de lui. C'était l'un des marguilliers, un laïc chargé de la garde et de l'entretien de l'église.

Je retins un grognement de dépit. J'aurais dû m'y attendre. Depuis l'évasion des prisonniers, la cave était surveillée. Les prêtres craignaient pour leur sécurité – et celle de leurs provisions de bière et de vin !

Le découragement m'envahit, et je faillis renoncer. Puis, alors que je m'apprêtais à m'éloigner sur la pointe de pieds, un bruit m'arrêta. Je tendis l'oreille. Je ne m'étais pas trompé : c'était un ronflement ! Le gardien était assoupi ! Comment diable pouvait-il dormir sous ce déluge ?

Je n'en revenais pas d'avoir une telle chance. Je m'approchai lentement, très lentement, de la trappe, tâchant de ne pas faire crisser les graviers sous mes bottes. Si l'homme se réveillait, je n'aurais plus qu'à prendre mes jambes à mon cou.

Je fus soulagé en atteignant mon but : deux bouteilles de vin, vides, gisaient à terre. L'homme était ivre, et il n'émergerait pas de sitôt. Malgré tout, je ne voulais pas courir de risque. Je m'agenouillai, introduisis avec précaution dans la serrure le passe-partout d'Andrew. Trois secondes plus tard, je me glissais par la trappe, prenais appui sur les tonneaux empilés en dessous et remettais soigneusement en place le panneau de bois.

Battant mon briquet, je rallumai mon bout de chandelle. J'avais un peu de lumière, mais cela ne me disait pas comment je trouverais la chambre funéraire.

21
Un sacrifice

Je me faufilai entre les barriques et retrouvai la porte des catacombes. J'estimai que, dehors, il restait moins de quinze minutes avant que la nuit soit tout à fait tombée, et que je n'avais guère de temps. Dès le coucher du soleil, mon maître ordonnerait à Alice de convoquer le Fléau pour l'affrontement final.

L'Épouvanteur s'efforcerait de frapper le démon au cœur avec la lame de son bâton. Or, il n'aurait droit qu'à une tentative. C'était courageux de sa part, d'être prêt à se sacrifier ; mais, s'il ratait son coup, Alice en pâtirait. Comprenant qu'il avait été joué et qu'il était définitivement enfermé, le Fléau serait en rage. Alice et mon maître le paieraient de leur vie – à supposer qu'ils soient encore vivants... Si la créature n'était pas anéantie, elle les presserait tous les deux contre les pavés.

En bas des marches, je marquai une pause. Quelle direction prendre ? Ma question trouva aussitôt une réponse. Mon père aurait dit : « Pars du bon pied ! »

Mon bon pied, c'était le gauche. Donc, plutôt que de continuer tout droit, par la galerie menant à la rivière souterraine et à la Grille d'Argent, je pris celle de gauche. Elle était étroite, à peine assez large pour moi, et elle descendait en pente raide sans cesser de tourner, si bien que j'eus l'impression d'être entraîné dans une spirale.

Plus je m'enfonçais, plus il faisait froid : les morts se rassemblaient ! Du coin de l'œil, je percevais des lueurs diffuses : les fantômes du Petit Peuple, formes minuscules qui dansaient çà et là, telles des lucioles. J'avais le sentiment qu'ils étaient plus nombreux derrière moi que devant, qu'ils me suivaient, que nous progressions ensemble vers le même lieu.

Enfin, je vis briller la flamme d'une chandelle et j'entrai dans la chambre funéraire. C'était une salle circulaire d'environ vingt pas de diamètre, bien plus petite que je l'avais imaginé.

Une niche, creusée haut dans la roche, abritait l'urne de pierre contenant les restes des Anciens. Au centre du plafond s'ouvrait un trou grossièrement taillé, sorte de conduit de cheminée, où la lumière ne pénétrait pas. De ce trou pendaient deux chaînes.

Des gouttes d'eau tombaient de la voûte, et les parois suintaient d'humidité. Une odeur de pourriture empuantissait les lieux.

Un banc de pierre occupait le pourtour de la pièce. L'Épouvanteur y était assis, les mains serrées sur son bâton. Alice, à sa droite, portait toujours son bandeau et ses bouchons de cire.

Mon maître me regarda approcher sans colère, l'air simplement attristé.

– Tu es encore plus stupide que je le pensais, dit-il d'un ton las lorsque je m'arrêtai devant lui. Fais demi-tour, pendant qu'il en est encore temps !

Je refusai d'un signe de tête.

– S'il vous plaît, permettez-moi de rester. Je veux vous aider.

Il lâcha un long soupir.

– Tu ne rendras les choses que plus difficiles. Si le Fléau se doute de quoi que ce soit, il ne viendra pas. La fille ignore où il se tapit, et je suis capable de fermer mon esprit aux incursions du démon. Mais toi ? Que se passera-t-il s'il lit dans tes pensées ?

– Il a essayé. Il voulait savoir où vous étiez. Et où j'étais, moi aussi. Je lui ai résisté ; il n'a rien tiré de moi.

Mon maître m'interrogea d'une voix sévère :

– Comment t'y es-tu pris ?

– Je lui ai menti. J'ai prétendu que je rentrais chez moi et que vous retourniez à Chipenden.

– Et il t'a cru ?

– Il me semble...

Je n'en étais plus si sûr, tout à coup.

– Eh bien, nous le saurons bien assez vite, quand Alice l'aura sommé de la rejoindre.

D'une voix radoucie, il ajouta :

– Va te placer un peu plus haut, dans le tunnel. Tu pourras tout voir de là. Si l'affrontement tourne mal, tu auras une chance de fuir. Va, petit ! L'heure est venue !

J'obéis, reculant à quelque distance.

Le soleil avait dû disparaître derrière l'horizon, et le crépuscule enveloppait le pays. Le Fléau allait quitter sa cachette souterraine. Sous sa forme désincarnée, il circulait librement à travers les airs et le roc le plus dur. Une fois appelé, il volerait vers Alice, plus rapide qu'un faucon aux ailes repliées fondant sur sa proie comme une pierre. Si le plan de l'Épouvanteur fonctionnait, le démon ne visualiserait pas l'endroit où Alice l'attendait. Une fois piégé dans la chambre funéraire, il n'aurait plus d'échappatoire. Mais nous affronterions sa fureur quand il réaliserait qu'il avait été berné.

L'Épouvanteur se releva et se plaça devant Alice. Il inclina la tête et se tint ainsi un long moment. S'il avait encore été prêtre, j'aurais pensé qu'il priait. Enfin, il avança la main vers elle et ôta la boule de cire de son oreille gauche.

– Convoque le Fléau ! ordonna-t-il d'une voix forte, dont l'écho emplit la salle. Tout de suite !

Alice ne fit pas un geste, ne prononça pas un mot. Ce n'était pas nécessaire. Elle l'appelait en pensée ; il lui suffisait de souhaiter sa présence.

Il n'y eut aucun signe avant-coureur de son arrivée. Un brusque tourbillon glacé, et il fut là. Au-dessus du cou, il était l'exacte réplique de la gargouille de pierre : les crocs acérés, la langue pendante, les cornes et les oreilles d'un chien. Au-dessous, ce n'était qu'une masse noire et informe, une nuée bouillonnante.

Il avait presque récupéré son aspect originel. Sa puissance était énorme ! Quelle chance l'Épouvanteur avait-il de le vaincre ?

Le Fléau se tint d'abord parfaitement immobile, tandis que ses petits yeux furetaient de tous côtés, des yeux d'un vert foncé aux pupilles verticales, semblables à celles d'un bouc.

Puis, comprenant où il se trouvait, il poussa un rugissement de détresse et d'incrédulité, qui se répercuta dans les profondeurs du tunnel.

– Je suis entravé ! Lié de nouveau ! siffla-t-il, et sa voix s'enfonça en moi, telle une lame de glace.

– Oui, dit l'Épouvanteur. Tu es ici et tu y resteras, captif à jamais de cet endroit maudit !

– Savoure ta victoire ! Profite de ton dernier souffle, Vieille Carne ! Tu m'as dupé, mais pour quoi ? Que vas-tu y gagner ? Rien ! Les ténèbres de la mort ! Bientôt, tu ne seras plus ; et moi, j'aurais ceux de là-haut. Ils m'obéiront ! Me procureront du sang, du sang frais ! Tu as fait ça pour rien !

La tête du Fléau enfla, la face devint plus hideuse encore, le menton s'allongea, se recourba, comme pour rejoindre le nez crochu. Sous la tête, la masse tourbillonnante prenait chair. La créature avait à présent un cou, des épaules musculeuses, une ébauche de poitrail, recouverts de grossières écailles vertes.

Je savais ce qu'attendait l'Épouvanteur. Dès que la poitrine apparaîtrait, il frapperait au cœur. Le corps se modela jusqu'à la taille.

Or, je m'étais trompé ! L'Épouvanteur n'utilisa pas sa lame. Comme surgie de nulle part, sa chaîne d'argent brilla dans sa main gauche, et il leva le bras.

Je l'avais déjà vu faire ce geste. Je l'avais vu lancer sa chaîne sur Lizzie l'Osseuse, de sorte qu'elle s'était enroulée autour de la sorcière en une spirale parfaite. Lizzie était tombée, le lien d'argent l'emprisonnant des pieds à la tête, si étroitement qu'il lui retroussait les lèvres sur les dents.

La même scène aurait dû se produire ici, le Fléau aurait dû se retrouver à terre, incapable du moindre mouvement. Hélas, à la seconde précise où l'Épouvanteur s'apprêtait à lancer la chaîne, Alice bondit sur ses pieds et arracha son bandeau.

Je suis sûr que ce fut involontaire, mais elle se plaça malencontreusement entre l'Épouvanteur et sa cible, ce qui dévia le jet. La chaîne ne fit qu'effleurer l'épaule du Fléau. À ce contact, la créature poussa un hurlement, et la chaîne glissa sur le sol.

Rien n'était perdu, toutefois. L'Épouvanteur leva son bâton. Il y eut un déclic, et la lame rétractable, faite d'un alliage contenant une importante quantité d'argent, étincela à la lueur de la chandelle. Cette lame qu'il avait aiguisée à Heysham, cette lame qu'il avait utilisée contre Tusk, le fils de la vieille Mère Malkin...

D'un geste vif, l'Épouvanteur visa le cœur du Fléau. La créature tenta une esquive. Trop tard ! La lame lui transperça l'épaule gauche, et elle rugit de douleur. Alice recula, une expression de terreur sur le visage, tandis que mon maître se préparait à un deuxième assaut.

Au même moment, nos deux chandelles furent soufflées, plongeant la salle et le tunnel dans le noir total.

Je battis frénétiquement mon briquet. Une fois la flamme de ma bougie rallumée, je ne vis que l'Épouvanteur, seul dans la chambre funéraire. Le Fléau s'était volatilisé, et il avait emmené Alice !

– Où est-elle ? criai-je en me précipitant vers mon maître, qui secouait la tête d'un air accablé.

– Ne bouge pas ! m'ordonna-t-il. Ce n'est pas fini.

Il regardait le trou noir dans le plafond, d'où pendaient les chaînes. L'une formait une boucle, la seconde, qui touchait presque le sol, était munie d'un crochet à son extrémité. Ce système ressemblait au palan qu'utilisent les maçons pour positionner les pierres fermant les fosses à gobelin.

L'Épouvanteur tendait l'oreille.

– Il est quelque part là-haut, souffla-t-il.

– C'est une cheminée ?

– Oui, petit. Du moins est-ce l'usage qu'on en a fait. Longtemps après l'emprisonnement du Fléau et la mort des derniers représentants du Petit Peuple, des fanatiques venaient offrir des sacrifices à la créature dans cette salle. Le conduit emportait les émanations des holocaustes jusqu'à son repaire, au-dessus, et la chaîne servait à lui monter les victimes. Certains de ces fous ont péri pressés, pour prix de leur intrusion.

Je sentis alors un souffle d'air venant de l'orifice, et l'atmosphère se refroidit. Une brume apparut, envahissant la partie haute de la salle. À croire que les fumées de tous les sacrifices accomplis ici nous étaient renvoyées !

Pourtant, c'était plus dense que de la simple fumée. On aurait dit un tourbillon d'eau noire, suspendu au-dessus de nos têtes. Puis la masse liquide s'immobilisa, formant une surface aussi polie qu'un miroir. J'y distinguai nos reflets : moi, debout près de mon maître, et lui, son bâton à la main, la pointe tournée vers le haut, prêt à frapper.

Je n'eus pas le temps de comprendre ce qui advint ensuite, tant ce fut rapide. Le miroir de fumée se bomba, et quelque chose le traversa avec une telle violence que l'Épouvanteur fut projeté à terre. Il tomba lourdement ; le bâton s'échappa de ses mains et se brisa en deux morceaux inégaux avec un craquement sinistre.

Je restai quelques secondes pétrifié, incapable de bouger, ni même de penser. Puis, tremblant, je m'avançai pour m'assurer de l'état de mon maître.

Il gisait sur le dos, les yeux fermés, un filet de sang coulait de son nez jusque dans sa bouche ouverte. Il respirait !

Je le secouai doucement pour qu'il reprenne conscience. Il ne réagit pas. Je ramassai le plus petit morceau du bâton, celui armé de la lame, long à peu près comme mon avant-bras, et le glissai dans ma ceinture. Je m'approchai des chaînes et levai les yeux.

Quelqu'un devait aider Alice à détruire cette créature une fois pour toutes, et j'étais le seul à pouvoir le faire.

Je m'efforçai d'abord de vider mon esprit, afin que le démon ne puisse lire dans mes pensées.

N'ayant pas l'entraînement de l'Épouvanteur, je m'y appliquai de mon mieux.

Le morceau de chandelle entre mes dents, j'empoignai la chaîne simple à deux mains et, plaçant les pieds sur le crochet, la serrai entre mes genoux. J'étais bon au grimper ; l'exercice n'était pas si différent.

Je montai assez rapidement, malgré le froid du métal qui me mordait les paumes. Arrivé sous la surface de fumée, je pris une grande goulée d'air, bloquai mon souffle et enfonçai la tête dans les ténèbres. J'étais aveuglé, et une vapeur âcre, rappelant l'odeur des saucisses grillées, me brûla la gorge.

Soudain, mon visage émergea hors de la nappe. Je tirai sur mes bras pour dégager mes épaules et ma poitrine, et découvris une salle circulaire, presque identique à celle du bas, à part le conduit : ici, il s'ouvrait dans le sol. En face de moi béait l'entrée d'un tunnel s'enfonçant dans l'obscurité. Alice était assise sur un banc de pierre ; la nappe de fumée lui arrivait aux genoux. Elle tendait sa main gauche vers le Fléau, courbé sur elle, tel un énorme et hideux crapaud. Il prit ses doigts dans sa gueule et commença à aspirer le sang sous ses ongles. Alice cria de douleur. C'était la troisième fois depuis qu'elle l'avait délivré. Quand il se serait abreuvé, elle lui appartiendrait !

J'avais froid ; j'étais même glacé. L'esprit vide, je me hissai plus haut dans un dernier effort et posai le pied sur le sol de pierre. Le Fléau était trop occupé pour remarquer ma présence. Il se comportait comme l'éventreur de Horshaw : lorsqu'il se nourrissait, rien d'autre ne l'intéressait.

Je marchai vers lui, sortis de ma ceinture le bout de bâton et le levai au-dessus de ma tête, sa lame acérée pointée sur le dos écailleux du démon. Tout ce que j'avais à faire, c'était abattre mon arme pour lui transpercer le cœur. Et ce serait sa fin.

Tandis que je rassemblais mes forces, la peur m'envahit : en mourant, la créature dégagerait une telle énergie que je risquais de mourir aussi. Je deviendrais un fantôme, pareil au pauvre Billy Bradley, qu'un gobelin avait vidé de son sang. Il avait été heureux, au temps où il était l'apprenti de l'Épouvanteur ; il était désormais enterré à l'extérieur du cimetière de Layton. C'était plus que je n'en pouvais supporter.

J'étais terrifié – l'idée de la mort me terrifiait – et je fus parcouru de frissons, au point que le bâton dans ma main se mit à trembler.

Le Fléau dut sentir mon effroi, car il tourna la tête, les doigts d'Alice toujours dans sa gueule, un filet de sang dégoulinant le long de son menton recourbé. À cet instant, alors qu'il était presque trop tard, ma peur s'évanouit. Je sus pourquoi j'étais là, face au Fléau. Maman avait écrit dans sa lettre : *En cette vie, il est parfois nécessaire de se sacrifier pour que d'autres soient sauvés*. Elle m'avait annoncé que, des trois qui affronteraient le Fléau, deux seulement sortiraient vivants des catacombes. J'avais plus ou moins songé que ce serait Alice ou l'Épouvanteur qui mourrait, et je réalisais que c'était moi.

Jamais je n'achèverais mon apprentissage, jamais je ne deviendrais le nouvel Épouvanteur. Cependant, en offrant ma vie, je pouvais les sauver tous les deux. J'étais serein. J'acceptais, simplement.

Je suis certain que le Fléau comprit mon intention. Pourtant, au lieu de se jeter sur moi pour me presser à mort, il tourna de nouveau la tête vers Alice, qui lui adressa un mystérieux sourire.

Je frappai vite, de toutes mes forces, visant le cœur à travers son dos. Je ne sentis pas la lame s'enfoncer ; soudain, un voile noir passa devant mes yeux ; je me mis à grelotter de la tête aux pieds, perdant le contrôle de mes muscles. La chandelle tomba de ma bouche, et je m'effondrai. J'avais manqué le cœur !

L'espace d'une seconde, je me crus mort. J'étais dans les ténèbres, et le Fléau avait disparu.

Je tâtonnai par terre à la recherche de ma chandelle et la rallumai. D'un signe, j'ordonnai à Alice de ne faire aucun bruit. Dressant l'oreille, j'entendis, dans le tunnel, un martèlement de pattes ; on aurait dit un gros chien.

Je glissai le morceau de bâton dans ma ceinture, sortis de ma poche la chaîne d'argent de maman et l'enroulai autour de mon poignet gauche. De l'autre main, je ramassai la chandelle et, sans plus attendre, je me lançai à la poursuite du Fléau.

– Non, Tom ! Non ! Laisse-le ! me cria Alice. C'est fini ! Tu peux retourner à Chipenden !

Elle se jeta sur moi, mais je la repoussai avec violence. Elle tituba et faillit tomber. Quand elle me rattrapa, je levai ma main gauche pour qu'elle voie la chaîne.

– Ne bouge pas ! Tu appartiens au Fléau désormais. Reste à distance, ou je t'entrave toi aussi !

Le Fléau s'étant abreuvé de son sang une ultime fois, aucune des paroles de cette fille n'était fiable. Elle ne serait libérée que par la mort de la créature.

Je lui tournai le dos et repris ma course. Devant moi, j'entendais le Fléau ; derrière, le claquement des souliers d'Alice, ses souliers pointus...

Soudain, le bruit de pattes cessa.

Le Fléau s'était-il réfugié dans une autre partie des catacombes ? Je fis halte pour écouter, puis continuai prudemment. C'est alors que j'aperçus quelque chose sur le sol. Je m'approchai. J'eus un haut-le-cœur et manquai de vomir.

À terre gisait Frère Peter. Il avait été pressé. Son corps était écrasé sur les pavés ; seule sa tête était intacte, et, dans ses yeux écarquillés, on lisait l'épouvante qui l'avait saisi au moment de la mort.

Cette vision m'horrifia. Pendant mes premiers mois d'apprentissage, j'avais été confronté à bien des scènes affreuses ; j'avais côtoyé des morts et manqué moi-même de périr à plus d'une occasion. Mais c'était la première fois que je voyais le cadavre de quelqu'un qui m'était proche et qui avait connu le plus cruel des trépas.

J'étais là, à contempler le pauvre frère Peter. Ce fut l'instant que choisit le Fléau pour surgir de l'obscurité. Il me fixa, ses yeux verts luisant dans le noir. Son poitrail énorme, musculeux, était recouvert d'une fourrure grossière ; ses mâchoires ouvertes révélaient deux rangées de crocs jaunes et acérés. Une substance épaisse dégouttait de sa langue pendante ; ce n'était pas de la salive, c'était du sang.

Soudain, il se rua vers moi.

Je préparai ma chaîne. Alice cria.

À la dernière seconde, je réalisai que le Fléau avait changé d'angle d'attaque. Sa proie était... Alice !

J'étais stupéfié. C'était moi qu'il devait craindre, pas Alice ! Alors, pourquoi se jetait-il sur elle ?

Instinctivement, je visai ma cible. Dans le jardin de l'Épouvanteur, j'atteignais le poteau neuf fois sur dix. Ici, ce serait différent.

Le Fléau progressait par bonds. Je lançai la chaîne, qui se déploya comme un filet et retomba en spirale...

Toutes ces heures d'entraînement avaient payé : la chaîne s'enroula étroitement autour du démon. Il se débattit en hurlant, cherchant frénétiquement à se libérer, à disparaître ou à changer de forme. Vite, lui transpercer le cœur ! Je courus à lui et tirai la lame de ma ceinture. Ses yeux plongèrent dans les miens. Ils brûlaient de haine, et j'y lus de la peur, l'absolue terreur de la mort, l'épouvante du néant. Une voix aux accents désespérés retentit dans ma tête :

Pitié ! Pitié ! Rien pour nous, après la mort ! La nuit ! Le néant ! C'est ce que tu veux, garçon ? Tu vas mourir, toi aussi !

– Non, Tom ! Ne fais pas ça ! hurlait Alice derrière moi, sa voix se mêlant à celle du Fléau.

Je ne les écoutai pas. Quoi qu'il puisse m'advenir, le Fléau devait être détruit. Alors qu'il se tortillait entre les maillons de la chaîne, je frappai à deux reprises. Lorsque je voulus porter un troisième coup, le Fléau avait disparu. Un grand cri retentit. Était-ce la créature, Alice ou moi qui l'avait poussé ? Peut-être chacun de nous ?

Je ne le sus pas ; je reçus un coup violent en pleine poitrine. J'eus l'étrange impression de sombrer. Le silence se fit autour de moi, et je tombai sans fin dans les ténèbres.

Quand je repris conscience, j'étais debout devant une vaste étendue d'eau.

Elle évoquait plutôt un lac qu'un océan, car, malgré la brise agréable qui soufflait du large, sa surface lisse reflétait, tel un miroir, le bleu parfait du ciel.

Sur une plage de sable doré, des gens s'apprêtaient à mettre des barques à l'eau. Pas très loin du rivage, on apercevait une île. J'y voyais de hautes futaies et des prairies mouvantes, qui formaient à mes yeux le plus merveilleux des paysages. Au sommet d'une colline, entre les arbres, se dressait un bâtiment comparable au château que nous avions remarqué en contournant Caster. Mais, au lieu de froides pierres grises, il semblait bâti avec le prisme de l'arc-en-ciel, tant il scintillait, et ses rayons éclatants réchauffaient mon front comme un soleil.

J'étais calme, heureux, et je me souviens d'avoir pensé que, si c'était cela, la mort, mourir était une douce chose. Il me suffisait d'aller jusqu'à ce château. Je courus donc vers le bateau le plus proche, pris d'un grand désir d'y embarquer. Les gens tournèrent leur visage vers moi, et je les reconnus. Ils étaient petits, très petits ; ils avaient des cheveux noirs et des yeux bruns. Le Petit Peuple ! Les Segantii !

M'adressant des sourires de bienvenue, ils m'entraînèrent vers l'embarcation. Je ne m'étais jamais senti aussi heureux, aussi accueilli, attendu, accepté. Ma solitude s'était évanouie.

Or, à l'instant de monter à bord, une main glacée se referma sur mon bras gauche. Je me retournai. Personne !

La pression sur mon bras augmentait à me faire mal. Des ongles m'entraient dans la chair. Je tentai de me dégager et de grimper dans la barque ; le Petit Peuple voulut m'aider. Le bras me brûlait à présent. Je criai, aspirai une douloureuse bouffée d'air, qui se bloqua dans ma gorge ; le corps me picota, puis j'eus chaud, de plus en plus chaud, comme si un feu flambait dans mes entrailles.

J'étais couché par terre, dans le noir. Il pleuvait fort, les gouttes de pluie coulaient sur mon front, dans mes sourcils, et tombaient dans ma bouche grande ouverte. J'étais trop faible pour soulever les paupières, mais j'entendais au loin la voix de l'Épouvanteur :

– Laisse-le, jeune fille ! Laisse-le en paix ! On ne peut plus rien pour lui.

J'ouvris les yeux et découvris, penché sur moi, le visage d'Alice. En arrière-fond se dressait le mur noir de la cathédrale. Alice me serrait le bras ; ses ongles s'enfonçaient dans ma peau. Elle se courba plus encore pour me chuchoter à l'oreille :

– Ne compte pas t'en aller comme ça, Tom ! Tu es de retour, maintenant. De retour dans le monde auquel tu appartiens !

J'inspirai profondément. L'Épouvanteur s'approcha, le regard empli d'étonnement. Il s'agenouilla près de moi ; Alice se leva pour lui laisser la place. Il m'aida à m'asseoir et me demanda avec douceur :

– Comment te sens-tu, petit ? Je t'ai cru mort ! Quand je t'ai transporté hors des catacombes, j'aurais juré qu'il n'y avait plus un souffle de vie dans ton corps.

– Et le Fléau ? m'inquiétai-je. Est-ce qu'il est détruit ?

– Pour ça, oui ! Tu l'as achevé, et tu as bien failli périr toi aussi. Peux-tu marcher ? Il vaudrait mieux ne pas traîner par ici.

Par-dessus l'épaule de mon maître, je vis le garde avec ses bouteilles vides à ses côtés. Il était toujours plongé dans son sommeil d'ivrogne ; mais il pouvait se réveiller à tout instant.

Je me mis debout en m'appuyant sur l'Épouvanteur. Tous les trois, nous quittâmes les abords de la cathédrale et empruntâmes les rues désertes.

Au début, j'étais faible et chancelant. Quand nous laissâmes derrière nous les derniers quartiers habités pour retrouver la campagne, j'avais déjà recouvré un peu d'énergie. Au bout d'un moment, alors que nous grimpions la colline, je me retournai et jetai un coup d'œil vers Priestown, qui s'étendait à nos pieds. Les nuages s'étaient écartés, et la flèche de la cathédrale étincelait dans le clair de lune.

– On dirait que tout va déjà mieux, dis-je en contemplant le paysage.

L'Épouvanteur suivit mon regard.

– Beaucoup de choses semblent plus belles, vues de loin. Bien souvent, c'est aussi le cas des gens.

La plaisanterie me fit sourire.

– Enfin ! soupira-t-il. Dorénavant, l'endroit sera plus agréable à vivre. Nous n'aurons pas à y revenir de sitôt.

Après une bonne heure de marche, nous trouvâmes une grange abandonnée qui nous servit d'abri. Elle était ouverte à tous les vents, mais nous y étions au sec, et nous eûmes le droit de grignoter un morceau de fromage jaune. Alice s'endormit comme une masse. Moi, je restai assis longtemps, réfléchissant à ce qui était arrivé. L'Épouvanteur ne paraissait pas fatigué. Il demeurait silencieux, les bras serrés autour des genoux. Soudain, il me demanda :

– Comment connaissais-tu le moyen de tuer le Fléau ?

– Je vous ai observé, je vous ai vu viser le cœur...

En proférant ce mensonge, je baissai la tête, envahi de confusion.

– Ce n'est pas vrai, rectifiai-je. Je vous ai espionné pendant que vous parliez avec le fantôme de Maze. J'ai entendu ce que vous disiez.

– Et tu peux avoir honte, petit. Sans compter que tu as pris un risque insensé. Si le Fléau avait lu dans ton esprit...

– Je suis désolé.

– Tu ne m'avais pas dit que tu possédais une chaîne d'argent.

– C'est maman qui me l'a donnée.

– Elle a eu une riche idée ! La chaîne est en sécurité dans mon sac. Jusqu'à ce que tu en aies de nouveau besoin..., ajouta-t-il, lugubre.

Le silence retomba, et l'Épouvanteur se plongea dans ses réflexions.

– Lorsque je t'ai transporté hors des catacombes, poursuivit-il enfin, ton corps avait la froideur d'un cadavre. J'ai vu tant de morts dans mon existence que je suis sûr de ne pas m'être trompé. Puis la fille t'a saisi par le bras, et tu es... revenu. Je ne sais pas quoi en penser.

– J'étais avec les gens du Petit Peuple.

Il hocha la tête.

– Oui, ils doivent être en paix, à présent que le Fléau est détruit, Maze également. Mais toi, mon garçon ? Que ressentais-tu ? Avais-tu peur ?

Je fis signe que non.

– Là où j'ai eu peur, c'est quand j'ai lu la lettre de

maman. Elle avait prévu ce qui allait arriver. J'ai senti que je n'avais pas le choix, que tout était déjà décidé. Mais, si les évènements sont déterminés à l'avance, à quoi cela sert-il de vivre ?

L'Épouvanteur fronça les sourcils et tendit la main :

– Montre-moi cette lettre !

Je la tirai de ma poche et la lui remis. Il la lut attentivement. Ensuite, il me la rendit et ne prononça plus un mot. Enfin, il déclara :

– Ta mère est une femme intelligente et perspicace. Ce qu'elle a écrit en témoigne. Elle en savait suffisamment pour deviner mes intentions. Cela n'a rien à voir avec une prophétie. La vie est assez difficile comme ça ; à quoi bon croire à ce genre de chose ? Tu as décidé de descendre l'escalier, alors que tu avais une autre possibilité. Tu aurais pu t'en aller, et rien n'aurait été pareil.

– Mais, une fois que j'ai eu choisi, tout s'est déroulé comme elle l'avait prédit. Trois d'entre nous ont affronté le Fléau, et deux seulement ont survécu, puisque j'étais mort. C'est bien un corps sans vie que vous avez remonté à la surface ! Comment expliquez-vous cela ?

L'Épouvanteur ne répondit pas. Le silence s'éternisant, je m'allongeai et sombrai dans un sommeil sans rêves. Je n'avais pas fait allusion à la malédiction. Je devinais qu'il ne voulait pas en entendre parler.

22
Un pacte est un pacte

Il était presque minuit, et un croissant de lune se levait au-dessus des arbres. Plutôt que de rejoindre sa maison par la route la plus directe, l'Épouvanteur prit un chemin détourné, à l'est. Je songeai au jardin et à la fosse qui attendait Alice. La fosse que j'avais creusée.

Il ne comptait tout de même plus l'y enfermer ? Pas après ce qu'elle avait fait pour nous ! Elle avait accepté qu'il lui bande les yeux et lui bouche les oreilles, restant des heures dans le silence et dans le noir, sans protester une seule fois.

En apercevant le ruisseau, je retrouvai quelque espoir. Il était étroit, mais rapide. L'eau lançait des éclats d'argent dans le clair de lune ; une unique pierre, au centre, permettait de le franchir.

Ce serait un moyen de vérifier...

– Eh bien, jeune fille, tu passes la première, déclara mon maître avec sévérité. Allez, traverse !

Je jetai un coup d'œil à Alice, et mon cœur flancha. Elle était terrifiée. Je me rappelai comment j'avais dû la porter pour lui faire passer la rivière souterraine des catacombes. Le Fléau était mort, son pouvoir sur Alice était brisé, mais les dommages qu'il avait causés en elle étaient-ils réparables ? Avait-elle approché l'obscur de trop près ? Serait-elle délivrée un jour ? Ou bien à jamais incapable de traverser une eau courante ? Était-elle définitivement sorcière, de la catégorie des pernicieuses ?

Debout sur la berge, Alice tremblait. À deux reprises, elle leva le pied, hésitante. À deux reprises, elle le reposa. Il n'y avait pourtant que deux pas à faire. La sueur perlait sur son front et coulait en rigole le long de son nez. Je l'encourageai :

– Vas-y, Alice ! Tu peux y arriver !

L'Épouvanteur me foudroya du regard.

Se décidant soudain au prix d'un terrible effort, elle prit appui sur la pierre, lança aussitôt l'autre jambe et sauta sur la rive opposée. Là, elle se laissa tomber sur le sol et enfouit son visage dans ses mains.

L'Épouvanteur émit un petit claquement de langue. À son tour, il traversa et s'engagea sur la pente, en direction de la haie qui bordait le jardin. J'attendis qu'Alice se relève. Ensemble, nous rejoignîmes mon maître, qui nous attendait, les bras croisés.

Il s'avança alors et se saisit d'Alice. L'attrapant par les jambes, il la bascula sur son épaule. Elle se mit à gémir et à se débattre, mais il la maintint plus fermement et, sans un mot, pénétra à grands pas dans le jardin.

Je le suivis, désespéré. Il marchait droit vers les tombes où étaient enfermées les sorcières, droit vers la fosse vide. C'était injuste ! Alice avait réussi l'épreuve, non ?

– Au secours, Tom ! criait-elle. Aide-moi, je t'en supplie !

– Ne pouvez-vous lui accorder encore une chance ? plaidai-je. Rien qu'une ? Elle a traversé ! Elle n'est pas sorcière !

– Elle s'en est sortie cette fois, gronda l'Épouvanteur par-dessus son épaule. Mais le mal est en elle, attendant son heure.

– Comment pouvez-vous l'affirmer ? Sans elle...

– C'est le moyen le plus sûr et la meilleure solution pour tout le monde.

Je compris que le moment était venu de lui assener ce que mon père appelait « quelques bonnes vérités ». J'allais lui dire ce que je savais de Meg, même si ensuite il devait me détester et refuser de me garder comme apprenti. Peut-être ce souvenir du passé lui ferait-il changer d'avis ? Imaginer Alice au fond d'un trou m'était insupportable. Que j'aie dû creuser ce trou de mes propres mains rendait cette idée cent fois pire.

L'Épouvanteur avait atteint la fosse ; il s'arrêta devant. Comme il s'apprêtait à y descendre Alice, je lui lançai :

– Vous n'avez pas infligé cette torture à Meg !

Il tourna vers moi un visage ahuri. Je répétai :

– Vous n'avez pas emprisonné Meg dans une fosse, n'est-ce pas ? Pourtant, c'était une sorcière ! Seulement, elle vous était trop chère. Alors, je vous en prie, n'enfermez pas Alice. Ce serait injuste !

Son expression passa de la stupeur à la fureur. Il restait là, titubant au bord du trou, et je me demandai soudain s'il allait y jeter Alice ou s'y laisser tomber lui-même. Cette minute me parut durer une éternité. Puis, à mon grand soulagement, sa colère sembla se muer en une autre émotion. Il s'éloigna, Alice toujours en travers de son épaule.

Il dépassa la fosse où était enfermée Lizzie l'Osseuse, les deux tombes contenant des sorcières mortes, et remonta le sentier pavé de pierres blanches qui menait à la maison.

En dépit de sa récente maladie, de ce qu'il venait de subir et du poids de son fardeau, l'Épouvanteur marchait si vite que je devais courir pour ne pas être distancé. Il sortit la clé de sa poche et ouvrit la porte de derrière. Je n'avais pas gravi les marches qu'il était déjà entré.

Il se dirigea vers la cuisine et s'arrêta près de l'âtre, où les flammes dansaient, envoyant des étincelles dans le conduit de cheminée. Il faisait bon dans la pièce, les chandelles étaient allumées, et le couvert était mis.

L'Épouvanteur déposa Alice à terre. À peine ses souliers pointus avaient-ils touché le carrelage que le feu mourut, la flamme des chandelles vacilla, menaçant de s'éteindre, et l'air se refroidit.

Un grondement de colère s'éleva, qui fit vibrer la table et tinter la vaisselle. Le gobelin manifestait sa désapprobation. Si Alice avait traversé le jardin sur ses jambes, même avec l'Épouvanteur à ses côtés, elle aurait été réduite en charpie. Notre gardien du foyer n'avait perçu sa présence qu'à l'instant où ses pieds s'étaient posés sur le sol de la cuisine. Et il était fort mécontent.

L'Épouvanteur plaça sa main gauche sur la tête d'Alice. Puis il frappa trois fois du talon et déclara d'une voix tonnante :

– Écoute-moi ! Écoute bien ce que je vais te dire !

Il n'y eut pas de réplique, mais le feu se ranima un peu, et le froid s'atténua.

– Tant que cette enfant sera dans ma maison, tu ne toucheras pas un cheveu de sa tête ! Mais observe ses moindres faits et gestes, et assure-toi qu'elle exécute chacune de mes instructions.

Sur ces mots, mon maître frappa encore trois fois du talon. Comme en réponse, le feu se remit à flamber dans l'âtre ; la cuisine retrouva sa tiédeur et son aspect accueillant.

– Maintenant, prépare-nous un dîner pour trois !

D'un signe, l'Épouvanteur nous ordonna de le suivre. Il nous conduisit à l'étage et s'arrêta devant la porte verrouillée de sa bibliothèque.

– Aussi longtemps que tu habiteras ici, jeune fille, grommela-t-il, tu travailleras pour mériter ton pain. Il y a dans cette pièce des livres à ranger. Tu n'auras pas le droit de les ouvrir, sauf ceux que je te donnerai à recopier. C'est compris ?

Alice hocha la tête.

– Ta seconde tâche consistera à transmettre à mon apprenti tout ce que Lizzie l'Osseuse t'a appris. Je dis bien tout ! Il le prendra en note. La plupart de ces enseignements seront des absurdités ; peu importe ! Ils s'ajouteront à notre somme de connaissances. Es-tu disposée à obéir ?

Alice opina du chef de nouveau d'un air grave.

– Parfait ! Nous sommes donc d'accord. Tu dormiras dans la pièce du dernier étage, au-dessus de la chambre de Tom. Maintenant, réfléchis bien à ce que je vais te dire. Ce gobelin, en bas, sait qui tu es et ce que tu as failli devenir. Aussi ne t'écarte pas d'un pouce du bon chemin, parce qu'il surveillera chacun de tes mouvements. Et il n'aimerait rien tant que...

L'Épouvanteur soupira longuement.

– Mieux vaut ne pas y penser. Ne lui offre pas cette opportunité ! Te plieras-tu à ces règles, jeune fille ? Puis-je te faire confiance ?

Alice acquiesça, et sa bouche s'étira en un large sourire.

Au souper, l'Épouvanteur se montra étrangement silencieux. Son attitude évoquait le calme avant la tempête. Nous ne parlions pas, mais les yeux d'Alice furetaient partout, revenant sans cesse au feu ronflant dans l'âtre, qui emplissait la cuisine d'une douce chaleur.

À la fin, l'Épouvanteur repoussa son assiette et déclara :

– Jeune fille, tu vas monter te coucher. J'ai quelques mots à dire à ce garçon.

Quand Alice fut partie, il se leva de sa chaise et s'approcha du feu. Il se réchauffa les mains au-dessus des flammes, puis se tourna vers moi.

– Alors, petit, gronda-t-il. Comment as-tu entendu parler de Meg ?

J'avouai piteusement :

– Je l'ai lu dans votre journal.

– C'est bien ce que je pensais. Ne t'avais-je pas interdit certains ouvrages ? Tu m'as encore désobéi !

Il y a dans cette bibliothèque des documents dont tu ne dois pas avoir connaissance, scanda-t-il, sévère. Des secrets auxquels tu n'es pas prêt à accéder. Je suis seul juge de ce qui te convient en matière de lectures. Est-ce compris ?

– Oui, monsieur, dis-je, employant cette formule pour la première fois depuis des mois. Mais, pour Meg, j'aurais su, de toute façon. Le père Cairns m'avait parlé d'elle, et aussi d'Emily Burns. Il m'a raconté votre rivalité entre frères.

– Et j'ai baissé dans ton estime, n'est-ce pas, petit ?

Je haussai les épaules, surtout soulagé d'avoir vidé mon sac.

Revenant vers la table, il déclara :

– J'ai une longue vie derrière moi, et je ne suis pas fier de tout ce que j'ai accompli. Cependant, les choses n'ont pas qu'un seul côté. Aucun de nous n'est parfait, petit. Un jour, tu auras tous les éléments en main ; tu pourras alors te forger une opinion sur moi. Ce n'est pas le moment de régler nos comptes. Quant à Meg, tu la rencontreras lorsque nous nous rendrons à Anglezarke. Cela arrivera plus tôt que tu l'imagines, car, la mauvaise saison arrivant, nous partirons pour ma maison d'hiver dans un mois ou deux. Que t'a encore appris le père Cairns ?

– Que vous aviez vendu votre âme au Diable...

L'Épouvanteur dit alors en souriant :

– Qu'en savent-ils, les prêtres ? Non, petit, mon âme m'appartient. J'ai combattu pendant de longues années pour conserver son intégrité, et, en dépit des apparences, elle est toujours mienne. Quant au Diable... Je l'ai toujours vu comme une représentation du mal qui habite chacun de nous, telle une mèche d'amadou n'attendant qu'une étincelle pour s'enflammer. Ces derniers temps, toutefois, je me suis demandé s'il n'existait pas quelque chose, tapi dans les ténèbres. Quelque chose qui grandit à mesure que l'obscurité gagne sur nous. Quelque chose qu'un prêtre appellerait le Diable...

L'Épouvanteur me fixa d'un regard intense, ses yeux verts plongeant dans les miens.

– Et si le Diable existait, petit ? Que faudrait-il faire ?

Je réfléchis un peu avant de répondre :

– Il faudrait préparer une fosse gigantesque. La plus gigantesque qu'aucun épouvanteur ait jamais creusée. Il faudrait ensuite des sacs et des sacs de sel et de limaille de fer, et une pierre... gigantesque !

– Et il y aurait du travail pour tous les maçons, terrassiers et aides-terrassiers du Comté ! railla gentiment mon maître. Monte te coucher, petit ! Demain, nous reprendrons les leçons, et tu as grand besoin d'une bonne nuit de sommeil.

À l'instant où j'ouvrais la porte de ma chambre, Alice apparut dans l'ombre de l'escalier. Elle m'adressa un sourire radieux.

– Je suis vraiment contente d'être ici, Tom. Dans une belle et grande maison bien chauffée ! C'est un endroit confortable, surtout à présent que la mauvaise saison approche.

Je lui rendis son sourire. J'aurais pu lui apprendre que nous partirions bientôt pour Anglezarke, dans la maison d'hiver de l'Épouvanteur, mais elle était si heureuse que je n'eus pas le cœur de lui gâcher sa première nuit.

– Un jour, cette maison t'appartiendra, Tom. Tu le sais ?

Je haussai les épaules.

– Personne ne connaît l'avenir, marmonnai-je, enfouissant le souvenir de la lettre de maman au fond de mon esprit.

– Le vieux Gregory te l'a dit, non ? En tout cas, crois-moi, il ignore beaucoup de choses. Tu feras un meilleur épouvanteur que lui. Rien n'est plus certain !

Alice remonta l'escalier en balançant les hanches. Quelques marches plus haut, elle se retourna.

– Le Fléau était si assoiffé de mon sang que j'ai dicté mes conditions avant qu'il commence à boire. J'ai demandé que, toi et le vieux Gregory, vous sortiez libres des catacombes. Le Fléau a accepté. Un pacte est un pacte. Aussi n'avait-il le droit ni de vous tuer, ni de vous faire du mal. Tu as pu détruire le Fléau grâce à moi. Voilà pourquoi il m'a attaquée. Toi, il n'avait pas le droit de te toucher. Mais ne raconte pas ça au vieux Gregory, il ne comprendrait pas.

Elle me planta là, tandis que ses paroles pénétraient lentement en moi. Ainsi, elle avait été prête à se sacrifier ! Si je ne l'avais pas détruit, le Fléau l'aurait tuée, comme il avait tué Maze. Elle nous avait sauvés, moi et mon maître. Elle nous avait sauvé la vie. Jamais je ne l'oublierais.

Abasourdi par cette révélation, j'entrai dans ma chambre et refermai la porte. Je mis longtemps à m'endormir.

Une fois de plus, je relate cette histoire de mémoire, ne me référant à mon cahier de notes que lorsque c'est nécessaire.

Alice se montre docile, et l'Épouvanteur est pleinement satisfait de son travail. Elle manie la plume avec dextérité, sans se tacher les doigts d'encre. Elle me transmet les enseignements de Lizzie l'Osseuse, de sorte que je peux les coucher par écrit.

Évidemment, et bien qu'elle ne le sache pas encore, Alice ne pourra pas rester avec nous très longtemps. L'Épouvanteur m'a fait remarquer que sa présence me perturbait, et que je ne me concentrais plus assez sur mes études. Ça ne lui plaît guère d'héberger une fille qui porte des souliers pointus, une fille qui a côtoyé l'obscur de si près.

Ce sont les derniers jours d'octobre, et nous allons partir sous peu pour la maison d'hiver de l'Épouvanteur, sur la lande d'Anglezarke. Non loin de là, il y a une ferme dont mon maître tient les propriétaires en grande estime. Il pense qu'ils accepteront d'accueillir Alice. Certes, il m'a fait promettre de ne pas lui en parler pour l'instant. Quoi qu'il en soit, je serai triste quand elle nous quittera.

Je vais rencontrer Meg, la sorcière lamia. Peut-être ferai-je également la connaissance de l'autre femme de l'Épouvanteur. Blackrod n'est pas très éloigné de la lande, et c'est dans ce village qu'Emily Burns est censée vivre. J'ai l'impression d'ignorer encore beaucoup d'autres pans du passé de John Gregory.

J'aurais préféré rester ici, à Chipenden. Mais c'est lui le maître ; je ne suis que son apprenti. Et j'ai fini par comprendre qu'il ne prend jamais aucune décision qui ne soit mûrement réfléchie.

Thomas J. Ward

Lis vite les autres tomes de la série

L'ÉPOUVANTEUR

Tome 3 · Le secret de l'Épouvanteur

Tome 4 · Le combat de l'Épouvanteur

Tome 5 · L'erreur de l'Épouvanteur

Tome 6 · Le sacrifice de l'Épouvanteur

Tome 7 · Le cauchemar de l'Épouvanteur

Tome 8 · Le destin de l'Épouvanteur

Tome 9 · Grimalkin et l'Épouvanteur

Tome 10 · Le sang de l'Épouvanteur

Et le tome 11 : Le pacte de Sliter
En librairie le 19 février 2015 !

Cet ouvrage a été mis en pages
par DV Arts Graphiques à la Rochelle

Impression réalisée par

La Flèche

en octobre 2014
pour le compte des Éditions Bayard

Imprimé en France
N° d'impression : 3006967

Découvre aussi deux hors-séries !

Les sorcières de l'Épouvanteur

Un recueil de cinq récits fascinants et effrayants
à souhait sur les personnages les plus importants de la saga !

Le bestiaire de l'Épouvanteur

Un bestiaire qui fourmille de détails sur les gobelins,
les sorcières, les mages, les démons et les créatures aquatiques.
À transmettre de génération en génération
à tous les septièmes fils de septième fils !